C0-ARE-119

DER ROMANFÜHRER

BAND XV

PN
3326
.R6
Vol. 15
Index

DER ROMANFÜHRER

DER INHALT DER ROMANE UND
NOVELLEN DER WELTLITERATUR

BAND XV

REGISTER ZU BAND I–XIV

BEARBEITET VON

WILHELM OLBRICH

GOSHEN COLLEGE LIBRARY
GOSHEN, INDIANA

1971

ANTON HIERSEMANN · STUTTGART

© 1971 Anton Hiersemann, Stuttgart

Alle Rechte vorbehalten, insbesondere die des Nachdrucks und der Übersetzung. Ohne schriftliche Genehmigung des Verlages ist es auch nicht gestattet, dieses urheberrechtlich geschützte Werk oder Teile daraus in einem photomechanischen, audiovisuellen oder sonstigen Verfahren zu vervielfältigen und zu verbreiten. Diese Genehmigungspflicht gilt ausdrücklich auch für die Verarbeitung, Vervielfältigung und Verbreitung mittels Datenverarbeitungsanlagen.

ISBN 3 7772 7118 7

Satz und Druck: Großdruckerei Erich Spandel, Nürnberg.
Einband: Großbuchbinderei Ernst Riethmüller & Co., Stuttgart.

Printed in Germany

VORWORT

Aus dem weiten Benutzerkreis des *Romanführers* wurde von verschiedener, insbesondere von bibliothekarischer Seite der Wunsch nach einem differenzierten Generalregister an den Verlag herangetragen. Zwar haben die einzelnen Abteilungen oder Bände bereits nützliche Verfasser- und Titelregister, doch war die Hilfe, die sie dem Benutzer des umfangreich gewordenen Werkes bieten, offensichtlich begrenzt. Mit dem hier als Band XV vorliegenden Registerband ist der Forderung nun Genüge getan, bietet dieser neue Band doch Indices verschiedener Art, mit deren Hilfe der reiche Inhalt des Gesamtwerkes rascher überblickt und gezielt ausgeschöpft werden kann.

Der Verlag dankt an dieser Stelle Herrn Dr. WILHELM OLBRICH (Diessen am Ammersee) für die Bereitschaft, diesen Registerband zu bearbeiten. Als Herausgeber der beiden ersten Bände des *Romanführers* und als Mitherausgeber fast aller weiterer Bände ist er einer der besten Kenner der darin ausgebreiteten Materie. Die von ihm erarbeiteten Indices, insbesondere auch das in der Abteilung III vorgelegte vielfältige Stoffregister der Roman-Arten dürfen der Zustimmung der Benutzer des *Romanführers* wohl gewiß sein.

An dieser Stelle sei bereits darauf hingewiesen, daß beabsichtigt ist, den *Romanführer* weiterhin fortzusetzen, um auch die jüngste Gegenwartsliteratur in der bewährten Form zu erfassen.

Stuttgart, im November 1971   DER VERLAG

INHALT

Gliederung des Gesamtwerkes nach Bänden   IX

Gliederung des Gesamtwerkes nach Sprachen   XI

Register:

   I. Verfasser-Register   1

      1. Alphabetisches Gesamtregister der Verfasser   3

      2. Verfasserregister nach Sprachen und Nationen   55

      3. Chronologisches Verfasserregister nach Geburtsdaten . . .   82

  II. Titel-Register   103

      1. Alphabetisches Gesamtregister der Titel   105

      2. Register der Originaltitel der fremdsprachigen Werke . . .   241

 III. Register der Roman-Arten   313

GLIEDERUNG DES GESAMTWERKES
NACH BÄNDEN

Band I–II: Der Inhalt der deutschen Romane und Novellen von den Anfängen bis zum Beginn des 20. Jahrhunderts
Herausgegeben von Wilhelm Olbrich unter Mitwirkung von Karl Weitzel und Johannes Beer

Band I: Alexis – Kurz

Band II: La Roche – Zschokke. Register

Band III–V: Der Inhalt der deutschen Romane und Novellen der Gegenwart
Herausgegeben von Johannes Beer unter Mitwirkung von Wilhelm Olbrich und Karl Weitzel

Band III: Alverdes – Gurk

Band IV: Haensel – Musil

Band V: Nabl – Zweig. Register

Band VI–VIII: Der Inhalt der ausländischen Romane und Novellen von den Anfängen bis zum Beginn des 20. Jahrhunderts
Herausgegeben von Johannes Beer unter Mitwirkung von Wilhelm Olbrich und Karl Weitzel

Band VI: Die französischen, italienischen, spanischen und portugiesischen Romane und Novellen

Band VII: Die englischen, nordamerikanischen, flämischen und holländischen Romane und Novellen

Band VIII: Die nordischen, slawischen, ungarischen und rumänischen Romane und Novellen

Band IX–XII: Der Inhalt der ausländischen Romane und Novellen der Gegenwart

Herausgegeben von Johannes Beer unter Mitwirkung von Wilhelm Olbrich und Karl Weitzel

Band IX: Die französischen, italienischen, spanischen und portugiesischen Romane und Novellen

Band X: Die englischen, flämischen und holländischen Romane und Novellen

Band XI: Die nordamerikanischen Romane und Novellen

Band XII: Die nordischen, russischen, polnischen, tschechischen, ungarischen und südosteuropäischen Romane und Novellen

Band XIII: Der Inhalt der deutschen Romane und Novellen aus dem Jahrzehnt 1954 bis 1963
Nebst Nachträgen zu Band I–V des Gesamtwerkes und einem Register der im RF behandelten *deutschen* Autoren
Herausgegeben von Johannes Beer

Band XIV: Der Inhalt der ausländischen Romane und Novellen aus dem Jahrzehnt 1956 bis 1965
Nebst Nachträgen zu Band VI–XII des Gesamtwerkes und einem Register der im RF behandelten *ausländischen* Autoren
Herausgegeben von Johannes Beer

GLIEDERUNG DES GESAMTWERKES

NACH SPRACHEN

1. Deutsche   Bis 1914   Band I–II
   Romane: Seit 1914   Band III–V und Band XIII

2. Französische   Bis 1914   Band VI,   S. 1–286
   Romane: Seit 1914   Band IX,   S. 1–259 u. XIV, S. 1–95

3. Italienische   Bis 1914   Band VI,   S. 287–324
   Romane: Seit 1914   Band IX,   S. 261–318 u. XIV, S. 96–130

4. Spanische   Bis 1914   Band VI,   S. 325–406
   Romane: Seit 1914   Band IX,   S. 319–375 u. XIV, S. 131–170

5. Portugiesische   Bis 1914   Band VI, S. 325–406
   Romane: Seit 1914   Band IX,   S. 319–375 u. XIV, S. 171–177

6. Englische   Bis 1914   Band VII,   S. 1–241
   Romane: Seit 1914   Band X,   S. 1–275 u. XIV, S. 178–247

7. Nordamerika-   Bis 1914   Band VII,   S. 243–329
   nische Romane: Seit 1914   Band XI u. XIV, S. 248–337

8. Holländische u. Bis 1914   Band VII,   S. 331–368
   Fläm. Romane: Seit 1914   Band X,   S. 277–362 u. XIV, S. 338–341

9. Dänische   Bis 1914   Band VIII, S. 1–55
   Romane: Seit 1914   Band XII,   S. 3–56 u. XIV, S. 342–350

10. Norwegische   Bis 1914   Band VIII, S. 57–94
    Romane: Seit 1914   Band XII,   S. 57–114 u. XIV, S. 351–357

11. Schwedische   Bis 1914   Band VIII, S. 95–132
    Romane: Seit 1914   Band XII,   S. 115–167 u. XIV, S. 358–369

12. Finnische   Bis 1914   Band VIII, S. 133–140
    Romane: Seit 1914   Band XII,   S. 168–197 u. XIV, S. 370–373

13. Russische   Bis 1914   Band VIII, S. 141–309
    Romane: Seit 1914   Band XII, S. 199–338 u. XIV, S. 374–405

14. Polnische   Bis 1914   Band VIII, S. 311–330
    Romane: Seit 1914   Band XII, S. 341–369 u. XIV, S. 406–421

15. Tschechische Bis 1914   Band VIII, S. 331–349
    Romane: Seit 1914   Band XII, S. 370–378 u. XIV, S. 422–427

16. Ungarische   Bis 1914   Band VIII, S. 331–349
    Romane: Seit 1914   Band XII, S. 379–404 u. XIV, S. 428–443

17. Jugoslawische Bis 1914   Band VIII, S. 331–349
    Romane: Seit 1914   Band XII, S. 407–416 u. XIV, S. 444–457

18. Rumänische   Bis 1914   Band VIII, S. 331–349
    Romane: Seit 1914   Band XII, S. 420–429 u. XIV, S. 458–465

19. Bulgarische
    Romane: Seit 1914   Band XII, S. 417–419 u. XIV, S. 458–465

20. Griechische
    Romane: Seit 1914   Band XII, S. 430–440 u. XIV, S. 466–470

I.

VERFASSER-
REGISTER

Soweit die Schreibweise der Namen und die Daten der Lebenszeit von dem im *Romanführer* enthaltenen Text abweichen, stützen sie sich überwiegend auf die in »Meyers Handbuch über die Literatur« (2. Auflage. 1970) enthaltenen Angaben. Ist für die Lebenszeit nur ein Datum eingesetzt, so bezeichnet dieses das Geburtsjahr des Verfassers. Die Buchstaben nach der Lebenszeit der Verfasser bezeichnen deren nationale Zugehörigkeit, bzw. ihr Heimatland. Für dieses wurden die »Internationalen Kennzeichen« als Abkürzungen verwendet. Einschlägig sind davon die folgenden Länder:

A	Österreich	IND	Indien
AUS	Australien	IRL	Irland
B	Belgien	L	Luxemburg
BG	Bulgarien	MEX	Mexiko
BR	Brasilien	N	Norwegen
BUR	Burma	NL	Niederlande
C	Kuba	NZ	Neuseeland
CH	Schweiz	P	Portugal
CO	Kolumbien	PE	Peru
CS	Tschechoslowakei	PL	Polen
CDN	Kanada	PY	Paraguay
D	Deutschland	R	Rumänien
DK	Dänemark	RA	Argentinien
DZ	Algerien	RC	China
E	Spanien	S	Schweden
EC	Ekuador	SF	Finnland
F	Frankreich	SU	Sowjetunion = Rußland
GB	Großbritannien	TR	Türkei
GR	Griechenland	U	Uruguay
GCA	Guatemala	USA	Nordamerika
H	Ungarn		(ohne Kanada)
I	Italien	YU	Jugoslawien
IL	Israel	YV	Venezuela
IS	Island	ZA	Republik Südafrika

Falls die von einem Verfasser in seinen Werken verwendete Sprache von der seines Heimatlandes abweicht oder falls wegen der Mehrsprachigkeit dieses Heimatlandes (z. B. Belgien, Kanada, Niederlande, Schweiz) Unklarheiten entstehen könnten, ist durch Hinweis [in eckiger Klammer] auf die zuständige Gruppe des Sprachenregisters I. 2 die von dem Verfasser verwendete Sprache zu ermitteln.

Die *kursiv* gesetzten Band- und Seitenzahlen beziehen sich auf die 1. Auflage von Band I und II, die 1950–1951 erschienen ist.

1.

ALPHABETISCHES GESAMTREGISTER
DER VERFASSER

Aabye, Karen (1904) DK	XIV, 342
Aakjaer, Jeppe (1866–1930) DK	VIII, 3
Aanrud, Hans (1863–1953) N	VIII, 59
Abrahams, Peter (1919) ZA [I, 2: 6a]	X, 3
Abramow, Fjodor (1920) SU	XIV, 374
Agee, James (1909–1955) USA	XIV, 248
Agustí, Ignacio (1913) E	IX, 321
Aho, Juhani (1861–1921) SF	VIII, 135
Aichinger, Ilse (1921) A	XIII, 1
Ajtmatow, Dschingis (1928) SU	XIV, 374
Aksakow, Sergej T. (1791–1859) SU	VIII, 143
Aksjonow, Wassilij P. (1932) SU	XIV, 375
Alain-Fournier (1886–1914) F	VI, 3
Alarcón y Ariza, Pedro A. de (1833–1891) E	VI, 327; XIV, 131
Alcántara, Francisco J. (1922) E	XIV, 132
Alcott, Louisa M. (1832–1888) USA	VII, 245
Aldanow, Mark A. (1886–1957) SU	XII, 201
Aldecoa, Ignacio (1925) E	XIV, 132
Aldington, Richard (1892–1962) GB	X, 4; XIV, 178
Alegría, Ciro (1909–1967) PE	IX, 322
Alemán, Mateo (1547– nach 1614) E	VI, 332
Alexis, Willibald (1798–1871) D	*I, 1;* I, 1
Algren, Nelson (1909) USA	XI, 1
Allen, Hervey (1889–1949) USA	XI, 2
Almquist, Carl J. L. (1793–1866) S	VIII, 97
Altendorf, Wolfgang (1921) D	XIII, 3
Alvaro, Corrado (1895–1956) I	IX, 263; XIV, 96
Alverdes, Paul (1897) D	III, 1; XIII, 5

Amado, Jorge (1912) BR	IX, 323; XIV, 171
Aman, Elisabeth (1888–1966) CH [I, 2: 1c]	III, 2; XIII, 5
Ambra, Lucio d' (1880–1939) I	IX, 264
Amicis, Edmondo de (1846–1908) I	VI, 289
Ammers-Küller, Johanna van (1884–1966) NL [I, 2: 7a]	X, 279
Andersch, Alfred (1914) D	XIII, 5
Andersen, Hans Chr. (1805–1875) DK	VIII, 4
Andersen-Nexö, Martin (1869–1954) DK	VIII, 7
Anderson, Sherwood (1876–1941) USA	XI, 5; XIV, 249
André, Robert (1920) F	XIV, 1
Andreae, Illa (1902) D	III, 3
Andrejew, Leonid N. (1871–1919) SU	VIII, 144
Andres, Stefan (1906–1970) D	III, 5; XIII, 8
Andrić, Ivo (1892–1961) YU-Serb.	XII, 407; XIV, 444
Andrzejewski, Jerzy (1909) PL	XIV, 406
Anet, Claude (1868–1931) CH [I, 2: 2c]	VI, 4
Annunzio, Gabriele d' (1863–1938) I	VI, 290
Anton Ulrich von Braunschweig-W. (1633-1714) D	*I, 6;* I, 5
Anzengruber, Ludwig (1839–1889) A	*I, 9;* I, 8
Aragon, Louis (1897) F	IX, 3; XIV, 2
Arbó, Sebastián J. (1902) E	IX, 324
Arland, Marcel (1899) F	IX, 6
Arnaud, Georges (1917) F	IX, 7
Arnim, L. Achim v. (1781–1831) D	*I, 11;* I, 10
Arpino, Giovanni (1927) I	XIV, 96
Arzybaschew, Michail P. (1878–1927) SU	VIII, 146
Asch, Scholem (1880–1957) PL [I, 2: 6b]	XI, 8; XIV, 249
Aslagsson, Olai (1885) N	XII, 57
Asturias, Miguel A. (1899) GCA	IX, 325; XIV, 133
Aub, Max (1903) E	XIV, 133
Audoux, Marguerite (1863–1937) F	VI, 6
Auerbach, Berthold (1812–1882) D	*I, 16;* I, 15
Auesow, Muchtar O. (1897–1961) SU	XII, 235
Augustiny, Waldemar (1897) D	III, 11; XIII, 11
Aurell, Tage (1895) S	XIV, 358
Austen, Jane (1775–1817) GB	VII, 3
Awertschenko, Arkadij T. (1881–1925) SU	XII, 204; XIV, 376
Aymé, Marcel (1902–1967) F	IX, 8; XIV, 2
Azevedo, Aluizio de (1857–1913) RA	VI, 338
Azuela, Mariano (1873–1952) MEX	IX, 326
Babel, Isaak E. (1894–1941) SU	XII, 237; XIV, 377
Babits, Mihály (1883–1941) H	XII, 379; XIV, 428

Bacchelli, Riccardo (1891) I	IX, 265; XIV, 97
Bachér, Ingrid (1930) D	XIII, 11
Bachmann, Ingeborg (1926) A	XIII, 12
Bacon, Francis (1561–1626) GB	VII, 5
Bäumer, Gertrud (1873–1954) D	III, 13; XIII, 13
Bahl, Franz (1926) YU [I, 2: 1a]	XIII, 13
Bahr, Hermann (1863–1934) A	*I, 20;* I, 18
Bakker, Piet (1897) NL [I, 2: 7a]	X, 284
Baklanow, Grigorij J. (1923) SU	XII, 238; XIV, 377
Balch, Glenn (1902) USA	XI, 10
Balchin, Nigel (1908–1970) GB	X, 5
Baldwin, James (1924) USA	XIV, 249
Balzac, Honoré de (1799–1850) F	VI, 8; XIV, 3
Bandello, Matteo (um 1485–1562) I	VI, 294
Bang, Herman J. (1857–1912) DK	VIII, 21; XIV, 342
Barbey d'Aurevilly, Jules A. (1808–1889) F	VI, 24
Barbier, Elisabeth (1911) F	IX, 10
Barbusse, Henry (1873–1935) F	IX, 11
Barclay, John (1582–1621) GB	VII, 7
Barea, Arturo (1897) E	IX, 327
Baring, Maurice (1874–1945) GB	X, 7; XIV, 178
Barlach, Ernst (1870–1938) D	III, 16; XIII, 14
Barnes, Djuna (1892) USA	XIV, 251
Baroja y Nessi, Pío (1872–1956) E	VI, 339; XIV, 134
Barth, Emil (1900–1958) D	III, 18; XIII, 15
Bartolini, Luigi (1892–1963) I	IX, 267
Bartsch, Rudolf H. (1873–1952) A	*I, 22;* I, 20
Basile, Giambattista (1575–1632) I	VI, 295; XIV, 97
Bassani, Giorgio (1916) I	XIV, 97
Basso, Hamilton (1904) USA	XI, 11
Baudelaire, Charles (1821–1867) F	VI, 26
Bauer, Josef M. (1901–1970) D	III, 19; XIII, 15
Bauer, Walter (1904) D	III, 22; XIII, 18
Baum, Vicki (1888–1960) A	III, 24; XIII, 19
Baumann, Hans (1914) D	III, 27, XIII, 20
Baumbach, Rudolf (1840–1905) D	*I, 28*
Baumgardt, Rudolf (1896–1955) D	III, 28; XIII, 20
Baumgart, Reinhard (1929) D	XIII, 20
Bazin, Hervé (1911) F	IX, 14; XIV, 6
Beardsley, Aubrey V. (1872–1898) GB	XIV, 178
Beauvoir, Simone de (1908) F	IX, 16
Becher, Johannes R. (1898–1958) D	III, 29
Becher, Ulrich (1910) D	XIII, 22
Beck, Béatrix (1914) CH [I, 2: 2c]	IX, 19

Becker, Rolf (1928) D	XIII, 24
Beckett, Samuel (1906) IRL [I, 2 : 2 a]	IX, 20; XIV, 6
Beckford, William (1759–1844) GB	VII, 8
Bécquer, Gustavo A. (1836–1870) E	VI, 342
Bedel, Maurice (1883–1954) F	IX, 21
Bedford, Sibylle (1911) GB	XIV, 179
Beecher-Stowe, Harriet E. (1811–1896) USA	VII, 247
Beheim-Schwarzbach, Martin (1900) D	III, 30; XIII, 25
Bellamy, Edward (1850–1898) USA	VII, 248
Belloc, Hilaire (1870–1953) F [I, 2 : 6 a]	X, 8
Bellow, Saul (1915) CDN [I, 2 : 6 b]	XI, 12; XIV, 252
Belzner, Emil (1901) D	XIII, 26
Bemelmans, Ludwig (1898–1962) USA	XI, 13; XIV, 254
Benaya, Margret (1927) USA	XI, 15
Bender, Hans (1919) D	XIII, 27
Benét, Stephen V. (1898–1943) USA	XI, 16
Ben-Gavriêl, Mosde Y. (1891–1965) A	XIII, 29
Bengtsson, Frans G. (1894–1954) S	XII, 115
Benn, Gottfried (1886–1956) D	III, 34; XIII, 30
Bennett, Arnold (1867–1931) GB	VII, 9
Benoît, Pierre (1886–1962) F	IX, 22
Benrath, Henry (1882–1949) D	III, 37
Bentlage, Margarete zur (1891–1954) D	III, 41; XIII, 30
Bentz, Hans G. (1902–1969) D	XIII, 31
Berend, Alice (1878–1938) D	*I, 29;* I, 23
Berens-Totenohl, Josefa (1891–1969) D	III, 42; XIII, 31
Berg, Bengt (1885–1967) S	XII, 116
Bergengruen, Werner (1892–1964) D.-Balt.	III, 44; XIII, 31
Bergerac, H.-S. Cyrano de (1619–1655) F	VI, 28
Bergman, Hjalmar (1883–1931) S	XII, 117
Bergmann, Antoon (1835–1874) B [I, 2 : 7 b]	VII, 333
Bernanos, George (1888–1948) F	IX, 23
Bernardin de Saint-Pierre, Jacques H. (1737–1814) F	VI, 29
Bernari, Carlo (1909) I	IX, 267; XIV, 99
Bernus, Alexander v. (1880–1965) D	III, 50
Berto, Giuseppe (1914) I	IX, 268
Bertololy, Paul (1892) D	III, 51
Bertram, Ernst (1884–1957) D	III, 52; XIII, 33
Besch, Lutz (1918) D	XIII, 33
Beste, Konrad (1890–1958) D	III, 53; XIII, 34
Betsch, Roland (1888–1945) D	III, 56
Betti, Ugo (1892–1953) I	IX, 269
Betzner, Anton (1895) D	III, 58; XIII, 34

Beumelburg, Werner (1899–1963) D	III, 60; XIII, 34
Beyerlein, Franz A. (1871–1949) D	*I, 31;* I, 26
Bjelyi, Andrej (1880–1934) SU	VIII, 147
Bierbaum, Otto J. (1865–1910) D	*I, 33;* I, 27
Bierce, Ambrose G. (1842–1914) USA	VII, 249; XIV, 254
Biernath, Horst (1905) D	XIII, 35
Billinger, Richard (1890–1965) A	III, 64
Binding, Rudolf (1867–1938) D	I, 31; III, 65
Björnson, Björnstjerne (1832–1910) N	VIII, 60
Birkenfeld, Günther (1901–1966) D	III, 69; XIII, 35
Bischoff, Friedrich (1896) D	III, 73; XIII, 35
Blanchot, Maurice (1907) F	XIV, 8
Blasco Ibáñez, Vicente (1867–1928) E	VI, 344; XIV, 135
Blažková, Jaroslava (1933) CS	XIV, 422
Bleibtreu, Karl (1859–1928) D	*I, 35*
Blixen, Tania (1885–1962) DK	X, 9; XIV, 343
Bloem, Walter (1868–1951) D	*I, 38;* I, 34
Blond, Georges (1906) F	IX, 29
Bloy, Léon (1846–1917) F	VI, 30
Blunck, Hans Fr. (1888–1961) D	III, 74; XIII, 36
Boccaccio, Giovanni (1313–1375) I	VI, 296
Bock, Alfred (1859–1932) D	I, 36
Bodmershof, Imma v. (1895) A	III, 79; XIII, 36
Böhlau, Helene (1856–1940) D	*I, 43;* I, 37
Böhme, Margarete (1869–1939) D	*I, 45*
Böll, Heinrich (1917) D	III, 80; XIII, 36
Bölsche, Wilhelm (1861–1939) D	*I, 46;* I, 38
Böök, Fredrik (1883–1961) S	XII, 119
Boerner, Klaus E. (1915–1943) D	III, 82
Boie, Margarete (1880–1946) D	III, 83
Bojer, Johan (1872–1959) N	XII, 58
Boldrewood, Rolf (1826–1915) GB	VII, 13
Bomans, Godfried (1913) NL [I, 2: 7a]	X, 285
Bonaventura (1779–1819) D	*I, 47;* I, 39
Bondarew, Jurij W. (1924) SU	XIV, 377
Bongs, Rolf (1907) D	XIII, 44
Bonsels, Waldemar (1880–1952) D	I, 40; III, 85
Bontempelli, Massimo (1878–1960) I	IX, 270
Boo, Sigrid M. (1898–1953) N	XII, 63; XIV, 351
Bor, Josef (1906) CS	XIV, 422
Borchardt, Rudolf (1877–1945) D	III, 86; XIII, 45
Borchert, Wolfgang (1921–1947) D	III, 87; XIII, 45
Bordeaux, Henry (1870–1963) F	IX, 30
Bordewijk, Ferdinand (1884–1965) NL [I, 2: 7a]	X, 286

Borée, Karl Fr. (1886–1964) D	III, 88; XIII, 45
Borges, Jorge L. (1899) RA	XIV, 135
Borrow, George H. (1803–1881) GB	XIV, 180
Boschvogel, Frans R. (1902) B [I, 2: 7 b]	X, 287
Bosco, Henry (1888) F	IX, 31
Bosper, Albert (1913) D	III, 89; XIII, 46
Bosshart, Jakob (1862–1924) CH [I, 2: 1 c]	*I, 48;* I, 41
Bossi-Fedrigotti v. Ochsenfeld, Anton (1901) A	III, 90
Boudier-Bakker, Ina (1875–1966) NL [I 2: 7 a]	X, 288
Boulanger, Daniel (1922) F	XIV, 8
Boulle, Pierre (1912) F	XIV, 9
Bourget, Paul (1852–1935) F	VI, 32
Bowen, Elizabeth D. C. (1899) IRL [I, 2: 6 a]	X, 11; XIV, 181
Bowles, Paul (1910) USA	XI, 18; XIV, 255
Boy-Ed, Ida (1852–1928) D	*I, 49;* I, 42
Boyer, François (um 1895) F	IX, 33
Brachvogel, Albert E. (1824–1878) D	*I, 50;* I, 43
Brackel, Ferdinande v. (1835–1905) D	*I, 51;* I, 44
Braine, John (1922) GB	XIV, 181
Brancati, Vitaliano (1907–1954) I	XIV, 99
Brandenburg, Hans (1885–1968) D	III, 91
Brandys, Kazimierz (1916) PL	XII, 341
Branner, Hans Chr. (1903–1966) DK	XII, 3; XIV, 345
Brasillach, Robert (1909–1945) F	IX, 34
Braun, Felix (1885) A	III, 92
Braun, Harald (1901–1960) D	III, 94
Braun, Lily (1865–1916) D	*I, 52;* I, 45
Brautlacht, Erich (1902–1957) D	III, 96; XIII, 48
Brecht, Bertolt (1898–1956) D	III, 99; XIII, 48
Bredel, Willi (1901–1964) D	III, 100; XIII, 50
Breedveld, Walter (1901) NL [I, 2: 7 a]	X, 289
Bregendahl, Marie (1867–1940) DK	XII, 6
Brehm, Bruno (1892–1966) A	III, 102; XIII, 50
Breitbach, Joseph (1903) D	XIII, 50
Brenner, Hans G. (1903–1961) D	III, 106; XIII, 50
Brentano, Bernard v. (1901–1964) D	III, 108
Brentano, Clemens (1778–1842) D	*I, 55;* I, 47
Breton, André (1896–1966) F	IX, 37; XIV, 10
Bridge, Ann (1889) GB	X, 12
Brinckman, John (1814–1870) D	*I, 58;* I, 50
Bristow, Gwen (1903) USA	XI, 20
Britting, Georg (1891–1964) D	III, 109; XIII, 51
Brjusow, Walerij J. (1873–1924) SU	VIII, 148
Broch, Hermann (1886–1951) A	III, 111; XIII, 51

Das große und umfassende Handbuch der dramatischen Weltliteratur
von der Antike bis zur Gegenwart:

DER SCHAUSPIELFÜHRER

BEGRÜNDET VON JOSEPH GREGOR
FORTGEFÜHRT VON
MARGRET DIETRICH, UNIVERSITÄT WIEN

BAND I—VIII
1689 Theaterstücke beschrieben auf 2987 Seiten
Großoktav. Leinen DM 393,—   ISBN 3-7772-5305-7

Neuerscheinung Anfang 1972
BAND IX: Das Schauspiel der Gegenwart 1966—1970
207 Theaterstücke des letzten Jahrfünfts
Etwa 450 Seiten

ANTON HIERSEMANN / STUTTGART

Dieses Werk ist ein umfassender Führer durch das Schauspiel aller Zeiten und Länder. Nach Umfang und Anlage unterscheidet es sich in vielen Punkten von Unternehmungen ähnlicher Art. Es beschreibt den Inhalt aller literarisch bedeutenden Stücke, der Dramen sowohl als auch der Komödien. Den Kern bildet hierbei immer die *Darstellung des Inhalts* im Verlauf seiner szenischen Folge. Die Beschreibung ist also eine getreue Wiedergabe der auf der Bühne sich abspielenden Vorgänge in komprimierter Form. Jeder Inhaltsbeschreibung gehen zuverlässige Angaben über Art, Enstehungszeit, Erstdruck, Uraufführung, literar- und theaterhistorische Bedeutung des Stückes sowie über die Zahl der Akte und Rollen voran.

Der Begründer des Werkes, Professor Dr. JOSEPH GREGOR (1888—1960), hat als Dramatiker und Librettist — er schrieb die Texte für verschiedene Opern von Richard Strauß — wie auch als Theaterwissenschaftler und Leiter der bedeutsamen Theatersammlung der Österreichischen Nationalbibliothek internationalen Ruf erlangt. Seine doppelte Funktion als Bühnenfachmann und Theaterhistoriker ließ zwangsläufig ein Werk entstehen, das den Bedürfnissen der wissenschaftlichen Forschung stärker angepaßt ist als die sonstigen, meist nur populären Schauspielführer. Nicht ohne Grund hat dieses große Handbuch der dramatischen Weltliteratur daher seinen Platz unter den literaturwissenschaftlichen Nachschlagewerken gefunden (Totok-Weitzel-Weimann: Handbuch der bibliographischen Nachschlagewerke S. 192).

Gregor hat die Bände I—VI in den Jahren 1953—1957 herausgegeben. Er hat das Material nach sprachlichen Gruppen gegliedert. Jeder Band enthält am Schluß Register der Autoren, der Titel, der Einakter und Zweiakter, der Erstdrucke sowie ein Sachregister. Band VI enthält Autoren- und Titelregister für die ersten sechs Bände.

Die Fortführung des Werkes wurde ab Band VII vom *Institut für Theaterwissenschaft an der Universität Wien* unter der editorischen Leitung von Professor Dr. MARGRET DIETRICH übernommen. Die neuen Bände ab Band VII geben jeweils Überblicke über das neueste dramatische Schaffen der Welt, wobei die Inhaltsbeschreibungen nach dem Alphabet der Autoren angeordnet sind, während die nationale Zugehörigkeit dieser Autoren in einem besonderen Länderregister aufgezeigt wird. Register der Titel, der Einakter und ein Sachregister sind in diesen Bänden ebenfalls zu finden. Der neunte Band enthält außerdem ein *Gesamtregister* der in den Bänden I—IX vorkommenden Autoren, welches die Benutzung des Gesamtwerkes nicht unwesentlich erleichtert.

Das Werk wird unter der Herausgeberschaft von Margret Dietrich weiter fortgeführt, in dem in Abständen von fünf Jahren neue Bände vorgelegt werden,

die jeweils das internationale Schauspiel des zurückliegenden Jahrfünfts beschreiben.

EINTEILUNG UND INHALT DES WERKES:

BAND I: *Das deutsche Schauspiel vom Mittelalter bis zum Expressionismus.* Herausgegeben von Joseph Gregor.

1953. — XVI, 375 Seiten. Leinen DM 52,— ISBN 3-7772-5306-5

Beschreibt 274 Stücke, beginnend mit dem ›Tropus von Bamberg‹ aus dem 10. Jahrhundert und dem ›Oberammergauer Passionsspiel‹, endend mit den Dramen des deutschen Expressionismus.

BAND II: *Das deutsche Schauspiel der Gegenwart. Das Schauspiel der romanischen Völker, Teil 1.* Herausgegeben von Joseph Gregor.

1954. — XVI, 355 Seiten. Leinen DM 49,— ISBN 3-7772-5402-9

Beschreibt 252 Stücke: 89 deutschsprachige von Gerhart Hauptmann bis Dürrenmatt, 41 italienische, 50 spanische, 10 portugiesische u. lateinamerikanische und 62 französische. Enthält ferner eine 12seitige Darstellung der wichtigsten Kapitel von Gobineaus ›Renaissance‹.

BAND III: *Das Schauspiel der romanischen Völker, Teil 2. Das niederländische Schauspiel. Das englische Schauspiel, Teil 1 und 2 (Großbritannien).* Herausgegeben von Joseph Gregor.

1955. — XII, 307 Seiten. Leinen DM 42,— ISBN 3-7772-5502—5

Beschreibt 189 Stücke: 9 italienische, 11 spanische, 6 rumänische und 62 französische und belgische der Gegenwart; ferner 4 niederländische und 97 englische von Marlowe bis Rattigan.

BAND IV: *Das englische Schauspiel, Teil 3 (Nordamerika). Das Schauspiel der nordischen Völker. Das Schauspiel der slavischen Völker (Rußland und Ukraine).* Herausgegeben von Joseph Gregor.

1956. — XII, 332 Seiten. Leinen DM 45,— ISBN 3-7772-5604-8

Beschreibt 203 Stücke: 71 nordamerikanische von Godfrey bis Wilder, 59 skandinavische (15 dänische, 26 norwegische, 15 schwedische, 3 finnische), 66 russische und 7 ukrainische.

BAND V: *Das Schauspiel der slavischen Völker (Polen, Tschechoslowakei, Kroatien und Dalmatien, Slowenien und Bulgarien, Serbien). Das Schauspiel Ungarns und Griechenlands, des Nahen und des Fernen Ostens. Die antiken dramatischen Kulturen.* Herausgegeben von Joseph Gregor.

1957. — XII, 323 Seiten. Leinen DM 44,— ISBN 3-7772-5704-4

Beschreibt 178 Stücke: 98 der slavischen Völker (außer Rußland), 19 ungarische und griechische, 14 türkische und israelische, 8 ostasiatische sowie 39 antike Dramen.

BAND VI: *Nachträge zu Band I—V. Vergleichender Abriß der dramatischen Weltliteratur.* Mit Gesamtregister zu Band I—VI. Herausgegeben von Joseph Gregor.

1957. — X, 324 Seiten. Leinen DM 44,—   ISBN 3-7772-5715-X

Beschreibt 91 Stücke als Nachträge zu den ersten 5 Bänden des Werkes und enthält auf 110 Seiten einen vergleichenden Abriß der dramatischen Weltliteratur aus der Feder Professor Gregors sowie das Gesamtregister.

BAND VII: Ergänzungen zu Band I—VI: *Das Schauspiel bis 1956.* Herausgegeben von Margret Dietrich und Siegfried Kienzle unter Mitarbeit von Heinz Kindermann.

1964. — VII, 426 Seiten. Leinen DM 57,—   ISBN 3-7772-6408-3

Beschreibt 240 Stücke des internationalen Theaters bis zum Jahr 1956, alphabetisch nach Autoren geordnet.

BAND VIII: *Das Schauspiel der Gegenwart, 1956 bis 1965.* Herausgegeben von Margret Dietrich und Siegfried Kienzle unter Mitarbeit von Heinz Kindermann.

1967. — VII, 456 Seiten. Leinen DM 60,—   ISBN 3-7772-6701-5

Beschreibt 262 Stücke des internationalen Schauspiels von Autoren aus 27 Ländern aus dem Jahrzehnt 1956 bis 1965.

BAND IX: *Das Schauspiel der Gegenwart, 1966 bis 1970.* Herausgegeben von Margret Dietrich unter Mitwirkung von Edith Marktl-Futter.

Erscheint Anfang 1972. Etwa 450 Seiten. Leinen.

Beschreibt 207 Stücke des internationalen Theaters aus den Jahren 1966 bis 1970 und gibt damit einen Überblick über die jüngste dramatische Literatur der Welt. — Der Band enthält u. a. ein Autorenregister für Band I—IX.

Zu beziehen durch Ihre Buchhandlung:

Brod, Max (1884–1968) A	III, 114; XIII, 53
Bröger, Karl (1886–1944) D	III, 118
Bromfield, Louis (1896–1956) USA	XI, 23; XIV, 255
Bronska-Pampuch, Wanda (1911) PL	XIV, 408
Brontë, Anne (1820–1849) GB	XIV, 182
Brontë, Charlotte (1816–1855) GB	VII, 14
Brontë, Emily (1818–1848) GB	VII, 17
Brückner, Christine (1921) D	XIII, 56
Brües, Otto (1897–1967) D	III, 119
Bruijn, Cor (1883–1958) NL [I, 2: 7a]	X, 292
Brunngraber, Rudolf (1901–1960) A	III, 121; XIII, 57
Bruns, Marianne (1897) D	III, 124
Brust, Alfred (1891–1934) D	III, 125
Bruun, Laurids (1864–1935) DK	VIII, 25
Buchholtz, Andreas H. (1607–1671) D	*I, 60;* I, 51
Buchholtz, Johannes (1882–1940) DK	XII, 7
Buck, Pearl S. (1892) USA	XI, 27; XIV, 255
Budak, Mile (1889–1945) YU-Kroat.	XII, 410
Büchner, Georg (1813–1837) D	I, 53
Bulatović, Miodrag (1930) YU-Serb.	XII, 412; XIV, 445
Bulwer, Edward G., Lord Lytton (1803–1873) GB	VII, 19
Bunin, Iwan A. (1870–1953) SU	XII, 204; XIV, 379
Burman, Ben L. (1895) USA	XI, 40; XIV, 256
Burnett, Frances E. H. (1849–1924) GB-USA [I, 2: 6b]	VII, 250
Burns, John H. (1916–1953) USA	XI, 42
Burte, Hermann (1879–1960) D	*I, 61;* I, 54
Busch, Wilhelm (1832–1908) D	I, 55
Busse, Hermann E. (1891–1947) D	III, 126
Butler, Samuel (1835–1902) GB	VII, 23
Butor, Michel (1926) F	XIV, 10
Buysse, Cyriel (1859–1932) B [I, 2: 7b]	VII, 334
Buzzati, Dino (1906) I	IX, 272; XIV, 100
Caballero, Fernán (1796–1877) E	VI, 348, XIV, 148
Cabanis, Hertha (1891) D	III, 129
Cabanis, José (1922) F	XIV, 12
Cabell, James B. (1879–1958) USA	XI, 43; XIV, 256
Cain, James M. (1892) USA	XI, 44
Caldwell, Erskine (1903) USA	XI, 45; XIV, 256
Caldwell, J. Taylor (1900) USA	XI, 51; XIV, 257
Callegari, Gian P. (1911) I	IX, 274
Calvino, Italo (1923) I	XIV, 101
Camenzind, Josef M. (1904) CH [I, 2: 1c)	III, 130; XIII, 57

Campanella, Tommaso (1568–1639) I	VI, 297
Camus, Albert (1913–1960) F	IX, 38
Canetti, Elias (1905) BG	XIV, 458
Canfield-Fisher, Dorothy (1879–1958) USA	XI, 54; XIV, 258
Cankar, Ivan (1876–1918) YU-Slowen.	VIII, 333; XIV, 447
Čapek, Karel (1890–1938) CS	XII, 370; XIV, 423
Capote, Truman (1924) USA	XI, 55; XIV, 258
Caragiale, Ion L. (1852–1912) R	XIV, 459
Carco, Francis (1886–1958) F	IX, 42
Carleton, Jetta (1917) USA	XIV, 259
Carlyle, Thomas (1795–1881) GB	VII, 27
Carossa, Hans (1878–1956) D	III, 132; XIII, 57
Carpentier, Alejo (1904) C	XIV, 138
Carrière, Jean-Claude (1931) F	XIV, 12
Carroll, Lewis (1832–1898) GB	VII, 29; XIV, 183
Cary, Joyce (1888–1957) IRL [I, 2: 6 a]	X, 13; XIV, 183
Casanova di Seingalt, Giacomo G. (1725–1798) I	VI, 298
Cassola, Carlo (1917) I	XIV, 103
Cassou, Jean (1897) F	IX, 43
Castellanos, Rosario (1925) MEX	XIV, 140
Castelnuovo, Elías (1893) U	IX, 328
Cather, Willa S. (1873–1947) USA	XI, 59; XIV, 259
Cau, Jean (1925) F	XIV, 13
Cauwelaert, August van (1885–1945) B [I, 2: 7 b]	X, 293; XIV, 338
Cayrol, Jean (1911) F	XIV, 14
Cazotte, Jacques (1719–1792) F	VI, 36
Cela, Camilo J. (1916) E	XIV, 140
Céline, Louis-F. (1894–1961) F	IX, 44; XIV, 16
Cellini, Benvenuto (1500–1571) I	VI, 299
Cendrars, Blaise (1887–1961) F	IX, 45; XIV, 18
Ceram, C. W. (1915–1970) D	III, 137; XIII, 57
Cervantes Saavedra, Miguel de (1547–1616) E	VI, 352; XIV, 142
Cesbron, Gilbert-P. Fr. (1913) F	IX, 46; XIV, 19
Cèspedes, Alba de (1911) I	IX, 275
Chamisso, Adelbert v. (1781–1838) D	*I, 62;* I, 56
Chamson, André (1900) F	IX, 48; XIV, 19
Chang, Eileen. RC [I, 2: 6 b]	XI, 62
Chardonne, Jacques (1884–1968) F	IX, 50
Chase, Mary E. (1887) USA	XI, 63; XIV, 260
Chateaubriand, François R. de (1768–1848) F	VI, 37
Chateaubriant, Alphonse de (1877–1951) F	VI, 40
Chatrian, Alexandre (1826–1890) F	VI, 73
Chaucer, Geoffrey (um 1340–1400) GB	VII, 30
Chesterton, Gilbert K. (1874–1936) GB	VII, 31

Chevallier, Gabriel (1895–1969) F	IX, 51; XIV, 20
Chiesa, Francesco (1871) CH [I, 2: 3]	IX, 277; XIV, 103
Choderlos de Laclos, Pierre A. F. (1741–1803) F	VI, 43
Choromanski, Michał (1904) PL	XII, 342
Christ, Lena (1881–1920) D	I, 57; III, 138
Christaller, Helene (1872–1953) D	*I, 63;* I, 60
Christensen, Synnøve (1919) N	XIV, 351
Christiansen, Sigurd W. (1891–1947) N	XII, 65
Cicellis, Kay (1926) GR [I, 2: 6a]	XII, 430; XIV, 466
Cigognani, Bruno (1879) I	IX, 279
Cisek, Oskar W. (1897–1966) R [I, 2: 1a]	III, 141; XIII, 57
Claes, Ernest (1885–1968) B [I, 2: 7b]	X, 294
Clancier, Georges E. (1914) F	XIV, 20
Claudius, Hermann (1878) D	III, 141; XIII, 57
Clauren, Heinrich (1771–1854) D	*I, 64*
Clavel, Bernard (1923) F	XIV, 20
Cloete, E. F. Stuart (1897) ZA [I, 2: 6a]	X, 18; XIV, 183
Coccioli, Carlo (1920) I	IX, 280; XIV, 104
Cocteau, Jean (1889–1963) F	IX, 52
Coelho-Lisboa, Rosalina (1900) BR	IX, 329
Colerus (von Geldern), Egmont (1888–1939) A	III, 143; XIII, 58
Colette, Sidonie G. (1873–1954) F	VI, 44; XIV, 21
Colliander, Tito (1904) S	XIV, 358
Collins, Wilkie (1824–1889) GB	VII, 37
Coloma, Luis (1851–1915) E	VI, 364
Common, Jack (1903) GB	X, 20
Conchon, Georges (1925) F	XIV, 23
Conrad, Joseph (1857–1924) PL [I, 2: 6a]	VII, 38
Conrad, Michael G. (1846–1927) D	*I, 65;* I, 61
Conradi, Hermann (1862–1890) D	*I, 67*
Conscience, Hendrik (1812–1883) B [I, 2: 7b]	VII, 338
Constant de Rebecque, Benjamin de (1767–1830) CH [I, 2: 2c]	VI, 49
Contessa, Karl W. (1777–1825) D	I, 62
Coolen, Antoon (1897–1961) NL [I, 2: 7a]	X, 298, XIV, 338
Cooper, James F. (1789–1851) USA	VII, 251
Coppée, François (1842–1908) F	VI, 50
Cortázar, Julio (1914) RA	XIV, 142
Corvinus s. Raabe, W.	
Costa, Augusto da (1899) P	IX, 330
Costain, Thomas B. (1885) CDN [I, 2: 6b]	XI, 64
Coster, Charles de (1827–1879) B [I, 2: 2b]	VI, 51
Couperus, Louis (1863–1923) NL [I, 2: 7a]	VII, 340
Cousseau, Jacques (1925) F	XIV, 23

Coward, Noël P. (1899) GB	XIV, 183
Cozzens, James G. (1903) USA	XIV, 261
Cramer, Heinz v. (1924) D	XIII, 58
Crane, Stephen (1871–1900) USA	VII, 258
Creangă, Ion (1837–1889) R	VIII, 335
Crnjanski, Miloš (1893) YU-Slowen.	XIV, 447
Croissant-Rust, Anna (1860–1943) D	*I, 68;* I, 63
Croixelles = Kreisel, Hans (1898) D	XIII, 59
Cronin, Archibald J. (1896) GB	X, 21; XIV, 184
Crottet, Robert (1908) CH [I, 2: 2c]	IX, 55
Csokor, Franz Th. (1885–1969) A	XIII, 60
Cummings, Edward E. (1894–1962) USA	XI, 67; XIV, 262
Curtis, Jean-Louis (1917) F	XIV, 24
Curwood, James O. (1878–1927) USA	X, 28
Cyrano de Bergerac s. Bergerac	
Czibulka, Alfons v. (1888–1969) A	III, 145; XIII, 61
Dabit, Eugène (1898–1936) F	IX, 59
Däubler, Theodor (1876–1934) A	III, 147
Dagerman, Stig H. (1923–1954) S	XIV, 359
Dahl, Roald (1916) GB [I, 2: 6b]	XIV, 262
Dahn, Felix (1834–1912) D	*I, 70;* I, 64
Dane, Clemence (1888–1965) GB	XIV, 184
Daniel-Rops (1901–1965) F	IX, 60
Daninos, Pierre (1913) F	IX, 61; XIV, 25
Daudet, Alphonse (1840–1897) F	VI, 53
Dauthendey, Max (1867–1918) D	*I, 73;* I, 65
Davičo, Oskar (1909) YU-Serbo-Kroat.	XIV, 44
Davis, Reuben (1888) USA	XI, 69
Day, Clarence (1874–1935) USA	XI, 70
Deeping, Warwick (1877–1950) GB	X, 30
Defoe, Daniel (1660–1731) GB	VII, 51
Del Castillo, Michel (1933) E	XIV, 144
Del Valle Inclán, Ramón M. (1869–1936) E	XIV, 146
Deledda, Grazia (1871–1936) I	VI, 301; XIV, 104
Delibes, Miguel (1920) E	XIV, 145
Deloney, Thomas (um 1543– um 1600) GB	VII, 57
Demedts, André (1906) B [I, 2: 7b]	XIV, 338
Denti di Pirajno, Alberto (1886) I	XIV, 104
Depauw, Valère (1912) B [I, 2: 7b]	X, 302
Déry, Tibor (1894) H	XII, 380; XIV, 428
Descalzo, José L. M. (1930) E	XIV, 147
Desnica, Vladan (1905–1967) YU-Serbo-Kroat.	XIV, 448
Des Périers, Jean B. (um 1500–1544) F	VI, 61

Dessauer, Maria (1922) D — XIII, 61
Dhôtel, André (1900) F — XIV, 25
Dickens, Charles (1812–1870) GB — VII, 59
Dickens, Monica E. (1915) GB — X, 33; XIV, 185
Diderot, Denis (1713–1784) F — VI, 61
Diehl, Ludwig (1866–1947) D — III, 147
Diess, Wilhelm (1884–1957) D — III, 148; XIII, 63
Djilas, Milovan (1911) YU-Serbo-Kroat. — XIV, 449
Dimoff, Dimitar (1909–1966) BG — XII, 417
Disraeli, Benjamin, Earl of Beaconsfield
(1804–1881) GB — VII, 80
Dixelius (-Brettner), Hildur (1879) S — XII, 121
Dobraczynski, Jan (1910) PL — XII, 344; XIV, 409
Doderer, Heimito v. (1896–1966) A — III, 150; XIII, 63
Döbler, Hansferdinand (1919) D — XIII, 65
Döblin, Alfred (1878–1957) D — III, 152; XIII, 67
Dörfler, Anton (1890) D — III, 157; XIII, 73
Dörfler, Peter (1878–1955) D — III, 158; XIII, 73
Domahidy, Miklos. H — XIV, 431
Dombrowska, Marja (1889–1965) PL — XII, 345; XIV, 409
Dominik, Hans (1872–1945) D — III, 163
Doolaard, A. den (1901) NL [I, 2: 7a] — X, 303
Dor, Milo (1923) YU - Serb. [I, 2: 1a] — XIII, 73
Dorgelès, Roland (1885) F — IX, 62; XIV, 25
Dorp, Jan van. B [I, 2: 2b] — IX, 65
Dos Passos, John R. (1896–1970) USA — XI, 71; XIV, 262
Dostojewski, Fjodor M. (1821–1881) SU — VIII, 150
Douglas, Ellen. USA — XIV, 263
Douglas, George N. (1868–1952) GB — XIV, 186
Douglas, Lloyd C. (1877–1951) USA — XI, 75
Doyle, Sir A. Conan (1859–1930) GB — VII, 83
Drachmann, Holger (1846–1908) DK — VIII, 28
Dreiser, Theodore (1871–1945) USA — XI, 77
Droste-Hülshoff, Annette v. (1797–1848) D — *I, 75;* I, 68
Druon, Maurice (1918) F — XIV, 26
Druten, John W. van (1901–1957) GB — X, 35; XIV, 187
Dubow, Nikolaj (1910) SU — XIV, 380
Dudinzew, Wladimir (1918) SU — XII, 239
Dürrenmatt, Friedrich (1921) CH [I, 2: 1c] — XIII, 75
Duhamel, Georges (1884–1966) F — IX, 66; XIV, 27
Dumas, Alexandre, Vater (1802–1870) F — VI, 66
Dumas, Alexandre, Sohn (1824–1895) F — VI, 71
Du Maurier, Daphne (1907) GB — X, 36; XIV, 187
Du Maurier, George L. P. B. (1834–1896) F [I, 2: 6a] — VII, 86

Dumitriu, Petru (1924) R [I, 2: 2a]	XII, 420; XIV, 460
Duras, Marguerite (1914) F	IX, 72; XIV, 27
Durrell, Lawrence (1912) GB	X, 40; XIV, 187
Durtain, Luc (1881–1959) F	IX, 73
Durych, Jaroslav (1886–1962) CS	XII, 374; XIV, 423
Dutourd, Jean (1920) F	IX, 74
Duun, Olav (1876–1939) N	XII, 66
Dwinger, Edwin E. (1898) D	III, 164
Dymow, Ossip Is. (1878–1959) SU	XII, 210
Ebermayer, Erich (1900–1970) D	III, 166; XIII, 79
Ebers, Georg M. (1837–1898) D	*I, 75;* I, 69
Ebner-Eschenbach, Marie v. (1830–1916) A	*I, 80;* I, 70
Eça de Queirós, José M. de (1845–1900) P	VI, 366; XIV, 172
Eckmann, Heinrich (1893–1940) D	III, 168
Edgeworth, Maria (1767–1849) GB	VII, 87
Edmonds, Walter D. (1903) USA	XI, 87
Edquist, Dagmar I. (1903) S	XIV, 360
Edschmid, Kasimir (1890–1966) D	III, 169; XIII, 79
Eeden, Frederik W. van (1860–1932) NL [I, 2: 7a]	VII, 342
Eekhoud, Georges (1854–1927) B [I, 2: 2b]	VI, 72
Egge, Peter A. (1869–1959) N	XII, 72
Eggleston, Edward (1837–1902) USA	VII, 261
Ehmer, Wilhelm (1896) D	III, 173; XIII, 82
Ehrenburg, Ilja G. (1891–1967) SU	XII, 241; XIV, 380
Ehrler, Hans H. (1872–1951) D	III, 174
Eich, Günter (1907) D	III, 175
Eichendorff, Joseph v. (1788–1857) D	*I, 85;* I, 76
Einwächter, Marion (1902) D	III, 176
Eisenreich, Herbert (1925) A	XIII, 82
Ekert-Rotholz, Alice M. (1900) D	XIII, 83
Eliot, George (1819–1880) GB	VII, 88; XIV, 189
Elliot, Summer L. (1917) USA	XIV, 264
Ellison, Ralph (1914) USA	XIV, 264
Elsschot, Willem (1882–1960) B [I, 2: 7b]	X, 305; XIV, 339
Elster, Kristian (1881–1947) N	XII, 74
Enea Silvio de' Piccolomini (1405–1464) I	VI, 304
Engasser, Quirin (1907) D	III, 176; XIII, 85
Engel, Georg (1866–1931) D	*I, 90;* I, 81
Engel, Johann J. (1741–1802) D	*I, 93;* I, 82
Enking, Ottomar (1867–1945) D	*I, 94;* I, 83
Eötvös, József Baron (1813–1871) H	VIII, 336; XIV, 431
Erath, Vinzenz (1906) D	III, 177; XIII, 85
Erckmann, Émile (1822–1899) F	VI, 73

Ernst, Otto (1862–1926) D	*I, 97;* I, 84
Ernst, Paul (1866–1933) D	I, 84; III, 179
Erskine, John (1879–1951) USA	XI, 89
Ertl, Emil (1860–1935) A	I, 88
Eska, Karl (1905) D	XIII, 87
Espina, Concha (1877–1955) E	VI, 372; XIV, 148
Espinel, Vicente (1550–1624) E	VI, 375
Esser, Manfred (1938) D	XIII, 87
Estang, Luc (1911) F	IX, 75; XIV, 29
Estaunié, Edouard (1862–1942) F	VI, 75; XIV, 30
Eulenberg, Herbert (1876–1949) D	I, 90
Evans, Allen R. CDN [I, 2: 6a]	X, 41; XIV, 189
Ewerbeck, Betina (1910) D	III, 182; XIII, 88
Eysselsteijn, Ben van (1898) NL [I, 2: 7a]	X, 306; XIV, 339
Eyth, Max v. (1836–1906) D	*I, 98;* I, 91
Fabricius, Johan (1899) NL [I, 2: 7a]	X, 307; XIV, 339
Fadejew, Alexandr A. (1901–1956) SU	XII, 249
Faesi, Robert (1883) CH [I, 2: 1c]	III, 183; XIII, 88
Fagerberg, Sven (1918) S	XII, 122
Falk-Rönne, Jörgen (1865–1939) DK	XII, 10
Falkberget, Johan P. (1879–1967) N	XII, 75; XIV, 352
Falke, Gustav (1853–1916) D	I, 93
Fallada, Hans (1893–1947) D	III, 186; XIII, 88
Faralla, Dana (1909) USA	XI, 93
Farrell, James Th. (1904) USA	XI, 93
Farrell, Michael (1899–1962) IRL [I, 2: 6a]	XIV, 189
Farrère, Claude (1876–1957) F	VI, 80; XIV, 30
Fast, Howard M. (1914) USA	XIV, 265
Faulkner, William (1897–1962) USA	XI, 96; XIV, 266
Faust, Philipp (1898) D	III, 190
Fechter, Paul (1880–1958) D	III, 191; XIII, 90
Federer, Heinrich (1866–1928) CH [I, 2: 1c]	*I, 101;* I, 94
Fedin, Konstantin A. (1892) SU	XII, 250
Fehrs, Johann H. (1838–1916) D	*I, 105;* I, 98
Féjes, Endre (1923) H	XIV, 431
Fénelon de la Mothe, François (1651–1715) F	VI, 81
Ferber, Edna (1887–1968) USA	XI, 113; XIV, 270
Fernán Caballero s. Caballero	
Fernández de la Reguera, Ricardo (1912) E	XIV, 148
Ferreira de Castro, José M. (1898) P	IX, 332; XIV, 173
Ferry, Gabriel (1809–1852) F	VI, 82
Feuchtwanger, Lion (1884–1958) D	III, 196; XIII, 91
Feuillet, Octave (1821–1890) F	VI, 83

Feydeau, Ernest A. (1821–1873) F	VI, 84; XIV, 30
Field, Rachel (1894–1942) USA	XI, 115
Fielding, Henry (1707–1754) GB	VII, 95; XIV, 190
Filipowicz, Kornel (1913) PL	XIV, 410
Finckenstein, Ottfried v. (1901) D	III, 203
Finckh, Ludwig (1876–1964) D	*I, 106;* I, 99
Finžgar, Franc S. (1871–1962) YU-Sloven.	XIV, 450
Fischer, Otto P. L. (1904–1956) DK	XIV, 345
Fischer-Graz, Wilhelm (1846–1932) A	*I, 109;* I, 101
Fitzgerald, Francis S. K. (1896–1940) USA	XI, 118; XIV, 270
Flaiano, Ennio (1910) I	IX, 281; XIV, 106
Flaischlen, Cäsar (1864–1920) D	*I, 111;* I, 103
Flake, Otto (1880–1963) D	III, 204; XIII, 95
Flaubert, Gustave (1821–1880) F	VI, 85
Fleisser, Marieluise (1901) D	III, 208; XIII, 97
Fleuron, Svend (1874–1966) DK	XII, 11
Flex, Walter (1887–1917) D	*I, 112;* I, 104
Fock, Gorch (1880–1916) D	*I, 113;* I, 105
Fönhus, Mikkjel (1894) N	XII, 81
Fogazzaro, Antonio (1842–1911) I	VI, 305; XIV, 106
Fontana, Oskar M. (1889–1969) A	XIII, 97
Fontane, Theodor (1819–1898) D	*I, 115;* I, 107
Forbes, Esther (1891) USA	XI, 121; XIV, 271
Forbes-Mosse, Irene (1864–1946) D	III, 209
Ford, Ford M. (1873–1939) GB	XIV, 190
Forester, Cecil S. (1899–1966) GB	X, 44; XIV, 191
Forsch, Olga D. (1873–1961) SU	XII, 254
Forster, Edward M. (1879–1970) GB	X, 49
Foscolo, Ugo (1778–1827) I	VI, 310
Fouqué, Friedrich de la Motte (1777–1843) D	*I, 123;* I, 117
Fournier, Henry A. s. Alain-Fournier	
France, Anatole (1844–1924) F	VI, 92; XIV, 30
Franchy, Franz K. (1896) A-Siebenbg. [I, 2: 1 b]	XIII, 98
Franck, Hans (1879–1964) D	III, 210
François, M. Luise v. (1817–1893) D	*I, 126;* I, 118
Frank, Bruno (1887–1945) D	III, 216
Frank, Leonhard (1882–1961) D	III, 219; XIII, 99
Frank, Wolfgang (1909) D	III, 224
Franzos, Karl E. (1848–1904) A	*I, 133;* I, 122
Frapan-Akunian, Ilse (1849–1908) D	*I, 137;* I, 124
Freiberg, Siegfried (1901) A	XIII, 100
Freissler, Ernst W. (1884–1937) A	III, 225
Frenssen, Gustav (1863–1945) D	*I, 139;* I, 126
Freuchen, Peter (1886–1957) DK	XII, 15

Freumbichler, Johannes (1881–1949) A — III, 226; XIII, 101
Freytag, Gustav (1816–1895) D — *I, 147;* I, 131
Friedenthal, Richard (1896) D — III, 227; XIII, 101
Friedl, Hermann (1920) A — XIII, 103
Frisch, Max (1911) CH [I, 2: 1 c] — XIII, 104
Frison-Roche, Roger (1906) F — IX, 78
Fromentin, Eugène (1820–1876) F — VI, 98
Füst, Milán (1888–1967) H — XIV, 432
Fuks, Ladislav (1923) CS — XIV, 423
Furetière, Antoine (1619–1688) F — VI, 100
Furmanow, Dimitri A. (1891–1926) SU — XII, 255
Fussenegger, Gertrud (1912) A — III, 229; XIII, 107

Gabele, Anton (1890–1967) D — III, 231; XIII, 109
Gadda, Carlo E. (1893) I — XIV, 106
Gadenne, Paul (1907–1956) F — IX, 79; XIV, 31
Gäng, Richard (1899) D — XIII, 109
Gagern, Friedrich v. (1882–1947) A — III, 234
Gailit, August (1891–1960) Estl. [I, 2: 8 e] — XII, 168
Gaiser, Gerd (1908) D — III, 237; XIII, 110
Gallegos, Rómulo (1884–1969) YV — IX, 336; XIV, 150
Gallico, Paul W. (1897) USA — X, 54; XIV, 271
Galsworthy, John (1867–1933) GB — VII, 100
Gálvez, Manuel (1882) RA — IX, 337
Galzy, Jeanne (1883) F — IX, 80; XIV, 32
Ganachaud, Guy (1923) F — XIV, 32
Ganghofer, Ludwig (1855–1920) D — *I, 158;* I, 140
Garborg, Arne (1851–1924) N — VIII, 63
García, Eduarda de (1838–1892) RA — VI, 376
García Calderón, Ventura (1886–1959) PE — IX, 340
García Lorca, Federico (1898–1936) E — IX, 341; XIV, 151
Gárdonyi, Géza (1863–1922) H — XIV, 432
Garnett, David (1892) GB — X, 56
Garschin, Wsewolod M. (1855–1888) SU — VIII, 169; XIV, 380
Gary, Romain (1914) F.-Litauen [I 2: 2 a] — IX, 81; XIV, 32
Gascar, Pierre (1916) F — IX, 83; XIV, 34
Gaskell, Elizabeth C. (1810–1865) GB — VII, 114
Gast, Lise (1908) D — III; 238
Gaudy, Franz v. (1800–1840) D — I, 145
Gautier, Théophile (1811–1872) F — VI, 101
Gebert, Li (1910) D — XIII, 114
Geijerstam, Gösta af (1888) N — XII, 82
Geijerstam, Gustav af (1858–1909) S — VIII, 98; XIV, 360
Geissler, Horst W. (1893) D — III, 240; XIII, 115

Geissler, Max (1868–1945) D	*I, 168;* I, 147
Gellert, Christian F. (1715–1769) D	*I, 170;* I, 147
Genet, Jean (1910) F	XIV, 35
Gerlach, Heinrich (1908) D	XIII, 115
Germonprez, Fred (1914) B [I, 2: 7b]	X, 309
Gerstäcker, Friedrich (1816–1872) D	*I, 171;* I, 148
Gervais, Albert (1892) F	IX, 85
Gevers, Marie (1883) B [I, 2: 2b]	IX, 86; XIV, 37
Ghéon, Henri (1875–1944) F	IX, 88; XIV, 37
Gheorghiu, Constantin V. (1916) R [I, 2: 2a]	IX, 89; XIV, 463
Ghisalberti, Mario (1902) I	IX, 282
Gibson, William (1914) USA	XIV, 272
Gide, André (1869–1951) F	VI, 105; XIV, 37
Gjellerup, Karl A. (1857–1919) DK	VIII, 29
Gierer, Berchtold (1895) D	III, 243
Giertz, Bo (1905) S	XII, 123
Gilbreth, Frank B. (1911) USA	XI, 124
Gilbreth-Carey, Ernestine (1908) USA	XI, 124, 125
Gillhoff, Johannes (1861–1930) D	I, 152; III, 246
Ginzburg, Natalia (1916) I	XIV, 107
Ginzkey, Franz K. (1871–1963) A	*I, 175;* I, 153
Giono, Jean (1895–1970) F	IX, 90; XIV, 37
Giraudoux, Jean (1882–1944) F	IX, 103; XIV, 38
Gironella, José M. (1917) E	IX, 342; XIV, 151
Gladkow, Fjodor W. (1883–1958) SU	XII, 256
Glaeser, Ernst (1902–1963) D	III, 247; XIII, 116
Glas, Simon (1919) D	III, 249; XIII, 116
Glasgow, Ellen (1874–1945) USA	XI, 126
Gluth, Oskar (1887–1955) D	III, 250; XIII, 116
Gmelin, Otto (1886–1940) D	III, 254
Gobineau, Joseph A. de (1816–1882) F	VI, 119
Godden, Jon. GB	X, 59
Godden, M. Rumer (1907) GB	X, 60; XIV, 191
Godwin, William (1756–1836) GB	VII, 115
Goes, Albrecht (1908) D	III, 257; XIII, 116
Goetel, Ferdynand (1890–1960) PL	XII, 347
Goethe, Johann W. v. (1749–1832) D	*I, 177;* I, 154
Goetz, Curt (1888–1960) D	III, 259; XIII, 117
Götz, Karl (1903) D	III, 259
Gogol, Nikolai W. (1809–1852) SU	VIII, 171
Golding, Louis (1895–1958) GB	X, 61; XIV, 192
Golding, William G. (1911–1958) GB	X, 62; XIV, 192
Goldsmith, Oliver (1728–1774) GB	VII, 117
Golowanjuk, Jascha (1905) S	XIV, 360

Goltz, Joachim von der (1892) D	III, 261
Gombrowicz, Witold (1904–1969) PL	XII, 349; XIV, 410
Gómez de la Serna, Ramón (1888–1963) E	IX, 344; XIV, 151
Goncourt, Edmond de (1822–1896) F	VI, 123
Goncourt, Jules de (1830–1870) F	VI, 124
Gontscharow, Iwan A. (1812–1891) SU	VIII, 183
Gorbatow, Boris L. (1908–1954) SU	XII, 259
Gordimer, Nadine (1923) ZA [I, 2: 6b]	XI, 128; XIV, 272
Gorki, Maxim (1868–1936) SU	VIII, 187; XIV, 381
Gotthelf, Jeremias (1797–1854) CH [I, 2: 1c]	*I, 182;* I, 160
Goudge, Elizabeth de Beauchamp (1900) GB	X, 63; XIV, 193
Govy, Georges (1913) F	IX, 107
Goyanarte, Juan (1900) RA	IX, 345; XIV, 151
Goyen, William (1915) USA	XI, 129; XIV, 273
Goytisolo, Juan (1931) E	XIV, 152
Goytisolo, Luis (1935) E	XIV, 153
Grabenhorst, Georg (1899) D	III, 262; XIII, 117
Gracq, Julien (1910) F	IX, 108; XIV, 40
Graf, Oskar M. (1894–1967) D	III, 264; XIII, 117
Granin, Daniil A. (1918) SU	XIV, 381
Grass, Günter (1927) D	XIII, 118
Grau, Shirley A. (1929) USA	XIV, 274
Graves–Ranke, Robert v. (1895) GB	X, 66; XIV, 229
Green, Henry (1905) GB	X, 70; XIV, 193
Green, Julien (1900) USA [I, 2: 2a]	IX, 109; XIV, 41
Greene, Graham (1904) GB	X, 71; XIV, 193
Gregor, Manfred (1929) D	XIII, 121
Gregor-Dellin, Martin (1926) D	XIII, 122
Greinz, Rudolf (1866–1942) A	*I, 188;* I, 167
Grengg, Maria (1888–1963) A	III, 267
Grey, Zane (1875–1939) USA	XI, 133
Griese, Friedrich (1890–1970) D	III, 268; XIII, 123
Griffin, John H. (1920) USA	XI, 135
Grigorowitsch, Dmitrij W. (1822–1900) SU	VIII, 202
Grillparzer, Franz (1791–1872) A	*I, 194;* I, 170
Grimm, Hans (1875–1959) D	III, 270; XIII, 125
Grimmelshausen, Hans J. Christoffel v. (um 1621–1676) D	*I, 196;* I, 171
Grin, Alexandr St. (1880–1932) SU	XII, 261
Grin, Elmar (1909) SU	XII, 262
Grisar, Erich (1898–1955) D	III, 276
Grogger, Paula (1892) A	III, 277
Grubb, David (1919) USA	XI, 136
Guareschi, Giovannino (1908–1968) I	IX, 284; XIV, 108

Gudmundsson, Kristman (1902) IS   XII, 36
Güiraldes, Ricardo (1886–1927) RA   IX, 347; XIV, 154
Günther, Agnes (1863–1911) D   *I, 201;* I, 176
Guenther, Johannes v. (1886–1970) D-Balt.   XIII, 125
Guérin, Maurice de (1810–1839) F   VI, 126
Gütersloh, Albert P. (1887) A   XIII, 126
Guggenheim, Kurt (1896) CH [I, 2: 1 c]   XIII, 127
Guido, Beatriz (1925) RA   IX, 346
Guitry, Sascha (1885–1957) SU (F) [I, 2: 2 a]   IX, 116
Gulbranssen, Trygve (1894–1962) N   XII, 82
Gullvaag, Olav (1885–1961) N   XII, 85; XIV, 352
Gumpert, Martin (1897–1955) D   III, 278; XIII, 129
Gunn, Neil M. (1891) GB   X, 78
Gunnarsson, Gunnar (1889) IS   XII, 37
Gurk, Paul (1880–1953) D   III, 280; XIII, 129
Gutzkow, Karl (1811–1878) D   *I, 203;* I, 177
Guzmán, Martin L. (1887) MEX   IX, 348
Gyllensten, Lars J. W. (1921) S   XIV, 361

Haasse, Hella S. (1918) NL [I, 2: 7 a]   X, 310; XIV, 340
Haavikko, Paavo (1931) SF   XIV, 370
Habberton, John (1842–1921) USA   VII, 262
Habeck, Fritz (1916) A   XIII, 129
Haensel, Carl (1889–1968) D   IV, 285
Hagelstange, Rudolf (1912) D   XIII, 130
Hagen, Ernst A. (1797–1880) D   I, 181
Hagerup-Vassvik, Jens (1884) N   XII, 87
Hahn-Hahn, Ida v. (1805–1880) D   *I, 211;* I, 182
Halbe, Max (1865–1944) D   *I, 211;* I, 183
Hall, James N. (1887–1951) USA   XI, 223
Hallström, Per (1866–1960) S   VIII, 100
Halm, Friedrich (1806–1871) A   I, 185
Haluschka, Hélène (1892) F [I, 2: 1 a]   IV, 287; XIII, 132
Hambraeus, Axel E. (1890) S   XII, 124; XIV, 361
Hamer, Isabel (1912) D   IV, 291; XIII, 132
Hamp, Pierre (1876–1962) F   IX, 117
Hampe, Johann Chr. (1913) D   IV, 293; XIII, 132
Hamsun, Knut (1859–1952) N   VIII, 64; XIV, 352
Hamsun, Marie (1881–1969) N   XII, 88
Handel-Mazzetti, Enrica v. (1871–1955) A   *I, 213;* I, 187
Hanley, James (1901) GB   X, 81; XIV, 194
Hansen, Lars (1869–1944) N   XII, 90
Hansjakob, Heinrich (1837–1916) D   *I, 221;* I, 192
Han Suyin (1917) RC [I, 2: 6 a]   X, 82

Happel, Eberhard W. (1647–1690) D	*I, 223*
Hardt, Ernst (1876–1947) D	IV, 294
Hardy, Thomas (1840–1928) GB	VII, 118; XIV, 194
Hársanyi, Zsolt v. (1887–1943) H	XII, 383
Harte, Francis B. (1836–1902) USA	VII, 263; XIV, 275
Hartlaub, Felix (1913–1945) D	XIII, 133
Hartlaub, Geno (1915) D	XIII, 134
Hartleben, Otto E. (1864–1905) D	I, 194
Hartley, Leslie P. (1895) GB	X, 85; XIV, 194
Hartman, Olov (1906) S	XII, 126
Hartmann, Wolf J. (1894) D	IV, 295; XIII, 136
Hartog, Jan de (1914) NL [I, 2: 7a]	X, 311
Hartung, Hugo (1902) D	IV, 297; XIII, 136
Hašek, Jaroslav (1883–1923) CS	XII, 375; XIV, 424
Hatzfeld, Adolf v. (1892–1957) D	IV, 298; XIII, 138
Hauff, Wilhelm (1802–1827) D	*I, 224;* I, 195
Haukland, Andreas (1873–1933) N	XII, 93
Hauptmann, Carl (1858–1921) D	*I, 229;* I, 200
Hauptmann, Gerhart (1862–1946) D	*I, 232;* I, 202;
	XIII, 138
Hauser, Heinrich (1901–1955) D	IV, 298; XIII, 138
Hausmann, Manfred (1898) D	IV, 301; XIII, 138
Hawley, Cameron (1905) USA	XIV, 276
Hawthorne, Nathaniel (1804–1864) USA	VII, 264; XIV, 276
Hayes, Alfred (1912) GB [I, 2: 6b]	XIV, 277
Hayes, Joseph (1919) USA	XI, 137; XIV, 278
Hearne, John (1926) CDN [I, 2: 6a]	X, 86
Hebbel, Friedrich (1813–1863) D	*I, 239;* I, 210
Hebel, Johann P. (1760–1826) D	I, 212
Heckmann, Herbert (1930) D	XIII, 139
Heer, Jakob Chr. (1859–1925) CH [I, 2: 1c]	*I, 240;* I, 213
Hegeler, Wilhelm (1870–1943) D	*I, 245;* I, 217
Heiberg, Hermann (1840–1910) D	*I, 248;* I, 218
Heidenstam, C. G. Verner v. (1859–1940) S	VIII, 103; XIV, 362
Heimeran, Ernst (1902–1955) D	IV, 305; XIII, 139
Heine, Heinrich (1797–1856) D	*I, 249;* I, 219
Heinrich, Willi (1920) D	XIII, 139
Heinse, Johann J. W. (1746–1803) D	*I, 249;* I, 220
Heiseler, Bernt v. (1907–1969) D	IV, 306; XIII, 141
Heiseler, Henry v. (1875–1928) D	IV, 309
Helander, Gunnar (1915) S	XII, 127
Held, Kurt (1897–1959) D	XIII, 142
Hello, Ernest (1828–1885) F	VI, 127
Hellström, Erik G. (1882–1953) S	XII, 128

Helwig, Werner (1905) D .... IV, 310; XIII, 142
Hemeldonck, Emiel M. L. van (1897) B [I, 2: 7b] ..... X, 317
Hemingway, Ernest (1899–1961) USA .... XI, 138; XIV, 278
Hemmer, Jarl R. (1893–1944) S .... XII, 129; XIV, 362
Hémon, Louis (1880–1913) F .... VI, 129
Hen, József (1923) PL .... XIV, 412
Henry, O. (1862–1910) USA .... VII, 268; XIV, 278
Henz, Rudolf (1897) A .... XIII, 144
Herbert, Zbigniew (1924) PL .... XIV, 412
Herculano de Carvalho, Alexandre (1810–1877) P ..... VI, 377; XIV, 174
Herczeg, Ferenc (1863–1954) II .... VIII, 377; XIV, 433
Hergesheimer, Joseph (1880–1954) USA .... XI, 148
Hériat, Philippe (1898) F .... IX, 118
Hermann, Georg (1871–1943) D .... *I, 250;* I, 221
Hermes, Johann T. (1738–1821) D .... *I, 254;* I, 223
Hermlin, Stephan (1915) D .... XIII, 145
Hernádi, Gyula (1926) H .... XIV, 433
Hersey, John R. (1914) USA .... XI, 151; XIV, 280
Herzen, Aleksandr I. (1812–1870) SU .... VIII, 203
Herzmanovsky-Orlando, Friedrich v. (1877–1954) A XIII, 146
Herzog, Rudolf (1869–1943) D .... *I, 255;* I, 224
Hesse, Hermann (1877–1962) D .... *I, 259;* I, 227; XIII, 146

Hesse, Max R. (1885–1952) D .... IV, 312
Heuschele, Otto (1900) D .... IV, 319; XIII, 147
Heye, Artur (1885–1947) D .... IV, 321
Heyking, Elisabeth v. (1861–1925) D .... *I, 271;* I, 240
Heym, Georg (1887–1912) D .... I, 240
Heynicke, Kurt (1891) D .... IV, 323
Heyse, Paul v. (1830–1914) D .... *I, 272;* I, 241
Heyward, Du Bose (1885–1940) USA .... XI, 154
Hichens, Robert S. (1864–1950) GB .... X, 87; XIV, 195
Hildesheimer, Wolfgang (1916) D .... XIII, 147
Hillard, Gustav (1881) D .... XIII, 148
Hille, Peter (1854–1904) D .... *I, 278;* I, 246
Hillern, Wilhelmine v. (1836–1916) D .... *I, 279;* I, 247
Hilton, James (1900–1954) GB .... X, 88
Hinrichs, August (1879–1956) D .... IV, 325; XIII, 149
Hippel, Theodor G. v. (1741–1796) D .... *I, 280;* I, 247
Hippius, Sinaida N. (1869–1945) SU .... VIII, 204
Hirsch, Emanuel (1888) D .... XIII, 149
Hirschler, Ivo (1931) A .... XIII, 150
Hlasko, Marek (1934–1969) PL .... XII, 350; XIV, 413
Hobart, Alice T. (1882–1967) USA .... XI, 155; XIV, 280

Höfler, Polly M. (1907–1952) D — IV, 328

Höijer, Björn-E. (1907) S — XIV, 362

Hoel, Sigurd (1890–1960) N — XII, 94

Hölderlin, Friedrich (1770–1843) D — *I, 281;* I, 248

Hoerner, Herbert v. (1884–1950) D-Balt. — IV, 330; XIII, 151

Hoerschelmann, Fred v. (1901) D-Balt. — IV, 331; XIII, 151

Hofer, Klara (1875–1955) D — IV, 332; XIII, 151

Hoffmann, Ernst Th. A. (1776–1822) D — *I, 282;* I, 249

Hoffmann, Hans (1848–1909) D — *I, 294;* I, 261

Hoffmann, Ruth (1893) D — IV, 334;XIII, 151

Hofmannsthal, Hugo v. (1874–1929) A — *I, 299;* I, 263

Hogg, James (1770–1835) GB — VII, 123

Hohlbaum, Robert (1886–1955) D — IV, 336; XIII, 151

Hohoff, Curt (1913) D — XIII, 151

Hohoff, Margarete E. (1920) D — XIII, 154

Holesch, Ditha (1901) A — IV, 339; XIII, 155

Holgersen, Alma (1896) A — IV, 340; XIII, 155

Holländer, Felix (1867–1931) D — *I, 300*

Hollander, Walther v. (1892) D — IV, 342; XIII, 155

Holm, Korfiz (1872–1942) D-Balt. — I, 266

Holmström, Ragnar (1894–1966) S — XII, 131

Holtei, Karl v. (1798–1880) D — *I, 301;* I, 268

Holthaus, Helmut (1909–1966) D — XIII, 155

Holthusen, Hans E. (1913) D — XIII, 156

Holz, Arno (1863–1929) D — *I, 304;* I, 269

Holzamer, Wilhelm (1870–1907) D — I, 270

Hopp, Elfriede (1916) D — XIII, 157

Horgan, Paul (1903) USA — XIV, 280

Horia, Vintilă (1915) R — XIV, 464

Hornstein, Erika v. (1913) D — XIII, 158

Horst, Karl A. (1913) D — IV, 342

Hortelano, Juan G. (1928) E — XIV, 154

Hoster, Hermann (1896–1943) D — IV, 344

Howells, William D. (1837–1920) USA — VII, 270; XIV, 281

Hoyle, Fred (1915) GB — X, 01

Hubatius-Himmelstjerna, Ingeborg v. (1889–1964) D-Balt. — XIII, 159

Huch, Felix (1880–1952) D — IV, 346

Huch, Friedrich (1873–1913) D — *I, 304;* I, 270

Huch, Ricarda (1864–1947) D — *I, 308;* I, 274

Huch, Rudolf (1862–1943) D — *I, 316;* I, 282

Hudson, William H. (1841–1922) GB — XIV, 196

Hueck-Dehio, Else (1897) D-Balt. — XIII, 160

Huelsenbeck, Richard (1892) D — XIII, 162

Huggenberger, Alfred (1867–1960) CH [I, 2 : 1 c]   I, 284; IV, 350
Hughes, Langston (1902–1967) USA   XI, 159; XIV, 282
Hughes, Richard A. W. (1900) GB   X, 92; XIV, 196
Hugo, Victor (1802–1885) F   VI, 130; XIV, 42
Hulme, Kathrin. USA   XIV, 283
Humo, Hamza (1895) YU-Bosn.-Herz.   XIV, 450
Huna, Ludwig (1872–1945) A   IV, 353
Huovinen, Veikko (1927) SF   XII, 169
Hurst, Fannie (1889–1968) USA   XI, 162; XIV, 283
Hutchins, Maude. USA   XIV, 283
Huxley, Aldous L. (1894–1963) GB   X, 94; XIV, 197
Huxley, Elspeth J. (1907) GB   XIV, 198
Huysmans, Joris–K. (1848–1907) F   VI, 136; XIV, 42
Hyry, Antti. SF   XIV, 370

Jacob, Heinrich E. (1889–1967) D   IV, 356; XIII, 163
Jacobsen, Jens P. (1847–1885) DK   VIII, 32
Jacobsen, Jørgen-F. (1900–1938) DK   XIV, 346
Jacques, Norbert (1880–1954) L [I, 2:1 a]   IV, 357; XIII, 163
Jahn, Moritz (1884) D   IV, 358
Jahnn, Hans H. (1894–1959) D   IV, 362; XIII, 163
James, Henry (1843–1916) USA   VII, 272; XIV, 285
Jammes, Francis (1868–1938) F   VI, 138; XIV, 42
Jarnés, Benjamin (1888–1949) E   IX, 349
Icaza, Carmen de (1919) E   IX, 350
Jean Paul (1763–1825) D   *I, 319;* I, 287
Jellinek, Oskar (1886–1949) A   IV, 367
Jelusich, Mirko (1886–1969) A   IV, 368; XIII, 165
Jens, Walter (1923) D   IV, 372; XIII, 165
Jensen, Axel (1932) N   XIV, 353
Jensen, Johannes V. (1873–1950) DK   VIII, 39
Jensen, Wilhelm (1837–1911) D   *I, 327;* I, 294
Jerome, Jerome Klapka (1859–1927) GB   VII, 125; XIV, 198
Jewdokimow, Nikolaj (1922) SU   XIV, 382
Jewett, Sarah O. (1849–1909) USA   XIV, 288
Ihlenfeld, Kurt (1901) D   IV, 375; XIII, 167
Jiménez, Juan R. (1881–1958) E   IX, 351; XIV, 155
Jirásek, Alois (1851–1930) CS   XIV, 425
Ikor, Roger (1912) F   IX, 120; XIV, 43
Ilf, Ilja (1897–1937) SU   XII, 263
Ilg, Paul (1875–1957) CH [I, 2 : 1 c]   *I, 329;* I, 295
Immermann, Karl L. (1796–1840) D   *I, 334;* I, 299
Inber, Vera M. (1890) SU   XII, 265
Inglin, Meinrad (1893) CH [I, 2 : 1 c]   IV, 376; XIII, 169

Ingolić, Anton (1907) YU-Slowen.	XII, 413
Innes, Hammond (1913) GB	X, 105; XIV, 199
Jölsen, Ragnhild (1875–1908) N	VIII, 88
Johann, A. E. (1901) D	IV, 379; XIII, 169
Johnson, Eyvind O. V. (1900) S	XII, 132; XIV, 362
Johnson, Samuel (1709–1784) GB	VII, 126
Johnson, Uwe (1934) D	XIII, 169
Jókai, Mór (1825–1904) H	VIII, 339; XIV, 434
Jones, James (1921) USA	XI, 163; XIV, 289
Ionesco, Eugène (1912) R [I, 2: 2a]	XIV, 43
Jong, Adriaan M. de (1888–1943) NL [I, 2: 7a]	X, 319
Jotuni, Maria (1880–1943) SF	XII, 170
Jouhandeau, Marcel (1888) F	IX, 121; XIV, 44
Jouve, Pierre J. (1887) F	XIV, 45
Jowkow, Jordan (1880–1937) BG	XII, 418
Joyce, James (1882–1941) IRL [I, 2: 6a]	X, 106; XIV, 199
Irving, Washington (1783–1859) USA	VII, 280; XIV, 290
Isemann, Bernd (1881) D	IV, 381
Isherwood, Christopher–W. B. (1904) GB	X, 112; XIV, 199
Istrati, Panait (1884–1935) R [I, 2: 2a]	IX, 123; XIV, 464
Juan Manuel, Infante Don (1282–1348) E	VI, 378
Jünger, Ernst (1895) D	IV, 385; XIII, 173
Jünger, Friedrich Gg. (1898) D	IV, 390; XIII, 174
Jürgens, Ludwig (1893) D	IV, 392
Jürgensen, Jürgen (1872–1958) DK	XII, 17
Jung (-Stilling), Johann H. (1740–1817) D	*I, 339;* I, 302
Jurčič, Josip (1844–1881) YU-Slowen.	XIV, 451
Just, Béla (1906–1954) H [I, 2: 2a]	IX, 124; XIV, 435
Iwanow, Wsewolod W. (1895–1963) SU	XII, 266; XIV, 383
Iwaszkiewicz, Jarosław (1894) PL	XII, 352; XIV, 414
Kaden-Bandrowski, Julius (1885–1944) PL	XII, 355
Kades, Hans (1906–1969) A	IV, 393; XIII, 176
Kaergel, Hans Chr. (1889–1946) D	IV, 395
Kästner, Erhart (1904) D	XIII, 176
Kästner, Erich (1899) D	IV, 397; XIII, 178
Kafka, Franz (1883–1924) A	IV, 400; XIII, 178
Kallas, Aino J. M. (1878–1956) SF	XII, 170
Kamban, Gudmundur (1888–1945) IS	XII, 44
Kamphoevener, Elsa S. v. (1878–1963) D	XIII, 179
Kantor, Mac Kinley (1904) USA	XI, 167
Kapp, Gottfried (1897–1938) D	XIII, 182
Karagatsis, Manólis (1908–1960) GR	XIV, 466
Karamsin, Nikolaj M. (1766–1826) SU	VIII, 205

Karhumäki, Urho (1891) SF   XII, 172
Karinthy, Frigyes (1887–1938) H   XIV, 435
Karrillon, Adam (1853–1938) D   *I, 341;* I, 305
Kasack, Hermann (1896–1966) D   IV, 404; XIII, 184
Kasakow, Jurij P. (1927) SU   XII, 269; XIV, 384
Kaschnitz, Marie-L. (1901) D   XIII, 185
Katajew, Valentin P. (1897) SU   XII, 270
Kauffmann, Fritz A. (1891–1945) D   XIII, 187
Kaufman, Lenard (1913) USA   XI, 168
Kaufmann, Herbert (1920) D   XIII, 187
Kaus, Gina (1894) A   XIII, 188
Kawerin, Wenjamin A. (1902) SU   XII, 272; XIV, 384
Kaye-Smith, Sheila (1887–1956) GB   X, 114; XIV, 200
Kayser, Wilhelm (1902) D   IV, 406
Kazan, Elia (1909) TR-USA [I, 2: 6b]   XIV, 290
Kazantzakis, Nikos (1882–1957) GR   XII, 432; XIV, 467
Keckeis, Gustav (1884–1967) CH [I, 2: 1c]   IV, 407; XIII, 189
Keller, Gottfried (1819–1890) CH [I, 2: 1c]   *I, 344;* I, 306
Keller, Paul (1873–1932) D   *I, 364;* I, 325
Keller, Paul A. (1907) A   XIII, 189
Kellermann, Bernhard (1879–1951) D   *I, 368;* I, 328
Kennedy, John P. (1795–1870) USA   VII, 283
Kennedy, Margaret (1896–1967) GB   X, 116
Kennicott, Mervyn B. (1881–1940) D   IV, 408
Kentfield, Calvin B. (1924) USA   XIV, 290
Kern, Alfred (1919) D (-F.) [I, 2: 2a]   XIV, 46
Kerouac, Jack (1922–1969) USA   XI, 169; XIV, 291
Kessel, Joseph (1898) F   IX, 126; XIV, 47
Kessel, Martin (1901) D   XIII, 190
Kesten, Hermann (1900) D   IV, 410; XIII, 192
Keun, Irmgard (1910) D   XIII, 194
Keyes, Francis P. W. (1885) USA   XI, 170
Keyser, Charlotte (1890) D   IV, 414; XIII, 196
Keyserling, Eduard v. (1858–1918) D-Balt.   *I, 373;* I, 330
Khushwant, Singh. IND [I, 2: 6a]   X, 117
Kianto, Ilmári (1874–1970) SF   XII, 173
Kidde, Harald (1878–1918) DK   XII, 21
Kjelgaard, James A. (1910–1959) USA   XIV, 292
Kielland, Alexander L. (1849–1906) N   VIII, 89; XIV, 353
Kiker, Douglas (1930) USA   XI, 172
Kinau, Jakob (1884–1965) D   IV, 415
Kinau, Rudolf (1887) D   IV, 416
Kinck, Hans E. (1865–1926) N   VIII, 90; XIV, 354
Kingsley, Charles (1819–1875) GB   VII, 127; XIV, 200

Kinkel, J. Gottfried (1815–1882) D	I, 331
Kipling, J. Rudyard (1865–1936) GB	VII, 129; XIV, 200
Kirk, Hans (1898–1962) DK	XII, 22
Kirschweng, Johannes (1900–1951) D	IV, 418
Kirst, Hans H. (1914) D	XIII, 196
Kiselew, Wladimir (1922) SU	XIV, 384
Kishon, Ephraim (1924) H-IL [I, 2: 6a]	XIV, 200
Kivi, Aleksis (1834–1872) SF	VIII, 137
Klabund (1890–1928) D	IV, 420
Klass, Gert v. (1892) D	IV, 423
Klein-Haparash, Jakob (1897) A	XIII, 199
Kleist, Heinrich v. (1777–1811) D	*I, 375;* I, 332
Klepper, Jochen (1903–1942) D	IV, 424; XIII, 200
Klingele, Otto H. (1917) D	IV, 427
Klinger, F. Maximilian v. (1752–1831) D	*I, 381;* I, 338
Klipstein, Editha (1880–1953) D	IV, 428; XIII, 200
Klose, Werner (1923) D	XIII, 200
Klossowski, Pierre (1903) F	XIV, 48
Kluge, Alexander (1932) D	XIII, 202
Kluge, Kurt (1886–1940) D	IV, 429
Kneip, Jakob (1881–1958) D	IV, 435; XIII, 203
Knies, Richard (1886–1957) D	IV, 439; XIII, 203
Knigge, Adolf v. (1752–1796) D	*I, 382;* I, 339
Knight, Eric M. (1897–1943) GB	X, 118; XIV, 201
Knittel, John (1891–1970) CH [I, 2: 1c]	IV, 440
Knöller, Fritz (1898–1969) D	XIII, 203
Knoop, G. Ouckama (1861–1913) D	*I, 383*
Knowles, John (1926) USA	XIV, 292
Knudsen, Jakob (1858–1917) DK	VIII, 47; XIV, 346
Knyphausen, Anton zu (1906) D	IV, 446
Kölwel, Gottfried (1889–1958) D	IV, 448; XIII, 204
König, Barbara (1925) CS [I, 2: 1b]	XIII, 205
Koeppen, Wolfgang (1906) D	IV, 449; XIII, 206
Körmendi, Ferenc (1900) H	XII, 385; XIV, 436
Koestler, Arthur (1905) H [I, 2: 6a]	X, 119; XIV, 201
Kokoschka, Oskar (1886) A	XIII, 208
Kolar, Slavko (1891–1963) YU-Kroat.	XII, 413
Kolb, Annette (1870–1967) D	I, 340; IV, 450; XIII, 209
Kolbenheyer, Erwin G. (1878–1962) D	IV, 452; XIII, 210
Kolbenhoff, Walter (1908) D	IV, 460; XIII, 210
Kommerell, Max (1902–1944) D	IV, 461
Kopisch, August (1799–1853) D	I, 342
Kornfeld, Paul (1889–1942) A	XIII, 210

Korolenko, Wladimir G. (1853–1921) SU   VIII, 206
Koskenniemi, Veikko A. (1885–1962) SF   XII, 173; XIV, 371
Kossak-Szczucka, Zofia (1890–1968) PL   XII, 356; XIV, 415
Kosztolányi, Dezsö (1885–1936) H   XII, 387; XIV, 436
Krämer-Badoni, Rudolf (1913) D   IV, 462; XIII, 211
Kramer, Gerhard (1906) D   IV, 465
Kramp, Willy (1909) D   IV, 466; XIII, 211
Kraszewski, Jósef I. (1812–1887) PL   VIII, 313; XIV, 415
Kreis, Julius (1891–1933) D   IV, 469
Krell, Max (1887–1962) D   IV, 470; XIII, 212
Kretzer, Max (1854–1941) D   *I, 384;* I, 343
Kreuder, Ernst (1903) D   IV, 471; XIII, 213
Kries, Gerda v. (1901) D   XIII, 215
Krleža, Miroslav (1893) YU-Kroat.   XIV, 451
Kröger, Theodor (1897–1958) D   IV, 474; XIII, 217
Kröger, Timm (1844–1918) D   *I, 387;* I, 345
Kroneberg, Eckart (1930) D   XIII, 216
Krüger, Hermann A. (1871–1945) D-Balt.   *I, 394;* I, 350
Kubin, Alfred (1877–1959) A   I, 351
Kuckhoff, Adam (1887–1943) D   IV, 476
Künkel, Hans (1896–1956) D   IV, 477
Küper, Josef (1891) D   IV, 482; XIII, 218
Kürnberger, Ferdinand (1821–1879) A   *I, 396;* I, 352
Kuhnert, Adolf A. (1905–1958) D   IV, 482; XIII, 218
Kuprin, Alexandr I. (1870–1938) SU   VIII, 211; XIV, 385
Kurz, Hermann (1813–1873) D   *I, 397;* I, 353
Kurz, Isolde (1853–1944) D   I, 357; IV, 483
Kurz, Karl F. (1878) CH [I, 2: 1 c]   IV, 490
Kusenberg, Kurt (1904) D   IV, 493; XIII, 218
Kusmin, Michail A. (1875–1936) SU   VIII, 213; XIV, 386
Kutzleb, Hjalmar (1885–1959) D   IV, 493; XIII, 218
Kuyle, Albert (1904) NL [I, 2: 7 a]   X, 321
Kyber, Manfred (1880–1933) D-Balt.   IV, 495

Laar, Clemens (1906–1960) D   XIII, 219
Laclos s. Choderlos
Lacretelle, Jacques de (1888) F   IX, 127
Lämmle, August (1876–1962) D   XIII, 219
La Farge, Oliver (1901–1963) USA   XI, 172
La Fayette, Marie-M. de (1634–1693) F   VI, 146; XIV, 48
Lafontaine, August H. J. (1758–1831) D   *II, 401*
Laforet, Carmen (1921) E   IX, 352; XIV, 155
Lagerkvist, Pär F. (1891) S   XII, 137; XIV, 364
Lagerlöf, Selma O. L. (1858–1940) S   VIII, 108; XIV, 365

Laiglesia, Alvaro de (1922) E	XIV, 155
Lamartine, Alphonse-M.-L. P. de (1790–1869) F	VI, 147; XIV, 49
Lamb, Charles (1775–1834) GB	VII, 139
Lamming, George (1927) GB	XIV, 201
Lampe, Friedo (1899–1945) D	IV, 497
La Mure, Pierre (1899) F [I, 2: 6b]	XI, 175; XIV, 293
Landgrebe, Erich (1908) A	IV, 499; XIII, 220
Landry, Charles F. (1909) CH [I, 2: 2c]	IX, 128
Lang, Willy (1892) A	XIII, 221
Lange, Hans J. (1918) D	IV, 500
Lange, Horst (1904–1971) D	IV, 501; XIII, 222
Langewiesche, Marianne (1908) D	IV, 502; XIII, 225
Langgässer, Elisabeth (1899–1950) D	IV, 505; XIII, 225
Langner, Ilse (1889) D	IV, 508; XIII, 225
Lanham, Peter. GB	X, 121
Larbaud, Valéry (1881–1957) F	IX, 129
Lardner, Ringgold W. (1885–1933) USA	XIV, 293
La Roche, Mazo de (1879–1961) CDN [I, 2: 6a]	X, 210; XIV, 202
La Roche, Sophie v. (1731–1807) D	*II, 403;* II, 365
Larreta, Enrique R. (1875–1961) RA	VI, 379; XIV, 156
Larsen, Johannes A. (1874–1957) DK	XII, 23
Lartéguy, Jean (1920) F	XIV, 49
Lasswitz, Kurd (1848–1910) D	*II, 404;* II, 366
Last, Jef (1898) NL [I, 2: 7a]	X, 322
Laube, Heinrich (1806–1884) D	*II, 405;* II, 367
Lauber, Cécile (1887) CH [I, 2: 1c]	XIII, 227
Lauesen, Marcus (1907) DK	XII, 25
Lauff, Joseph v. (1855–1933) D	*II, 410;* II, 369
Lautréamont, de (1846–1870) F	XIV, 49
La Varende, Jean-B.-M. de (1887–1959) F	IX, 133; XIV, 50
Lavrenev, Boris A. (1891–1959) SU	XIV, 387
Lawrence, David H. (1885–1930) GB	X, 123; XIV, 202
Lawson, Robert (1892) USA	XI, 176
Laxness, Halldór K. (1902) IS	XII, 46; XIV, 346
Lazarević, Laza (1851–1891) YU-Scrb.	VIII, 341
Leach, Christopher (1925) GB	X, 130
Lebert, Hans (1919) A	XIII, 228
Lederer, Joe (1907) A	XIII, 229
Ledig, Gert (1921) D	XIII, 230
Lee, Harper (1926) USA	XIV, 294
Lee, Laurie (1914) GB	XIV, 204
Le Fort, Gertrud v. (1876) D	IV, 509; XIII, 231
Lehmann, Arthur-H. (1909–1956) D	IV, 517; XIII, 233
Lehmann, Rosamond (1903) GB	X, 132

Lehmann, Wilhelm (1882–1968) D — IV, 520; XIII, 233
Leifhelm, Hans (1891–1947) D — XIII, 234
Leip, Hans (1893) D — IV, 523; XIII, 234
Leiris, Michel (1901) F — XIV, 50
Leitgeb, Josef (1897–1952) A — IV, 527; XIII, 234
Lembourn, Hans J. (1923) DK — XIV, 347
Lemonnier, Antoine L. C. (1845–1913) B [I, 2 : 2 b] — VI, 148
Lennep, Jacob van (1802–1868) NL [I, 2 : 7 a] — VII, 346
Lenz, Hermann (1913) D — IV, 529; XIII, 235
Lenz, Siegfried (1926) D — XIII, 236
León y Román, Ricardo (1877–1943) E — IX, 353; XIV, 156
Leonow, Leonid M. (1899) SU — XII, 276; XIV, 387
Lera, Angel M. de (1912) E — XIV, 156
L'Ermite, Pierre (1863) F — VI, 151
Lermontow, Michail J. (1814–1841) SU — VIII, 215; XIV, 388
Lernet-Holenia, Alexander (1897) A — IV, 530; XIII, 240
Lersch, Heinrich (1889–1936) D — IV, 535; XIII, 241
Lesage, Alain R. (1668–1747) F — VI, 153
Leskow, Nikolaj S. (1831–1895) SU — VIII, 217; XIV, 388
Lesort, Paul A. (1915) F — IX, 135
Lettau, Reinhard (1929) D — XIII, 241
Leutelt, Gustav (1860–1947) A — II, 370
Levi, Carlo (1902) I — IX, 286
Lewald, Fanny (1811–1889) D — *II, 413;* II, 372
Lewis, Clive St. (1898–1963) IRL [I, 2 : 6 a] — X, 134; XIV, 204
Lewis, Mathew G. (1775–1818) GB — XIV, 204
Lewis, Sinclair (1885–1951) USA — XI, 177
Li, Mirok (1899–1950) Korea [I, 2 : 6 a] — X, 136; XIV, 205
Lichnowsky, Fürstin Mechtilde (1879–1958) D — IV, 536; XIII, 241
Lidman, Sara A. (1923) S — XIV, 366
Lie, Jonas L. I. (1833–1908) N — VIII, 92
Lienert, Meinrad (1865–1933) CH [I, 2 : 1 c] — II, 374
Lienhard, Friedrich (1865–1929) D — *II, 416;* II, 375
Liliencron, Detlev v. (1844–1909) D — *II, 417;* II, 376
Lilienfein, Heinrich (1879–1952) D — IV, 538; XIII, 242
Lindbergh, Anne S. M. (1906) USA — XI, 194
Lindemann, Kelvin (1911) DK — XII, 26
Linke, Johannes (1900–1945) D — IV, 539; XIII, 242
Linklater, Eric (1899) GB — X, 137
Linna, Väinö (1920) SF — XII, 174
Linnankoski, Johannes V. (1869–1913) SF — VIII, 139
Lin-Yü-t'ang (1895) RC [I, 2 : 6 b] — XI, 188; XIV, 294
Lipinski-Gottersdorf, Hans (1920) D — XIII, 242
Llewellyn, Richard (1906) GB — X, 139; XIV, 205

Lobsien, Wilhelm (1872–1947) D	II, 376
Löhndorff, Ernst F. (1899) D	IV, 540
Löns, Hermann (1866–1914) D	*II, 417;* II, 378
Löscher, Hans (1881–1946) D	IV, 541
Lohenstein, Daniel C. v. (1635–1683) D	*II, 420;* II, 381
Lo-Johansson, Ivar (1901) S	XII, 141
London, Jack (1876–1916) USA	VII, 284
Lope de Vega s. Vega Carpio	
López, Vicente F. (1815–1903) RA	VI, 381
López y Fuentes, Gregorio (1895) MEX	IX, 354
Lorenzen, Rudolf (1922) D	XIII, 245
Lothar, Ernst (1890) A	IV, 543; XIII, 246
Loti, Pierre (1850–1923) F	VI, 156
Louvet de Couvray, Jean B. (1760–1797) F	VI, 158
Lowrey, Walter B. (1924) USA	XI, 196
Lowry, Malcolm (1909–1957) GB	X, 140; XIV, 206
Ludwig, Otto (1813–1865) D	*II, 422;* II, 383
Lübbe, Axel (1880) D	IV, 546; XIII, 247
Lütgen, Kurt (1911) D	IV, 547; XIII, 247
Lützkendorf, Felix (1906) D	XIII, 247
Luhmann, Heinrich (1890) D	XIII, 250
Lulofs, Magdalene H. (1899–1958) NL [I, 2: 7a]	X, 323; XIV, 340
Luserke, Martin (1880–1968) D	IV, 548; XIII, 251
Lux, Joseph A. (1871–1947) A	II, 385
Lynch, Benito (1885–1951) RA	IX, 355
Lyttkens, Alice (1897) S	XII, 143
Maass, Edgar (1896–1964) D	IV, 550; XIII, 251
Maass, Joachim (1901) D	IV, 554; XIII, 251
Macaulay, Rose (1881–1958) GB	XIV, 206
McCarthy, Mary Th. (1912) USA	XIV, 294
Mac Cullers, Carson (1917–1967) USA	XI, 197; XIV, 296
Mac Donald, Betty (1908–1958) USA	XI, 200; XIV, 297
McFee, William (1881) GB	X, 140; XIV, 207
Machado de Assis, Joaquim M. (1839–1908) BR	VI, 383
Machiavelli, Niccolò (1469–1527) I	VI, 311
Mackaye, Percy (1875–1956) USA	XI, 202; XIV, 297
Macken, Walter (1915–1967) IRL [I, 2: 6a]	X, 143; XIV, 207
Mackenzie, Edward M. C. (1883) GB	X, 143; XIV, 208
Mackiewicz, Josef. PL	XII, 358
Maclean, Alistair (1923) GB	X, 145; XIV, 208
Macleod, Fiona (1855–1905) GB	VII, 140
Mac Orlan, Pierre (1882–1970) F	IX, 137
Macpherson, Kenneth (1907) GB	XIV, 208

Madariaga y Rojo, Salvador de (1886) E	IX, 355; XIV, 157
Mälk, August (1900) Estl. [I, 2: 8e]	XII, 175
Maeterlinck, Maurice (1862–1949) B [I, 2: 2b]	VI, 160
Magiera, Kurtmartin (1928) D	XIII, 251
Mailer, Norman (1923) USA	XI, 204; XIV, 297
Maistre, Xavier de (1763–1852) F	VI, 161
Makarenko, Anton S. (1888–1939) SU	XII, 279
Malamud, Bernard (1914) USA	XIV, 298
Malaparte, Curzio (1898–1957) I	IX, 287; XIV, 108
Malègue, Joseph (1876–1940) F	IX, 138
Mallet-Joris, Françoise (1930) B [I, 2: 2b]	XIV, 51
Malot, Hector (1830–1907) F	VI, 162
Malraux, André (1901) F	IX, 140; XIV, 52
Mamin-Sibirjak, Dmitrij N. (1852–1912) SU	VIII, 229; XIV, 389
Man, Herman de (1898–1946) NL [I, 2: 7a]	X, 325
Mann, Heinrich (1871–1950) D	*II, 425;* II, 386
Mann, Klaus (1906–1949) D	IV, 558; XIII, 253
Mann, Thomas (1875–1955) D	*II, 439;* II, 400
Mannin, Ethel E. (1900) GB	XIV, 209
Manninen, Eero N. O. (1872–1950) SF	XII, 176
Mansfield, Katherine (1888–1923) NZ [I, 2: 6a]	X, 147
Mansilla de García, Eduarda de s. García, E. de	
Manzoni, Alessandro (1785–1873) I	VI, 311; XIV, 109
Manzoni, Carlo (1902) I	XIV, 110
Márai, Sándor (1900) H	XII, 388; XIV, 436
Marceau, Félicien (1913) B [I, 2: 2b]	XIV, 52
Margarete von Navarra (1492–1549) F	VI, 164
Marinković, Ranko (1912) YU-Kroat.	XIV, 454
Markandaya, Kamala (1924) IND [I, 2: 6a]	X, 149
Markusson, Andreas (1893) N	XII, 94
Marlitt, Eugenie (1825–1887) D	*II, 448*
Mármol, José (1818–1871) RA	VI, 386
Marotta, Giuseppe (1902–1963) I	IX, 288; XIV, 111
Marquand, John Ph. (1893–1960) USA	XI, 205; XIV, 298
Marryat, Frederick (1792–1848) GB	VII, 142; XIV, 210
Marshall, Bruce (1899) GB	X, 150; XIV, 211
Marti, Ernst O. (1903) CH [I, 2: 1c]	IV, 559
Martin du Gard, Roger (1881–1958) F	VI, 164
Martinson, Harry (1904) S	XII, 144
Maschmann, Melita (1918) D	XIII, 254
Masefield, John (1878–1967) GB	X, 157; XIV, 211
Mason, Francis van Wyck (1901) USA	XI, 208
Mason, Richard (1919) GB	X, 160; XIV, 211
Masters, John (1914) GB	X, 162; XIV, 212

Mathar, Ludwig (1882–1958) D	IV, 560; XIII, 256
Matscher, Hans (1878) A	IV, 563
Maturin, Charles R. (1782–1824) IRL [I, 2 : 6a]	VII, 147
Matute, Ana M. (1926) E	XIV, 158
Maugham, William S. (1874–1965) GB	X, 164; XIV, 213
Maupassant, Guy de (1850–1893) F	VI, 170; XIV, 53
Mauriac, François (1885–1970) F	IX, 144; XIV, 56
Maurina, Zenta (1897) Kurl. [I, 2 : 8e]	XII, 177
Maurois, André (1885–1967) F	IX, 156; XIV, 56
Maximoff, Mateo (1917) E [I, 2 : 2a]	IX, 162
May, Karl (1842–1912) D	*II, 451;* II, 411
Mayer, Karl Ad. (1889–1957) A	IV, 564; XIII, 256
Mechow, Karl B. v. (1897–1960) D	IV, 565; XIII, 256
Meckauer, Walther (1889–1966) D	IV, 568; XIII, 256
Meersch, Maxence van der (1907–1951) F	IX, 164
Meichsner, Dieter (1928) D	XIII, 256
Meinhold, Wilhelm (1797–1851) D	*II, 453;* II, 412
Meissinger, Karl A. (1883–1950) D	IV, 569
Mell, Max (1882) A	IV, 571; XIII, 258
Melnikow, Pawel I. (1818–1883) SU	XIV, 389
Melville, Herman (1819–1891) USA	VII, 303; XIV, 298
Memmi, Albert (1920) F	XIV, 57
Menzel, Gerhard W. (1922) D	XIII, 258
Meray, Tibor. H	XII, 391
Mercer, Charles (1917) USA	XI, 209
Meredith, George (1828–1909) GB	VII, 149
Mereschkowskij, Dmitrij S. (1865–1941) SU	VIII, 233
Mergendahl, Charles (1919–1959) USA	XIV, 299
Meri, Veijo (1928) SF	XIV, 371
Mérimée, Prosper (1803–1870) F	VI, 179; XIV, 58
Merker, Emil (1888) A	IV, 575; XIII, 259
Merle, Robert (1908) F	IX, 167; XIV, 58
Merrill, James E. (1926) USA	XIV, 299
Meschendörfer, Adolf (1877–1963) A-Siebenbg. [I,2:1b]	IV, 576
Mészöly, Miklós (1921) H	XIV, 437
Metalious, Grace (1924–1964) USA	XIV, 300
Meyer, Conrad F. (1825–1898) CH [I, 2 : 1c]	*II, 454;* II, 412
Meyer-Eckhardt, Victor (1889–1952) D	IV, 577; XIII, 259
Meyr, Melchior (1810–1871) D	*II, 466;* II, 424
Meyrink, Gustav (1868–1932) A	IV, 578; XIII, 259
Michael, Friedrich (1892–1970) D	IV, 579
Michaelis, Karin (1872–1950) DK	VIII, 49
Michaelis, Sophus (1865–1932) DK	XII, 27

Michel, Robert (1876–1957) A-Bosn. [I, 2 : 1 b]	IV, 582
Michener, James A. (1907) USA	XI, 210; XIV, 301
Miegel, Agnes (1879–1964) D	IV, 583; XIII, 260
Mikeleitis, Edith (1905) D	IV, 585
Mikszáth, Kálmán (1847–1910) H	VIII, 342; XIV, 437
Miller, Arthur (1915) USA	XI, 213; XIV, 302
Miller, Arthur M. (1901) D	IV, 587; XIII, 260
Miller, Henry (1891) USA	XI, 214; XIV, 302
Miller, Johann M. (1750–1814) D	*II, 469;* II, 426
Milne, Alan A. (1882–1956) GB	XIV, 213
Milosz, Czeslaw (1911) PL	XII, 359
Mirok, Li s. Li, M.	
Mitchell, Margaret (1900–1949) USA	XI, 216
Mitterer, Erika (1906) A	IV, 589; XIII, 260
Moberg, Vilhelm C. A. (1898) S	XII, 145
Möllhausen, Balduin (1825–1905) D	*II, 470;* II, 427
Mönnich, Horst (1918) D	IV, 590; XIII, 261
Mörike, Eduard (1804–1875) D	*II, 473;* II, 429
Moeschlin, Felix (1882–1969) CH [I, 2 : 1 c]	XIII, 261
Mofolo, Thomas (1877–1948) ZA [I, 2 : 6 a]	X, 171; XIV, 214
Mohrt, Michel (1914) F	XIV, 59
Moll, Elick (1903) USA	XIV, 302
Molnár, Ferencz (1878–1952) H	XII, 392
Molo, Walter v. (1880–1958) A	IV, 591; XIII, 262
Molzahn, Ilse (1895) D	IV, 596
Monnier, Thyde (1887–1967) F	IX, 168; XIV, 60
Monsarrat, Nicholas J. T. (1910) GB	X, 172; XIV, 214
Montella, Carlo (1922) I	IX, 290
Montemayor, Jorge de (1520–1561) P	VI, 387
Montesquieu, Charles L. de (1689–1755) F	VI, 183
Montherlant, Henry de (1896) F	IX, 172; XIV, 62
Montupet, Jeanne (1919) F	IX, 177; XIV, 63
Moor, Ernestine (1924) D	XIII, 263
Moore, George (1852–1933) IRL [I, 2 : 6 a]	VII, 153; XIV, 215
Moosdorf, Johanna (1911) D	XIII, 264
Morand, Paul (1888) F	IX, 178
Morante, Elsa (1918) I	XIV, 111
Moravia, Alberto (1907) I	IX, 291; XIV, 112
Morel, Robert (1922) F	IX, 180
Morgan, Charles (1894–1958) GB	X, 174
Móricz, Zsigmond (1879–1942) H	XII, 394; XIV, 437
Moritz, Karl Ph. (1756–1793) D	*II, 476;* II, 432
Morriën, Adriaan (1912) B [I, 2 : 7 b]	X, 326; XIV, 340
Morris, Edita (1903) S [I, 2 : 6 b]	XI, 219; XIV, 303

Morris, Wright (1910) USA	XIV, 304
Morus, Thomas (1478–1535) GB	VII, 156
Mostar, Gerhard H. (1901) D	XIII, 265
Mottram, Ralph H. (1883) GB	X, 180
Mrožek, Slawomir (1930) PL	XIV, 415
Mügge, Theodor (1806–1861) D	*II, 477;* II, 432
Mühlberger, Josef (1903) A	IV, 598; XIII, 266
Mühlenweg, Fritz (1898–1961) D	IV, 601; XIII, 268
Müller, Bastian (1912) D	IV, 602
Müller, Wolfgang (1907) D	IV, 603
Müller-Guttenbrunn, Adam (1852–1923) A-Banat	*II, 479;* II, 434
Müller-Marein, Josef (1907) D	XIII, 268
Münz, Erwin K. (1912) D	XIII, 269
Mukerdschi, Dhan G. (1890–1936) IND [I, 2: 6a]	X, 181; XIV, 216
Mullen, Patt. IRL [I, 2: 6a]	X, 182
Multatuli (1820–1887) NL [I, 2: 7a]	VII, 347
Mumelter, Hubert (1896) A	IV, 605; XIII, 270
Mungenast, Ernst M. (1898–1964) D	IV, 607; XIII, 270
Munier-Wroblewski, Mia (1882–1965) D-Balt.	XIII, 270
Munk, Georg (1877–1958) D	IV, 610; XIII, 271
Muñoz, Rafael F. (1899) MEX	IX, 357
Munthe, Axel (1857–1949) S	XII, 149
Muntz, Hope (1907) CDN [I, 2: 6a]	X, 183
Murdoch, Iris (1919) IRL [I, 2: 6a]	X, 184; XIV, 216
Murger, Henri (1822–1861) F	VI, 185; XIV, 63
Muron, Johannes (1884–1967) CH [I, 2: 1c]	IV, 613; XIII, 271
Muschler, Reinhold C. (1882–1957) D	IV, 615; XIII, 271
Musil, Robert v. (1880–1942) A	IV, 618; XIII, 272
Musset, L. Ch. Alfred de (1810–1857) F	VI, 186; XIV, 63
Myrivilis, Stratis (1892) GR	XII, 436
Nabl, Franz (1883) A	V, 621; XIII, 274
Nabokow, Wladimir W. (1899) SU	XII, 211; XIV, 390
Nadolny, Burkhard (1905–1968) D	XIII, 275
Naeff, Top (1878–1953) NL [1, 2: 7a]	X, 327
Nałkowska, Zofia (1885–1954) PL	XII, 361; XIV, 416
Namora, Fernando (1919) P	XIV, 174
Narayan, Rasipuram Kr. IND [I, 2: 6a]	X, 185
Narcisse, Alphonse. F	IX, 181
Naso, Eckart v. (1888) D	V, 630; XIII, 276
Nathan, Robert (1894) USA	XI, 220
Nathusius, Marie (1817–1857) D	*II, 482*
Negri, Ada (1870–1945) I	IX, 292
Nekrassow, Wiktor P. (1911) SU	XII, 282; XIV, 391

Nelissen-Haken, Bruno (1901) D	V, 634; XIII, 276
Němcová, Božena (1820–1862) CS	VIII, 346
Németh, László (1901) H	XII, 397; XIV, 437
Nemitz, Manfred (1926) D	XIII, 276
Neruda, Jan (1834–1891) CS	VIII, 347; XIV, 425
Nerval, Gérard de (1808–1855) F	VI, 189; XIV, 64
Neumann, Alfred (1895–1952) D	V, 638; XIII, 277
Neumann, Robert (1897) A	V, 644; XIII, 279
Newerow, Alexandr S. (1886–1923) SU	XII, 282
Newman, John H. (1801–1890) GB	VII, 157
Nichols, J. Beverlcy (1898) GB	X, 186; XIV, 217
Nicklisch, Hans (1912) D	XIII, 281
Nicolai (1836–1920) DK	VIII, 50
Nicolai, Friedrich (1733–1811) D	*II, 483;* II, 435
Niebelschütz, Wolf v. (1913–1960) D	V, 646; XIII, 282
Niekrawietz Hans (1896) D	XIII, 283
Niese, Charlotte (1854–1935) D	*II, 484;* II, 436
Nievo, Ippolito (1831–1861) I	XIV, 114
Nijenhuis, Berend. B [I, 2: 7b]	X, 328
Niland, D'Arcy (1919) AUS [I, 2; 6a]	X, 187; XIV, 217
Nilin, Pawel F. (1908) SU	XII, 283
Nisser, Peter (1919) S	XII, 150
Nodier, Charles E. (1780–1844) F	VI, 190
Nonnenmann, Klaus (1922) D	XIII, 283
Nordhoff, Charles B. (1887–1947) USA	XI, 223
Nordström, Clara E. (1886–1962) S [I, 2: 1a]	V, 648; XIII, 284
Norris, Frank (1870–1902) USA	VII, 315
Nossack, Hans E. (1901) D	V, 649; XIII, 286
Novalis (1772–1801) D	*II, 485;* II, 437
Nowak, Hans (1897–1958) D	V, 651; XIII, 289
Nowakowski, Tadeusz (1918) PL	XII, 362; XIV, 416
Nowikow, Iwan A. (1877–1959) SU	XII, 284
Nuoliwaara, Auni (1883) SF	XII, 178
Nusser, James L. (1925) USA	XI, 226
Nyirö, József (1889–1953) H	XII, 398; XIV, 438
Nylander, John W. (1869–nach 1923) SF [I, 2: 8d]	VIII, 120
Obaldia, René de (1918) F	XIV, 64
Oberkofler, Joseph G. (1889–1962) A	V, 653
O'Brien, Kate (1897) IRL [I, 2: 6a]	X, 188
Obstfelder, Sigbjörn (1866–1900) N	VIII, 94
O'Casey, Sean (1880–1964) IRL [I, 2: 6a]	XIV, 217
O'Connor, Edwin (1918–1968) USA	XIV, 305
O'Connor, Flannery (1925–1964) USA	XIV, 306

O'Connor, Frank (1903–1966) IRL [I, 2: 6a]	XIV, 219
Odojewskij, Wladimir F. Fürst (1803–1869) SU	VIII, 240
Odojewskij, Wlodzimierz (1930) PL	XIV, 417
Oever, Fernand van den (1912) NL [I, 2: 7a]	X, 329
O'Faolain, Sean (1900) IRL [I, 2: 6a]	X, 189; XIV, 221
O'Flaherty, Liam (1897) IRL [I, 2: 6a]	X, 190; XIV, 224
Ognjew, Nikolai (1888–1938) SU	XII, 285
O'Hara, John (1905–1970) USA	XI, 227; XIV, 306
O'Hara, Mary (1885) USA	XI, 229
Olescha, Juri K. (1899–1960) SU	XII, 286; XIV, 392
Olesen-Loekken, Thomas (1877) DK	XII, 28
Oller, Narcís (1846–1930) E	VI, 388
Olujič, Grozdana (1934) YU	XIV, 455
Ompteda, Georg v. (1863–1931) D	*II, 487;* II, 438
Omre, Arthur (1887–1967) N	XII, 96
Ortese, Anna-M. I	IX, 293
Orthbandt, Eberhard (1920) D	V, 657
Ortiz, Adalberto (1914) EC	IX, 357
Ortner, Eugen (1890–1947) D	V, 658
Orwell, George (1903–1950) GB	X, 193; XIV, 224
Orzeszkowa, Eliza (1841–1910) PL	VIII, 315
Ostenso, Martha (1900–1963) N [I, 2: 6b]	XI, 230
Ostrowskij, Nikolaj A. (1904–1936) SU	XII, 287
O'Sullivan, Maurice (1904–1950) GB	X, 195; XIV, 224
Oterdahl, Jeanna (1879) S	XII, 152
Otremont, Stanislas d' (1899) B [I, 2: 2b]	IX, 182
Ottlik, Géza (1912) H	XIV, 439
Ouwendijk, Dick (1907) NL [I, 2: 7a]	X, 330; XIV, 340
Overhoff, Julius (1898) A	XIII, 289
Paalzow, Henriette v. (1788–1847) D	*II, 488*
Packer, Joy (1905) ZA [I, 2: 6a]	XIV, 225
Pagnol, Marcel (1895) F	XIV, 65
Palacio Valdés, Armando (1853–1938) E	VI, 389; XIV, 159
Palazzeschi, Aldo (1885) I	IX, 294; XIV, 115
Paludan, Jacob (1896) DK	XII, 29
Panduro, Leif (1924) DK	XIV, 348
Panferow, Fedor I. (1896–1960) SU	XII, 290
Panowa, Wera (1905) SU	XII, 291
Panteleimonow, Boris G. (1888–1950) SU	XII, 214
Pantenius, Theodor H. (1843–1915) D-Balt.	II, 439
Panzini, Alfredo (1863–1939) I	IX, 295
Papa, Katina (1903–1959) GR	XII, 437
Papendick, Gertrud (1890) D	V, 662

Paquet, Alfons (1881–1944) D	V, 664
Pardo Bazán, Emilia (1851–1921) E	VI, 390; XIV, 159
Park, Ruth (1921) NZ [I, 2 : 6a]	X, 196; XIV, 225
Pasolini, Pier P. (1922) I	XIV, 115
Pasqualino, Fortunato (1923) I	XIV, 115
Passuth, Laszló (1900) H	XIV, 439
Pasternak, Boris L. (1890–1960) SU	XII, 294
Paterson, Neil (1915) GB	X, 198
Paton, Alan (1903) ZA [I, 2 : 6a]	X, 198
Patton, Frances (Gray) (1906) USA	XI, 233
Paulus, Helmut (1900) D	V, 665; XIII, 290
Paustowski, Konstantin G. (1892–1968) SU	XII, 296; XIV, 392
Pavese, Cesare (1908–1950) I	IX, 296; XIV, 116
Pawel, Ernst (1920) D [I, 2 : 6b]	XI, 234
Pawlenko, Pjotr A. (1899–1951) SU	XII, 300
Payne, Robert (1912) GB [I, 2 : 6b]	XI, 234
Pegel, Walter (1899) D	V, 666
Peisson, Edouard (1896–1963) F	IX, 184
Pekkanen, Toivo R. (1902–1957) SF	XIV, 372
Péladan, Joséphin (1859–1918) F	VI, 191
Pellico, Silvio (1789–1854) I	VI, 313
Pentzoldt, Ernst (1892–1955) D	V, 667; XIII, 291
Pereda y Sánchez de Porrúa, José M. de (1833–1906) E	VI, 392; XIV, 160
Pérez de Ayala, Ramón (1881–1962) E	IX, 359; XIV, 160
Pérez Galdós, Benito (1843–1920) E	VI, 394; XIV, 161
Perkonig, Josef Fr. (1890–1959) A	V, 671; XIII, 292
Pérochon, Ernest (1885–1942) F	IX, 186
Perrault, Charles (1628–1703) F	VI, 192
Perutz, Leo (1884–1957) A	XIII, 293
Pestalozzi, Johann H. (1746–1827) CH [I, 2 : 1c]	*II, 490;* II, 440
Peters, Friedrich E. (1890–1962) D	V, 672; XIII, 294
Petersen, Nis J. (1897–1943) DK	XII, 30
Petrescu, Cezar (1892–1961) R	XII, 421
Petroff, Boris G. (1895) BG [I, 2:6b]	XI, 235
Petrow, Jewgeni P. (1903–1942) SU	XII, 263
Petscherskij, Andrej (1819–1883) SU	VIII, 241
Peyrefitte, Roger (1907) F	IX, 187; XIV, 66
Pfahler, Gerhard (1897) D	V, 674; XIII, 294
Philippe, Charles-L. (1874–1909) F	VI, 193; XIV, 67
Piasecki, Sergiusz (1899) PL	XII, 363
Piccolomini s. Enea Silvio	
Pichler, Adolf v. (1819–1900) A	*II, 491;* II, 441
Pick, Robert (1898) A [I, 2 : 6b]	XI, 236

Pieyre de Mandiargues, André (1909) F   XIV, 68
Pillecijn, Filip de (1891–1962) B [I, 2: 7 b]   X, 332; XIV, 340
Pilnjak, Boris A. (1894–1937) SU   XII, 301; XIV, 394
Pinget, Robert (1919) CH [I, 2: 2 c]   XIV, 69
Pinilla, Ramiro (1923) E   XIV, 162
Piontek, Heinz (1925) D   XIII, 294
Piovene, Guido (1907) I   IX, 297
Pirandello, Luigi (1867–1936) I   VI, 315; XIV, 118
Pisjemskij, Aleksej F. (1820–1881) SU   VIII, 243
Pius II., Papst s. Enea Silvio
Planner-Petelin, Rose (1900) A   XIII, 294
Pleyer, Wilhelm (1901) A   V, 675
Plievier, Theodor (1892–1955) D   V, 677; XIII, 295
Plisnier, Charles M. F. (1896–1952) B [I, 2: 2 b]   IX, 188
Plomer, William (1903) ZA [I, 2: 6 a]   XIV, 225
Poe, Edgar A. (1809–1849) USA   VII, 319; XIV, 308
Pohl, Gerhart (1902–1966) D   V, 680; XIII, 296
Polenz, Wilhelm v. (1861–1903) D   *II, 493;* II, 442
Polewoi, Boris N. (1908) SU   XII, 302
Polgar, Alfred (1873–1955) A   V, 681; XIII, 298
Pombo Angulo, Manuel (1912) E   IX, 360
Ponten, Josef (1883–1940) D   V, 682
Pontoppidan, Henrik (1857–1943) DK   VIII, 51; XIV, 348
Porché, Wladimir (1910) SU [I, 2: 2 a]   IX, 191
Porter, Katherine A. (1894) USA   XI, 237; XIV, 309
Post, Laurens van der (1906) ZA [I, 2: 6 a]   X, 201; XIV, 226
Poulaille, Henry (1896) F   IX, 192
Pourtalès, Guy de (1881–1941) CH [I, 2: 2 c]   IX, 193
Powell, Anthony D. (1905) GB   XIV, 226
Powell, Richard (1908) USA   XIV, 310
Powers, James F. (1917) USA   XIV, 311
Powys, John C. (1872–1963) GB   X, 202
Pratolini, Vasco (1913) I   IX, 298; XIV, 119
Prawdin, Michael (1894) SU   XII, 215
Preradović, Paula v. (1887–1951) A   V, 691
Presber, Rudolf (1868–1935) D   *II, 496;* II, 444
Prescott, Hilda F. M. (1896) GB   X, 203
Prevelakis, Pantelis (1909) GR   XIV, 468
Prévost, Marcel (1862–1941) F   VI, 198
Prévost d'Exiles, Antoine F. (1697–1763) F   VI, 197
Priestley, John B. (1894) GB   X, 204; XIV, 227
Prischwin, Michail M. (1873–1954) SU   XII, 304; XIV, 395
Pritchett, Victor S. (1900) GB   X, 208; XIV, 228
Prokosch, Frederic (1908) USA   XI, 240

Proust, Marcel (1871–1922) F IX, 194; XIV, 70
Prus, Bolesław (1847–1912) PL VIII, 317; XIV, 418
Przybyszewski, Stanislaw (1868–1927) PL XII, 365
Pump, Hans W. (1915–1957) D XIII, 299
Purdy, James (1923) USA XIV, 312
Puschkin, Aleksandr S. (1799–1837) SU VIII, 244; XIV, 395

Queffélec, Henri (1910) F IX, 199; XIV, 72
Queneau, Raymond (1903) F XIV, 72
Quevedo y Villegas, Francisco G. de (1580–1645) E VI, 396
Quincey, Thomas de (1785–1859) GB XIV, 228
Quiroga, Carlos B. (1887) RA IX, 361
Quiroga, Horacio (1878–1937) U IX, 362

Raabe, Wilhelm (1831–1910) D *II, 498;* II, 445
Rabelais, François (um 1494–1553) F VI, 200
Rachmanowa, Alexandra (1898) SU XII, 216
Radecki, Sigismund v. (1891–1970) D-Balt. XIII, 299
Radičević, Branko (1925) YU-Serb. XIV, 456
Radiguet, Raymond (1903–1923) F IX, 201
Radischtschew, Aleksandr N. (1749–1802) SU VIII, 249
Rainalter, Erwin H. (1892–1960) A V, 693; XIII, 300
Raithel, Hans A. (1864–1939) D II, 465
Ramuz, Charles F. (1878–1947) CH [I, 2: 2c] IX, 203; XIV, 74
Rand, Ayn (um 1914) USA XI, 242
Randenborgh, Elisabet van (1893) D V, 694
Ranke-Graves s. Graves
Raschke, Martin (1905–1943) D V, 696
Rasmus-Braune, Joachim (1920) D XIII, 301
Raucat, Thomas (?) F IX, 212
Rawlings, Marjorie K. (1896–1953) USA XI, 243; XIV, 312
Reade, Charles (1814–1884) GB VII, 158
Rebatet, Lucien (1903) F XIV, 74
Rebreanu, Liviu (1885–1944) R XII, 422
Reding, Josef (1929) D XIII, 302
Reger, Erik (1893–1954) D V, 698; XIII, 303
Regler, Gustav (1898–1962) D XIII, 303
Régnier, Henri F. J. de (1864–1936) F VI, 204
Régnier, Paule (1890–1950) F IX, 213
Rehmann, Ruth (1922) D XIII, 304
Rehn, Jens (1918) D XIII, 305
Reisiger, Hans (1884–1968) D XIII, 306
Rellstab, Ludwig (1799–1860) D II, 466
Remarque, Erich M. (1898–1970) D V, 700; XIII, 307

Remisow, Alexej M. (1877–1957) SU — XII, 219

Renard, Jules (1864–1910) F — VI, 207; XIV, 75

Rendl, Georg (1903) A — V, 702; XIII, 308

Renker, Gustav (1889–1967) CH [I, 2: 1c] — V, 703; XIII, 308

Renn, Ludwig (1889–1970) D — V, 705; XIII, 309

Reuter, Christian (1665– nach 1712) D — *II, 523;* II, 467

Reuter, Fritz (1810–1874) D — *II, 524;* II, 468

Reuter, Gabriele (1859–1941) D — *II, 530;* II, 473

Reventlow, Franziska v. (1871–1918) D — II, 474

Reyhing, Hans (1882) D — V, 707; XIII, 309

Reymont, Władyslaw St. (1867–1925) PL — VIII, 319

Rezzori d'Arezzo, Gregor v. (1914) A — XIII, 309

Ribeiro, Aquilino (1885–1963) P — XIV, 175

Ribeyro, Julio R. (1929) PE — XIV, 163

Ribnikar, Jara (1912) CS [I, 2: 9d] — XIV, 456

Rice, Elmer L. (1892–1967) USA — XI, 246

Richardson, Samuel (1689–1761) GB — VII, 160

Richter, Conrad M. (1890) USA — XI, 248

Richter, Hans W. (1908) D — V, 708; XIII, 310

Ridge, Antonia. NL [I, 2: 6a] — X, 209; XIV, 230

Riehl, Wilhelm H. v. (1823–1897) D — *II, 532;* II, 475

Rilke, Rainer M. (1875–1926) A — *II, 538;* II, 480

Rilla, Walter (1899) D — XIII, 312

Ring, Barbra (1870–1955) N — XII, 97

Ringeling, Gerhard (1887–1951) D — V, 709

Rinser, Luise (1911) D — V, 710; XIII, 313

Risse, Heinz (1898) D — V, 714; XIII, 315

Rivera, José E. (1889–1928) CO — IX, 363

Roa, Bastos A. (1917) PY — XIV, 163

Robakidse, Grigol (1884–1962) SU — XII, 221

Robbe-Grillet, Alain (1922) F — IX, 215; XIV, 76

Roberts, Elizabeth M. (1886–1941) USA — XI, 252; XIV, 313

Roberts, Kenneth L. (1885–1957) USA — XI, 253; XIV, 313

Robinson, Henry M. (1898–1961) USA — XI, 258; XIV, 313

Roblès, Emmanuel (1914) F — XIV, 77

Roche, Mazo de la s. La Roche

Rochefort, Christiane (1917) F — XIV, 78

Rod, Edouard (1857–1910) CH [I, 2: 2c] — VI, 207

Rodenbach, Georges (1855–1898) B [I, 2: 2b] — VI, 208

Roelants, Maurice (1895) B [I, 2: 7b] — X, 334

Rogge, Alma (1894–1969) D — V, 717; XIII, 315

Rojas, Fernando de (um 1465–1541) E — VI, 351

Rojas, Manuel (1896) RA — IX, 364

Rolin, Dominique (1913) B [I, 2: 2b] — XIV, 79

Rolland, Romain (1866–1944) F	VI, 211; XIV, 80
Rølvaag, Ole E. (1876–1931) N	XII, 99
Romains, Jules (1885) F	IX, 217; XIV, 80
Romanow, Pantelejmon S. (1884–1938) SU	XII, 306
Romanowiczowa, Zofia (1922) PL	XIV, 419
Rombach, Otto (1904) D	V, 718; XIII, 315
Rombi, Paride (1921) I	IX, 300; XIV, 119
Romero, Luis (1916) E	IX, 365; XIV, 164
Roothaert, Antonius (1896) NL [I, 2: 7a]	X, 335
Rosa, João G. (1908–1967) BR	XIV, 175
Rosegger, Peter (1843–1918) A	*II, 540;* II, 482
Ross, Martin (1865–1915) IRL [I, 2: 6a]	VII, 187
Rossi, Vittorio G. (1865 – nach 1929) I	IX, 301
Roth, Eugen (1895) D	V, 722; XIII, 315
Roth, Joseph (1894–1939) A	V, 723; XIII, 316
Rothmund, Toni (1877–1956) D	V, 725; XIII, 317
Rousseau, Jean-J. (1712–1778) CH–F [I, 2: 2c]	VI, 219
Rowdon, Maurice (?) GB	X, 213
Roy, Gabrielle (1909) CDN [I, 2: 2a]	IX, 221
Ruark, Robert Ch. (1915–1965) USA	XI, 259; XIV, 313
Rubens, Berenice GB	XIV, 230
Rüber, Johannes (1928) D	XIII, 317
Ruederer, Josef (1861–1915) D	II, 486
Rulfo, Juan (1918) MEX	XIV, 164
Rung, Otto (1874–1945) DK	XII, 32
Runyon, Damon (1884–1946) USA	XI, 261; XIV, 315
Rybakow, Anatolij (1911) SU	XIV, 396
Saalfeld, Martha (1898) D	XIII, 318
Saar, Ferdinand v. (1833–1906) A	*II, 546;* II, 488
Saburowa, Irina (1907) SU	XII, 223
Sack, Gustav (1885–1916) D	XIII, 320
Sackville-West, Victoria M. (1892–1962) GB	X, 214; XIV, 231
Sade, Donatien-A.-F. de (1740–1814) F	XIV, 81
Sadoveanu, Mihail (1880–1961) R	XII, 426; XIV, 465
Sagan, Françoise (1935) F	IX, 222; XIV, 83
Sahl, Hans (1902) D	XIII, 321
Saile, Olaf (1901–1952) D	V, 727; XIII, 322
Sainte-Soline, Claire (1891–1967) F	IX, 223
Saint-Exupéry, Antoine J. B. de (1900–1944) F	IX, 225; XIV, 84
Saint-Hélier, Monique (1895–1955) F	IX, 232
Saint-Pierre, Bernardin s. Bernardin	
Saitzew, Boris K. (1881) SU	XII, 224

Saki = H. Munro (1870–1916) GB-BUR [I, 2: 6a]	XIV, 231
Salinger, Jerome D. (1919) USA	XI, 262; XIV, 315
Salminen, Sally A. I. (1906) S	XII, 153
Salomon, Ernst v. (1902) D	V, 728; XIII, 322
Salten, Felix (1869–1945) H [I, 2: 1b]	V, 730; XIII, 322
Saltykow-Schtschedrin, Michail J. (1826–1889) SU	VIII, 250
Salvador, Tomás (1919) E	IX, 366; XIV, 165
Samarow, Gregor (1829–1903) D	*II, 548*
Samjatin, Jewgeni I. (1884–1937) SU	XII, 225; XIV, 396
Sánchez Ferlosio, Rafael (1927) E	XIV, 165
Sand, George (1804–1876) F	VI, 222
Sandel, Cora (1880) N	XIV, 355
Sanden, Walter v. (1888) D	V, 731
Sannazaro, Jacopo (1456–1530) I	VI, 318
Santayana, George (1863–1952) E [I, 2: 6b]	XI, 264
Sapper, Agnes (1852–1929) D	*II, 551;* II, 492
Saroyan, William (1908) USA	XI, 266; XIV, 318
Sarraute, Nathalie (1902) F	IX, 236; XIV, 84
Sartre, Jean-P. (1905) F	IX, 237; XIV, 86
Sarvig, Ole (1921) DK	XIV, 348
Sayers, Dorothy L. (1893–1957) GB	X, 216; XIV, 231
Scarron, Paul (1610–1660) F	VI, 228
Schäfer, Wilhelm (1868–1952) D	II, 494; V, 731
Schaeffer, Albrecht (1885–1950) D	V, 738; XIII, 322
Schaffner, Jakob (1875–1944) CH [I, 2: 1c]	*II, 553;* II, 500
Schallück, Paul (1922) D	V, 742; XIII, 322
Schaper, Edzard (1908) D	V, 744; XIII, 323
Scharrelmann, Wilhelm (1875–1950) D	*II, 561;* II, 505
Scharten, Carel Th. (1878–1950) NL [I, 2: 7a]	X, 337; XIV, 341
Scharten-Antink, Marga S. E. (1869–1957) NL [I, 2: 7a]	X, 337; XIV, 341
Schaukal, Richard v. (1874–1942) A	II, 507
Schaumann, Ruth (1899) D	V, 751; XIII, 325
Scheerbart, Paul (1863–1915) D	II, 508
Scheffel, Joseph V. v. (1826–1886) D	*II, 563;* II, 510
Schendel, Arthur van (1874–1946) NL [I, 2: 7a]	VII, 350
Schenzinger, Karl A. (1886–1962) D	V, 754; XIII 326
Scherr, Johannes (1817–1886) D	*II, 566;* II, 511
Schewtschenko, Taras H. (1814–1861) SU	VIII, 254
Schickele, René (1883–1940) D	V, 756; XIII, 326
Schieber, Anna (1867–1945) D	*II, 566;* II, 512
Schiller, Friedrich v. (1759–1805) D	*II, 567;* II, 513
Schirmbeck, Heinrich (1915) D	V, 760; XIII, 327
Schischkow, Wjatscheslaw J. (1873–1945) SU	XII, 307

Schlaf, Johannes (1862–1941) D	*I, 304;* I, 269;
	II, 568; II, 514
Schlegel, Friedrich v. (1772–1829) D	*II, 571;* II, 516
Schlehdorn (1891–1958) D	V, 761; XIII, 329
Schlumberger, Jean (1877–1968) F	IX, 242
Schmeljow, Iwan S. (1875–1950) SU	XII, 227; XIV, 397
Schmid, Hermann v. (1815–1880) A	*II, 571;* II, 517
Schmid-Noerr, Friedrich A. (1877–1969) D	V, 762
Schmidt, Arno (1914) D	XIII, 329
Schmidt (Waldschmidt), Maximilian (1832–1919) D	*II, 572;* II, 518
Schmidtbonn, Wilhelm (1876–1952) D	V, 763
Schmitthenner, Adolf (1854–1907) D	II, 519
Schnabel, Ernst (1913) D	V, 764; XIII, 333
Schnabel, Johann G. (1692 – nach 1750) D	*II, 574;* II, 520
Schnack, Anton (1892) D	V, 766
Schnack, Friedrich (1888) D	V, 767; XIII, 333
Schneider, Reinhold (1903–1958) D	V, 770; XIII, 333
Schneller, Franz (1889) D	XIII, 334
Schnitzler, Arthur (1862–1931) A	*II, 576;* II, 522
Schnurre, Wolfdietrich (1920) D	V, 776; XIII, 335
Schönherr, Karl (1867–1943) A	II, 525
Scholochow, Michail A. (1905) SU	XII, 310; XIV, 398
Scholtis, August (1901–1969) D	V, 776; XIII, 336
Scholz, Hans (1911) D	XIII, 336
Scholz, Wilhelm v. (1874–1969) D	V, 777; XIII, 337
Schøyen, Carl (1877–1951) N	XII, 101
Schrag, Otto (1902) D	V, 782
Schreckenbach, Paul (1866–1922) D	*II, 578;* II, 526
Schreiber, Hermann (1920) A	XIII, 337
Schreiber, Ilse (1886) D	V, 783
Schreiner, Olive (1855–1920) ZA [I, 2: 6a]	VII, 164
Schreyvogl, Friedrich (1899) A	V, 785; XIII, 338
Schröder, Mathias L. (1904–1950) D	V, 787
Schröder, Rudolf A. (1878–1962) D	V, 788; XIII, 339
Schröer, Gustav (1876–1949) D	V, 790
Schroers, Rolf (1919) D	V, 792; XIII, 339
Schücking, Levin (1814–1883) D	*II, 583;* II, 529
Schulberg, Budd (1914) USA	XI, 275
Schulenburg, Werner von der (1881–1958) D	*II, 586;* II, 531
Schulz, Bruno (1892–1942) PL	XIV, 420
Schurek, Paul (1890–1962) D	V, 794; XIII, 341
Schussen, Wilhelm (1874–1956) D	II, 533; V, 794;
	XIII, 341
Schuster, Emil (1921) D	XIII, 341

Schwarz, Georg (1902) D	V, 796
Schwarzkopf, Nikolaus (1884) D	V, 797
Sciascia, Leonardo (1921) I	XIV, 120
Scott, Gabriel (1874–1958) N	XII, 101
Scott, Sir Walter (1771–1832) GB	VII, 166
Scudéry, Madeleine de (1607–1701) F	VI, 229
Sealsfield, Charles (1793–1864) A	*II, 587;* II, 534
Secliger, Ewald G. (1877–1959) D	II, 537
Seewald, Richard (1889) D	XIII, 342
Seghers, Anna (1900) D	V, 799; XIII, 344
Seidel, Heinrich (1842–1906) D	*II, 591;* II, 538
Seidel, Heinrich W. (1876–1945) D	V, 801
Seidel, Ina (1885) D	V, 804; XIII, 345
Seidel, Willy (1887–1934) D	V, 810
Sejfullina, Lydia (1889–1954) SU	XII, 314
Selinko, Annemarie (1914) A	V, 812; XIII, 347
Sender, Ramón J. (1902) E	IX, 367; XIV, 166
Seppänen, Unto K. (1904–1955) SF	XII, 179
Serafimowitsch, Alexandr (1863–1949) SU	XII, 316
Serao, Matilde (1856–1927) I	VI, 319
Sergejcw-Zenskij, Sergej N. (1875–1958) SU	XII, 318
Seton, Anya (1916) USA	XI, 276
Seton, Ernest Th. (1860–1946) GB [I, 2: 6 b]	XI, 277
Sexau, Richard (1882–1962) D	V, 813; XIII, 347
Sharp, Alan (1934) GB	XIV, 232
Sharp, Margery (1905) GB	X, 220; XIV, 232
Shaw, George Bernard (1856–1950) IRL [I, 2: 6 a]	VII, 177
Shaw, Irwin (1913) USA	XI, 278; XIV, 318
Shellabarger, Samuel (1888–1954) USA	XI, 280; XIV, 319
Sherriff, Robert C. (1896) GB	X, 222
Shute, Nevil (1899–1960) GB	X, 224; XIV, 233
Sidney, Sir Philip (1554–1586) GB	VII, 180
Siegfried, Walther (1858–1947) CH [I, 2: 1 c]	*II, 593*
Sienkiewicz, Henryk (1846–1916) PL	VIII, 323
Sillanpää, Frans E. (1888–1964) SF	XII, 181
Sillitoe, Alan (1928) GB	XIV, 234
Silone, Ignazio (1900) I	IX, 301; XIV, 121
Simon, Claude (1913) F	XIV, 87
Simonow, Konstantin M. (1915) SU	XII, 319; XIV, 399
Simpson, William v. (1881–1945) D	V, 814
Simunović, Dinko (1873–1933) YU-Kroat.	XII, 415
Sinclair, Upton (1878–1968) USA	XI, 282; XIV, 319
Singh, Khushwant s. Khushwant	
Sjöberg, Birger (1885–1929) S	XII, 155

GOSHEN COLLEGE LIBRARY
GOSHEN, INDIANA

Sitwell, Edith (1887–1964) GB	X, 226
Siwertz, Sigfrid (1882) S	XII, 156
Skjoldborg, Johan (1861–1936) DK	XII, 32
Sklovskij, Viktor B. (1893) SU	XIV, 400
Skowronnek, Richard (1862–1932) D	*II, 594;* II, 540
Skram, Berthe A. (1847–1905) N	XIV, 355
Smedley, Agnes (1890–1950) USA	XI, 294
Smith, Betty (1906) USA	XI, 295
Smollet, Tobias G. (1721–1771) GB	VII, 181
Sneider, Vern J. (1916) USA	XI, 297
Snow, Charles P. (1905) GB	X, 227; XIV, 234
Söderberg, Hjalmar E. F. (1869–1941) S	XII, 159; XIV, 367
Soederholm, Margit (1905) S	XIV, 367
Söhle, Karl (1861–1947) D	*II, 595;* II, 541
Söiberg, Harry (1880–1954) DK	XII, 34
Soerensen, Villy (1929) DK	XIV, 349
Sohnrey, Heinrich (1859–1948) D	*II, 597;* II, 543
Soldati, Mario (1906) I	IX, 306
Sologub, Fjodor (1863–1927) SU	VIII, 255
Solowjow, Wladimir S. (1853–1900) SU	VIII, 257
Somerville, Edith A. Oe. (1858–1949) IRL [I, 2: 6a]	VII, 187
Sommer, Siegfried (1914) D	XIII, 347
Soschtschenko, Mihail M. (1895–1958) SU	XII, 321
Sourian, Peter (1933) USA	XI, 299
Spark, Muriel S. (1918) GB	XIV, 236
Speck, Wilhelm (1861–1925) D	*II, 599;* II, 544
Speckmann, Diedrich (1872–1938) D	*II, 600;* II, 546
Sperber, Manès (1905) PL [I, 2: 1a]	XIII, 348
Sperl, August (1862–1926) D	*II, 603;* II, 548
Speyer, Wilhelm (1887–1952) D	V, 816; XIII, 349
Spielhagen, Friedrich (1829–1911) D	*II, 605;* II, 549
Spindler, Carl (1796–1855) D	*II, 610*
Spitteler, Carl (1845–1924) CH [I, 2: 1c]	*II, 613;* II, 553
Spoerl, Heinrich (1887–1955) D	V, 818; XIII, 350
Spong, Berit (1895) S	XII, 160
Spring, Howard (1889–1965) GB	X, 228; XIV, 237
Springenschmid, Karl (1897) A	V, 822; XIII, 350
Stackelberg, Traugott v. (1891–1970) D-Balt.	V, 823; XIII, 350
Staël-Holstein, Anne L. G. de (1766–1817) F	VI, 232
Stahl, Hermann (1908) D	V, 825; XIII, 352
Stanković, Borislav (1876–1927) YU-Serb.	XII, 415; XIV, 457
Steen, Marguerite (1894) GB	X, 232
Stegemann, Hermann (1870–1945) D	*II, 615;* II, 555

Stegner, Wallace (1909) USA — XI, 300; XIV, 320
Stehr, Hermann (1864–1940) D — II, 556; V, 827
Stein, Gertrude (1874–1946) USA — XIV, 321
Steinbeck, John (1902–1968) USA — XI, 301; XIV, 322
Steinhausen, Heinrich (1836–1917) D — *II, 616*
Stendhal (1783–1842) F — VI, 234; XIV, 88
Stenius, Göran E. (1909) S — XII, 160; XIV, 368
Stephan, Hanna (1902) D — V, 838; XIII, 353
Stepun, Fedor A. (1884–1965) SU — XII, 233
Sterne, Laurence C. (1713–1768) IRL [I, 2: 6a] — VII, 189
Sterneder, Hans (1889) A — V, 839
Steuben, Fritz (1898) D — V, 840
Stevenson, Robert L. (1850–1894) GB — VII, 193; XIV, 237
Stewart, George R. (1895) USA — XI, 319
Stickelberger, Emanuel (1884–1962) CH [I, 2: 1c] — V, 843; XIII, 353
Stjernstedt, Marika (1875–1954) S — XII, 161
Stifter, Adalbert (1805–1868) A — *II, 618;* II, 568
Stilling, Johann H. s. Jung-Stilling
Stinde, Julius (1841–1905) D — *II, 647;* II, 594
Stinetorf, Louise A. (1900) USA — XI, 320
Stockhausen, Juliana v. (1899) D — V, 845; XIII, 353
Stöger, August (1905) A — XIII, 353
Stoessl, Otto (1875–1936) A — XIII, 354
Stoll, Heinrich A. (1910) D — XIII, 356
Stolpe, Sven (1905) S — XII, 162
Stone, Irving (1903) USA — XI, 321
Storm, Ruth (1905) D — XIII, 357
Storm, Theodor (1817–1888) D — *II, 649;* II, 597
Straparola, Gianfrancesco (um 1480–nach 1557) I — VI, 320
Stratz, Rudolf (1864–1936) D — *II, 662;* II, 612
Strauß, Emil (1866–1960) D — II, 612; V, 846
Strauß und Torney, Lulu v. (1873–1956) D — *II, 664;* II, 618
Streeter, Edward (1891) USA — XI, 324
Stresau, Hermann (1894–1964) D — XIII, 358
Streuvels, Stijn (1871–1969) B [I, 2: 7b] — VII, 352
Stribling, Thomas S. (1881–1965) USA — XI, 325
Strindberg, August (1849–1912) S — VIII, 121; XIV, 368
Strobach, Caroline F. (1915) A — V, 851
Strobl, Karl H. (1877–1946) A — V, 852
Strug, Andrzej (1873–1937) PL — XII, 366
Stuart, Francis (1902) AUS [I, 2: 6a] — X, 234
Stucken, Eduard (1865–1936) D — V, 854; XIII, 358
Stühlen, Peter (1900) D — V, 856
Styron, William (1925) USA — XIV, 322

Sudermann, Hermann (1857–1928) D	*II, 669;* II, 621
Sue, M. J. Eugène (1804–1857) F	VI, 241
Supervielle, Jules (1884–1960) F	IX, 245
Supper, Auguste (1867–1951) D	*II, 674;* II, 626
Susić, Dervis. YU	XIV, 457
Suttner, Bertha v. (1843–1914) A	*II, 677;* II, 628
Suyin, Han s. Han Suyin	
Svensson, Jón (1857–1944) IS	XII, 55
Svevo, Italo (1861–1928) I	IX, 308; XIV, 121
Swift, Jonathan (1667–1745)) IRL [I, 2: 6a]	VII, 205
Swinnerton, Frank A. (1884) GB	XIV, 237
Syberberg, Rüdiger (1900) D	XIII, 360
Szabó, Magda (1917) H	XII, 400; XIV, 440
Tagore, Rabindranath (1861–1941) IND [I, 2: 6a]	X, 237
Talvio, Maila (1871–1952) SF	XII, 187
Tammsaare, Anton (1878–1940) Estl. [I, 2: 8e]	XII, 190
Tarassow-Rodionow, Aleksandr I. (1885) SU	XII, 323
Tarkington, Booth (1869–1946) USA	XI, 327
Tarsis, Waleri J. (1906) SU	XIV, 400
Tau, Max (1897–1971) D	XIII, 361
Taube, Otto v. (1879) D-Balt.	V, 858; XIII, 362
Taunay, Alfredo de (1843–1899) BR	VI, 398
Tavaststjerna, Karl A. (1860–1898) S	XIV, 368
Tavčar, Iwan (1851–1923) YU-Slowen.	VIII, 348
Tecchi, Bonaventura (1896–1968) I	IX, 310; XIV, 123
Teirlinck, Herman (1879–1967) B [I, 2: 7b]	VII, 364
Telmann, Konrad (1854–1897) D	*II, 678;* II, 629
Ter Elst, Luc (1929) B [I, 2: 7b]	X, 337
Terz, Abram (1925) SU	XIV, 401
Testori, Giovanni (1923) I	XIV, 125
Tetmajer, Kazimierz (1865–1940) PL	XII, 367
Thackeray, William M. (1811–1863) GB	VII, 209
Thelen, Albert V. (1903) D	XIII, 362
Thieß, Frank (1890) D-Balt.	V, 859; XIII, 364
Thiry, Antoon (1888) B [I, 2: 7b]	X, 338
Thoma, Ludwig (1867–1921) D	*II, 679;* II, 631
Thomas, Adrienne (1897) F [I, 2: 1a]	V, 862; XIII, 365
Thomas, Henri (1912) F	XIV, 89
Thoreau, Henry D. (1817–1862) USA	VII, 323
Thorén, Fritz (1899–1950) S	XII, 164
Thorwald, Jürgen (1916) D	XIII, 365
Thümmel, Moritz A. v. (1738–1817) D	*II, 681;* II, 635
Thurber, James (1894–1961) USA	XI, 328; XIV, 323

Thurston, Temple (1879) GB	X, 240
Tibber, Robert (1929) GB	XIV, 238
Tieck, Ludwig (1773–1853) D	*II, 682;* II, 636
Tillier, Claude (1801–1844) F	VI, 243
Timmermans, Felix (1886–1947) B [I, 2: 7b]	X, 340
Tinhofer, Carl (1906) A	V, 863
Toepffer, Rodolphe (1799–1846) CH [I, 2: 2c]	VI, 245
Tolstoj, Aleksej K. (1817–1875) SU	VIII, 258
Tolstoi, Alexej N. (1883–1945) SU	XII, 325; XIV, 403
Tolstoj, Lew N. (1828–1910) SU	VIII, 260; XIV, 403
Tomasi di Lampedusa, Giuseppe (1896–1957) I	XIV, 125
Tombari, Fabio (1899) I	IX, 311
Torberg, Friedrich (1908) A	XIII, 367
Torga, Miguel (1907) P	XIV, 177
Tourville, Anne de (1910) F	IX, 247
Tralow, Johannes (1882–1968) D	V, 864
Trappe, Herta (1904) D	XIII, 369
Traun, Julius von der (1818–1885) A	*II, 688*
Traven, Bruno (1890–1969) D	V, 865; XIII, 369
Trenker, Luis (1892) A	V, 867
Trevor, William. GB	XIV, 239
Trollope, Anthony (1815–1882) GB	VII, 218
Troyat, Henry (1911) SU [I, 2: 2a]	IX, 248; XIV, 90
Tschechow, Anton P. (1860–1904) SU	VIII, 284; XIV, 403
Tschernyschewskij, Nikolaj G. (1828–1889) SU	VIII, 292
Tucholsky, Kurt (1890–1935) D	V, 869; XIII, 370
Tudoran, Radu. R	XII, 427
Tügel, Ludwig (1889) D	V, 869
Tumler, Franz E. A. (1912) A	V, 875; XIII, 371
Tunstall, Beatrice. GB	X, 241
Turgenjew, Iwan S. (1818–1883) SU	VIII, 293; XIV, 404
Turnbull, Agnes S. (1888) USA	XIV, 323
Twain, Mark (1835–1910) USA	VII, 324; XIV, 323
Tynjanow, Jurij N. (1894–1943) SU	XII, 335
Ude, Karl (1906) D	XIII, 373
Uhlenbusch, Hugo P. (1905) D	XIII, 374
Ulitz, Arnold (1888–1971) D	V, 878; XIII, 375
Ullmann, Regina (1884–1961) CH [I, 2: 1c]	V, 880; XIII, 376
Unamuno y Jugo, Miguel de (1864–1936) E	VI, 399; XIV, 167
Undset, Sigrid (1882–1949) N	XII, 105; XIV, 356
Unger, Hellmuth (1891–1953) D	V, 881
Unruh, Friedrich F. v. (1893) D	V, 881; XIII, 376
Unruh, Fritz v. (1885–1970) D	V, 882; XIII, 376

Unruh, Karl (1913) D	XIII, 377
Updike, John H. (1932) USA	XIV, 323
Urfé, Honoré d' (1568–1625) F	VI, 246
Uris, Leon (1924) USA	XIV, 325
Urzidil, Johannes (1896–1970) A	XIII, 378
Uspenskij, Gleb I. (1843–1902) SU	VIII, 307
Vaering, Astrid (1895) S	XII, 165
Vailland, Roger (1907–1965) F	IX, 253; XIV, 90
Valera y Alcalá Galiano, Juan (1824–1905) E	VI, 404; XIV, 168
Valéry, Paul A. (1871–1945) F	VI, 247; XIV, 92
Valloton, Benjamin (1877–1962) CH [I, 2: 2c]	VI, 249
Vančura, Vladislav (1891–1942) CS	XII, 377; XIV, 426
Varé, Daniele (1880–1956) I	IX, 312
Vargas Llosa, Mario (1936) PE	XIV, 168
Vassilikos, Vassilis (1931) GR	XIV, 469
Vaszary, Gábor v. (1905) H	XIV, 442
Vaughan, Richard. GB	X, 241
Vega Carpio, Lope F. de (1562–1635) E	VI, 406
Vegesack, Siegfried v. (1888–1970) D-Balt.	V, 885; XIII, 381
Velde, Anton van de (1895) B [I, 2: 7b]	X, 347; XIV, 341
Velde, Jacoba van. NL [I, 2: 7a]	X, 348
Velsen, Dorothee v. (1883) D	V, 887
Velter, Joseph M. (1895–1949) D	V, 889
Venesis, Elias (1904) GR	XII, 438; XIV, 470
Veraldi, Gabriel (1926) F	IX, 254
Vercors (1902) F	IX, 255; XIV, 92
Verdaguer, Mario (1893) E	IX, 369
Verga, Giovanni (1840–1922) I	VI, 321
Verhaeren, Emile (1855–1916) B [I, 2: 2b]	VI, 251
Veríssimo, Érico (1905) BR	IX, 370
Vermeylen, August (1872–1945) B [I, 2: 7b]	VII, 366
Verne, Jules (1828–1905) F	VI, 252
Vesaas, Tarjei (1897–1970) N	XII, 111; XIV, 356
Vesper, Will (1882–1962) D	V, 891; XIII, 382
Vestdijk, Simon (1898) B [I, 2: 7b]	X, 349
Vialar, Paul (1898) F	IX, 256; XIV, 92
Vian, Boris P. (1920–1959) F	XIV, 92
Vidal, Gore (1925) USA	XIV, 327
Viebig, Clara (1860–1952) D	*II, 689;* II, 642
Viesèr, Dolores (1904) A	V, 892; XIII, 382
Vigny, Alfred V. de (1797–1863) F	VI, 254
Viita, Lauri (1900) SF	XIV, 372
Villa, Carlo (1931) I	XIV, 126

Villiers de l'Isle-Adam, Auguste de (1838–1889) F	VI, 257
Villinger, Hermine (1849–1917) D	*II, 693;* II, 645
Vilmorin, Louise de (1902–1969) F	IX, 258
Vincent, Raymonde (1908) F	IX, 259
Virza, Edvarts (1883–1940) Lettl. [I, 2: 8e]	XII, 194
Vischer, Friedrich Th. (1807–1887) D	*II, 694;* II, 646
Vittorini, Elio (1908–1966) I	IX, 315; XIV, 127
Vögtlin, Adolf (1861–1947) CH [I, 2: 1c]	*II, 696*
Voigt-Diederichs, Helene (1875–1961) D	*II, 698;* II, 648; XIII, 382
Vollmer, Walter (1903–1965) D	V, 894
Volponi, Paolo (1924) I	XIV, 129
Voltaire, François-M. (1694–1778) F	VI, 259; XIV, 93
Voss, Richard (1851–1918) D	*II, 700;* II, 650
Vries, Anne de (1904) NL [I, 2: 7a]	X, 351
Vries, Theun de (1907) NL [I, 2: 7a]	X, 353
Vring, Georg von der (1889–1968) D	V, 896; XIII, 383
Vulpius, Christian A. (1762–1827) D	*II, 702;* II, 652
Waescha-Kwonnesin (1888–1938) GB [I, 2: 6b]	XI, 330
Waggerl, Karl H. (1897) A	V, 897; XIII, 384
Waldschmidt s. Schmidt, M.	
Wallace, Irving (1916) USA	XIV, 327
Wallace, Lewis (1827–1905) USA	VII, 328
Waln, Nora (1895) USA	XI, 331
Walpole, Horace (1717–1797) GB	VII, 220
Walpole, Sir Hugh S. (1884–1941) NZ [I, 2:6a]	X, 242
Walschap, Gerard (1898) B [I, 2: 7b]	X, 356
Walser, Martin (1927) D	XIII, 384
Walser, Robert (1878–1956) CH [I, 2: 1c]	II, 653; V, 902; XIII, 387
Waltari, Mika T. (1908) SF	XII, 195; XIV, 373
Walter, Otto Fr. (1928) CH [I, 2: 1c]	XIII, 388
Ward, Humphrey (1857–1920) GB	VII, 222
Ward, Mary J. (1905) USA	XI, 333
Warner, Rex (1905) GB	X, 250
Warren, Robert P. (1905) USA	XI, 334
Warsinsky, Werner (1910) D	XIII, 390
Waser, Maria (1878–1939) CH [I, 2: 1c]	V, 903
Wass, Albert (1908) H	XIV, 442
Wassermann, Jakob (1873–1934) D	*II, 703;* II, 654
Wast, Hugo (1883–1962) RA	IX, 372
Watzlik, Hans (1879–1948) A	V, 905

Waugh, Evelyn (1903–1966) GB	X, 251; XIV, 239
Webb, Mary (1881–1927) GB	X, 255
Webster, Jean (1876–1916) USA	XI, 336
Wedekind, Frank (1864–1918) D	*II, 714;* II, 662
Wehner, Josef M. (1891) D	V, 907; XIII, 392
Weidenheim, Johannes (1918) YU [I, 2: 1a]	XIII, 392
Weigand, Wilhelm (1862–1949) D	*II, 715;* II, 663
Weinheber, Josef (1892–1945) A	V, 910
Weisenborn, Günther (1902–1969) D	V, 911; XIII, 394
Weismantel, Leo (1888–1964) D	V, 913
Weiss, Ernst (1884–1940) A	V, 915
Weiss, Peter (1916) D	XIII, 394
Weissenborn, Erna (1898) D	V, 917; XIII, 395
Welk, Ehm (1884–1966) D	V, 918; XIII, 395
Wells, Herbert G. (1866–1946) GB	VII, 223
Welty, Eudora (1909) USA	XIV, 328
Wendt, Ell (1896–1944) D	V, 920
Wendt, Herbert (1914) D	V, 921
Wenter, Josef (1880–1947) A	V, 923
Weressajew, Wikentij W. (1867–1945) SU	XII, 337
Werfel, Franz (1890–1945) A	V, 924; XIII, 395
Werfhorst, Aar van de (1907) NL [1, 2: 7a]	X, 361
Werner, Bruno E. (1896–1964) D	V, 933
Wescott, Glenway (1901) USA	XI, 337
West, Jessamyn (1907) USA	XI, 339; XIV, 329
West, Morris L. (1916) AUS [1, 2: 6b]	XIV, 329
West, Nathanael (1906–1940) USA	XIV, 330
West, Rebecca (1892) IRL [I, 2: 6a]	XIV, 240
Westkirch, Luise (1858–1941) D	*II, 716*
Weyrauch, Wolfgang (1907) D	V, 935; XIII, 397
Weyssenhoff, Josef Baron (1860–1932) PL	XII, 368
Wezel, Johann K. (1747–1819) D	II, 665
Wharton, Edith (1862–1937) USA	XI, 341
White, Nelia G. (1894–1957) USA	XIV, 332
White, Patrick (1912) GB	X, 257; XIV, 241
Wibbelt, Augustin (1862–1947) D	II, 667
Wibmer- Pedit, Fanny (1890–1967) A	XIII, 398
Wichert, Ernst (1831–1902) D	*II, 718;* II, 670
Wickert, Erwin (1915) D	XIII, 399
Widén, Albin (1897) S	XII, 166
Widmann, Ines H. (1904) A	V, 935
Widmann, Joseph V. (1842–1911) CH [I, 2: 1c]	*II, 721;* II, 672
Wiebe, Philipp (1923) D	XIII, 400
Wiechert, Ernst (1887–1950) D	V, 936

Wied, Gustav J. (1858–1914) DK	VIII, 54
Wied, Martina (1882–1957) A	V, 950; XIII, 401
Wieland, Christoph M. (1733–1813) D	*II, 722;* II, 673
Wiessalla, Josef (1898–1945) D	V, 953; XIII, 401
Wilbrandt, Adolf v. (1837–1911) D	II, 677
Wilde, Oscar (1854–1900) GB	VII, 233
Wildenbruch, Ernst v. (1845–1909) D	*II, 725;* II, 678
Wilder, Thornton (1897) USA	XI, 344
Wilk, Werner (1900–1969) D	XIII, 402
Wille, Bruno (1860–1928) D	*II, 728;* II, 682
Williams, Tennessee (1914) USA	XI, 351; XIV, 333
Williams, Vinnie. USA	XI, 352
Williamson, Henry (1895) GB	X, 259; XIV, 241
Willingham, Calder (1922) USA	XIV, 333
Willkomm, Ernst A. (1810–1886) D	*II, 732;* II, 684
Wilson, Angus (1913) GB	X, 260; XIV, 241
Wilson, Guthrie (1914) GB	XIV, 243
Wilson, Sloan (1920) USA	XI, 353; XIV, 334
Winckler, Josef (1881–1966) D	V, 954; XIII, 405
Windthorst, Margarete (1884–1958) D	V, 956; XIII, 405
Winnig, August (1878–1956) D	V, 960; XIII, 405
Winsor, Kathleen (1919) USA	XIV, 334
Wirz, Otto (1877–1946) CH [I, 2: 1 c]	V, 961
Wiseman, Nicholas (1802–1865) GB	VII, 236
Wispler, Leo (1890–1958) D	V, 963; XIII, 405
Wister, Owen (1860–1938) USA	XI, 354
Witkiewicz, Stanislaw I. (1885–1939) PL	XIV, 421
Witte, Marlene (1931) D	XIII, 405
Wittek, Erhard (1898) D	V, 963; XIII, 406
Wittig, Monique (1935) F	XIV, 93
Witting, Emil (1880–1952) A-Siebenbg. [I, 2: 1 b]	V, 965
Wittstock, Erwin (1899–1962) A-Siebenbg. [I, 2: 1 b]	V, 966; XIII, 406
Wodehouse, Pelham G. (1881) GB	X, 262; XIV, 244
Woestijne, Karel van de (1878–1929) B [I, 2: 7 b]	VII, 367
Woinovich, Peter v. (1898) A	V, 967
Wolf, Richard (1900) D	V, 968; XIII, 406
Wolfe, Thomas (1900–1938) USA	XI, 355
Wolff, Johanna (1858–1943) D	*II, 732;* II, 685
Wolff, Julius (1834–1910) D	*II, 734;* II, 686
Wolzogen, Ernst L. v. (1855–1934) D	*II, 736;* II, 687
Wolzogen, Karoline v. (1763–1847) D	*II, 738;* II, 689
Woolf, Virginia (1882–1941) GB	X, 263; XIV, 245
Wouk, Herman (1915) USA	XI, 365; XIV, 335
Wright, Richard (1908–1960) USA	XI, 367; XIV, 336

Yacine, Kateb (1929) DZ [I, 2: 2a]   XIV, 94
Yeats, William B. (1865–1939) IRL [I, 2: 6a]   VII, 238
Yerby, Frank (1916) USA   XI, 368
Young, Francis B. (1884–1954) GB   X, 268
Yourcenar, Marguerite (1903) B [I, 2: 2b]   XIV, 95

Zahn, Ernst (1867–1952) CH [I, 2: 1c]   *II, 739;* II, 690
Zand, Herbert (1923–1970) A   XIII, 406
Zech, Paul (1881–1946) D   V, 969
Zerkaulen, Heinrich (1892–1954) D   V, 970; XIII, 407
Zerna, Herta (1907) D   XIII, 407
Zeromski, Stefan (1864–1925) PL   VIII, 328
Zerzer, Julius (1889) A   V, 971; XIII, 408
Zesen, Philipp v. (1619–1689) D   *II, 746;* II, 693
Zi(e)gler und Kliphausen, Heinrich A. v.
    (1663–1696) A   *II, 746;* II, 694
Zierer-Steinmüller, Maria (1895) D   V, 972
Ziersch, Roland (1904–1969) D   V, 973
Ziesel, Kurt (1911) A   V, 974; XIII, 409
Zilahy, László (1891) H   XII, 401
Zillich, Heinrich (1898) A-Siebenbg. [I, 2: 1b]   V, 975
Zinn, Adelbert A. (1879–1941) D   V, 978
Zivier, Georg (1897) D   V, 651
Zola, Émile (1840–1902) F   VI, 262
Zollinger, Albin (1895–1941) CH [I, 2: 1c]   XIII, 409
Zschokke, Heinrich (1771–1848) D   *II, 748;* II, 696
Zuckmayer, Carl (1896) D   V, 978; XIII, 412
Zunzunegui y Loredo, Juan A. de (1901) E   XIV, 169
Zweig, Arnold (1887–1968) D   V, 981; XIII, 413
Zweig, Stefan (1881–1942) A   V, 984
Zwerenz, Gerhard (1925) D   XIII, 415

2.

VERFASSERREGISTER NACH SPRACHEN UND NATIONEN

Bei Unterschieden zwischen sprachlicher und nationaler Zuschreibung ist letztere durch Hinzufügung der Internationalen Kennzeichen (vgl. Register I, 1) in Klammern angefügt.

	Zahl der Verfasser	Seite
1. Deutsche Sprache	884	57
a) Deutsche	703	57
b) Österreicher	143	62
c) Schweizer	38	64
2. Französische Sprache	256	65
a) Franzosen	230	65
b) Belgier	14	67
c) Schweizer	12	67
3. Italienische Sprache	76	68
4. Spanische Sprache	90	69
a) Spanier	57	69
b) Süd- und Mittelamerikaner	33	69
5. Portugiesische Sprache	14	70
a) Portugiesen	8	70
b) Brasilianer	6	70
6. Englische Sprache	434	71
a) Engländer	217	71
b) Nordamerikaner	217	73
7. Holländisch-Flämische Sprachen	58	75
a) Holländer	33	75
b) Flamen	25	75

	Zahl der Verfasser	Seite
8. Skandinavisch-Nordische Sprachen	160	76
a) Dänen	41	76
b) Isländer	5	76
c) Norweger	38	76
d) Schweden	50	77
e) Finnen. Esten. Letten	26	77
9. Slawische Sprachen	185	78
a) Russen	114	78
b) Polen	35	79
c) Tschechen	10	79
d) Jugoslawen	23	79
e) Bulgaren	3	80
10. Südosteuropäische Sprachen	42	81
a) Ungarn	28	81
b) Rumänen	7	81
c) Griechen	7	81

1. DEUTSCHE SPRACHE

a) Deutsche
(Reichsgebiet mit Elsaß und Baltikum)

Alexis
Altendorf
Alverdes
Andersch
Andreae
Andres
Anton Ulrich
  v. Braunschweig
Arnim
Auerbach
Augustiny

Bachér
Bäumer
Bahl (YU)
Barlach
Barth
Bauer, J. M.
Bauer, W.
Baumann
Baumbach
Baumgardt
Baumgart
Becher, J. R.
Becher, U.
Becker
Beheim-Schw.
Delzner
Bender
Benn
Benrath
Bentlage
Bentz
Berend
Berens-Tot.
Bergengruen
Bernus
Bertololy

Bertram
Besch
Beste
Betsch
Betzner
Beumelburg
Beyerlein
Bierbaum
Biernath
Binding
Birkenfeld
Bischoff
Bleibtreu
Bloem
Blunck
Bock
Böhlau
Böhme
Böll
Bölsche
Boerner
Boie
Bonaventura
Bongs
Bonsels
Borchardt
Borchert
Borée
Bosper
Boy-Ed
Brachvogel
Brackel
Brandenburg
Braun, H.
Braun, L.
Brautlacht
Brecht
Bredel

Breitbach
Brenner
Brentano, B.
Brentano, Cl.
Brinckman
Britting
Bröger
Brückner
Brües
Bruns
Brust
Buchholtz, A. H.
Büchner
Burte
Busch
Busse

Cabanis, H.
Carossa
Ceram
Chamisso
Christ
Christaller
Cisek (R.)
Claudius
Clauren
Conrad, M. G.
Conradi
Contessa
Cramer
Croissant-Rust
Croixelles

Dahn
Dauthendey
Dessauer
Diehl
Diess

Döbler	Fock	Grimmelshausen
Döblin	Fontane	Grisar
Dörfler, A.	Forbes-Mosse	Günther, A.
Dörfler, P.	Fouqué	Guenther, J.
Dominik	Franck	Gumpert
Dor (Serbe)	François	Gurk
Droste-Hülshoff	Frank, B.	Gutzkow
Dwinger	Frank, L.	
	Frank, W.	Haensel
Ebermayer	Frapan-Akunian	Hagelstange
Ebers	Frcnssen	Hagen
Eckmann	Freytag	Hahn-Hahn
Edschmid	Friedenthal	Halbe
Ehmer		Haluschka (F)
Ehrler	Gabele	Hamer
Eich	Gäng	Hampe
Eichendorff	Gaiser	Hansjakob
Einwächter	Ganghofer	Happel
Ekert-Rotholz	Gast	Hardt
Engasser	Gaudy	Hartlaub, F.
Engel, G.	Gebert	Hartlaub, G.
Engel, J. J.	Geissler, H. W.	Hartleben
Enking	Geissler, M.	Hartmann
Erath	Gellert	Hartung
Ernst, O.	Gerlach	Hatzfeld
Ernst, P.	Gerstäcker	Hauff
Eska	Gierer	Hauptmann, C.
Esser	Gillhoff	Hauptmann, G.
Eulenberg	Glaeser	Hauser
Ewerbeck	Glas	Hausmann
Eyth	Gluth	Hebbel
	Gmelin	Hebel
Falke	Goes	Heckmann
Fallada	Goethe	Hegeler
Faust	Goetz, C.	Heiberg
Fechter	Götz, K.	Heimeran
Fehrs	Goltz	Heine
Feuchtwanger	Grabenhorst	Heinrich
Finckenstein	Graf	Heinse
Finckh	Grass	Heiseler, B.
Flaischlen	Gregor	Heiseler, H.
Flake	Gregor-Dellin	Held
Fleisser	Griese	Helwig
Flex	Grimm	Hermann

Hermes
Hermlin
Herzog
Hesse, H.
Hesse, M. R.
Heuschele
Heye
Heyking
Heym
Heynicke
Heyse
Hildesheimer
Hillard
Hille
Hillern
Hinrichs
Hippel
Hirsch
Höfler
Hölderlin
Hoerner
Hoerschelmann
Hofer
Hoffmann, E. Th. A.
Hoffmann, H.
Hoffmann, R.
Hohlbaum
Hohoff, C.
Hohoff, M. E.
Holländer
Hollander
Holm
Holtei
Holthaus
Holthusen
Holz
Holzamer
Hopp
Hornstein
Horst
Hoster
Hubatius-H.
Huch, Fel.
Huch, Frd.

Huch, Ric.
Huch, Rud.
Hueck-Dehio
Huelsenbeck

Jacob
Jacques (L)
Jahn
Jahnn
Jean Paul
Jens
Jensen, W.
Ihlenfeld
Immermann
Johann
Johnson, U.
Isemann
Jünger, E.
Jünger, F. G.
Jürgens
Jung-Stilling

Kaergel
Kästner, Erh.
Kästner, Erich
Kamphoevener
Kapp
Karrillon
Kasack
Kaschnitz
Kauffmann
Kaufmann, H.
Kayser
Keller, P.
Kellermann
Kennicott
Kessel, M.
Kesten,
Keun
Keyser
Keyserling
Kinau, J.
Kinau, R.

Kinkel
Kirschweng
Kirst
Klabund
Klass
Kleist
Klepper
Klingele
Klinger
Klipstein
Klose
Kluge, A.
Kluge, K.
Kneip
Knies
Knigge
Knöller
Knoop
Knyphausen
Kölwel
Koeppen
Kolb
Kolbenheyer
Kolbenhoff
Kommerell
Kopisch
Krämer-Badoni
Kramer
Kramp
Kreis
Krell
Kretzer
Kreuder
Kries
Kröger, Theod.
Kröger, Timm
Kroneberg
Krüger
Kuckhoff
Künkel
Küper
Kuhnert
Kurz, H.
Kurz, Is.

Kusenberg
Kutzleb
Kyber

Laar
Lämmle
Lafontaine
Lampe
Lange, H. J.
Lange, Horst
Langewiesche
Langgässer
Langner
La Roche, S.
Lasswitz
Laube
Lauff
Ledig
Le Fort
Lehmann, A.-H.
Lehmann, W.
Leifhelm
Leip
Lenz, H.
Lenz, S.
Lersch
Lettau
Lewald
Lichnowsky
Lienhard
Liliencron
Lilienfein
Linke
Lipinski-Gottersdorf
Lobsien
Löhndorff
Löns
Löscher
Lohenstein
Lorenzen
Ludwig
Lübbe
Lütgen
Lützkendorf

Luhmann
Luserke
Maass, E.
Maass, J.
Magiera
Mann, H.
Mann, K.
Mann, Th.
Marlitt
Maschmann
Mathar
May
Mechow
Meckauer
Meichsner
Meinhold
Meissinger
Menzel
Meyer-Eckhardt
Meyr, M.
Michael
Miegel
Mikeleitis
Miller, A. M.
Miller, J. M.
Möllhausen
Mönnich
Mörike
Molzahn
Moor
Moosdorf
Moritz
Mostar
Mügge
Mühlenweg
Müller, B.
Müller, W.
Müller-Marein
Münz
Mungenast
Munier-Wroblewski
Munk
Muschler

Nadolny
Naso
Nathusius
Nelissen-Haken
Nemitz
Neumann, A.
Nicklisch
Nicolai, Fr.
Niebelschütz
Niekrawietz
Niese
Nonnenmann
Nordström (S)
Nossack
Novalis
Nowak

Ompteda
Orthbandt
Ortner

Paalzow
Pantenius
Papendick
Paquet
Paulus
Pegel
Pentzoldt
Peters
Pfahler
Piontek
Plievier
Pohl
Polenz
Ponten
Presber
Pump

Raabe
Radecki
Raithel
Randenborgh
Raschke
Rasmus-Braune

Reding	Scherr	Sexau
Reger	Schickele	Simpson
Regler	Schieber	Skowronnek
Rehmann	Schiller	Söhle
Rehn	Schirmbeck	Sohnrey
Reisiger	Schlaf	Sommer
Rellstab	Schlegel	Speck
Remarque	Schlehdorn	Speckmann
Renn	Schmid-Noerr	Sperber (PL)
Reuter, Chr.	Schmidt, A.	Sperl
Reuter, F.	Schmidt, M.	Speyer
Reuter, G.	Schmidtbonn	Spielhagen
Reventlow	Schmitthenner	Spindler
Reyhing	Schnabel, E.	Spoerl
Richter, H. W.	Schnabel, J. G.	Stackelberg
Riehl	Schnack, A.	Stahl
Rilla	Schnack, F.	Stegemann
Ringeling	Schneider	Stehr
Rinser	Schneller	Steinhausen
Risse	Schnurre	Stephan
Rogge	Scholtis	Steuben
Rombach	Scholz, H.	Stinde
Roth, E.	Scholz, W.	Stockhausen
Rothmund	Schrag	Stoll
Rüber	Schreckenbach	Storm, R.
Ruederer	Schreiber, I.	Storm, Th.
	Schröder, M. L.	Stratz
Saalfeld	Schröder, R. A	Strauß
Sack	Schröer	Strauß u. Torney
Sahl	Schroers	Stresau
Saile	Schücking	Stucken
Salomon	Schulenburg	Stühlen
Samarow	Schurek	Sudermann
Sanden	Schussen	Supper
Sapper	Schuster	Syberberg
Schäfer	Schwarz	
Schaeffer	Schwarzkopf	Tau
Schallück	Seeliger	Taube
Schaper	Seewald	Telmann
Scharrelmann	Seghers	Thelen
Schaumann	Seidel, H.	Thieß
Scheerbart	Seidel, H. W.	Thoma
Scheffel	Seidel, I.	Thomas, A. (F)
Schenzinger	Seidel, W.	Thorwald

Thümmel	Vulpius	Wildenbruch
Tieck		Wilk
Tralow	Walser, M.	Wille
Trappe	Warsinsky	Willkomm
Traven	Wassermann	Winckler
Tucholsky	Wedekind	Windthorst
Tügel	Wehner	Winnig
	Weidenheim (YU)	Wispler
Ude	Weigand	Witte
Uhlenbusch	Weisenborn	Wittek
Ulitz	Weismantel	Wolf
Unger	Weiss, P.	Wolff, Joh.
Unruh, F.	Weissenborn	Wolff, Jul.
Unruh, F. F.	Welk	Wolzogen, E. L.
Unruh, K.	Wendt, E.	Wolzogen, K.
	Wendt, H.	
	Werner	Zech
Vegesack	Westkirch	Zerkaulen
Velsen	Weyrauch	Zerna
Velter	Wezel	Zesen
Vesper	Wibbelt	Zierer-Steinmüller
Viebig	Wichert	Ziersch
Villinger	Wickert	Zivier
Vischer	Wiebe	Zinn
Voigt-Diederichs	Wiechert	Zschokke
Vollmer	Wieland	Zuckmayer
Voss	Wiessala	Zweig, A.
Vring	Wilbrandt	Zwerenz

b) Österreicher
(Stammland mit Böhmen und Siebenbürgen)

Aichinger	Bossi-Fedrigotti	Däubler
Anzengruber	Braun, F.	Doderer
	Brehm	
Bachmann	Broch	Ebner-Eschenbach
Bahr	Brod	Eisenreich
Bartsch	Brunngraber	Ertl
Baum		
Ben-Gavriêl	Colerus	Fischer-Graz
Billinger	Csokor	Fontana
Bodmershof	Czibulka	Franchy (Siebenbg.)

Franzos
Freiberg
Freissler
Freumbichler
Friedl
Fussenegger

Gagern
Ginzkey
Greinz
Grengg
Grillparzer
Grogger
Gütersloh

Habeck
Halm
Handel-Mazzetti
Henz
Herzmanovsky
Hirschler
Hofmannsthal
Holesch
Holgersen
Huna

Jellinek
Jelusich

Kades
Kafka
Kaus
Keller, P. A.
Klein-Haparash
König, B. (CS)
Kokoschka
Kornfeld
Kubin
Kürnberger

Landgrebe
Lang, W.
Lebert
Lederer

Leitgeb
Lernet-Holenia
Leutelt
Lothar
Lux

Matscher
Mayer, K. A.
Mell
Merker
Meschendörfer
   (Siebenbg.)
Meyrink
Michel, R. (Bosn.)
Mitterer
Molo
Mühlberger
Müller-Guttenbrunn
Mumelter
Musil

Nabl
Neumann, R.

Oberkofler
Overhoff

Perkonig
Perutz
Pichler
Planner-Petelin
Pleyer
Polgar
Preradovič

Rainalter
Rendl
Rezzori d'Arezzo
Rilke
Rosegger
Roth, J.

Saar
Salten (H)

Schaukal
Schmid, H.
Schnitzler
Schönherr
Schreiber, Hrm.
Schreyvogl
Sealsfield
Selinko
Springenschmid
Sterneder
Stifter
Stöger
Stoessl
Strobach
Strobl
Suttner

Tinhofer
Torberg
Traun
Trenker
Tumler

Urzidil

Viesèr

Waggerl
Watzlik
Weinheber
Weiss, E.
Wenter
Werfel
Wibmer-Pedit
Widmann, J. V.
Wied, M.
Witting (Siebenbg.)
Wittstock
   (Siebenbg.)
Woinovich

Zand
Zerzer

Ziegler und   Ziesel   Zweig, St.
  Kliphausen   Zillich (Siebenbg.)

c) Schweizer

Aman   Ilg   Schaffner
                     Inglin   Siegfried
Bosshart   Spitteler
                     Keckeis   Stickelberger
Camenzind   Keller, G.
                     Knittel
                     Kurz, K. F.   Ullmann
Dürrenmatt
                     Lauber   Vögtlin
Faesi   Lienert
Federer
Frisch   Marti   Walser, R.
                     Meyer, C. F.   Walter
                     Moeschlin   Waser
Gotthelf   Muron   Widmann, J. V.
Guggenheim   Wirz

                     Pestalozzi
Heer   Zahn
Huggenberger   Renker   Zollinger

2. FRANZÖSISCHE SPRACHE

a) Franzosen

Alain-Fournier
André
Aragon
Arland
Arnaud
Audoux
Aymé

Balzac
Barbey d'Aurevilly
Barbier
Barbusse
Baudelaire
Bazin
Beauvoir
Beckett (IRL)
Bedel
Benoît
Bergerac
Bernanos
Bernardin de
  Saint-Pierre
Blanchot
Blond
Bloy
Bordeaux
Bosco
Boulanger
Boulle
Bourget
Boyer
Brasillach
Breton
Butor

Cabanis, J.
Camus
Carco
Carrière
Cassou
Cau

Cayrol
Cazotte
Céline
Cendrars
Cesbron
Chamson
Chardonne
Chateaubriand
Chateaubriant
Chatrian
Chevallier
Choderlos de Laclos
Clancier
Clavel
Cocteau
Colette
Conchon
Coppée
Cousseau
Curtis

Dabit
Daniel-Rops
Daninos
Daudet
Des Périers
Dhôtel
Diderot
Dorgelès
Druon
Duhamel
Dumas père, A.
Dumas fils, A.
Dumitriu (R)
Duras
Durtain
Dutourd

Erckmann
Estang

Estaunié

Farrère
Fénelon
Ferry
Feuillet
Feydeau
Flaubert
France
Frison-Roche
Fromentin
Furetière

Gadenne
Galzy
Ganachaud
Gary
Gascar
Gautier
Genet
Gervais
Ghéon
Gheorghiu (R)
Gide
Giono
Giraudoux
Gobineau
Goncourt, E.
Goncourt, J.
Govy
Gracq
Green, J. (USA)
Guérin
Guitry (SU)

Hamp
Hello
Hémon
Hériat
Hugo

Huysmans, J.-K.

Jammes
Ikor
Ionesco (R)
Jouhandeau
Jouve
Istrati (R)
Just (H)

Kern (D)
Kessel, J.
Klossowski

Lacretelle
La Fayette
Lamartine
Larbaud
Lartéguy
Lautréamont
La Varende
Leiris
L'Ermite
Lesage
Lesort
Loti
Louvet de Couvray

Mac Orlan
Maistre
Malègue
Malot
Malraux
Marguérite de
   Navarre
Martin du Gard
Maupassant
Mauriac
Maurois
Maximoff (E)
Meersch
Memmi
Merimée
Merle

Mohrt
Monnier
Montesquieu
Montherlant
Montupet
Morand
Morel
Murget
Musset

Narcisse
Nerval
Nodier

Obaldia

Pagnol
Peisson
Péladan
Pérochon
Perrault
Peyrefitte
Philippe
Pieyre de Mandi-
   argues
Porché (SU)
Poulaille
Prévost, M.
Prévost d'Exiles
Proust

Queffélec
Queneau

Rabelais
Radiguet
Raucat
Rebatet
Régnier, H.
Régnier, P.
Renard
Robbe-Grillet
Roblès
Rochefort
Rolland

Romains
Roy (CDN)

Sade
Sagan
Sainte-Soline
Saint-Exupéry
Saint-Hélier
Sand
Sarraute
Sartre
Scarron
Schlumberger
Scudéry
Simon
Staël-Holstein
Stendhal
Sue
Supervielle

Thomas, H.
Tillier
Tourville
Troyat (SU)

Urfé

Vailland
Valéry
Veraldi
Vercors
Verne
Vialar
Vian
Vigny
Villiers de l'Isle-
   Adam
Vilmorin
Vincent
Voltaire

Wittig

Yacine (DZ)

Zola

b) Belgier

Coster	Lemonnier	Plisnier
Dorp	Maeterlinck	Rodenbach
	Mallet-Joris	Rolin
Eekhoud	Marceau	Verhaeren
Gevers	Otremont	Yourcenar

c) Schweizer

Anet	Landry	Rod
		Rousseau
Beck	Pinget	
	Pourtalès	Toepffer
Constant		
Crottet	Ramuz	Valloton

3. ITALIENISCHE SPRACHE

Alvaro
Ambra
Amicis
Annunzio
Arpino

Bacchelli
Bandello
Bartolini
Basile
Bassani
Bernari
Berto
Betti
Boccaccio
Bontempelli
Brancati
Buzzati

Callegari
Calvino
Campanella
Casanova
Cassola
Cellini
Cèspedes
Chiesa (CH)
Cicognani
Coccioli

Deledda

Denti di Pirajno

Enea Silvio

Flaiano
Fogazzaro
Foscolo

Gadda
Ghisalberti
Ginzburg
Guareschi

Levi

Machiavelli
Malaparte
Manzoni, A.
Manzoni, C.
Marotta
Montella
Morante
Moravia

Negri
Nievo

Ortese

Palazzeschi
Panzini

Pasolini
Pasqualino
Pavese
Pellico
Piovene
Pirandello
Pratolini

Rombi
Rossi

Sannazaro
Sciascia
Serao
Silone
Soldati
Straparola
Svevo

Tecchi
Testori
Tomasi di Lampe-
    dusa
Tombari

Varé
Verga
Villa
Vittorini
Volponi

4. SPANISCHE SPRACHE

a) Spanier

Agustí
Alarcón
Alcántara
Aldecoa
Alemán
Arbó
Aub

Barea
Baroja y Nessi
Bécquer
Blasco Ibáñez

Caballero
Cela
Cervantes
Coloma

Del Castillo
Del Valle Inclán
Delibes
Descalzo

Espina
Espinel

Fernández de la
  Reguera

García Lorca
Gironella
Gomez de la Serna
Goytisolo, J.
Goytisolo, L.

Hortelano

Jarnés
Icaza
Jiménez
Juan Manuel

Laforet
Laiglesia
León y Román
Lera

Madariaga y Rojo
Matute

Oller

Palacio Valdés
Pardo Bazán
Pereda
Pérez de Ayala
Pérez Galdós
Pinilla
Pombo Angulo

Quevedo y Villegas

Rojas, F.
Romero

Salvador
Sánchez Ferlosio
Sender

Unamuno

Valera y Alcalá
Vega Carpio
Verdaguer

Zunzunegui y
  Loredo

b) Süd- und Mittelamerikaner

Alegría (PE)
Asturias (GCA)
Azevedo (RA)
Azuela (MEX)

Borges (RA)

Carpentier (C)
Castellanos (MEX)
Castelnuovo (U)
Cortázar (RA)

Gallegos (YV)
Gálvez (RA)
García (RA)

García Calde-
  rón (PE)
Goyanarte (RA)
Güiraldes (RA)
Guido (RA)
Guzmán (MEX)

Larreta (RA)
López, V. F. (RA)
López y Fuentes
  (MEX)
Lynch (RA)

Mármol (RA)

Muñoz (MEX)

Ortiz (EC)

Quiroga, C. B. (RA)
Quiroga, H. (U)

Ribeyro (PE)
Rivera (CO)
Roa (PY)
Rojas, M. (RA)
Rulfo (MEX)

Vargas Llosa (PE)

Wast (RA)

5. PORTUGIESISCHE SPRACHE

a) Portugiesen

Costa	Herculano de	Namora
Eça de Queirós	Carvalho	Ribeiro
Ferreira de Castro	Montemayor	Torga

b) Brasilianer

Amado	Machado de Assis	Taunay
Coelho–Lisboa	Rosa	Veríssimo

6. ENGLISCHE SPRACHE

a) Engländer

(Großbritannien. Irland. Commonwealth)

Abrahams (ZA)
Aldington
Austen

Bacon
Balchin
Barclay
Baring
Beardsley
Beckford
Bedford
Belloc (F)
Bennett
Boldrewood
Borrow
Bowen (IRL)
Braine
Bridge
Brontë, A.
Brontë, Ch.
Brontë, E.
Bulwer
Butler

Carlyle
Carroll
Cary (IRL)
Chaucer
Chesterton
Cicellis (GR)
Cloete (ZA)
Collins
Common
Conrad, J. (PL)
Coward
Cronin

Dane

Deeping
Defoe
Deloney
Dickens, Ch.
Dickens, M. E.
Disraeli
Douglas, G. N.
Doyle
Druten
Du Maurier, D.
Du Maurier, G. L. (F)
Durrell

Edgeworth
Eliot
Evans (CDN)

Farrell, M. (IRL)
Fielding
Ford
Forester
Forster

Galsworthy
Garnett
Gaskell
Godden, J.
Godden, M. R.
Godwin
Golding, L.
Golding, W. G.
Goldsmith
Goudge
Graves-Ranke
Green, H.
Greene
Gunn

Hanley
Han Suyin (RC)
Hardy
Hartley
Hearne (CDN)
Hichens
Hilton
Hogg
Hoyle
Hudson
Hughes, R.
Huxley, A. L.
Huxley, E. J.

Jerome
Innes
Johnson, S.
Joyce (IRL)
Isherwood

Kaye-Smith
Kennedy, M.
Khushwant (IND)
Kingsley
Kipling
Kishon (H-IL)
Knight
Koestler (H)

Lamb
Lamming
Lanham
La Roche, Mazo de
 (CDN)
Lawrence
Leach
Lee, L.

Lehmann, Ros.
Lewis, C. St. (IRL)
Lewis, M. G.
Li, M. (Korea)
Linklater
Llewellyn
Lowry, M.

Macaulay
McFee
Macken (IRL)
Mackenzie
Maclean
Macleod
Macpherson
Mannin
Mansfield (NZ)
Markandaya (IND)
Marryat
Marshall
Masefield
Mason, R.
Masters
Maturin (IRL)
Maugham
Meredith
Milne
Mofolo (ZA)
Monsarrat
Moore (IRL)
Morgan
Morus
Mottram
Mukerdschi (IND)
Mullen (IRL)
Muntz (CDN)
Murdoch (IRL)

Narayan (IND)
Newman
Nichols
Niland d'Arcy (AUS)

O'Brien (IRL)
O'Casey (IRL)
O'Connor, Fr. (IRL)
O'Faolain (IRL)
O'Flaherty (IRL)
Orwell
O'Sullivan

Packer (ZA)
Park (NZ)
Paterson
Paton (ZA)
Plomer (ZA)
Post (ZA)
Powell, A. D.
Powys
Prescott
Priestley
Pritchett

Quincey

Reade
Richardson
Ridge (NL)
Ross (IRL)
Rowdon
Rubens

Sackville-West
Saki (Burma)
Sayers
Schreiner (ZA)
Scott, W.
Sharp, A.
Sharp, M.
Shaw, G. B. (IRL)
Sherriff
Shute
Sidney
Sillitoe
Sitwell

Smollet
Snow
Somerville (IRL)
Spark
Spring
Steen
Sterne (IRL)
Stevenson
Stuart (AUS)
Swift (IRL)
Swinnerton

Tagore (IND)
Thackeray
Thurston
Tibber
Trevor
Trollope
Tunstall

Vaughan

Walpole, Hor.
Walpole, Hugh S.
 (NZ)
Ward, H.
Warner
Waugh
Webb
Wells
West, R. (IRL)
White, P.
Wilde
Williamson
Wilson, A.
Wilson, G.
Wiseman
Wodehouse
Woolf

Yeats (IRL)
Young

b) Nordamerikaner

Agee
Alcott
Algren
Allen
Anderson
Asch (PL)

Balch
Baldwin
Barnes
Basso
Beecher-Stowe
Bellamy
Bellow (CDN)
Bemelmans
Benaya
Benét
Bierce
Bowles
Bristow
Bromfield
Buck
Burman
Burnett
Burns

Cabell
Cain
Caldwell, E.
Caldwell, J. T.
Canfield-Fisher
Capote
Carleton
Cather
Chang, Eil. (RC)
Chase
Cooper
Costain (CDN)
Cozzens
Crane
Cummings
Curwood

Dahl (GB)
Davis
Day
Dos Passos
Douglas, E.
Douglas, Ll. C.
Dreiser

Edmonds
Eggleston
Elliot
Ellison
Erskine

Faralla
Farrell, J. Th.
Fast
Faulkner
Ferber
Field
Fitzgerald
Forbes, E.

Gallico
Gibson
Gilbreth
Gilbreth-Carey
Glasgow
Gordimer (ZA)
Goyen
Grau
Grey
Griffin
Grubb

Habberton
Hall
Harte
Hawley
Hawthorne
Hayes, A. (GB)
Hayes, J.

Hemingway
Henry
Hergesheimer
Hersey
Heyward
Hobart
Horgan
Howells
Hughes, L.
Hulme
Hurst
Hutchins

James
Jewett
Jones
Irving

Kantor
Kaufman, L.
Kazan (TR)
Kennedy, J. P.
Kentfield
Kerouac
Keyes
Kjelgaard
Kiker
Knowles

La Farge
La Mure (F)
Lardner
Lawson
Lee, H.
Lewis, S.
Lindbergh
Lin Yü'tang (RC)
London
Lowrey

Mc Carthy
Mac Cullers

Mac Donald
Mackaye
Mailer
Malamud
Marquand
Mason, F.
Melville
Mercer
Mergendahl
Merrill
Metalious
Michener
Miller, A.
Miller, H.
Mitchell
Moll
Morris, E. (S)
Morris, W.

Nathan
Nordhoff
Norris
Nusser

O'Connor, E.
O'Connor, Fl.
O'Hara, J.
O'Hara, M.
Ostenso (N)

Patton
Pawel (D)
Payne (GB)
Petroff (BG)
Pick (A)
Poe
Porter

Powell, R.
Powers
Prokosch
Purdy

Rand
Rawlings
Rice
Richter, C. M.
Roberts, E. M.
Roberts, K. L.
Robinson
Ruark
Runyon

Salinger
Santayana (E)
Saroyan
Schulberg
Seton, A.
Seton, E. Th. (GB)
Shaw, I.
Shellabarger
Sinclair
Smedley
Smith
Sneider
Sourian
Stegner
Stein
Steinbeck
Stewart
Stinetorf
Stone
Streeter
Stribling
Styron

Tarkington
Thoreau
Thurber
Turnbull
Twain

Updike
Uris

Vidal

Waescha-Kwonne-
   sin (GB)
Wallace, I.
Wallace, L.
Waln
Ward, M. J.
Warren
Webster
Welty
Wescott
West, J.
West, M. L. (AUS)
West, N.
Wharton
White, N. G.
Wilder
Williams, T.
Williams, V.
Willingham
Wilson, Sl.
Winsor
Wister
Wolfe
Wouk
Wright

Yerby

7. HOLLÄNDISCH-FLÄMISCHE SPRACHEN

a) Holländer

Ammers-Küller

Bakker
Bomans
Bordewijk
Boudier-Bakker
Breedveld
Bruijn

Coolen
Couperus

Doolaard

Eeden
Eysselstein

Fabricius

Haasse
Hartog

Jong

Kuyle

Last
Lennep
Lulofs

Man
Multatuli

Naeff

Oever
Ouwendijk

Roothaert

Scharten
Scharten-Antink
Schendel

Velde, J.
Vries, A.
Vries, Th.

Werfhorst

b) Flamen

Bergmann
Boschvogel
Buysse

Cauwelaert
Claes
Conscience

Demedts
Depauw

Elsschot

Germonprez

Hemeldonck

Morriën

Nijenhuis

Pillecijn

Roelants

Streuvels

Teirlinck
Ter Elst
Thiry
Timmermans

Velde, A.
Vermeylen
Vestdijk

Walschap
Woestijne

8. SKANDINAVISCH-NORDISCHE SPRACHEN

a) Dänen

Aabye
Aakjaer
Andersen, H. Chr.
Andersen-Nexö

Bang
Blixen
Branner
Bregendahl
Bruun
Buchholtz, J.

Drachmann

Falk-Rönne
Fischer
Fleuron
Freuchen

Gjellerup

Jacobsen, J.-F.
Jacobsen, J. P.
Jensen, J. V.
Jürgensen

Kidde
Kirk
Knudsen

Larsen
Lauesen
Lembourn
Lindemann

Michaelis, K.
Michaelis, S.

Nicolai

Olesen-Loekken

Paludan
Panduro
Petersen
Pontoppidan

Rung

Sarvig
Skjoldborg
Söiberg
Soerensen

Wied, G. J.

b) Isländer

Gudmundsson
Gunnarsson

Kamban

Laxness

Svensson

c) Norweger

Aanrud
Aslagsson

Björnson
Bojer
Boo

Christensen
Christiansen

Duun

Egge

Elster

Falkberget
Fönhus

Garborg
Geijerstam, Gösta
Gulbranssen
Gullvaag

Hagerup-Vassvik
Hamsun, K.
Hamsun, M.

Hansen
Haukland
Hoel

Jensen, A.
Jölsen

Kielland
Kinck

Lie

Markusson

Obstfelder
Omre

Ring

Rølvaag

Sandel
Schøyen
Scott, G.

Skram

Undset

Vesaas

d) Schweden

Almquist
Aurell

Bengtsson
Berg
Bergman
Böök

Colliander

Dagerman
Dixelius

Edquist

Fagerberg

Geijerstam, Gust.
Giertz
Golowanjuk
Gyllensten

Hallström
Hambraeus
Hartman
Heidenstam
Helander
Hellström
Hemmer
Höijer
Holmström

Johnson, E.

Lagerkvist
Lagerlöf
Lidman
Lo-Johansson
Lyttkens

Martinson
Moberg
Munthe

Nisser
Nylander (SF)

Oterdahl

Salminen
Sjöberg
Siwertz
Söderberg
Soederholm
Spong
Stenius
Stjernstedt
Stolpe
Strindberg

Tavaststjerna
Thorén

Vaering

Widén

e) Finnen. Esten. Letten

Aho

Gailit (Este)

Haavikko
Huovinen
Hyry

Jotuni

Kallas
Karhumäki

Kianto
Kivi
Koskenniomi

Linna
Linnankoski

Mälk (Este)
Manninen
Maurina (Kurl.)
Meri

Nuoliwaara

Pekkanen

Seppänen
Sillanpää

Talvio
Tammsaare (Este)

Viita
Virza (Lette)

Waltari

9. SLAWISCHE SPRACHEN

a) Russen

Abramow
Ajtmatow
Aksakow
Aksjonow
Aldanow
Andrejew
Arzybaschew
Auesow
Awertschenko

Babel
Baklanow
Bjelyj
Bondarew
Brjusow
Bunin

Dostojewski
Dubow
Dudinzew
Dymow

Ehrenburg

Fadejew
Fedin
Forsch
Furmanow

Garschin
Gladkow
Gogol
Gontscharow
Gorbatow
Gorki
Granin
Grigorowitsch
Grin, A. St.
Grin, E.

Herzen

Hippius

Jewdokimow
Ilf
Inber
Iwanow

Karamsin
Kasakow
Katajew
Kawerin
Kiselew
Korolenko
Kuprin
Kusmin

Lavrenev
Leonow
Lermontow
Leskow

Makarenko
Mamin-Sibirjak
Melnikow
Mereschkowskij

Nabokow
Nekrassow
Newerow
Nilin
Nowikow

Odojewskij, W. F.
Ognjew
Olescha
Ostrowskij

Panferow
Panowa
Panteleimonow

Pasternak
Paustowski
Pawlenko
Petrow
Petscherskij
Pilnjak
Pisjemskij
Polewoi
Prawdin
Prischwin
Puschkin

Rachmanowa
Radischtschew
Remisow
Robakidse
Romanow
Rybakow

Saburowa
Saitzew
Saltykow-Schtsche-
   drin
Samjatin
Schewtschenko
Schischkow
Schmeljow
Scholochow
Sejfullina
Serafimowitsch
Sergejew-Zenskij
Simonow
Sklovskij
Sologub
Solowjow
Sostschenko
Stepun

Tarassow-Rodionow
Tarsis

Terz
Tolstoj, A. K.
Tolstoi, A. N.
Tolstoj, L. N.

Tschechow
Tschernyschewskij
Turgenjew
Tynjanow

Uspenskij

Weressajew

b) Polen

Andrzejewski

Brandys
Bronska-Pampuch

Choromanski

Dobraczynski
Dombrowska

Filipowicz

Goetel
Gombrowicz

Hen
Herbert

Hlasko

Iwaszkiewicz

Kaden-Bandrowski
Kossak-Szczucka
Kraszewski

Mackiewicz
Milosz
Mrožek

Nałkowska
Nowakowski

Odojewski, W.
Orzeszkowa

Piasecki
Prus
Przybyszewski

Reymont
Romanowiczowa

Schulz
Sienkiewicz
Strug

Tetmajer

Weyssenhoff
Witkiewicz

Zeromski

c) Tschechen

Blažková
Bor

Čapek

Durych

Fuks

Hašek

Jirásek

Němcová
Neruda

Vančura

d) Jugoslawen

Andrić (Serbe)

Budak (Kroate)
Bulatović (Serbe)

Cankar (Slowene)
Crnjanski (Slowene)

Davičo (Serbo-
kroate)
Desnica (Serbo-
kroate)
Djilas (Serbokroate)

Finžgar (Slowene)

Humo (Bosn.-Her-
zog.)

Ingolić (Slowene)
Jurčič (Slowene)

Kolar (Kroate)

Krleža (Kroate)	Olujič	Simunović (Kroate)
		Stanković (Serbe)
Lazarević (Serbe)		Susić
	Radičević (Serbe)	
Marinković (Kroate)	Ribnicar (CS)	Tavčar (Slowene)

e) Bulgaren

Canetti	Dimoff	Jowkow

10. SÜDOSTEUROPÄISCHE SPRACHEN

a) Ungarn

Babits	Hernádi	Németh
		Nyirö
Déry	Jókai	
Domahidy		Ottlik
	Karinthy	
Eötvös	Körmendi	Passuth
	Kosztolányi	
Féjes		Szabó
Füst	Márai	
	Meray	Vaszary
Gárdonyi	Mészöly	
	Mikszáth	Wass
Hársanyi	Molnár	
Herczeg	Móricz	Zilahy

b) Rumänen

Caragiale	Petrescu	Sadoveanu
Creangă		
	Rebreanu	Tudoran
Horia		

c) Griechen

Karagatsis	Papa	Vassilikos
Kazantzakis	Prevelakis	Venesis
Myrivilis		

3.

CHRONOLOGISCHES VERFASSERREGISTER
NACH GEBURTSDATEN

	Zahl der Verfasser	Seite
Vor 1500	12	83
1501–1600	15	83
1601–1650	12	83
1651–1700	11	83
1701–1750	28	83
1751–1800	73	84
1801–1825	107	85
1826–1850	113	86
1851–1875	310	87
1876–1900	787	89
1901–1914	424	96
1915–1938	278	99

Ältester Verfasser: Juan Manuel, Infante Don (1282–1348). Autor von »Der Graf Lucanor«. Band VI, 378

Jüngster Verfasser: Esser, Manfred (Geb. 1938). Autor von »Duell«. Band XIII, 87

Vor 1500

1282 Juan Manuel	1469 Macchiavelli
1313 Boccaccio	1478 Morus, Th.
1340 Chaucer	1480 Straparola
1405 Enea Silvio	1485 Bandello
1456 Sannazaro	1492 Margarete von Navarra
1465 Rojas, F. de	1494 Rabelais

1500–1600

Alemán	Cellini	Montemayor
Bacon	Cervantes	Quevedo y Villegas
Barclay	Deloney	Sidney
Basile	Des Périers	Urfé
Campanella	Espinel	Vega Carpio

1601–1650

Anton Ulrich von	Grimmelshausen	Perrault
Braunschweig	Happel	Scarron
Bergerac	La Fayette	Scudéry
Buchholtz, A. H.	Lohenstein	Zesen
Furetière		

1651–1700

Defoe	Prévost d'Exiles	Swift
Fénelon	Reuter, Chr.	Voltaire
Lesage	Richardson	Ziegler und
Montesquieu	Schnabel, J. G.	Kliphausen

1701–1750

Bernardin de	Engel, J. J.	Hippel
Saint-Pierre	Fielding	Johnson, S.
Casanova	Gellert	Jung-Stilling
Cazotte	Goethe	La Roche, S.
Choderlos	Goldsmith	Miller, J. M.
de Laclos	Heinse	Nicolai, F.
Diderot	Hermes	Pestalozzi

Radischtschew	Smollet	Walpole, Hor.
Rousseau	Sterne	Wezel
Sade	Thümmel	Wieland

1751-1800

Aksakow	Grillparzer	Marryat
Alexis	Hagen	Maturin
Almquist	Hebel	Meinhold
Arnim	Heine	Moritz
Austen	Hölderlin	Nodier
Balzac	Hoffmann, E. Th. A.	Novalis
Beckford	Hogg	Paalzow
Bonaventura	Holtei	Pellico
Brentano, Cl.	Jean Paul	Puschkin
Caballero	Immermann	Quincey
Carlyle	Irving	Rellstab
Chamisso	Karamsin	Schiller
Chateaubriand	Kennedy, J. P.	Schlegel
Clauren	Kleist	Scott, W.
Constant	Klinger	Sealsfield
Contessa	Knigge	Spindler
Cooper	Kopisch	Staël-Holstein
Droste-Hülshoff	Lafontaine	Stendhal
Edgeworth	Lamartine	Tieck
Eichendorff	Lamb	Toepffer
Foscolo	Lewis, M. G.	Vigny
Fouqué	Louvet de Couvray	Vulpius
Gaudy	Maistre	Wolzogen, K.
Godwin	Manzoni, A.	Zschokke
Gotthelf		

1801–1825

Andersen
Auerbach

Barbey
  d'Aurevilly
Baudelaire
Beecher-Stowe
Borrow
Brachvogel
Brinckman
Brontë, A.
Brontë, Ch.
Brontë, E.
Büchner
Bulwer

Collins
Conscience

Dickens, Ch.
Disraeli
Dostojewski
Dumas père
Dumas fils

Eliot
Eötvös
Erckmann

Ferry
Feuillet
Feydeau
Flaubert
Fontane
François
Freytag
Fromentin

Gaskell
Gautier
Gerstäcker
Gobineau
Gogol

Goncourt, E.
Goncourt, J.
Gontscharow
Grigorowitsch
Guérin
Gutzkow

Hahn-Hahn
Halm
Hauff
Hawthorne
Hebbel
Herculano de
  Carvalho
Herzen
Hugo

Jókai

Keller, G.
Kingsley
Kinkel
Kraszewski
Kürnberger
Kurz, H.

Laube
Lennep
Lermontow
Lewald
López, V. F.
Ludwig

Marlitt
Mármol
Melnikow
Melville
Merimée
Meyer, C. F.
Meyr
Möllhausen
Mörike

Mügge
Multatuli
Murger
Musset

Nathusius
Němcová
Nerval
Newman

Odojewskij, W. F.

Petscherskij
Pichler
Pisjemskij
Poe

Reade
Reuter, F.
Riehl

Sand
Scherr
Schewtschenko
Schmid
Schücking
Stifter
Storm, Th.
Sue

Thackeray
Thoreau
Tillier
Tolstoj, A. K.
Traun
Trollope
Turgenjew

Valera y Alcalá
Vischer

Willkomm
Wiseman

1826-1850

Alarcón
Alcott
Amicis
Anzengruber

Baumbach
Bécquer
Bellamy
Bergmann
Bierce
Björnson
Bloy
Boldrewood
Brackel
Burnett
Busch
Butler

Carroll
Chatrian
Conrad, M. G.
Coppée
Coster
Creangă

Dahn
Daudet
Drachmann
Du Maurier, G.

Ebers
Ebner-Eschenbach
Eça de Queirós
Eggleston
Eyth

Fehrs
Fischer-Graz
Fogazzaro
France
Franzos
Frapan-Akunian

García, E.

Habberton
Hansjakob
Hardy
Harte
Heiberg
Hello
Heyse
Hillern
Hoffmann, H.
Howells
Hudson
Huysmans, J.-K.

Jacobsen, J. P.
James
Jensen, W.
Jewett
Jurčič

Kielland
Kivi
Kröger, Timm

Lasswitz
Lautréamont
Lemonnier
Leskow
Lie
Liliencron
Loti

Machado de Assis
Malot
Maupassant
May
Meredith
Mikszáth

Neruda
Nicolai
Nievo

Oller
Orzeszkowa

Pantenius
Pereda y Sánchez
Pérez Galdós
Prus

Raabe
Rosegger

Saar
Saltykow-
   Schtschedrin
Samarow
Scheffel
Schmidt, M.
Seidel, H.
Sienkiewicz
Skram
Spielhagen
Spitteler
Steinhausen
Stevenson
Stinde
Strindberg
Suttner

Taunay
Tolstoj, L. N.
Tschernyschewskij
Twain

Uspenskij

Verga
Verne
Villiers de l'Isle-
   Adam
Villinger

Wallace, L.
Wichert

Widmann, J.V.   Wildenbruch   Zola
Wilbrandt   Wolff, Jul.

1851–1875

Aakjaer	Bregendahl	Estaunié
Aanrud	Brjusow	
Aho	Bruun	Falk-Rönne
Andersen-Nexö	Bunin	Falke
Andrejew	Buysse	Federer
Anet		Finžgar
Annunzio	Caragiale	Flaischlen
Audoux	Cather	Fleuron
Azevedo	Chesterton	Forbes-Mosse
Azuela	Chiesa	Ford
	Christaller	Forsch
Bäumer	Colette	Frenssen
Bahr	Coloma	
Bang	Conrad, J.	Galsworthy
Barbusse	Conradi	Ganghofer
Baring	Couperus	Garborg
Barlach	Crane	Gárdony
Baroja	Croissant-Rust	Garschin
Beardsley		Geijerstam, Gust.
Belloc	Dauthendey	Geissler, M.
Bennett	Day	Ghéon
Beyerlein	Del Valle Inclán	Gide
Bierbaum	Deledda	Gjellerup
Binding	Diehl	Gillhoff
Blasco Ibáñez	Dominik	Ginzkey
Bleibtreu	Douglas, G. N.	Glasgow
Bloem	Doyle	Gorki
Bock	Dreiser	Greinz
Böhlau		Grey
Böhme	Eeden	Grimm
Bölsche	Eekhoud	Günther, A.
Bojer	Egge	
Bordeaux	Ehrler	Halbe
Bosshart	Engel, G.	Hallström
Boudier-Bakker	Enking	Hamsun, K.
Bourget	Ernst, O.	Handel-Mazzetti
Boy-Ed	Ernst, P.	Hansen
Braun, L.	Ertl	Hartleben

Haukland
Hauptmann, C.
Hauptmann, G.
Heer
Hegeler
Heidenstam
Heiseler, H.
Henry
Herczeg
Hermann
Herzog
Heyking
Hichens
Hille
Hippius
Hofer
Hofmannsthal
Holländer
Holm
Holz
Holzamer
Huch, Fr.
Huch, Ric.
Huch, Rud.
Huggenberger
Huna

Jammes
Jensen, J. V.
Jerome
Jirásek
Ilg
Jölsen
Jürgensen

Karrillon
Keller, P.
Keyserling
Kianto
Kinck
Kipling
Knoop
Knudsen
Kolb

Korolenko
Kretzer
Krüger
Kuprin
Kurz, Is.
Kusmin

Lagerlöf
Larreta
Larsen
Lauff
Lazarević
L'Ermite
Leutelt
Lienert
Lienhard
Linnankoski
Lobsien
Löns
Lux

Mackaye
Macleod
Maeterlinck
Mamin-Sibirjak
Mann, H.
Mann, Th.
Manninen
Maugham
Mereschkowskij
Meyrink
Michaelis, K.
Michaelis, S.
Moore
Müller-Guttenbrunn
Munthe

Negri
Niese
Norris
Nylander

Obstfelder
Ompteda

Palacio Valdés
Panzini
Pardo Bazán
Péladan
Philippe
Pirandello
Polenz
Polgar
Pontoppidan
Powys
Presber
Prévost, M.
Prischwin
Proust
Przybyszewski

Raithel
Régnier, H.
Renard
Reuter, G.
Reventlow
Reymont
Rilke
Ring
Rod
Rodenbach
Rolland
Ross
Rossi
Ruederer
Rung

Saki
Salten
Santayana
Sapper
Schäfer
Schaffner
Scharrelmann
Scharten-Antink
Schaukal
Scheerbart
Schendel
Schieber

Schischkow

Schlaf

Schmeljow

Schmitthenner

Schnitzler

Schönherr

Scholz, W.

Schreckenbach

Schreiner

Schussen

Scott, G.

Serafimowitsch

Serao

Sergejew-Zenskij

Seton, E. Th.

Shaw, G. B.

Siegfried

Simunović

Skjoldborg

Skowronnek

Söderberg

Söhle

Sohnrey

Sologub

Solowjow

Somerville

Speck

Speckmann

Sperl

Stegemann

Stehr

Stein

Stjernstedt

Stoessl

Stratz

Strauß, E.

Strauß und Torney

Streuvels

Strug

Stucken

Sudermann

Supper

Svensson

Svevo

Tagore

Talvio

Tarkington

Tavastjerna

Tavčar

Telmann

Tetmajer

Thoma

Tschechow

Unamuno

Valéry

Verhaeren

Vermeylen

Viebig

Vögtlin

Voigt-Diederichs

Voss

Ward, H.

Wassermann

Wedekind

Weigand

Wells

Weressajew

Westkirch

Weyssenhoff

Wharton

Wibbelt

Wied, G.

Wilde

Wille

Wister

Wolff, Joh.

Wolzogen, E. L.

Yeats

Zahn

Zeromski

1876–1900

Alain-Fournier

Aldanow

Aldington

Allen

Alvaro

Alverdes

Aman

Ambra

Ammers-Küller

Anderson

Andrić

Aragon

Arland

Arzybaschew

Asch

Aslagsson

Asturias

Auesow

Augustiny

Aurell

Awertschenko

Babel

Babits

Bacchelli

Bakker

Barea

Barnes

Barth

Bartolini

Baum

Baumgardt

Becher, J. R.

Bedel

Beheim-Schwarz-
    bach

Bemelmans	Breton	Cloete
Benét	Bridge	Cocteau
Ben-Gavriêl	Britting	Coelho-Lisboa
Bengtsson	Broch	Colerus
Benn	Brod	Coolen
Benoît	Bröger	Costa
Benrath	Bromfield	Costain
Bentlage	Brües	Coward
Berend	Bruijn	Crnjanski
Berens-Totenohl	Bruns	Croixelles
Berg	Brust	Cronin
Bergengruen	Buchholtz, J.	Csokor
Bergman	Buck	Cummings
Bernanos	Budak	Curwood
Bernus	Burman	Czibulka
Bertololy	Burte	
Bertram	Busse	Dabit
Beste		Däubler
Betsch	Cabanis, H.	Dane
Betti	Cabell	Davis
Betzner	Cain	Deeping
Beumelburg	Caldwell, J. T.	Denti di Pirajno
Bjelyi	Canfield-Fisher	Déry
Billinger	Cankar	Diess
Bischoff	Čapek	Dixelius
Blixen	Carco	Doderer
Blunck	Carossa	Döblin
Bodmershof	Cary	Dörfler, A.
Böök	Cassou	Dörfler, P.
Boie	Castelnuovo	Dombrowska
Bonsels	Cauwelaert	Dorgelès
Bontempelli	Céline	Dos Passos
Boo	Cendrars	Douglas, L. C.
Borchardt	Chamson	Duhamel
Bordewijk	Chardonne	Durtain
Borée	Chase	Durych
Borges	Chateaubriant	Duun
Bosco	Chevallier	Dwinger
Bowen	Christ	Dymow
Boyer	Christiansen	
Brandenburg	Cicognani	Ebermayer
Braun, F.	Cisek	Eckmann
Brecht	Claes	Edschmid
Brehm	Claudius	Ehmer

Ehrenburg
Elsschot
Elster
Erskine
Espina
Eulenberg
Eysselsteijn

Fabricius
Faesi
Falkberget
Fallada
Faralla
Farrell, M.
Farrère
Faulkner
Faust
Fechter
Fedin
Ferber
Ferreira de Castro
Feuchtwanger
Field
Finckh
Fitzgerald
Flake
Flex
Fock
Fönhus
Fontana
Forbes, E.
Forester
Forster
Franchy
Franck
Frank, B.
Frank, L.
Freissler
Freuchen
Freumbichler
Friedenthal
Füst
Furmanow

Gabele
Gadda
Gäng
Cagorn
Gailit
Gallegos
Gallico
Gálvez
Galzy
García Calderón
García Lorca
Garnett
Geijerstam, Gösta
Geissler, H. W.
Gervais
Gevers
Gierer
Giono
Giraudoux
Gladkow
Gluth
Gmelin
Goetel
Goetz, Curt
Golding, L.
Goltz
Gómez de la Serna
Goudge
Goyanarte
Grabenhorst
Graf
Graves-Ranke
Green, J.
Grengg
Griese
Grin, A.
Grisar
Grogger
Güiraldes
Guenther, J.
Gütersloh
Guggenheim
Guitry
Gulbranssen

Gullvaag
Gumpert
Gunn
Gunnarsson
Gurk
Guzmán

Haensel
Hagerup-Vassvik
Hall
Haluschka
Hambraeus
Hamp
Hamsun, M.
Hardt
Hársanyi
Hartley
Hartmann
Hatzfeld
Hašek
Hausmann
Held
Hellström
Hemeldonck
Hemingway
Hemmer
Hémon
Henz
Hergesheimer
Hériat
Herzmanovsky
Hesse, H.
Hesse, M. R.
Heuschele
Heye
Heym
Heynicke
Heyward
Hillard
Hilton
Hinrichs
Hirsch
Hobart
Hoel

Hoerner
Hoffmann, R.
Hohlbaum
Holgersen
Hollander
Holmström
Hoster
Hubatius
Huch, Fel.
Hueck-Dehio
Huelsenbeck
Hughes, R.
Humo
Hurst
Huxley, A.

Jacob
Jacobsen, J.-F.
Jacques
Jahn
Jahnn
Jarnés
Jellinek
Jelusich
Jiménez
Ilf
Inber
Inglin
Johnson, E.
Jong
Jotuni
Jouhandeau
Jouve
Jowkow
Joyce
Isemann
Istrati
Jünger, E.
Jünger, F. G.
Jürgens
Iwanow
Iwaszkiewicz

Kaden-Bandrowski
Kaergel

Kästner, Erich
Kafka
Kallas
Kamban
Kamphoevener
Kapp
Karhumäki
Karinthy
Kasack
Katajew
Kauffmann, F. Λ.
Kaus
Kaye-Smith
Kazantzakis
Keckeis
Kellermann
Kennedy, M.
Kennicott
Kessel, J.
Kesten
Keyes
Keyser
Kidde
Kinau, J.
Kinau, R.
Kirk
Klabund
Klass
Klein-Haparash
Klipstein
Kluge, K.
Kneip
Knies
Knight
Knittel
Knöller
Kölwel
Körmendi
Kokoschka
Kolar
Kolbenheyer
Kornfeld
Koskenniemi
Kossak-Szczucka

Kosztolányj
Kreis
Krell
Krleža
Kröger, Th.
Kubin
Kuckhoff
Künkel
Küper
Kurz, K. F.
Kutzleb
Kyber

Lacretelle
Lämmle
Lagerkvist
Lampe
La Mure
Lang
Langgässer
Langner
Larbaud
Lardner
La Roche, M.
Last
Lauber
La Varende
Lavrenev
Lawrence
Lawson
Le Fort
Lehmann, W.
Leifhelm
Leip
Leitgeb
León y Román
Leonow
Lernet-Holenia
Lersch
Lewis, C. St.
Lewis, S.
Li
Lichnowsky
Lilienfein

Linke
Linklater
Lin-Yü-t'ang
Löhndorff
Löscher
London
López y Fuentes
Lothar
Lübbe
Luhmann
Lulofs
Luserke
Lynch
Lyttkens

Maass, E.
Macaulay
Mc Fee
Mackenzie
Mac Orlan
Madariaga
Mälk
Makarenko
Malaparte
Malègue
Man
Mannin
Mansfield
Márai
Markusson
Marquand
Marshall
Martin du Gard
Masefield
Mathar
Matscher
Mauriac
Maurina
Maurois
Mayer
Mechow
Meckauer
Meissinger
Mell

Merker
Meschendörfer
Meyer-Eckhardt
Michael
Michel
Miegel
Miller, H.
Milne
Mitchell
Moberg
Moeschlin
Mofolo
Molnár
Molo
Molzahn
Monnier
Montherlant
Morand
Morgan
Móricz
Mottram
Mühlenweg
Mukerdschi
Mumelter
Mungenast
Munier-Wroblewski
Munk
Muñoz
Muron
Muschler
Musil
Myrivilis

Nabl
Nabokow
Naeff
Nałkowska
Naso
Nathan
Neumann, A.
Neumann, R.
Newerow
Nichols
Niekrawietz

Nordhoff
Nordström
Nowak
Nowikow
Nuoliwaara
Nyirö

Oberkofler
O'Brien
O'Casey
O'Faolain
O'Flaherty
Ognjew
O'Hara, M.
Olescha
Olesen-Loekken
Omre
Ortner
Ostenso
Oterdahl
Otremont
Overhoff

Pagnol
Palazzeschi
Paludan
Panferow
Panteleimonow
Papendick
Paquet
Passuth
Pasternak
Paulus
Paustowski
Pawlenko
Pegel
Peisson
Penzoldt
Pérez de Ayala
Perkonig
Pérochon
Perutz
Peters
Petersen

Petrescu
Petroff
Pfahler
Piasecki
Pick
Pillecijn
Pilnjak
Planner-Petelin
Plievier
Plisnier
Ponten
Porter
Poulaille
Pourtalès
Prawdin
Preradovič
Prescott
Priestley
Pritchett

Quiroga, C. B.
Quiroga, H.

Rachmanowa
Radecki
Rainalter
Ramuz
Randenborgh
Rawlings
Rebreanu
Reger
Regler
Régnier, P.
Reisiger
Remarque
Remisow
Renker
Renn
Reyhing
Ribeiro
Rice
Richter, C. M.
Rilla
Ringeling

Risse
Rivera
Robakidse
Roberts, E. M.
Roberts, K. L.
Robinson
Roelants
Rogge
Rojas, M.
Rølvaag
Romains
Romanow
Roothaert
Roth, E.
Roth, J.
Rothmund
Runyon

Saalfeld
Sack
Sackville-West
Sadoveanu
Sainte-Soline
Saint-Exupéry
Saint-Hélier
Saitzew
Samjatin
Sandel
Sanden
Sayers
Schaeffer
Scharten
Schaumann
Schenzinger
Schickele
Schlehdorn
Schlumberger
Schmid-Noerr
Schmidtbonn
Schnack, A.
Schnack, F.
Schneller
Schøyen
Schreiber, I.

Schreyvogl
Schröder, R. A.
Schröer
Schulenburg
Schulz
Schurek
Schwarzkopf
Seeliger
Seewald
Seghers
Seidel, H. W.
Seidel, I.
Seidel, W.
Sejfullina
Sexau
Shellabarger
Sherriff
Shute
Sillanpää
Silone
Simpson
Sinclair
Sjöberg
Sitwell
Siwertz
Sklovskij
Smedley
Söiberg
Sostschenko
Speyer
Spoerl
Spong
Spring
Springenschmid
Stackelberg
Stanković
Steen
Stepun
Sterneder
Steuben
Stewart
Stickelberger
Stinetorf
Stockhausen

Streeter	Vaering	White, N. G.
Stresau	Valloton	Wibmer-Pedit
Stribling	Vančura	Widén
Strobl	Varé	Wiechert
Stühlen	Vegesack	Wied, M.
Supervielle	Velde, A.	Wiessalla
Swinnerton	Velsen	Wilder
Syberberg	Velter	Wilk
	Verdaguer	Williamson
Tammsaare	Vesaas	Winckler
Tarassow-Rodionow	Vesper	Windthorst
Tau	Vestdijk	Winnig
Taube	Vialar	Wirz
Tecchi	Viita	Wispler
Teirlinck	Virza	Witkiewicz
Thieß	Vring	Wittek
Thiry		Witting
Thomas, A.		Wittstock
Thorén	Waescha-Kwonne-	Wodehouse
Thurber	sin	Woestijne
Thurston	Waggerl	Woinovich
Timmermans	Waln	Wolf
Tolstoi, A. N.	Walpole, H. S.	Wolfe
Tomasi di Lampe-	Walschap	Woolf
dusa	Walser, R.	
Tombari	Waser	
Tralow	Wast	Young
Traven	Watzlik	
Trenker	Webb	
Tucholsky	Webster	Zech
Tügel	Wehner	Zerkaulen
Turnbull	Weinheber	Zerzer
Tynjanow	Weismantel	Zierer Steinmüller
	Weiss, E.	Zilahy
Ulitz	Weissenborn	Zillich
Ullmann	Welk	Zinn
Undset	Wendt, E.	Zivier
Unger	Wenter	Zollinger
Unruh, F. F.	Werfel	Zuckmayer
Unruh, F.	Werner	Zweig, A.
Urzidil	West, R.	Zweig, St.

1901–1914

Aabye
Agee
Agustí
Alegría
Algren
Amado
Andersch
Andreae
Andres
Andrzejewski
Arbó
Aub
Aymé

Balch
Balchin
Barbier
Basso
Bauer, J. M.
Bauer, W.
Baumann
Bazin
Beauvoir
Becher, U.
Beck
Beckett
Bedford
Belzner
Bentz
Bernari
Berto
Biernath
Birkenfeld
Blanchot
Blond
Bomans
Bongs
Bor
Boschvogel
Bosper
Bossi-Fedrigotti
Boulle
Bowles
Brancati

Branner
Brasillach
Braun, H.
Brautlacht
Bredel
Breedveld
Breitbach
Brenner
Brentano, B.
Bristow
Bronska-Pampuch
Brunngraber
Buzzati

Caldwell, E.
Callegari
Camenzind
Camus
Canetti
Carpentier
Cayrol
Cesbron
Cèspedes
Choromanski
Clancier
Coelho-Lisboa
Colliander
Common
Cortázar
Cozzens
Crottet

Daniel-Rops
Daninos
Davičo
Demedts
Depauw
Desnica
Dhôtel
Djilas
Dimoff
Dobraczynski
Doolaard
Druten
Dubow

Du Maurier, D.
Duras
Durrell

Edmonds
Edquist
Eich
Einwächter
Ekert-Rotholz
Ellison
Engasser
Erath
Eska
Estang
Ewerbeck

Fadejew
Faralla
Farrell, J. Th.
Fast
Fernández de la
    Reguera
Filipowicz
Finckenstein
Fischer, O.
Flaiano
Fleisser
Frank, W.
Freiberg
Frisch
Frison-Roche
Fussenegger

Gadenne
Gaiser
Gary
Gast
Gebert
Genet
Gerlach
Germonprez
Ghisalberti
Gibson
Giertz
Gilbreth, F. B.

Gilbreth-Carey
Glaeser
Godden, M. R.
Goes
Götz, K.
Golding, W.
Golowanjuk
Gombrowicz
Gorbatow
Govy
Gracq
Green, H.
Greene
Grin, E.
Guareschi
Gudmundsson

Hagelstange
Hamer
Hampe
Hanley
Hartlaub, F.
Hartman
Hartog
Hartung
Hauser
Hawley
Hayes, A.
Heimeran
Heiseler, B.
Helwig
Hersey
Höfler
Höijer
Hoorschelmann
Hohoff, C.
Holesch
Holthaus
Holthusen
Horgan
Hornstein
Horst
Hughes, L.
Huxley, E.

Ihlenfeld
Ikor
Ingolić
Innes
Johann
Ionesco
Isherwood
Just

Kades
Kästner, Erh.
Kantor
Karagatsis
Kaschnitz
Kaufmann, L.
Kawerin
Kayser
Kazan
Keller, P. A.
Kessel, M.
Keun
Kjelgaard
Kirschweng
Kirst
Klepper
Klossowski
Knyphausen
Koeppen
Koestler
Kolbenhoff
Kommerell
Krämer-Badoni
Kramer
Kramp
Kreuder
Kries
Kuhnert
Kusenberg
Kuyle

Laar
La Farge
Landgrebe
Landry

Lange, Horst
Langewiesche
Lauesen
Laxness
Lederer
Lee, L.
Lehmann, A.-H.
Lehmann, R.
Leiris
Lenz, H.
Lera
Levi
Lindbergh
Lindemann
Llewellyn
Lo-Johansson
Lowry
Lütgen
Lützkendorf

Maass, J.
Mc Carthy
Mac Donald
Macpherson
Malamud
Malraux
Mann, K.
Manzoni, C.
Marceau
Marinković
Marotta
Marti
Martinson
Mason van Wyck
Masters
Meersch
Merle
Michener
Mikeleitis
Miller, A. M.
Milosz
Mitterer
Mohrt
Moll

Monsarrat
Moosdorf
Moravia
Morriën
Morris, E.
Morris, W.
Mostar
Mühlberger
Müller, B.
Müller, W.
Müller-Marein
Münz
Muntz

Nadolny
Nekrassow
Nelissen-Haken
Németh
Nicklisch
Niebelschütz
Nilin
Nossack

O'Connor, Fr.
Oever
O'Hara, J.
Ortiz
Orwell
Ostrowskij
O'Sullivan
Ottlik
Ouwendijk

Packer
Panowa
Papa
Paton
Patton
Pavese
Payne
Pekkanen
Petrow
Peyrefitte

Pieyre de Mandiar-
   gues
Piovene
Pleyer
Plomer
Pohl
Polewoi
Pombo Angulo
Porché
Post
Powell, A. D.
Powell, R.
Pratolini
Prevelakis
Prokosch

Queffélec
Queneau

Radiguet
Rand
Raschke
Rebatet
Rendl
Rezzori d' Arezzo
Ribnikar
Richter, H. W.
Rinser
Roblès
Rolin
Rombach
Rosa
Roy
Rybakow

Saburowa
Sahl
Saile
Salminen
Salomon
Saroyan
Sarraute
Sartre
Schaper

Schmidt, A.
Schnabel, E.
Schneider
Scholochow
Scholtis
Scholz, H.
Schrag
Schröder, M. L.
Schulberg
Schwarz
Selinko
Sender
Seppänen
Sharp, M.
Shaw, I.
Simon
Smith
Snow
Soederholm
Soldati
Sommer
Sperber
Stahl
Stegner
Steinbeck
Stenius
Stephan
Stöger
Stoll
Stolpe
Stone
Storm, R.
Stuart

Tarsis
Thelen
Thomas, H.
Tinhofer
Torberg
Torga
Tourville
Trappe
Troyat
Tumler

Ude

Uhlenbusch

Unruh, K.

Vailland

Vaszary

Venesis

Vercors

Veríssimo

Viesèr

Vilmorin

Vincent

Vittorini

Vollmer

Vries, A.

Vries, Th.

Waltari

Ward, M. J.

Warner

Warren

Warsinsky

Wass

Waugh

Weisenborn

Welty

Wendt, H.

Werfhorst

Wescott

West, J.

West, N.

Weyrauch

White, P.

Widmann, I.

Williams, T.

Wilson, A.

Wilson, G.

Wright

Yourcenar

Zerna

Ziersch

Ziesel

Zunzunegui

1915–1938

Abrahams

Abramow

Aichinger

Ajtmatow

Aksjonow

Alcántara

Aldecoa

Altendorf

André

Arnaud

Arpino

Bachér

Bachmann

Bahl

Baklanow

Baldwin

Bassani

Baumgart

Becker

Bellow

Benaya

Bender

Besch

Blažková

Böll

Boerner

Bondarew

Borchert

Boulanger

Braine

Brandys

Brückner

Bulatović

Burns

Butor

Cabanis, J.

Calvino

Capote

Carleton

Carrière

Cassola

Castellanos

Cau

Cela

Ceram

Christensen

Cicellis

Clavel

Coccioli

Conchon

Cousseau

Cramer

Curtis

Dagerman

Dahl

Del Castillo

Delibes

Descalzo

Dessauer

Dickens, M. E.

Döbler

Dor

Druon

Dudinzew

Dürrenmatt

Dumitriu

Dutourd

Eisenreich

Elliott

Esser

Fagerberg	Horia	Lowrey
Féjes	Hortelano	
Friedl	Hoyle	Mac Cullers
Fuks	Huovinen	Macken
		Maclean
Ganachaud	Icaza	Magiera
Gascar	Jens	Mailer
Gheorghiu	Jensen, A.	Mallet-Joris
Ginzburg	Jewdokimow	Markandaya
Gironella	Johnson, U.	Maschmann
Glas	Jones	Mason, R.
Gordimer		Matute
Goyen	Kasakow	Maximoff
Goytisolo, J.	Kaufmann, H.	Meichsner
Goytisolo, L.	Kentfield	Memmi
Granin	Kern	Menzel
Grass	Kerouak	Mercer
Grau	Kiker	Mergendahl
Gregor	Kiselew	Meri
Gregor-Dellin	Kishon	Merrill
Griffin	Klingele	Mészöly
Grubb	Klose	Metalious
Guido	Kluge, A.	Miller, A.
Gyllensten	Knowles	Mönnich
	König	Montella
Haasse	Kroneberg	Montupet
Haavikko		Moor
Habeck	Laforet	Morante
Han Suyin	Laiglesia	Morel
Hartlaub, G.	Lamming	Mrožek
Hayes, J.	Lange, H. J.	Murdoch
Hearne	Lartéguy	
Heckmann	Leach	Namora
Heinrich	Lebert	Nemitz
Helander	Ledig	Niland d' Arcy
Hen	Lee, H.	Nisser
Herbert	Lembourn	Nonnenmann
Hermlin	Lenz, S.	Nowakowski
Hernádi	Lesort	Nusser
Hildesheimer	Lettau	
Hirschler	Lidman	Obaldia
Hlasko	Linna	O'Connor, E.
Hohoff, M.	Lipinski-G.	O'Connor, Fl.
Hopp	Lorenzen	Odojewskij, W.

Olujič
Orthbandt

Panduro
Park
Pasolini
Pasqualino
Paterson
Pawel
Pinget
Pinilla
Piontek
Powers
Pump
Purdy

Radičević
Rasmus-Braune
Reding
Rehmann
Rehn
Ribeyro
Roa
Robbe-Grillet
Rochefort
Romanowiczowa
Rombi
Romero
Ruark
Rüber
Rulfo

Sagan
Salinger
Salvador
Sánchez Ferlosio
Sarvig
Schallück
Schirmbeck
Schnurre
Schreiber, H.
Schroers
Schuster
Sciascia
Seton, A.
Sharp, A.
Sillitoe
Simonow
Sneider
Soerensen
Sourian
Spark
Strobach
Styron
Szabó

Ter Elst
Terz
Testori
Thorwald
Tibber

Updike

Uris

Vargas Llosa
Vassilikos
Veraldi
Vian
Vidal
Villa
Volponi

Wallace, I.
Walser, M.
Walter
Weidenheim
Weiss, P.
West, M. L.
Wickert
Wiebe
Willingham
Wilson, S.
Winsor
Witte
Wittig
Wouk

Yacine
Yerby

Zand
Zwerenz

II.

TITEL-REGISTER

Titel, die aus Vor- und Familiennamen bestehen, sind stets nur unter dem Familiennamen eingeordnet.

Titel, die mit einer Präposition beginnen, sind unter dieser eingeordnet.

1.

ALPHABETISCHES GESAMTREGISTER
DER TITEL

Abai (Auesow) XII, 235
Abbott, Judy (Webster) XI, 336
Abd-el-Kader (Knittel) IV, 440
Abdenas, Schicksal der (Leip) IV, 523
Abderiten, Die (Wieland) *II, 722;* II, 676
Abdias (Stifter) *II, 618;* II, 574
Abel mit der Mundharmonika (Hausmann) IV, 302
Abend (Schnack, F.) V, 768
– in Kopenhagen, Ein (Lindemann) XII, 26
– und Morgen (Seidel, H. W.) V, 803
Abendburg, Die (Wille) *II, 728;* II, 682
Abende auf dem Vorwerk bei Dikanka (Gogol) VIII, 171
Abendliche Häuser (Keyserling) *I, 374*
Abendopfer, Das (Kapp) XIII, 182
... abends Gäste ... (Wittstock) V, 966
Abendsonne (Faulkner) XI, 111
Abenteuer, Das (Mechow) IV, 567
– der Roten Schlange, Die (Bengtsson) XII, 115
– – Tugend (Rinser) XIII, 313
– des Augie March, Die (Bellow) XI, 12
– – braven Soldaten Schwejk, Die (Hašek) XII, 375
– – Chevalier von Faublas, Die (Louvet de Couvray) VI, 159
– – David Balfour, Die (Stevenson) VII, 197
– – Don Sylvio von Rosalva, Die (Wieland) II, 673
– – Huckleberry Finn, Die (Twain) VII, 325
– – Kapitäns Vasco Moscoso, Die (Amado) XIV, 171
– – kleinen Nils Holgersson (Lagerlöf) VIII, 115
– – kleinen Walther, Die (Multatuli) VII, 348
– – Peregrin Pickle, Die (Smollet) VII, 183
– – Peter Simpel, Die (Marryat) VII, 142
– – Röde Orm, Die (Bengtsson) XII, 115
– – Schienenstranges (London) VII, 291
– – Shanti Andia, Die (Baroja y Nessi) VI, 341

Abenteuer des Sherlock Holmes, Die (Doyle) VII, 84
– – Tom Sawyer, Die (Twain) VII, 324
– – Wesley Jackson, Die (Saroyan) XI, 269
– eines jungen Herrn in Polen, Die (Lernet-H.) IV, 530
– Ferdinand Huyck's, Die (Lennep) VII, 346
– Gordon Pyms, Die (Poe) VII, 319
– in Banz (Roth, E.) V, 722
– – der Neujahrsnacht, Das (Zschokke) *II, 748;* II, 698
– – der Südsee (Melville) VII, 303
– Joseph Andrews und seines Freundes Abraham Adams (Fielding) VII, 95
– Roderich Randoms, Die (Smollet) VII, 181
– Tschitschikows, Die (Gogol) VIII, 179
Abentheurliche Simplicissimus Teutsch, Der (Grimmelshausen) *I, 196;* I, 171
Aber das Wort sagte ich nicht (Paton) X, 200
Abglanz der Liebe (Hello) VI, 127
Abgrund blüht, Der (Ziersch) V, 973
Abhang, Der (Bauer, J. M.) XIII, 17
Absalom, Absalom! (Faulkner) XI, 101
Abschied (Becher, J. R.) III, 29
– und Wanderung (Bauer, W.) III, 22
– vom Dixieland (Kiker) XI, 172
– – Gestern (Körmendi) XII, 386
– – Traum der Jugend (Hausmann) IV, 303
– von Ariel (Roelants) X, 334
Abschiedskonzert, Das (Czibulka) III, 145
Abseits (Maugham) X, 169
Absterbendes Geschlecht, Ein (Leskow) VIII, 221

Absturz, Der (Gontscharow) VIII, 185
Abtei von Nordhanger, Die (Austen) VII, 5
Abteilung IIc (Balchin) X, 5
Abtrünnige, Der (Bernanos) IX, 24
– – (Edgeworth) VII, 87
Abu Telfan (Raabe) *II, 509;* II, 451
Academische Roman, Der (Happel) *I, 223*
Accoramboni, Vittoria (Stendhal) VI, 241
Accorombona, Vittoria (Tieck) *II, 682;* II, 641
Acht Gesichter am Biwasee, Die (Dauthendey) *I, 73;* I, 67
Achte Tag der Woche, Der (Hlasko) XII, 350
Achtel Salz, Ein (Döbler) XIII, 65
1812 (Rellstab) II, 466
– . Der ewige Schlaf (Michaelis, S.) XII, 27
Adam und Eva (Erskine) XI, 90
– – – (Ramuz) IX, 207
– – – (Rebreanu) XII, 423
– Mensch (Conradi) *I, 67*
Addrich im Moos (Zschokke) *II, 748;* II, 699
Adeane, Daphne (Baring) X, 7
Adelaide (Winckler) V, 955
Adelheid, Mutter der Königreiche (Bäumer) III, 13
Adelige Nest, Das (Turgenjew) VIII, 297
Adelsnest, Das (Turgenjew) VIII, 297
Adieu an die Geborgenheit (Odojewski) XIV, 418
Adler über Gallien (Stresau) XIII, 358
– und Schlange (Guzmán) IX, 348
Adolphe (Constant de Rebecque) VI, 49
Adrian der Tulpendieb (Rombach) V, 720

Adriana (Moravia) IX, 292
Adriatische Rosemund (Zesen) *II, 746;* II, 693
Adultera, L' (Fontane) *I, 115;* I, 109
Advent im Hochgebirge (Gunnarsson) XII, 42
Adverso, Antonio (Allen) XI, 2
Äbtissin Verena (Greinz) *I, 193*
– von Castro, Die (Stendhal) VI, 240
Ägyptische Königstochter, Eine (Ebers) *I, 78;* I, 69
Aelia (Vieser) V, 893
Aëlita (Tolstoi, A. N.) XII, 329
Äolische Erde (Venesis) XII, 438
Ärgert dich dein rechtes Auge (Schirmbeck) XIII, 327
Affäre, Die (Snow) XIV, 235
Affe und Wesen (Huxley) X, 102
Affen, Die (Cousseau) XIV, 23
Affenhochzeit, Die (Zuckmayer) V, 980
Affentheurlich naupengeheurliche Geschichtklitterung von Thaten und Rahten der … Helden … Gargantua und Pantagruel (Rabelais) VI, 200
Afraja (Mügge) *II, 477;* II, 433
Afrikanische Ballade (Cloete) X, 19
– Spiele (Jünger, E.) IV, 387
Agathon, Geschichte des (Wieland) *II, 723;* II, 674
Agimos oder die Weltgehilfen (Kreuder) XIII, 214
Agnes (Hemeldonck) X, 318
Agricola (Thoma) II, 631
Aguila, Sennor (Gerstäcker) *I, 172*
Ahnen, Die (Freytag) *I, 147;* I, 134
Ahnung und Gegenwart (Eichendorff) *I, 85;* I, 76
Akten des Vogelsangs, Die (Raabe) *II, 499;* II, 462
Alamontade, der Galeerensklave (Zschokke) *II, 749;* II, 696
Alaska Kid (London) VII, 296

Alb, Harap (Creangă) VIII, 335
Albert und Hugo (Moore) VII, 155
Alberte-Trilogie (Sandel) XIV, 355
Alberte und das Leben (Sandel) XIV, 355
– – die Freiheit (Sandel) XIV, 355
– – Jakob (Sandel) XIV, 355
Alberti Julii wunderliche Fata (Schnabel) *II, 574;* II, 520
Alchimist, Der (Balzac) VI, 12
Aleit, Frau (Lauff) *II, 410*
Alelia, Sara (Dixelius) XII, 121
Aleliens, Sara, Geschlecht (Dixelius) XII, 121
Alexander oder Was ist die Wahrheit (Schmidt, A.) XIII, 332
Alexander I. (Mereschkowskij) VIII, 237
Alexanderplatz, Berlin (Döblin) III, 152
Alexandra (Cèspedes) IX, 276
Alexius, Der junge Herr (Rumbach) V, 718
Alhambra, Die (Irving) VII, 282
Alice im Wunderland (Carroll) VII, 29
Alienus, Hans (Heidenstam) VIII, 103
Alissa und Adrienne oder Die Erziehung der Eltern (Morriën) X, 327
Alkibiades, Roman um (Naso) V, 633
Alkohol (Sinclair) XI, 291
Alle guten Geister (Schieber) *II, 566;* II, 512
hatten sich abgewandt (Hlasko) XIV, 413
– Herrlichkeit auf Erden (Han Suyin) X, 82
– Herrlichkeit ist innerlich (Marshall) X, 151
– Macht den Frauen (Fechter) III, 195
– Menschen sind sterblich (Beauvoir) IX, 16

Alle Schätze der Welt (Woinovich)
V, 967
– Wünsche dieser Welt (Warren)
XI, 334
Allein in Babylon (Reding) XIII, 302
Allerheiligen-Bucht, Die (Langewie-
sche) IV, 503
Allerlei Geschichten aus Tirol (Pich-
ler) *II, 491;* II, 441
Allerseelen (Greinz) *I, 188;* I, 168
Allertraurigste Geschichte, Die
(Ford) XIV, 190
Alles andere als ein Held (Lorenzen)
XIII, 245
– Fleisch ist wie Gras (Unruh, K.)
XIII, 377
– Getrennte findet sich wieder (Lö-
scher) IV, 541
Allgäu-Trilogie, Die (Dörfler, P.)
III, 160
Alltägliche Geschichte, Eine (Gont-
scharow) VIII, 183
Alltagsleben (Jotuni) XII, 170
Almaide oder der Roman der Leiden-
schaft eines jungen Mädchens
(Jammes, F.) VI, 139
Almayers Traum (Conrad) VII, 38
– Wahn (Conrad) VII, 38
Alpentragödie (Voss) II, 650
Alpkönig, Der (Dörfler, P.) III, 161
Alptraum, Der (Mailer) XIV, 297
Als der Krieg ausbrach (Böll) XIII,
41
– der Krieg zu Ende war (Böll)
XIII, 41
– die Bandura sang … (Korolen-
ko) VIII, 206
– ich im Sterben lag (Faulkner)
XIV, 267
– Vaters Bart noch rot war (Schnur-
re) XIII, 335
– wär es heut (Field) XI, 117
– wäre nichts geschehen (Hollander) IV, 342

Altaich (Thoma) II, 633
Altar der Toten, Der (James, H.)
VII, 277
Altchristliche Legenden (Leskow)
VIII, 217
Alte Bootsmann, Der (Gorbatow)
XII, 259
– Dorf, Das (Weismantel) V, 913
– Häuser sterben nicht (Heinrich)
XIII, 140
– Haus, Das (Klass) IV, 423
– Herr Lorenz, Der (Tumler) V, 877
– Hotel, Das (Buzzati) XIV, 100
– Isergil, Die (Gorki) VIII, 187
– Mann und das Meer, Der (He-
mingway) XI, 147
– Nachen, Der (Paustowskij) XII,
298
– Nester (Raabe) *II, 518;* II, 458
– Perdrix, Der (Philippe) VI, 194
– Siegel, Das (Stifter) *II, 638;* II,
577
– Welt – ewig neu (Bacchelli) IX,
265
Alten Männer im Zoo, Die (Wilson,
A.) XIV, 242
– Zeiten, Die (Melnikow) XIV, 389
Alter Mann an der Brücke (He-
mingway) XI, 142
Altershausen (Raabe) *II, 501;* II,
464
Alterslose Kinder (Cassou) IX, 43
Altertümler, Der (Scott) VII, 168
Altherrentag (Trevor) XIV, 239
Altkirchner, Agnes (Braun, F.) III,
92
Altmännersommer (Schäfer, W.) II,
498; V, 735
Altväterische Gutsbesitzer (Gogol)
VIII, 174
Alvareda, Die Familie (Caballero)
VI, 350
Alweyden, Gabriele (Forbes-M.) III,
209

Alzaga, Die Verschwörung des (Wast) IX, 373

Am Abgrund des Lebens (Greene) X, 72

– andern Morgen (Bauer, J. M.) III, 21

– Berg der Lerchen (Sainte-Soline) IX, 223

– Ende der Welt (Leskow) VIII, 224

– goldenen Steig (Schmidt, M.) *II, 573*; II, 518

– grünen Strand der Spree (Scholz, H.) XIII, 336

– Himmel wie auf Erden (Bergengruen) III, 45

– Jarama (Sánchez Ferlosio) XIV, 165

– Kochherd (Zola) VI, 271

– offenen Meer (Strindberg) VIII, 124

– Rande der Dunkelheit (Chase) XIV, 260

– Rande der Welt (Leskow) VIII, 224

– 6. Oktober (Romains) IX, 217

– Seil vom Stabeler Much (Springenschmid) V, 822

– Sonnenwirbel (Geissler) *I, 169*; I, 147

– toten Punkt (Schlaf) *II, 569*; II, 514

– Ufer des Ruhmes (Bristow) XI, 21

– Wege (Bang) VIII, 22

Amable, Die junge Frau (Vailland) XIV, 91

Amadeus (Knittel) IV, 445

Amadis VI, 333

Amalia (Mármol) VI, 386

Amantha, „Band of angels" (Warren) XI, 335

Amateursozialist, Der (Shaw, G. B.) VII, 177

Amazonasfahrt (Heye) IV, 323

Amber (Winsor) XIV, 334

Amberg, Werner (Inglin) IV, 377

Ambersons, Die stolzen (Tarkington) XI, 327

Amei (Schaumann) V, 752

Amelie (Troyat) IX, 252

Amerika (Kafka) IV, 402

–, Amerika (Kazan) XIV, 290

– -Johann, Der (Moeschlin) XIII, 261

Amerikamüde, Der (Kürnberger) *I, 396*; I, 352

Amerikaner, Der (James, H.) XIV, 285

Amerikanische Romanze (Wharton) XI, 342

– Tragödie, Eine (Dreiser) XI, 83

Amineh (Löhndorff) IV, 540

Ammen-Mährchen (Perrault) VI, 192

Amok (Zweig, St.) V, 984

Amor Dei (Kolbenheyer) IV, 452

Amour Royal (Laar) XIII, 219

Amphion (Riehl) *II, 532*

Amphitrite (Blasco Ibáñez) VI, 347

Amrain, Frau Regel (Keller, G.) *I, 349*; I, 311

Amrie und Hermdieder (Randenborgh) V, 694

Amries Vermächtnis (Randenborgh) V, 695

Amtsrichterhaus am Fjord, Das (Elster) XII, 74

Amulett, Das (Meyer, C. F.) *II, 454*; II, 413

An den Wassern von Babylon (Neumann, R.) XIII, 279

– der Leine (Lichnowsky) IV, 536

– diesem Dienstag (Borchert) III, 87

– einem Tag wie jeder andere (Hayes) XI, 137

– heiligen Wassern (Heer) *I, 242*; I, 213

– lebendigen Wassern (Munk) IV, 610

An Nachtfeuern der Karawan-Serail (Kamphoevener) XIII, 179
– offener See (Strindberg) VIII, 124
– Spaniens Küsten (Forester) X, 46
Anatolische Hirtenerzählungen (Kamphoevener) XIII, 180
Andere, Der (Hearne) X, 87
– Die (Colette) VI, 47
– Esther, Die (Szabó) XIV, 440
– müssen bleiben (Hornstein) XIII, 158
– Seite, Die (Kubin) I, 351
– Stimmen, andere Stuben (Capote) XI, 55
– Ufer, Das (Cèspedes) IX, 275
– Welt, Die (Lulofs) X, 324
– Welt, Eine (Baldwin) XIV, 251
Anderer Leute Kinder oder Bob und Teddy in der Fremde (Habberton) VII, 262
Andergast, Etzel (Wassermann) II, 703; II, 660
Andernachs, Das Glück der (Speyer) XIII, 350
Anderseits (Polgar) V, 681
Andersonville (Kantor) XI, 167
Andesmas, Der Nachmittag des Herrn (Duras) XIV, 27
Andia, Shanti, Die Abenteuer des (Baroja y Nessi) VI, 341
Andorranische Abenteuer (Fleisser) III, 208
André und Ursula (Höfler) IV, 328
Andreas, oder Die Vereinigten (Hofmannsthal) I, 265
Andrews, Joseph, Geschichte (Fielding) VII, 95
Aneinander vorbei (Galsworthy) VII, 102
Anfechtungen des Nils Brosme, Die (Kinck) VIII, 91
Angebliche Tante, Die (Cervantes) VI, 362
Angefochtenen, Die (Hampe) IV, 293

Angelucia (Binding) I, 32; III, 65
Angesicht des Kaisers, Das (Gmelin) III, 255
Angst (Knudsen) VIII, 48
– vor dem Glück (Pirandello) VI, 317
Anilin (Schenzinger) V, 754
Ankunft null Uhr zwölf (Schallück) V, 742
Anmutige Ungeheuer, Das (Jouhandeau) IX, 123
Anna (Austen) VII, 4
– (Hebbel) I, 211
– Die (Wittek) V, 964
– ,das Mädchen aus Dalarne (Lagerlöf) VIII, 119
– und Sigrid (Zerkaulen) V, 971
Annamaig (Raithel) II, 465
Anna-Marie (Timmermans) X, 342
Annette (Franck, H.) III, 212
Annonziata (Monnier) IX, 168
Ansas und Grita (Wichert) II, 718; II, 671
Anselm und Verena (Flake) III, 204
Ansichten eines Clowns (Böll) XIII, 42
Ansiedler, Die (Cooper) VII, 254
Antichrist, Der (Zar Peter und Alexeij) (Mereschkowskij) VIII, 236
Antigone oder Roman auf Kreta (Sainte-Soline) IX, 223
Antlitz ohne Gnade, Das (Croixelles) XIII, 59
Antonia (Cather) XI, 59
Antwort, Die (Schrag) V, 782
– der Kindheit, Die (Déry) XIV, 429
Apfel und Eva, Der (Ammers-Küller) X, 281
Apfelbaum, Der (Galsworthy) VII, 114
Apley, Der selige Mister (Marquand) XI, 205
Apollonia (Heiseler, B.) IV, 308
– -Trilogie, Die (Dörfler, P.) III, 159
Apollonias Sommer (Dörfler, P.) III, 159

Apostel, Der (Kneip) XIII, 203
Apotheker Heinrich (Heiberg) *I*, *248*; I, 218
Appleton, Elizabeth (O'Hara) XIV, 307
Aquis submersus (Storm) *II*, *649*; II, 603
Aramena (Anton Ulrich v. Braunschweig) *I*, *6*; I, 5
Ararat (Ulitz) V, 878
Arason, Jon (Gunnarsson) XII, 41
Arbeit (Zola) VI, 283
Arbeiter (Kielland) XIV, 353
– Der (Streuvels) VII, 357
– des Meeres, Die (Hugo) VI, 134
Arc de Triomphe (Remarque) V, 701
Arcadia (Sannazaro) VI, 318
– (Sidney) VII, 180
Arche, Die (Andres) III, 10
– Noah, Die (Supervielle) IX, 246
– – ‚Touristenklasse (Kishon) XIV, 200
Ardinghello (Heinse) *I*, *249*; I, 220
Arena, Die (Blasco Ibáñez) VI, 345
Argenis (Barclay) VII, 7
Argonautengeschichten (Harte) VII, 263
Ariane (Anet) VI, 4
Arizona Charleys Junge (Berg, B.) XII, 117
Armageddon (Uris) XIV, 326
Armance oder einige Szenen aus einem Pariser Salon um das Jahr 1827 (Stendhal) VI, 234
Armantje (Claudius, H.) III, 142
Arme Baronin, Die (Keller, G.) *I*, *362*; I, 321
– Chatterton, Der (Penzoldt) V, 667
– Kleine, Die (Ebner-Eschenbach) *I*, *80*; I, 75
– Leute (Buysse) VII, 335
– – (Dostojewski) VIII, 150
– Lisa, Die (Karamsin) VIII, 206
– Mann, Der (Gabele) III, 232

– Margaret, Die (Handel-Mazzetti) *I*, *215*; I, 189
– Reinhold, Der (Krämer-B.) IV, 463
– Spielmann, Der (Grillparzer) *I*, *195*; I, 170
– Weiße, Die (Anderson) XI, 6
– Wohltäter, Der (Stifter) *II*, *625*; II, 582
Armee hinter Stacheldraht, Die (Dwinger) III, 164
Armen, Die (Mann, H.) *II*, *429*; II, 392
– halten Gericht, Die (Caragiale) XIV, 459
– und Elenden, Die (Hugo) VI, 132
Arminius, Großmütiger Feldherr (Lohenstein) *II*, *420*; II, 381
Armut, Die, und die Gier (Bloy) VI, 31
– der Gräfin Dolores (Arnim) *I*, *11*; I, 10
Arne (Björnson) VIII, 60
Arnes Schatz, Herrn (Lagerlöf) VIII, 113
Arrabiata, L' (Heyse) *I*, *272*; I, 241
Arrowsmith, Dr. med. (Lewis, S.) XI, 181
Artagnan, von, oder zwanzig Jahre nachher (Dumas Vater) VI, 67
Artamanows, Das Werk der (Gorki) VIII, 198
Artevelde, Jakob van (Conscience) VII, 339
Arturos Insel (Morante) XIV, 111
Arundel (Roberts, K. L.) XI, 253
Arzt, Der (Hartog) X, 313
– aus Ferrara, Ein (Bassani) XIV, 97
– der Königin, Der (Maass, E.) IV, 551
– Gion, Der (Carossa) III, 136
– oder Scharlatan? (Rothmund) V, 725

Arzt und das leichte Mädchen, Der (Vestdijk) X, 350

Asche und Diamant (Andrzejewski) XIV, 406

Aschenspur, Die (Maschmann) XIII, 255

Asiaten, Die (Prokosch) XI, 240

Asiatische Banise, Die (Ziegler und Kliphausen) *II*, *746*; II, 694

– Novellen (Gobineau) VI, 120

Asperns Nachlaß (James, H.) VII, 276

Aspremont, Paul d' (Gautier) VI, 102

Assja (Turgenjew) VIII, 297

Assomoir, Das (Zola) VI, 267

Atala oder die Liebe zweier Wilden in der Wüste (Chateaubriand) VI, 37

Atelier der Marie-Claire (Audoux) VI, 7

Atem der Berge (Kaergel) IV, 396

Atlantis (Benoît) IX, 22

– (Dominik) III, 163

– (Hauptmann, G.) *I*, *232*; I, 204

Atomgewicht 500 (Dominik) III, 164

Atomstation (Laxness) XII, 52

Attalea princeps (Garschin) VIII, 170

Aubert, Therese (Nodier) VI, 191

Aucassin und Nicolette VI, 5

Auch Einer (Vischer) *II*, *694*; II, 646

Audunssohn, Olav (Undset) XII, 107

Auerstein, Die große Kraft der Eva (Supper) *II*, *675*

Auf dem Mississippi (Twain) VII, 327

– – Staatshof (Storm) II, 597

– den Flügeln des Windes (Schreiber, H.) XIII, 337

– – Marmorklippen (Jünger, E.) IV, 388

– – Spuren der verlorenen Zeit (Proust) IX, 195

– – Trümmern (Dos Passos) XI, 72

– der Forsyte-Börse (Galsworthy) VII, 104

– – Freitagstreppe (Hernády) XIV, 433

– – Galerie (Kafka) XIII, 178

– – schiefen Ebene (Waugh) X, 251

– – Suche nach der verlorenen Zeit (Proust) IX, 195

– – Universität (Storm) *II*, *661*; II, 598

– Gnade und Ungnade (Cary) X, 16

– halbem Wege (Rod) VI, 207

– Heller und Pfennig (Marshall) X, 155

– Herz und Nieren (Lesort) IX, 135

– Marienhoff (Voigt-Diederichs) *II*, *698*; II, 650

– Messers Schneide (Maugham) X, 170

– Schloß Argol (Gracq) XIV, 40

– überwachsenen Pfaden (Hamsun, K.) VIII, 84

– Wegen ohne Ziel (Goytisolo, L.) XIV, 153

– Wiedersehen, Susanne! (Brehm) III, 104

– zwei Planeten (Lasswitz) *II*, *404*; II, 366

Aufbau (Leonow) XII, 277

Auferstehung (Tolstoj, L. N.) VIII, 280

– der Götter, Die. Leonardo da Vinci (Mereschkowskij) VIII, 234

Aufforderung zum Tanz (Lehmann, R.) X, 132

Aufruhr der Engel, Der (France) VI, 95

– – Komödianten (Payne) XI, 234

– im Kongo (Walschap) X, 360

– in den Cevennen, Der (Tieck) *II*, *683*; II, 638

– in Oxford (Sayers) X, 218

Aufschub, Der (Sartre) IX, 240

Aufstand, Der (Rebreanu) XII, 425
– der Fischer von St. Barbara, Der (Seghers) V, 799
– des Herzens (Kölwel) XIII, 204
Auftrag, Der (Wickert) XIII, 399
Aufzeichnungen aus dem Kellerloch (Dostojewski) VIII, 157
– – einem Totenhaus (Dostojewski) VIII, 156
– – Italien (Carossa) III, 135
– des Malte Laurids Brigge (Rilke) II, 538; II, 481
– eines Jägers (Turgenjew) VIII, 293
– – Kleinstädters (Leonow) XIV, 387
Auge um Auge (Strauß und Torney) II, 664
Augen wurden ihm aufgetan, Die (Gadenne) IX, 79
Augenzeuge, Der (Robbe-Grillet) IX, 216
August Weltumsegler (Hamsun, K.) VIII, 79
Augustin (Malègue) IX, 138
Augustus (Birkenfeld) III, 69
Aurelia oder der Traum und das Leben (Nerval) VI, 190
Aurélien (Aragon) IX, 5
Aus dem Dunkel der Großstadt (Dostojewski) VIII, 157
– – dunkelsten Winkel der Großstadt (Dostojewski) VIII, 157
– – Fleisch geboren (Lesort) IX, 136
– – Florianital (Cankar) VIII, 334
– – Leben eines Fauns (Schmidt, A.) XIII, 329
– – Leben eines Taugenichts (Eichendorff) I, 89; I,78
– – Nirgends ins Nichts (Anderson) XI, 7
– – Regen in die Traufe (Ludwig) II, 422; II, 384

– – Tagebuch eines Jägers (Turgenjew) VIII, 293
– – toten Hause (Dostojewski) VIII, 156
– den schwarzen Wäldern (Stühlen) V, 856
– der Chronika eines fahrenden Schülers (Brentano) I, 55; I, 49
– – Knabenwelt (Alcott) VII, 246
– – Mädchenwelt (Alcott) VII, 245
– – Reitschul' (Brehm) III, 105
– – Tiefe (Castelnuovo) IX, 328
– – Triumphgasse (Huch, Ric.) I, 276
– – Werkstatt der Kunst (Zola) VI, 273
– einer kleinen Stadt (Freytag) I, 154; I, 139
– ferner Jugend (Paustowskij) XII, 297
– Feuer und Luft bin ich (Thorén) XII, 164
– gekränkter Ehre (Arpino) XIV, 96
– guter Familie (Reuter, G.) II, 530
– Kindern werden Leute (Gilbreth) XI, 124
– meinem Merkbuch (Schönherr) II, 525
Auserwählten, Die (Giraudoux) XIV, 39
Ausgangspunkt, Der (Greene) X, 76
Ausgesät sind sie alle (Besch) XIII, 33
Ausgewählte Erzählungen. Aufzeichnungen (Olescha) XII, 286
– Legenden und Gedichte (Bécquer) VI, 342
Ausreißer, Der (Sejfullina) XII, 314
Aussätzige und die Heilige, Der (Mauriac) IX, 145
– von Aosta, Der (Maistre) VI, 161
Aussätzigen, Die (Montherlant) IX, 173

Außenseiter der Gesellschaft (Deeping) X, 32

Austern des Herrn Chabre, Die (Zola) VI, 286

Auswanderer, Die (Bojer) XII, 61

– (Ferreira de Castro) IX, 332

– (Quiroga, H.) IX, 362

Auszug und Heimkehr des Jodok Fink (Freumbichler) III, 226

Autobus auf Seitenwegen (Steinbeck) XI, 311

Autostadt, Die (Mönnich) IV, 590

Baba und ihre Kinder (Scholtis) V, 776

Babbit (Lewis, S.) XI, 180

Babel (Couperus) VII, 341

Babendiek, Otto (Frenssen) *I, 139*; I, 130

Babylonische Wanderung oder Hochmut kommt vor dem Fall (Döblin) XIII, 71

Bach, Friedemann (Brachvogel) *I, 50*; I, 43

– , Johann Sebastian (Odojewskij) VIII, 240

– in Arnstadt, Sebastian (Söhle) *II, 595*; II, 541

Back Street (Hurst) XI, 162

Backfields, Die (Kaye-Smith) X, 114

Badereise im September (Sherriff) X, 222

Bäcker Jan Marhoul, Der (Vančura) XII, 377

Bärenkralle, Die (Stackelberg) XIII, 350

Bagge, Der Baron (Lernet-H.) XIII, 240

Bahnwärter Thiel (Hauptmann, G.) *I, 239*; I, 202

Bahßetup, Der Schwarze Herr (Thelen) XIII, 363

Bailey, Lydia (Roberts, K. L.) XI, 257

Balfour von Shaw, David (Stevenson) VII, 197

Balkon im Wald, Ein (Gracq) XIV, 41

Ball des Comte d'Orgel, Der (Radiguet) IX, 202

Balthazar (Durrell) XIV, 187

Baltische Tragödie, Die (Vegesack) XIII, 381

Bambi (Salten) V, 730

Bambis Kinder (Salten) V, 730

Banderas, Tyrann (Del Valle Inclán) XIV, 146

Bankett für Tillotson, Das (Huxley) X, 103

– in Blitwien (Krleža) XIV, 452

Bankherr und die Genien der Liebe, Der (Haensel) IV, 286

Baptist (Strauß, E.) II, 617; V, 851

Barabbas (Lagerkvist) XII, 139

Baradlays, Die (Jókai) XIV, 434

Baravore, Der Herr von (Stuart) X, 234

Barbar in einem Garten, Ein (Herbert) XIV, 412

Barbara oder die Frömmigkeit (Werfel) V, 926

– und die Männer (Jacobsen) XIV, 346

Barbarossa und der Dicke (Weissenborn) V, 917

Barbier Zitterlein (Hebbel) I, 211

Barcz, General (Kaden-Bandrowski) XII, 355

Barettlitochter, Die (Bosshart) *I, 48*; I, 41

Barfüßele (Auerbach) *I,16*; I, 17

Barmherzigen Pferde, Die (Besch) XIII, 34

Barnabooth, A. O. (Larbaud) IX, 129

Barnaby Rudge (Dickens) VII, 64

Barny und der ordnungswidrige Tod (Beck, B.) IX, 19

Barois, Jean (Martin du Gard) VI, 164
Baron auf den Bäumen, Der (Calvino) XIV, 102
– Bagge, Der (Lernet-H.) XIII, 240
Barone, Die (Callegari) IX, 274
Barrings, Die (Simpson) V, 814
Bartholomäusnacht, Die (Mérimée) VI, 179
Bartje (Vries, A.) X, 351
– sieht die Welt der Großen (Vries, A.) X, 351
– sucht das Glück (Vries, A.) X, 352
Bartleby (Melville) VII, 311
Basalt (Betzner) III, 58
Basch, Bötjer (Storm) II, 609
Baskische Himmel, Der (Jammes, F.) VI, 144
Bassompierre, Erlebnis des Marschalls von (Hofmannsthal) I, 263
Bastardzeichen, Das (Nabokow) XIV, 391
Bau, Der (Kafka) IV, 403; XIII, 179
Bauch von Paris, Der (Zola) VI, 265
Bauer aus dem Taunus, Der (Zuckmayer) V, 980
Bauern, Die (Balzac) VI, 22
– – (Reymont) VIII, 320
– – (Tschechow) VIII, 291
– , Bonzen und Bomben (Fallada) III, 186
– von Steig, Die (Huggenberger) I, 284; IV, 350
– – Wory, Die (Leonow) XII, 276
– ziehen übers Meer (Moberg) XII, 146
Bauernadel (Busse) III, 126
Bauernkrieg in Ungarn, Der (Eötvös) VIII, 336
Bauern-Novellen (Andersen-Nexö) VIII, 7
Bauernpsalm (Timmermans) X, 344
Bauernrichter, Der (Jellinek) IV, 367
Bauernspiegel, Der (Gotthelf) I, 182; I, 160

Bauernstolz (Strauß und Torney) II, 665; II, 618
Bauernstudenten (Garborg) VIII, 63
Baum der Erkenntnis, Der (Baroja y Nessi) XIV, 134
– – Nacht (Capote) XI, 56
– von Cléry, Der (Goltz) III, 261
– wächst in Brooklyn, Ein (Smith, B.) XI, 295
Baumwollpflücker, Die (Traven) V, 866
Bearnaise, Die (Schäfer, W.) II, 496; V, 737
Beate und Mareile (Keyserling) I, 373; I, 330
Beatus und Sabine (Schnack, F.) V, 767
Becher und Schwert (Hobart) XIV, 280
Bede, Adam (Eliot, G.) VII, 88
Beethoven, Der junge (Huch, Fel.) IV, 346
Beethovens letztes Quartett (Odojewskij) VIII, 240
– Vollendung (Huch, Fel.) IV, 347
Befreite Hände (Ebermayer) III, 167
– Herz, Das (Löscher) IV, 542
– Sokrates, Der (Pick) XI, 236
Befund (Strauß, E.) II, 617; V, 851
Begebenheiten des Printzen von Ithaca, Die (Fénelon) VI, 81
– – Telemach, Die (Fénelon) VI, 81
Begegnung, Die (Naso) V, 630
– auf dem Riesengebirge, Die (Kolbenheyer) IV, 459
– im Vorraum (Nossack) XIII, 288
– im Zwielicht (Polgar) V, 681
– und Abschied (Maurois) XIV, 57
Begleiter, Der (Heiseler, H.) IV, 309
Begrabene Hand, Die (Schäfer, W.) II, 496; V, 738
Behaim, Erni (Zahn) II, 739
Behm, Familie P. C. (Enking) I, 94; I, 83

Bei Anbruch des dritten Tages (Govy) IX, 107
– den Wasserkindern (Kingsley) VII, 128
– uns zu Lande (Cau) XIV, 13
Beichte, Eine (Gorki) VIII, 194
– eines Kindes seiner Zeit (Musset) VI, 186
– – Mörders (Roth, J.) V, 724
– – Toren, Die (Strindberg) VIII, 125
Beichtrohr, Das (Schröder, M. L.) V, 787
Beiden Geliebten, Die (Musset) VI, 187
– Ritterhelme, Die (Huch, Rud.) *I, 318;* I, 282
– Teraldi, Die (Bossi-F.) III, 90
– Tubus, Die (Kurz, H.) *I, 399;* I, 356
Beil von Wandsbek, Das (Zweig, A.) XIII, 413
Beim Bau der chinesischen Mauer (Kafka) IV, 403
– Vetter Christian (Storm) *II, 651;* II, 601
Bein der Tienette, Das (Philippe) XIV, 67
Beisetzung in Theresienburg (Krleža) XIV, 454
Bekenntnis, Ein (Storm) *II, 650;* II, 610
– eines jungen Priesters (Descalzo) XIV, 147
Bekenntnisse (Rousseau) VI, 221
– des Hochstaplers Felix Krull (Mann, Th.) II, 410
– eines Arztes (Weressajew) XII, 337
– – englischen Opiumessers (Quincey) XIV, 228
– – Kindes seiner Zeit (Musset) VI, 186
Bel-Ami (Maupassant) VI, 173

Belarmino und Apolonio (Pérez de Ayala) XIV, 160
Belfagor (Machiavelli) VI, 311
Belinda oder das große Rennen (Bosper) XIII, 47
Belisar der Ruhmreiche, Feldherr von Byzanz (Ranke-Graves) XIV, 229
Bella (Giraudoux) IX, 104
Ben Hur (Wallace) VII, 328
Benassis, Doktor (Balzac) VI, 11
Benedikt und Berenice (Knyphausen) IV, 447
Bengta, die Bäuerin aus Skåne (Nordström) XIII, 285
Benjamin und seine Väter (Heckmann) XIII, 139
Benoni (Hamsun, K.) VIII, 70
Benzinstation, Die (Lewis, S.) XI, 179
Berg, Klaus, und Bodil (Olesen-Loekken) XII, 28
Berg der Stummen, Der (Giono) IX, 91
– – Versuchung, Der (Troyat) IX, 251
– meiner Träume, Der (Stegner) XI, 300
Berge, Meere und Giganten (Döblin) XIII, 70
– und Menschen (Federer) *I, 101;* I, 94
Bergführer Jöri Madji, Der (Marti) IV, 559
Bergkristall (Stifter) *II, 619;* II, 579
Bergmilch (Stifter) *II, 619;* II, 574
Bergschlacht (Giono) IX, 96
Bergsegen (Perkonig) XIII, 292
Bergsturz auf Derborence (Ramuz) IX, 209
Bergwasser (Chamson) XIV, 19
Bergwerke zu Falun (Hoffmann, E. Th. A.) *I, 282;* I, 254

Bericht über Bruno (Breitbach) XIII, 50

Berlin (Gurk) XIII, 129

– (Plivier) XIII, 295

– Alexanderplatz (Döblin) III, 152

–, jetzt freue dich (Scholz, H.) XIII, 337

Berling, Gösta (Lagerlöf) VIII, 108

Berlocken, Die (Keller, G.) *I, 364;* I, 323

Bernadette, Das Lied von (Werfel) V, 924

Bernsteinhexe Maria Schweidler, Die (Meinhold) *II, 453;* II, 412

Bertram van Mynden, Meister (Claudius, H.) III, 141

Berufung, Die (Rodenbach) VI, 209

Beschreibung meiner Reise rings um mein Zimmer (Maistre) VI, 161

Beschreibungen eines Kampfes (Kafka) XIII, 178

Beschriebene Tännling, Der (Stifter) *II, 641;* II, 581

Besessene, Der (Maugham) X, 166

Besessenen, Die (Barbey d'Aurevilly) VI, 25

– – (Dostojewski) VIII, 163

Besetzte Haus, Das (Cortázar) XIV, 142

Besser zu zweit als allein (Bauer, W.) III, 24

Besten Novellen, Die (Dreiser) XI, 85

– Stories, Die (Fitzgerald) XI, 120

Bestie Ich in Mexiko (Löhndorff) IV, 541

– im Menschen, Die (Zola) VI, 276

Besuch auf Godenholm (Jünger, E.) IV, 389

Bete und arbeite (Moore) VII, 153

Betörende Südsee (Maugham) X, 166

Betrogenen, Die (Frapan) *I, 137*

Betrügst du mich ... (Vestdijk) X, 350

Betrug, Der (Bernanos) IX, 24

Bettelweib von Locarno, Das (Kleist) I, 332

Bettlerin vom Pont des Arts, Die (Hauff) *I, 224;* I, 198

Betty kann alles (Mac Donald) XI, 201

Beute, Die (Zola) VI, 265

– der Wölfe, Eine (London) VII, 284

Beutelschneider, Die (Lorenzen) XIII, 245

Bewährung der Herzen (Wittek) V, 963

B. F.'s Tochter (Marquand) XI, 208

Bianca Maria (Muschler) IV, 615

Biberburg, Die (Schäfer, W.) II, 499; V, 736

Bichler, Mathias (Christ) I, 57; III, 138

Biene Maja, Die (Bonsels) I, 40; III, 85

Bienenkorb, Der (Cela) XIV, 141

Bienenroman, Der (Rendl) V, 702

Big money, The (Dos Passos) XI, 72

Bigum Stelzfuß (Andersen-Nexö) VIII, 7

Bild der guten alten Zeit, Ein (Gogol) VIII, 174

– des Kaisers, Das (Hauff) *I, 225;* I, 199

– wird lebendig, Ein (Roberts, K. L.) XI, 257

Bilder aus dem kirchlichen Leben Englands (Eliot, G.) VII, 93

– in der Vorhalle (O'Casey) XIV, 217

Bilderbuch ohne Bilder (Andersen) VIII, 6

Bildnis, Das (Gogol) VII, 176

– – (Morgan) X, 174

– des Gouverneurs, Das (Petscherskij) VIII, 241

– – Rodrigo Cambará, Das (Veríssimo) IX, 371

Bildnis Dorian Grays, Das (Wilde) VII, 234
– einer Dame (James, H.) VII, 273
– von Jenny, Ein (Nathan) XI, 221
Billard um halb zehn (Böll) XIII, 40
Billbrook (Borchert) III, 88
Billy Budd (Melville) VII, 314
Bingo (Seton, E. Th.) XI, 277
Biondetta (Cazotte) VI, 36
Bircks, Martin, Jugend (Söderberg) XII, 159
Biribinker, Märchen vom Prinzen (Wieland) II, 674
Birnbaum, Unterm (Fontane) *I, 116;* I, 110
Birotteau, Cäsar (Balzac) VI, 17
Bischofs Bettler, Des (Benét) XI, 17
Bißwange-Haschezeck, Freuden des Herrn von (Beheim-Sch.) III, 33
Bitteren Träume, Die (Aub) XIV, 133
Bitterer Whisky (O'Connor) XIV, 220
Biwasee, Acht Gesichter am (Dauthendey) *I, 73;* I, 67
Black (Claes) X, 295
Blättlein Liebe, Ein (Zola) VI, 268
Blanchard, Charles (Philippe) VI, 196
Blanche oder das Atelier im Garten (Kornfeld) XIII, 211
Blasius geht durch die Stadt (Sommer) XIII, 347
Blatt im Sturm (Lin-Yü-tang) XI, 190
– Liebe, Ein (Zola) VI, 268
Blaubart in Flandern (Pillecijn) X, 332
Blaue Blume, Die (Mikeleitis) IV, 586
– Fliege, Die (Tarsis) XIV, 400
– Hotel, Das (Crane) VII, 259
– Kammerherr, Der (Niebelschütz) V, 646

– Moor, Das (Bentlage) III, 42
– Schabracke, Die (Hampe) IV, 294
– Tiger, Der (Döblin) III, 156
– Traum, Der (Kusenberg) IV, 493
– Villa in Hongkong, Die (Robbe-Grillet) XIV, 77
Blauen Mokassins, Die (Lawrence) XIV, 203
– Wellensittiche, Die (Branner) XII, 4
Bleakhaus (Dickens) VII, 70
Blechtrommel, Die (Grass) XIII, 118
Bleibe, meine Welt! (Rüber) XIII, 317
Blendung, Die (Canetti) XIV, 458
Blick auf die Vogesen (Schickele) V, 757
Blinde, Der (Jens) IV, 373
– Geronimo und sein Bruder, Der (Schnitzler) *II, 577;* II, 523
– Musikant, Der (Korolenko) VIII, 206
– Spiel, Das (Erath) XIII, 85
Blinden Ameisen, Die (Pinilla) XIV, 162
Blitz schlägt ins Haus, Der (Vallotton) VI, 250
Blitzableitermann, Der (Melville) VII, 312
Blühende Meer, Das (Mälk) XII, 175
– Wildnis (Galsworthy) VII, 110
Blüte im Sand (Montherlant) IX, 176
– unterm Schnee (Chamson) IX, 50
Blütezeit des Lebens, Die (France) VI, 97
Blumbergshof (Vegesack) V, 885; XIII, 381
Blume der Götter, Die (Miegel) IV, 585
Blumen des Magiers, Die (Bernus) III, 50
– für Shiner (Llewellyn) XIV, 205
– von Hiroshima, Die (Morris, E.) XIV, 303

Blumenhölle am Jacinto (Löhndorff) IV, 540

Blumen-, Frucht- und Dornenstücke (Jean Paul) *I, 324,* I, 290

Blut hat nur eine Farbe (Lanham) X, 121

Blutige Arena, Die (Blasco Ibáñez) VI, 345

– Dichter, Der (Kosztolányi) XII, 387

Blutorangen – zweite Wahl (Park) X, 196

Bockreiter, Die (Ponten) V, 690

Bodenseher, Der (Finckh) *I, 106*

Böse Macht, Die (Lewis, C. St.) X, 136

– schöne Welt (Eisenreich) XIII, 82

Böser Traum, Ein (Bernanos) IX, 28

Bösewicht von Askalon, Der (Leskow) VIII, 227

Bötjer Basch (Storm) II, 609

Bohème (Murger) VI, 185

Bohnenblust oder Die Erzieher (Zollinger) XIII, 411

Bojaren, Die (Dumitriu) XII, 420; XIV, 460

Bomberling, Babette (Berend) *I, 29;* I, 24

Bonaventuras Nachtwachen (Bonaventura) *I, 47;* I, 39

Bonjour tristesse (Sagan) IX, 222

Bonnard, Sylvester, und seine Verbrechen (France) XIV, 30

Boot, Das (Hartley) XIV, 194

Borchowitsch, Der Hiwi (Dosper) XIII, 46

Borgia (Klabund) IV, 421

–, Angela (Meyer, C. F.) *II, 455;* II, 423

–, Cesare (Gobineau) VI, 122

– -Trilogie (Huna) IV, 353

Bornholmer Novellen (Andersen-Nexö) VIII, 7

Bosca, Die Witwe (Schickele) V, 758

Boten der Versöhnung, Die (Venesis) XII, 439

Botschaft des Fremden, Die (Lin-Yü-tang) XI, 191

Botschafter, Der (West, M. L.) XIV, 330

Bott, Thees, Dat Waterküken (Kinau, R.) IV, 416

Boule de Suif (Maupassant) VI, 170

Boussardel, Agnes (Hériat) IX, 120

–, Familie (Hériat) IX, 118

Bouvard und Pécuchet (Flaubert) VI, 91

Bovary, Madame (Flaubert) VI, 85

Boxer und der Tod, Der (Hen) XIV, 412

Boy (Coloma) VI, 365

Boyds und ihre Pferde, Die (Edmonds) XI, 88

Božena (Ebner-Eschenbach) *I, 80;* I, 70

Brabanter Volk (Coolen) X, 298

Bracebridge-Hall oder die Charaktere (Irving) VII, 281

Bracke (Klabund) IV, 422

Brackwasser (Hauser) XIII, 138

Brände im Schnee (Seppänen) XII, 180

Bräutigame der Babette Bomberling, Die (Berend) *I, 29;* I, 24

Braf der Prophet (Coster) VI, 53

Brambilla, Prinzessin (Hoffmann, E. Th. A.) *I, 283;* I, 258

Brandopfer (Falkberget) XII, 75

–, Das (Goes) XIII, 116

Brandur auf Bjarg (Gunnarsson) XII, 43

Brasilianisches Mietshaus, Ein (Azevedo) VI, 338

Bratküche zur Königin Pédauque, Die (France) VI, 92

Braune Segel, Das (O'Flaherty) X, 192

Braut des Ketzers, Die, oder die Inquisition zu Lima (López) VI, 381
– von Lammermoor, Die (Scott) VII, 170
Brautmarsch, Der (Björnson) VIII, 62
Brautnacht des schwarzen Trinidad, Die (Sender) XIV, 167
Brautvater, Der (Streeter) XI, 324
Braver Kasperl und schönes Annerl (Brentano) I, 56; I, 48
Brechers Fiasko, Herrn (Kessel) XIII, 190
Brechschmied, Der (Leutelt) II, 371
Bredow, Die Hosen des Herrn von (Alexis) I, 1; I, 2
Bremer Ratskeller, Phantasien im (Hauff) I, 227; I, 197
Brennende Liebe, Die (Schnack, F.) V, 767
– Busch, Der (Undset) XII, 108
– Wind, Der (Benaya) XI, 15
– Wort, Das (O'Connor, F.) XIV, 306
Brennpunkt (Miller, A.) XI, 213
Breugnon, Meister (Rolland) VI, 214
Briefe aus Capri (Soldati) IX, 307
– – meiner Mühle (Daudet) VI, 55
–, die ihn nicht erreichten (Heyking) I, 271; I, 240
Briest, Effi (Fontane) I, 116; I, 114
Brigge, Malte Laurids (Rilke) II, 538; II, 481
Brighton Rock (Greene) X, 72
Brigitta (Stifter) II, 620; II, 575
Brindeisener, Peter (Stehr) II, 560; V, 830
Bring mich heim (Lederer) XIII, 229
Brinvilliers, Chronik der Marquise von (Naso) V, 632
Brodie, James, Der Hutmacher (Cronin) X, 21
Brömseshof (Seidel, I.) V, 808

Bronckhorst, Paul (Schücking) II, 583; II, 529
Broomes, Der Zauber der (Dane) XIV, 184
Brosme, Nils, Die Anfechtungen des (Kinck) VIII, 91
Brot (Waggerl) V, 897
– aus dem Meer (Oever) X, 329
– der frühen Jahre, Das (Böll) XIII, 38
– – Nacht (Falkberget) XII, 78
– und Spiele (Lenz, S.) XIII, 238
– – Steine (Stenius) XII, 160
– – Wein (Silone) IX, 302
Brown, Cluny, Das Mädchen (Sharp) X, 221
Bruchhof, Der (Skowronnek) II, 594; II, 540
Bruder Jakobus (Claes) X, 295
Bruderhof, Der (Sohnrey) II, 597; II, 543
Brücke, Die (Gregor) XIII, 121
– – (Stuart) X, 235
– am Kwai, Die (Boulle) XIV, 9
– – Satledsch, Die (Khushwant) X, 117
– nach Crognant, Die (Vaughan) X, 242
– über die Drina, Die (Andrić) XII, 407
– von San Luis Rey, Die (Wilder) XI, 345
Brücken von Toko-Ri, Die (Michener) XI, 211
Brüder, Die (Fedin) XII, 251
– Karamasow, Die (Dostojewski) VIII, 165
– und ihre Frauen, Die (Roche, M.) X, 210
– van Laac, Die (Kapp) XIII, 182
– vom deutschen Hause, Die (Freytag) I, 151; I, 137
– von Lasawa, Die (Fussenegger) III, 229

– – Trewern, Die (Vaughan) X, 241
– zur Sonne (Lützkendorf) XIII, 247
Bruegel, Pieter (Timmermans) X, 343
Brulard, Henry, Das Leben des (Stendhal) XIV, 88
Brunnen der Tiefe (Estang) IX, 77
– fließt über, Der (West) XIV, 240
Brunnkant, Peter (Busse) III, 127
Buch der Leidenschaft (Hauptmann, G.) *I, 233;* I, 207
– – Mystik (Balzac) VI, 14
– vom Brüderchen, Das (Geijerstam) VIII, 98
– – Gaucho Sombra, Das (Güiraldes) IX, 347
– von San Michele, Das (Munthe) XII, 149
Buchenberg, Diethelm von (Auerbach) *I, 18;* I, 15
Buchholzens in Italien (Stinde) *II, 648;* II, 594
Buchstabe G (Iwanow) XII, 267
Budd, Billy (Melville) VII, 314
Buddenbrooks, Die (Mann, Th.) *II, 439;* II, 400
Budjonnys Reiterarmee (Babel) XII, 237
Budiwoj, Die Söhne des Herrn (Sperl) *II, 604;* II, 549
Bübü (Philippe) VI, 193
Bücher der Liebe (Kesten) XIII, 192
Bürger von Calais, Die (Langewiesche) IV, 504
Bürgers, Die Schicksale Doktor (Carossa) III, 132
Büro Rechtsanwalt Stroomkoning (Bordewijk) X, 286
Büttnerbauer, Der (Polenz) *II, 493;* II, 442
Bulba, Taras (Gogol) VIII, 174
Bumbullis, Wiks (Sudermann) *II, 669;* II, 624
Bund, Der (Kossak) XII, 357

Bunte Schleier, Der (Maugham) X, 168
– Schüssel, Die (Timmermans) X, 345
– Steine (Stifter) *II, 641;* II, 587
Burda, Leutnant (Saar) II, 489
Burg Neideck (Riehl) *II, 535;* II, 479
– von Otranto, eine gothische Geschichte, Die (Walpole) VII, 220
Burgkinder, Die (Herzog) *I, 255*
Bursche aus Savoyen, Ein (Ramuz) IX, 210
Byron, Lord (Edschmid) III, 169
Byrons, Cashel, Beruf (Shaw, G. B.) VII, 177

Cabala, Die (Wilder) XI, 344
Cade, Rachel (Mercer) XI, 209
Cadillac 1924 zu verkaufen (Saroyan) XIV, 318
Caesar (Jelusich) IV, 368
Cäsar, Julius, Die Geschäfte des Herrn (Brecht) XIII, 48
„Caine" war ihr Schicksal, Die (Wouk) XI, 366
Caleb Williams (Godwin) VII, 115
Cambará, Das Bildnis des Rodrigo (Veríssimo) IX, 371
Camenzind, Peter (Hesse, H.) *I, 259;* I, 227
Camillo und Peppone (Guareschi) IX, 284
Campbells Königreich (Innes) X, 105
Canaima (Gallegos) XIV, 150
Candid oder der Optimismus (Voltaire) VI, 260
Candide, oder die beste Welt (Voltaire) VI, 260
Cannery Row, die Straße der Ölsardinen (Steinbeck) XI, 310
Canterbury-Erzählungen (Chaucer) VII, 30
Caoba (Traven) V, 867
Capponi, Maria (Schickele) V, 756

Caracho, Torero (Gómez de la Serna) IX, 345

Carlotta, Unsere (Kurz, I.) I, 359; IV, 488

Carmen (Mérimée) VI, 183

Carmignac, Manon de (Stackelberg) V, 823

Caruso (Thieß) V, 861

Casamassima, Prinzessin (James, H.) VII, 275

Cashel Byrons Beruf (Shaw, G. B.) VII, 177

Casmurro, Dom (Machado de Assis) VI, 385

Catriona (Stevenson) VII, 198

Cauvenburg, Der Fall (Nadolny) XIII, 275

Cavalier, Im Irrgarten der Liebe (Schnabel) *II, 574;* II, 521

Cécile (Fontane) *I, 117;* I, 110

Celestina VI, 351

Cellini, Leben des Benvenuto (Cellini) VI, 299

Cenci, Die (Stendhal) VI, 241

Cereno, Benito (Melville) VII, 310

Certosa von Parma, Die (Stendhal) VI, 237

Chabert, Oberst (Balzac) VI, 9

Chadschi Murat (Tolstoj, L. N.) VIII, 282

Chagrin, Der (Balzac) VI, 8

Chagrinleder, Das (Balzac) VI, 8

Chaka der Zulu (Mofolo) X, 171

Chaminadour (Jouhandeau) XIV, 44

Champion (Lardner) XIV, 293

Chaos und die Nacht, Das (Montherlant) XIV, 62

Chapdelaine, Maria (Hémon) VI, 129

Charfreitag (Hohlbaum) IV, 336

Charges d'âme (Estang) IX, 75

Charleys, Arizona, Junge (Berg, B.) XII, 117

Charoniade, Die, oder Auf dem Strom des Lebens (Tügel) V, 873

Chatterley, Lady, und ihr Liebhaber (Lawrence) XIV, 202

Cheopspyramide, Kampf um die (Eyth) *I, 98;* I, 92

Chéri (Colette) XIV, 21

Chéris Ende (Colette) XIV, 21

Cherrell Chronik, Die (Galsworthy) VII, 110

China frißt Menschen (Huelsenbeck) XIII, 162

Chindler, Theodor (Brentano) III, 108

Chinesenstadt (Lin-Yü-tang) XI, 190

Chloé (Vian) XIV, 92

Chloes Geschichte (Meredith) VII, 151

Chodische Freiheitskämpfer (Jirásek) XIV, 425

Christ und Antichrist (Mereschkowskij) VIII, 233

Christian, Katherine (Walpole) X, 249

– Svarres Kongofahrt (Jürgensen) XII, 17

– und Brigitte (Leitgeb) IV, 527

Christiane und Till (Heimeran) IV, 305

Christkind, Das (Streuvels) VII, 358

– aus den großen Wäldern, Das (Schaper) V, 750

Christnacht, Eine (Grigorowitsch) VIII, 202

Christus kam nur bis Eboli (Levi) IX, 286

Christuslegenden (Lagerlöf) VIII, 112

Chronik armer Liebesleute (Pratolini) IX, 298

– der Familie Pasquier, Die (Duhamel) IX, 67

– – Sperlingsgasse, Die (Raabe) *II, 502;* II, 445

– von Grieshuus, Zur (Storm) *II, 651;* II, 607

Chronika eines fahrenden Schülers (Brentano) *I, 55;* I, 49

Chuzzlewit, Martin (Dickens) VII, 67

Chymische Rose, Die (Yeats) VII, 239

Cimarron (Ferber) XI, 114

Cinq-Mars oder eine Verschwörung gegen Richelieu (Vigny) VI, 254

– oder eine Verschwörung unter Ludwig XIII. (Vigny) VI, 254

Ciske, die Ratte (Bakker) X, 284

Claes, Das Haus (Balzac) VI, 12

Claire (Young) X, 268

– oder das Land der Verheißung (Maurois) IX, 160

Clarissa (Richardson) VII, 161

Clayhanger, Die Familie (Bennett) VII, 11

Clea (Durrell) XIV, 187

Clelia (Scudéry) VI, 231

Clérambault. Geschichte eines freien Gewissens im Kriege (Rolland) VI, 216

Clinker's, Humphry, Reisen (Smollet) VII, 186

Clique, Die (McCarthy) XIV, 294

Clissold, William, Die Welt des (Wells) VII, 231

Clochemerle (Chevallier) IX, 51

Clown, Der (Kern) XIV, 46

Coelestina (Binding) I, 31; III, 66

Colomba (Mérimée) VI, 182

Colonel Vaiden (Stribling) XI, 325

Conditio humana (Malraux) IX, 142

Confalonieri, Leben des Grafen (Huch, Ric.) *I, 312;* I, 279

Coningsby oder die neue Generation (Disraeli) VII, 80

Conrad, der Leutnant (Spitteler) *II, 613;* II, 553

Consolata, Die (Le Fort) IV, 516

Coornvelts, Die Frauen der (Ammers-Küller) X, 279

Copperfield, David (Dickens) VII, 69

Corinna oder Italien (Staël-H.) VI, 232

Cornelia und der Gingkobaum (White) XIV, 332

– und der standhafte Geometer (Rombach) V, 721

Cornett der Zarin (Stackelberg) XIII, 351

Coromandel (Masters) X, 163

Corps de Ballet (Rosa) XIV, 176

Correa, Don (Keller, G.) *I, 363;* I, 322

Cosima (Deledda) VI, 303

Cosini, Zeno (Svevo) IX, 308

Coyote, Der (Aslagsson) XII, 57

Cranford (Gaskell) VII, 114

Cromwell (Jelusich) IV, 369

Crusoe, Robinson (Defoe) VII, 51

Cues, Niklas von, Schicksal des (Künkel) IV, 477

Curator, Carsten (Storm) *II, 652;* II, 604

Czyż, Vorarbeiter (Goetel) XII, 348

Da stimmt was nicht (Manzoni, C.) XIV, 110

– umfingen goldne Tage mich (Wolf, R.) V, 968

– unten (Huysmans) VI, 136

Dachse (Leonow) XII, 276

Dackel Haidjer (Nelissen-H.) V, 635

Daddy Langbein (Webster) XI, 336

Dämmerung (Green, H.) X, 70

Dämon der Erkenntnis, Der (Mauriac) IX, 150

– – Güte, Der (Montherlant) IX, 173

– des Guten, Der (Montherlant) IX, 173

Dämonen, Die (Doderer) XIII, 63

– – (Dostojewski) VIII, 163

Daheim (Malot) VI, 163

Dahinten in der Heide (Löns) *II, 417;* II, 379

Dalen, Rose van (Buysse) VII, 336

Dalloway, Mrs. (Woolf, V.) X, 263

Dalmatinische Nacht (Jünger, F. G.) IV, 391

Damals als wir Rollschuh liefen (Ude) XIII, 373

Dame im Strohhut, Die (Krell) IV, 470

– Mila, Die (Marshall) XIV, 211

– mit dem Hündchen, Die (Tschechow) VIII, 286

– – – Samtvisier, Die (Geissler, H. W.) III, 240

– – den Kamelien, Die (Dumas Sohn) VI, 71

Damen aus Boston, Die (James, H.) XIV, 286

Dames Aufzeichnungen, Herrn (Reventlow) II, 474

Damian (Stehr) II, 566; V, 833

Dampfsäule, Die (Molnár) XII, 392

Danaide, Die (Szabó) XIV, 441

Danilo und die Weltgeschichte (Susić) XIV, 457

Dann kam der Tag (Risse) V, 716

Daphne (Baring) X, 7

Darner, Familie (Lewald) *II, 413;* II, 372

Das war Münchhausen (Haensel) IV, 286

Daß diese Steine Brot werden (Syberberg) XIII, 360)

Davidsbündler, Die (Weyrauch) V, 935

Dechant von Gottesbüren, Der (Schaffner) *II, 553*

Defraudanten, Die (Katajew) XII, 270

Dein Weg sei mein Weg (Dickens, M.) X, 34

Dekameron, Das (Basile) VI, 296

Dekamerone, Der (Boccaccio) VI, 296

Delfin, Andrea (Heyse) *I, 272;* I, 241

Delphine, Die (Timmermans) X, 342

Dem unbekannten Gott (Kröger) *I, 388;* I, 349

Demian (Hesse, H.) *I, 259;* I, 232

Demütigen, Die (Romains) IX, 217

Denkmal des Junggesellen, Das (Jahn, M.) IV, 361

Denkwürdigen Erlebnisse des Gordon Pym, Die (Poe) VII, 319

. . . denn der Wind kann nicht lesen (Mason) X, 160

Denn die einen sind im Dunkeln (Braine) XIV, 182

– du kannst weinen (Mauriac) IX, 154

– keiner trägt das Leben allein (Nyirö) XII, 399

– sie sollen getröstet werden (Paton) X, 198

– über uns ist der Himmel (Tau) XIII, 361

Dennoch Menschen (Vittorini) XIV, 127

Der von der Vogelweide (Ginzkey) *I, 175*

. . . der vor dem Löwen flieht (Klein-Haparash) XIII, 199

Deruga, Der Fall (Huch, Ric.) I, 281

Désirée (Selinko) V, 812

Desperados (Gyllensten) XIV, 361

Desqueyroux, Therese, Die Tat der (Mauriac) IX, 148

Deutsche von Bayencourt, Der (Kuckhoff) IV, 476

Deutsche Herz, Das (Schmitthenner) II, 519

– Krieg, Der (Laube) *II, 407*

– Novelle (Frank, L.) XIII, 99

– Passion, Die (Hohlbaum) IV, 336

– Wanderschaft, Eine (Schaffner) *II, 558;* II, 503

Deutscher ohne Deutschland, Ein (Molo) IV, 594

Deutscher Adel (Raabe) *II, 498*
Deutsches Schicksal (Edschmid) III, 171
Diagnose (André) XIV, 1
Diamant des Radschahs, Der (Stevenson) VII, 194
Diamanten im Meer (Shute) XIV, 233
Diana (Montemayor) VI, 387
– vom Kreuzweg (Meredith) VII, 152
Dichter und ihre Gesellen (Eichendorff) *I, 86;* I, 79
Dickchen (Maupassant) VI, 170
Dickinsons, Das Haus der (White) XIV, 332
Die guten Willens sind (Romains) IX, 217
– sich nicht beugen ließen (Gorbatow) XII, 260
– vom Gerdmundshofe (Soederholm) XIV, 367
– – Niederrhein (Herzog) *I, 256;* I, 224
– von Kelles (Pantenius) II, 439
– – Sneckenström (Stjernstedt) XII, 161
Dieb, Der (Heym) I, 240
Diebische Steppenwolf, Der (Goyen) XIV, 273
Diebischen Freuden des Herrn von Bißwange-Haschezeck, Die (Behcim-Sch.) III, 33
Diégo (Landry) IX, 128
Dies ist die Nacht (Masters) X, 162
Diese Erde ist mein (Hobart) XIV, 280
– Seite der Unschuld (Caldwell, T.) XI, 52
Dietegen (Keller, G.) *I, 352;* I, 314
Dietrich und der Herr der Welt (Hesse, M. R.) IV, 316
Dinge erzählen, Die (Estaunié) VI, 75

Dir kannst du nicht entfliehen (Balchin) X, 6
– selber treu (Knight) X, 118
Dirne Elisa, Die (Goncourt, E.) VI, 123
Ditte Menschenkind (Andersen-Nexö) VIII, 18
... Doch blieb er ein Fremder (Márai) XII, 388
Doctor Thorne (Trollope) VII, 218
Dodsworth, Sam (Lewis, S.) XI, 184
Dörchläuchting (Reuter, F.) *II, 524;* II, 471
Doge und Dogaresse (Hoffmann, E. Th. A.) *I, 283;* I, 254
Doktor Benassis (Balzac) VI, 11
– Bürgers, Die Schicksale (Carossa) III, 132
– Faustus (Mann, Th.) *II, 441;* II, 409
– Glas (Söderberg) XIV, 367
– Moreaus Insel (Wells) VII, 224
– Murkes gesammeltes Schweigen (Böll) XIII, 39
– Murrays Auftrag (Cronin) XIV, 184
– Pascal (Zola) VI, 279
– Tatjana Wlassenkowa (Kawerin) XII, 275
– von Titinow, Der (Planner-P.) XIII, 294
– s. a. unter „Dr.“
Dom Casmurro (Machado de Assis) VI, 385
Dombey und Sohn (Dickens) VII, 68
Domherren, Die (Leskow) VIII, 219
Dominique (Fromentin) VI, 98
Don Camillo und Peppone (Guareschi) IX, 284
– – – seine Herde (Guareschi) IX, 284
– Correa (Keller, G.) *I, 363;* I, 322
– Hjalmar (Hardt) IV, 294
– Quijote (Cervantes) VI, 352

Don Quijotes Wiederkehr (Chester-
ton) VII, 36
– Quixote von la Mancha (Cervan-
tes) VI, 352
– Segundo Sombra (Güiraldes) IX,
347
– Sylvio von Rosalva (Wieland) II,
673
Doña Bárbara (Gallegos) IX, 336
– Ellen (Richter, C. M.) XI, 251
– Sol (Blasco Ibáñez) VI, 345
Donadieu, Marie (Philippe) VI, 195
Donauweibchen, Das (Mell) IV, 571
Donnernde Herde, Die (Grey) XI,
134
Doppelgänger, Der (Dostojewski)
VIII, 151
Doppelte Gesicht, Das (Lenz, H.)
IV, 529
– Matthias, Der (Lienert) II, 374
Dor, Thamar, Die sieben Einfälle der
(Ben-Gavriêl) XIII, 30
– und der September (Boree) III, 88
Dorf, Das (Bunin) XII, 204
– – (Faulkner) XI, 104
– am Fluß, Das (Coolen) X, 298
– der Pferde, Das (Lehmann, A.-H.)
IV, 517
– in der Heide, Das (Hemeldonck)
X, 317
– Stepanschikowo, Das (Dostojew-
ski) VIII, 155
Dorfapostel, Der (Ganghofer) *I, 158;*
I, 144
Dorfarzt, Der (Balzac) VI, 11
Dorfmusik, Die (Claes) X, 294
Dorfwinkel, Ein (Lemonnier) VI, 148
Dorian Gray (Wilde) VII, 234
Dorotea (Vega Carpio) VI, 406
Dorothea (Nossack) V, 650
... dort wo die weißen Schatten
fallen (Abrahams) X, 3
Doskozil, Jürgen, Die Magd des
(Wiechert) V, 940

Doxa, Johann (Teirlinck) VII, 365
Dr. Hudsons wunderbare Macht
(Douglas) XI, 75
– Jekyll und Herr Hyde (Steven-
son) VII, 196
– Katzenbergers Badreise (Jean
Paul) *I, 319;* I, 294
– Mabuse, der Spieler (Jacques)
IV, 357
– Malthes Haus (Buchholtz) XII, 9
– med. Arrowsmith (Lewis, S.) XI,
181
– Schiwago (Pasternak) XII, 294
– Shannons Weg (Cronin) X, 26
– Vlimmen (Roothaert) X, 335
– s. a. unter „Doktor"
Drachenzähne (Sinclair, U.) XIV,
319
Drauflößer, Die (Ingolić) XII, 413
Draußen im Heidedorf (Storm) II,
600
Drehn Sie sich um, Frau Lot! (Ki-
shon) XIV, 200
Drei, Die (Gorki) VIII, 192
– Begegnungen (Turgenjew) XIV,
404
– Brüder, Die (Coolen) X, 299
– Erzählungen (Flaubert) VI, 89
– Esel der Doktorin Löhnefink, Die
(Beste) III, 55
– Falken, Die (Bergengruen) III, 47
– Frauen (Musil) XIII, 272
– gerechten Kammacher, Die
(Keller, G.) *I, 349;* I, 311
– Getreuen, Die (Frenssen) *I, 141*
– Häfen (Mason) XI, 208
– Herrgottsbuben (Oberkofler) V,
655
– Kameraden (Remarque) XIII,
307
– Leben (Stein) XIV, 321
– Lichter der kleinen Veronika, Die
(Kyber) IV, 495
– Lieben (Cronin) X, 22

- Männer im Schnee (Kästner, Erich) IV, 397
- Mann in einem Boot (Jerome) VII, 125
- Menschen (Gorki) VIII, 192
- Mühlen (Iwaszkiewicz) XIV, 414
- Musketiere, Die (Dumas Vater) VI, 66
- Nächte (Stehr) II, 557; V, 827
- Paar Seidenstrümpfe (Romanow) XII, 306
- Schmiede ihres Schicksals, Die (Stifter) II, 637; II, 576
- schwarzen Pennys, Die (Hergesheimer) XI, 148
- Soldaten (Dos Passos) XI, 71
- – (Kipling) VII, 129
- Sprünge des Wang-lun, Die (Döblin) XIII, 68
- Städte, Die (Zola) VI, 280
- Tage der Liebe (Lederer) XIII, 229
- – in Uz (Orthbandt) V, 657
- Tode (Tolstoj, L. N.) VIII, 265
Dreieckige Marktplatz, Der (Schmidtbonn) V, 763
Dreigroschen-Roman, Der (Brecht) III, 99
Dreispitz, Der (Alarcón) VI, 327
Dreißig tolldreisten Geschichten, Die (Balzac) VI, 23
Dreißigste Jahr, Das (Bachmann) XIII, 12
Dreiundneunzig (Hugo) VI, 135
Dreiviertel Stund vor Tag (Voigt-Diederichs) II, 700; II, 648
Dreizehn lustige Geschichten (Tschechow) XIV, 403
13 Pfeifen (Ehrenburg) XII, 242
Dreizehn phantastische Geschichten (Poe) VII, 320
Dreizehnte, Der (Maschmann) XIII, 254
Dritte Buch über Achim, Das (Johnson, U.) XIII, 171

- Mann, Der (Greene) X, 71
- Reich, Das (Schlaf) II, 570
- – des Paracelsus, Das (Kolbenheyer) IV, 456
- Tag, Der (Hayes, J.) XIV, 278
- – (La Varende) IX, 134
Dritter Hof links (Birkenfeld) III, 72
Droben Gnade, drunten Recht (Stehr) II, 563; V, 830
Dröge Trina, Die (Peters) V, 673
Drollige Erzählungen (Balzac) VI, 23
Drüke-Möhne (Wibbelt) II, 667
Drut (Bahr) I, 20; I, 18
Dschen-Schen und Jagdgeschichten (Prischwin) XII, 304
Dschinghis Khan, der Herr der Erde (Gmelin) III, 254
Dschungelbuch, Das (Kipling) VII, 133
Dshamilja (Ajtmatow) XIV, 374
Duartes, Pascual, Familie (Cela) XIV, 140
Du bist mir nah (Einwächter) III, 176
- bist schön, meine Freundin (Marshall) X, 154
- mußt dein Leben ändern (Wikkert) XIII, 399
- sollst nicht begehren (Plisnier) IX, 189
Dublin (Joyce) X, 106
Dubrowskij (Puschkin) VIII, 246
Du Chêne, Der Flüchtling (Schlehdorn) V, 761
du Cocur, Janna (Schaeffer) V, 741
Du Plessis und Klairant, Klara (Lafontaine) II, 401
Duell (Esser) XIII, 87
-, Das (Kuprin) VIII, 211
-, – (Tschechow) VIII, 289
- mit dem Schatten (Lenz, S.) XIII, 237
Dürande, Das Schloß (Eichendorff) I, 87; I, 79

Dukatenmännchen, Das (Küper) IV, 482
Dukays, Die (Zilahy) XII, 402
Dumala (Keyserling) *I, 374*; I, 331
Dumme Geschichte, Eine (Dostojewski) VIII, 169
Dunant (Gumpert) III, 279
Dunkel ist unser Glück (Schmeljow) XIV, 397
Dunkle Alleen (Bunin) XII, 208
– Blume, Die (Galsworthy) VII, 107
– Engel, Der (Waltari) XIV, 373
– Lied, Das (Porter) XI, 238
– Macht, Die (Schneider, R.) V, 771
– Strom, Der (Schischkow) XII, 309
– Tat, Eine (Schücking) *II, 585*
– Turm, Der (Pawel) XI, 234
Dunklen Jahre, Die (Lützkendorf) XIII, 247
– Straßen von Madrid, Die (Zunzunegui) XIV, 169
– Wege, Die (Meersch) IX, 164
Dunkles Lachen (Anderson) XIV, 249
– Rom (Rüber) XIII, 317
Durch die Wüste (May) *II, 452*
– – (Sienkiewicz) VIII, 327
Durst (Saint-Exupéry) IX, 227
Durward, Quentin (Scott) VII, 174
Duschenka (Hubatius-H.) XIII, 160
Dutzend Menschen, Ein (Branner) XII, 3

East River (Asch) XI, 9
Echsentage (Panduro) XIV, 348
Eden, Martin (London) VII, 292
Edgars Reise (Peisson) IX, 184
Edisons Weib der Zukunft (Villiers de l'Isle) VI, 257
Edle Blut, Das (Wildenbruch) II, 681
Eduards Traum (Busch) I, 55
Eekenhof (Storm) *II, 653*; II, 605
Efflam, Prinz (Salminen) XII, 154

Egetö, Esther (Németh) XIV, 438
Eglantine (Giraudoux) IX, 105
Egoist, Der (Meredith) VII, 150
Egoisten, Die (Tecchi) XIV, 124
Egon und Danitza (Stoessl) XIII, 354
Ehe die Spuren verwehen (Brückner) XIII, 56
Ehe, Eine (Lie) VIII, 93
Ehebrecherin, Die (Hawthorne) VII, 266
Eheglück (Ambra) IX, 264
Ehekontrakt, Der (Balzac) XIV, 3
Ehen im roten Sturm (Rachmanowa) XII, 217
– in Philippsburg (Walser, M.) XIII, 385
Ehepaar Orlow, Das (Gorki) VIII, 191
Ehrenwerte Landpartie, Die (Raucat) IX, 212
Ehrenwerter Herr, Ein (Romains) XIV, 80
Ehrenwort, Das (Heiseler, B.) IV, 309
Ehrlicher Dieb, Ein (Dostojewski) VIII, 168
Ehrsame Sodom, Das (Brenner) III, 106
Ei und ich, Das (Mac Donald) XI, 200
– triumphiert, Das (Anderson) XI, 7
Eiche am Kreuzweg, Die (Rodenbach) VI, 209
Eichhörnchen, Das (Hofer) IV, 333
Eid der Frau Malcorde, Der (Breedveld) X, 291
Eidbrüder, Die (Gunnarsson) XII, 38
Eifersucht und Medizin (Choromanski) XII, 343
Eimer Austern, Ein (Sneider) XI, 298
Einarsson, Der Haß des Pal (Gunnarsson) XII, 39

Eindalsaga, Die (Gunnarsson) XII, 43

Eine aus dem Dutzend heiratet (Gilbreth-Carey) XT, 125

– wie Tausend (Eça de Queirós) XIV, 172

Einer, Keiner, Hunderttausend (Pirandello) VI, 316

Einfache Geschichten (Coppée) VI, 50

– Leben, Das (Wiechert) V, 943

Einfaches Herz, Ein (Flaubert) VI, 89

Einhart der Lächler (Hauptmann, C.) I, 229; I, 201

Einhornapotheker, Der (Hartleben) I, 194

Einmal scheint die Sonne wieder (Mac Donald) XI, 201

Einnahme von Plassans, Die (Zola) VI, 266

Einöde der Liebe, Die (Mauriac) IX, 147

Einsam (Strindberg) VIII, 125

Einsame Blockhaus, Das (Waescha-Kwonnesin) XT, 331

– Kämpfer, Der (Lewis, S.) XI, 185

Einsamer Weg (Shute) XIV, 233

Einsamkeit des Mitleids (Giono) IX, 93

Einst wird kommen der Tag (Caldwell, T.) XI, 51

Einundvierzigste, Der (Lavrenev) XIV, 387

Einzelgänger, Der (Isherwood) XIV, 199

– – (O'Faolain) XIV, 222

Einzelner Weiser ist immer ein Narr, Ein (Viita) XIV, 372

Einzige und seine Liehe, Der (Kröger) I, 387

Einziges Kind (O'Connor) XIV, 220

Eira und der Gefangene (Eckmann) III, 168

Eiserne Ader, Die (Glasgow) XI, 126

– Ferse, Die (London) VII, 290

– Geschlecht, Das (Scott, G.) XII, 101

– Gustav, Der (Fallada) XIII, 90

– Moloch, Der (Lemonnier) VI, 149

– Rittmeister, Der (Hoffmann, H.) I, 297

– Strom, Der (Serafimowitsch) XII, 317

Eisvogel, Der (Saint-Hélier) IX, 234

– fängt Feuer (Godden, R.) X, 60

Eitelkeitsmarkt (Thackeray) VII, 210

Ek, Herman (Kinck) VIII, 90

Ekel, Der (Sartre) IX, 237

Ekkehard (Scheffel) II, 563; II, 510

El Greco malt den Großinquisitor (Andres) III, 5

– Hakim (Knittel) IV, 441

Elbe und Alster, Zwischen (Frapan) I, 137; I, 124

Elch (Haukland) XII, 93

Elefant, Der (Mrozek) XIV, 415

Elefantenblatt, Das (Urzidil) XIII, 380

Elegie der Nacht (Del Castillo) XIV, 144

Elenden, Die (Hugo) VI, 132

Elexiere des Teufels, Dic (Hoffmann, E. Th. A.) I, 284; I, 250

Elfenbeinäffchen, Das (Teirlinck) VII, 364

Eliot, Meg (Wilson, A.) XIV, 241

Elisa (Goncourt, E.) VI, 123

Elizabeth und Darcy (Austen) VII, 3

Elk (Seidel, H. W.) V, 804

Ellernklipp (Fontane) I, 118; I, 108

Elliot, Anne (Austen) VII, 4

Else von der Tanne (Raabe) II, 521; II, 452

Elsi, die seltsame Magd (Gotthelf) I, 183; I, 166

Elsißträger, Die (Stühlen) V, 856

Elsmere, Robert (Ward) VII, 222
Eltern und Kinder (Stühlen) V, 857
Elzelina (Ammers-Küller) X, 283
Emigrant, Der (Bourget) VI, 35
Emil oder über die Erziehung
  (Rousseau) VI, 220
Emmeline (Musset) VI, 187
Empfindsame Reise durch Frank-
  reich und Italien (Sterne) VII,
  192
Encantadas, Die, oder Die verzau-
  berten Inseln (Melville) VII, 312
Ende aller Zeiten, Das (Vančura)
  XIV, 426
– an der Elbe, Das (Thorwald) XIII,
  365
– der Nacht, Das (Mauriac) IX, 149
– einer Affäre, Das (Greene) X, 76
– eines Diamanten, Das (Stevenson)
  VII, 194
– vom Lied, Das (Galsworthy) VII,
  110
– von Etwas, Das (Hemingway) XI,
  143
Endlose Raum, Der (Cummings)
  XI, 67
Energie (Gladkow) XII, 257
Enfants terribles (Cocteau) IX, 54
Enge Pforte, Die (Gide) VI, 107
Engel, Menschen und Dämonen
  (Stephan) V, 838
– der Barmherzigkeit, Der (Fontana) XIII, 97
– des Tales, Der (Miller, A. M.) IV,
  587
– des Zorns, Der (Zilahy) XII, 403
– Gottes, Der (Tolstoj, L. N.) VIII,
  275
– in der Ecke, Der (Dickens, M. E.)
  XIV, 185
– mit dem Schwert, Der (Buck) XI,
  33
– – der Posaune, Der (Lothar) IV,
  543

– und der Matrose, Der (Kentfield)
  XIV, 290
– – Narren (Forster) X, 49
– zum Gedenken, Einem (Veraldi)
  IX, 254
Engelbrechtsson, Engelbrecht
  (Nordström) V, 649
Engele von Loewen (Zuckmayer) V,
  981
Engelgasse (Priestley) X, 205
Engelwirt, Der (Strauß, E.) II, 612;
  V, 846
Enkel, Der (Simpson) V, 815
– auf Langerud, Die (Hamsun, M.)
  XII, 88
– des Odysseus (Barth) III, 18
Entenprozeß, Der (Müller-Marein)
  XIII, 268
Enterbte Herz, Das (Régnier) IX,
  213
Enterbten, Die (Allen) XI, 4
Entflohene, Die (Proust) IX, 196
Entführung, Die (Eichendorff) I, 87;
  I, 80
– – (Stevenson) VII, 197
Entschwundene Täuschungen (Bal-
  zac) VI, 18
Entwicklung einer Seele, Die
  (Strindberg) VIII, 125
Entwurzelten, Die (Jones) XI, 165
Entzauberung (Gordimer) XI, 128
Entzweit – Einsam (Strindberg)
  VIII, 125
Enzianhügel (Goudge) X, 64
Enzio (Huch, F.) I, 304; I, 273
Epigonen, Die (Immermann) I, 334;
  I, 299
Epilog (Jahnn) XIII, 163
– (Martin du Gard) VI, 166
Épithalame, L' (Chardonne) IX,
  50
Epos des Weizens, Das (Norris) VII,
  317
Equipage, Die (Gogol) VIII, 178

Er hat die Hosen an   (O'Connor) XIV, 220
– kam vom Meer ... (Scott, G.) XII, 103
Erath, Das Haus, oder der Niedergang des Bürgertums (Stoessl) XIII, 355
Erbarmen Gottes, Das (Cau) XIV, 13
– mit den Frauen (Montherlant) IX, 173
Erbe (Lübbe) IV, 546
– Das (Raschke) V, 697
– – (Stühlen) V, 858
– Der (Sackville-West) X, 214
– am Rhein, Das (Schickele) V, 756
– der Malicroix, Das (Bosco) IX, 32
– des Kolumbus, Das (Friedenthal) III, 227
– von Björndal, Das (Gulbranssen) XII, 83
– – Tablanca, Das (Pereda) VI, 393
Erben, Die (Golding, W. G.) XIV, 192
– des Feuers (Zand) XIII, 406
– des Untergangs, Die (Graf) XIII, 117
– von Bjälbo, Die (Heidenstam) VIII, 107
– – Clonmere, Die (Du Maurier) X, 37
Erdbeben, Das (Schneider, R.) V, 771
– in Chili (Kleist) *I, 376*; I, 333
Erdbeeri-Mareili, Das (Gotthelf) I, 166
Erde, Die (Zola) VI, 274
–, die trunken macht, Die (Rebreanu) XII, 422
– gehört nicht uns, Die (Morel) IX, 180
Erdgeist, Der (Busse) III, 128
Erdmann, Gottfried (Christaller) *I, 63*; I, 60
Erdmuthens Zwillingssöhne, Frau (François) *I, 132*; I, 120

Erdsegen (Rosegger) *II, 540*; II, 485
Erfolg (Feuchtwanger) III, 200
Erfolgreiche, Der (Kades) IV, 393
Erforschung des absoluten Prinzips, Die (Balzac) VI, 12
Erfrorene Engel, Der (Schnack, F.) V, 768
Erfüllung eines Lebens (Naeff) X, 327
Ergindwon oder Jenseits der Berge (Butler) VII, 23
Ergötzlichen Nächte, Die (Straparola) VI, 320
Erholungszug, Der (Caragiale) XIV, 459
Erinnerungen (Casanova) VI, 298
– aus einem Totenhaus (Dostojewski) VIII, 156
– von Rudolf Ursleu (Huch, Ric.) *I, 309*; I, 274
Erkenntnis des Schmerzes, Die (Gadda) XIV, 106
Erlebnis des Marschalls von Bassompierre (Hofmannsthal) I, 263
Erlebnisse des Telemach, Die (Fénelon) VI, 81
– eines Conskribierten des Jahres 1813 (Erckmann-Chartrian) VI, 73
Erleuchtete Toren (Just) IX, 124
Erleuchteten Fenster, Die (Doderer) III, 150
Erlösung von den Übeln (Ramuz) IX, 203
Erloschenes Feuer (Sackville-West) X, 215
– Licht (Kipling) VII, 132
Ermordung einer Butterblume, Die (Döblin) XIII, 67
Erniedrigte und Beleidigte (Dostojewski) VIII, 156
Ernte (Giono) IX, 92
–, Die (Streuvels) VII, 353
– am Don (Scholochow) XIV, 398
– auf Jalna (Roche, M.) X, 211

Erntepflücker (Williams, V.) XI, 352
Eroberer (Malraux) IX, 140
–, Der (Friedenthal) XIII, 101
Eroberung der Welt, Die (Graf) XIII, 117
– von Plassans, Die (Zola) VI, 266
Eros Thanatos (Schaukal) II, 507
– von Paris (Romains) IX, 217
Erstaunliche Geschichten und unheimliche Begebenheiten (Poe) VII, 320
Erste Erinnerung (Matute) XIV, 158
– Frau, Die (Buck) XI, 31
– Gang, Der (Jünger, F. G.) XIII, 174
– Kolonne, Die (Čapek) XII, 373
– Kuß, Der (O'Faolain) XIV, 223
– Liebe (Turgenjew) VIII, 299
– – - Letzte Liebe (Gary) XIV, 33
– und letzte Liebe (O' Faolain) X, 189
– Tag, Der (Tumler) V, 877
Ersten Menschen im Mond, Die (Wells) VII, 227
– und die Letzten, Die (Galsworthy) VII, 114
Erster vnnd anderer Theil der neven verteutschten Schäfferey von der schönen verliebten Diana (Montemayor) VI, 387
Erstes Erlebnis (Zweig, St.) V, 984
Erwachen (Galsworthy) VII, 100
Erwachende Herzen (Colette) VI, 46
Erwerb, Der (Lewis, S.) XI, 178
Erzählung eines Künstlers (Tschechow) VIII, 291
– vom Antichrist, Die (Solowjow) VIII, 257

ERZÄHLUNGEN

Unter diesem Stichwort sind, mit Angabe des Verfassernamens, nur jene Sammlungen und Sammelbände verzeichnet, die, teils wegen der großen Anzahl der darin enthaltenen Werke, teils wegen der nur kurzen Inhaltsangaben, als einzelne Titel im Gesamtregister nicht aufgenommen wurden. Vgl. auch »Geschichten« und »Novellen«.

Aichinger XIII, 2
Andersen VIII, 5
Aslagsson XII, 57
Awertschenko XII, 204; XIV, 376

Babel XII, 237
Bachmann XIII, 12
Barbey d'Aurevilly VI, 25
Baudelaire VI, 26
Bauer III, 22
Becher XIII, 22, 23
Beheim-Schwarzbach XIII, 25
Bender XIII, 27
Benét XI, 16
Bentlage III, 41
Béquer VI, 342
Bergengruen XIII, 31
Besch XIII, 33
Bierce VII, 249; XIV, 254
Binding I, 31
Blixen X, 9; XIV, 344
Böll XIII, 39 – 41
Borchert III, 87
Borges XIV, 135 ff.
Brecht XIII, 49
Brinkman I, 58; I, 50
Britting III, 110; XIII, 51
Bulatović XIV, 446
Bunin XII, 205. 206. 208
Buysse VII, 335
Buzzati XIV, 100

Camus IX, 41
Capote XI, 56-58
Castelnuovo IX, 328

ERZÄHLUNGEN
Cervantes VI, 358
Chaucer VII, 30
Chiesa IX, 277
Claes X, 297
Colette XIV, 22
Conrad VII, 42
Coolen X, 300
Coppée VI, 50
Cortázar XIV, 142
Crane VII, 260
Creangă VIII, 335
Crottet IX, 57

Dagerman XIV, 359
Déry XII, 381; XIV, 429
Desnica XIV, 448
Diderot VI, 61
Diess III, 148. 149
Djillas XIV, 449
Döblin XIII, 68
Doolaard X, 304
Dor XIII, 74
Dorgelès IX, 63
Doyle VII, 84

Ehrenburg XII, 242
Eisenreich XIII, 82
Eliot VII, 93

Faulkner XI, 105. 111; XIV, 266-268
Fitzgerald XI, 120
Fleisser III, 208

Gäng XIII, 109
Gaiser XIII, 113
Galsworthy VII, 112
García Calderón IX, 340
García Lorca IX, 341
Garschin VIII, 170
Gascar IX, 84
Gide XIV, 37
Giono IX, 93
Giraudoux IX, 103

Gorbatow XII, 259
Gordimer XI, 129
Gorki VIII, 187
Coyen XI, 130. 131; XIV, 273
Graf III, 266
Gyllensten XIV, 361

Hampe IV, 293. 294; XIII, 132
Hamsun, K. VIII, 85
Harte VII, 264; XIV, 275
Hartlaub, F. XIII, 133
Hašek XIV, 424
Hawthorne VII, 265
Hebel I, 212
Heimeran IV, 306
Hello VI, 127
Hemingway XI, 142
Henry XIV, 279
Hildesheimer XIII, 147
Hlasko XII, 350
Hoerschelmann IV, 331
Hughes, L. XI, 160
Hutchins XIV, 284
Hyry XIV, 370

James XIV, 287
Jensen VIII, 39
Jewett XIV, 289
Ionesco XIV, 43
Jouhandeau IX, 122; XIV, 44
Irving VII, 280
Jünger, Fr. G. IV, 391
Jürgensen XII, 19
Iwanow XII, 267
Iwaszkiewicz XIV, 414

Kafka IV, 403; XIII, 178
Kallas XII, 170
Kamphoevener XIII, 179. 180
Karamsin VIII, 205
Kasakow XII, 269
Kaschnitz XIII, 185
Kentfield XIV, 290
Kipling VII, 129. 131. 133. 134. 136

ERZÄHLUNGEN
Klose XIII, 201
Kluge XIII, 202
Kölwel IV, 448
Kokoschka XIII, 208
Kolar XII, 413. 414
Korolenko VIII, 206
Kramp IV, 468
Kurz, Is. I, 358; IV, 487
Kyber IV, 496

Lämmle XIII, 219
Lagerkvist XII, 137
Lagerlöf VIII, 112
Lampe IV, 498
Lardner XIV, 293
Last X, 322
Lawrence XIV, 203
Laxness XII, 53
Lazarević VIII, 341
Lehmann, W. IV, 522
Leifhelm XIII, 234
Lenz, H. IV, 529; XIII, 235
Leskow XIV, 388
Lettau XIII, 241
Lin-Yü-tang XI, 191
Lipinski-G. XIII, 242
London VII, 284. 285. 295. 298
Lowry XIV, 206

Mackaye XI, 202
Macleod VII, 140
Malamud XIV, 298
Mansfield X, 147
Manzoni XIV, 110
Márai XII, 390
Marinković XIV, 454
Marshall X, 156
Maugham X, 166; XIV, 213
Mell IV, 571. 574
Melnikow XIV, 389
Michel IV, 582
Michener XI, 210
Miegel IV, 583-585

Miller, H. XI, 214
Moore XIV, 215
Morriën X, 326. 327
Mrozek XIV, 415
Multatuli VII, 349
Munk IV, 611

Nabl V, 627; XIII, 274
Neruda VIII, 347
Nossack V, 650; XIII, 288
Nowakowski XIV, 416
Nylander VIII, 120

Oberkofler V, 655
O'Connor XIV, 220
O'Faolain XIV, 223
O'Flaherty XIV, 224
Olescha XII, 287
Ortese IX, 293

Panteleimonow XII, 215
Pasternak XII, 296
Paustowskij XII, 298; XIV, 393
Penzoldt V, 670
Philippe VI, 196; XIV, 67
Pichler II, 491; II, 441
Pieyre de Mandiargues XIV, 68
Pilnjak XIV, 395
Piontek XIII, 294
Pirandello XIV, 118
Plisnier IX, 188
Poe VII, 320; XIV, 308
Polgar V, 681
Powers, XIV, 311
Prischwin XII, 304
Pritchett X, 208; XIV, 228
Puschkin XIV, 395

Quevedo y Villegas VI, 397
Quiroga, H. IX, 362

Radecki XIII, 299
Ramuz XIV, 74
Reding XIII, 302
Régnier VI, 205
Remisow XII, 220

ERZÄHLUNGEN
  Richter XI, 250
  Rodenbach VI, 211
  Rosa XIV, 176
  Roth, E. V, 722
  Ruederer II, 487
  Runyon XI, 261

  Sackville-West X, 214
  Sade XIV, 82
  Saint-Exupéry IX, 227
  Saki XIV, 231
  Salinger XI, 263; XIV, 315
  Saroyan XI, 266. 267; XIV, 318
  Schäfer V, 735
  Schaper V, 749
  Schendel VII, 352
  Schmeljow XII, 232
  Schneider V, 771. 774
  Schnurre V, 776; XIII, 335
  Schönherr II, 525
  Scholochow XII, 313; XIV, 398
  Scholz V, 780
  Schreiner VII, 164
  Schulz XIV, 420
  Seidel, H. W. V, 803
  Serao VI, 319
  Seton XI, 277
  Sillanpää XII, 186
  Söhle II, 596; II, 542
  Soerensen XIV, 349
  Soldati IX, 306
  Stackelberg V, 824; XIII, 350
  Stendhal XIV, 88
  Streuvels VII, 358
  Strindberg VIII, 123. 124. 131

  Tagore X, 238
  Tecchi XIV, 123
  Thackeray VII, 217
  Thurber XI, 328
  Timmermans X, 343–345
  Tolstoi, A. N. XII, 330. 332
  Tolstoj, L. VIII, 275
  Tschechow XIV, 403

  Ullmann V, 880
  Unruh, F. Fr. XIII, 376
  Updike XIV, 325
  Urzidil XIII, 379. 380
  Uspenskij VIII, 308

  Venesis XII, 439
  Verga VI, 324
  Verhaeren VI, 251
  Vesaas XII, 112
  Villiers de l'Isle-Adam VI, 258

  Walschap X, 359
  Walser, M. XIII, 384
  Weidenheim XIII, 393
  Weyrauch XIII, 397
  Wibbelt II, 667
  Wiechert V, 936. 939
  Wilde VII, 233. 236
  Williams XIV, 333
  Wilson, A. X, 261
  Winnig V, 960
  Wittstock V, 966
  Wodehouse XIV, 244
  Wolfe XI, 362
  Woolf, V. XIV, 246
  Wright XIV, 336

  Zuckmayer V, 980
  Zweig, St. V, 985. 986

Erzählungen aus dem Ries (Meyr)
    II, 466; II, 424
  – – zwei Welten (Werfel) V, 932
  – Belkins, Die (Puschkin) VIII, 244
  – eines Jägers (Turgenjew) VIII, 293
  – vom Don (Scholochow) XIV, 398
  – – Leben (Paustowski) XIV, 392
Erzerum, Rudolf, oder des Lebens
    Einfachheit (Schaeffer) V, 740
Erziehung des Herzens, Die (Flau-
    bert) VI, 88
Es begann an der Weichsel (Thor-
    wald) XIII, 365

Es begann in einer Mittsommernacht (Gullvaag) XII, 85
- blinkt ein einsam Segel (Katajew) XII, 271
- brausen Himmel und Wälder (Holgersen) IV, 340
- endet in Gelächter (Saroyan) XI, 273
- führt kein Weg zurück (Wolfe) XI, 361
- geht ein Wind durch die Mühlen (Lemonnier) VI, 150
- geschah im Bellona-Klub (Sayers) X, 216
- gibt kein Zurück (Marquand) XI, 208
- ist alles ein Anfang (Benét) XI, 18
- - später, als du denkst (Cesbron) XIV, 19
- - Zeit, mein Freund, es ist Zeit (Aksjonow) XIV, 375
- kommt ein Tag (Lembourn) XIV, 347
- nimmt kein gutes Ende (Ter Elst) X, 337
- waren Habichte in der Luft (Lenz, S.) XIII, 236
- - ihrer sechs (Neumann, A.) XIII, 278
Eskimo, Der (Freuchen) XII, 15
Esmé, Für (Salinger) XI, 263
Esmond, Henry (Thackeray) VII, 213
Eßlingers Wille und Weg, Lotte (Zahn) *II, 745*
Estherville (Caldwell, E.) XI, 49
Estrangeiro (Jacob) IV, 356
Etappe Napoli (Burns) XI, 42
Etienne, Therese (Knittel) IV, 444
- und Luise (Penzoldt) V, 671
Etruskische Vase, Die (Mérimée) VI, 180
Etsu und Ted (Buck) XI, 39

Eugénie (Balzac) VI, 11
Eugenio von Savoy (Molo) IV, 591
Europa im Dorf (Camenzind) III, 131
Europamüden, Die (Willkomm) *II, 732;* II, 684
Euryalus und Lukrezia (Enea Silvio) VI, 304
Eva der Zukunft, Die (Villiers de l'Isle) VI, 257
Ewig grünende Tanne, Die (Winnig) V, 960
Ewige Augenblick, Der (Forster) X, 53
- Gast, Der (Rawlings) XI, 245
- Gatte, Der (Dostojewski) VIII, 162
- Hochzeiter, Der (Geissler, H. W.) III, 242
- Jude, Der (Sue) VI, 242
- -, Der (Vermeylen) VII, 366
- Licht, Das (Rosegger) *II, 544*
- Quell, Der (Rand) XI, 242
Excellenz Rougon (Zola) VI, 267
Excelsior (Ompteda) *II, 487;* II, 438
Exekution, Die (Djilas) XIV, 449
Exemplar, Das (Kolb) I, 340; IV, 450
Exil (Feuchtwanger) XIII, 92
- in Capri (Peyrefitte) XIV, 67
- und das Reich, Das (Camus) IX, 41
Exodus (Uris) XIV, 326
Exote, Der (Wiechert) V, 949
Exotische Novellen (Jensen, J. V.) VIII, 40
Explosion in der Kathedrale (Carpentier) XIV, 139
Eyre, Jane (Bronte, Ch.) VII, 14

Fabian (Kästner, Erich) IV, 397
Fabiola oder die Kirche der Katakomben (Wiseman) VII, 236
Fabrik, Die (Maurois) IX, 157

– der Offiziere (Kirst) XIII, 198
Fackel, Die (Móricz) XII, 395
Fähnlein der sieben Aufrechten, Das (Keller, G.) *I, 357;* I, 319
Fähnrich Hornblower (Forester) X, 46
Fährhaus, Das (Scharrelmann) *II, 561*
Fährmann am Kanadian, Der (Möllhausen) *II, 470;* II, 428
Fälschungen (Kasack) XIII, 184
Fäuste und Angelruten (Kjelgaard) XIV, 292
Fahrraddiebe (Bartolini) IX, 267
Fahrt der Europa (Bontempelli) IX, 271
– nach der alten Urkunde, Die (Sperl) *II, 603;* II, 548
– um die Liebe, Die (Wiechert) V, 939
– zum Leuchtturm, Die (Woolf, V.) X, 264
Fall, Der (Camus) IX, 40
– Cauvenburg, Der (Nadolny) XIII, 275
– Deruga, Der (Huch, Ric.) I, 281
– Gouffé, Der (Maass, J.) IV, 556
– Maurizius, Der (Wassermann) *II, 712;* II, 659
– von Paris, Der (Ehrenburg) XII, 245
Falsche Nero, Der (Feuchtwanger) III, 202
– Pässe (Plisnier) IX, 188
Woldemar, Der (Alexis) *I, 5*
Falschmünzer, Die (Gide) VI, 112
Falschspieler, Die (Goytisolo, J.) XIV, 152
Familie Alvareda, Die (Caballero) VI, 350
– auf Gilje, Die (Lie) VIII, 92
– – Jalna, Die (Roche, M.) X, 211
– aus Megara, Eine (Overhoff) XIII, 289

– P. C. Behm (Enking) *I, 94;* I, 83
– Boussardel (Hériat) IX, 118
– Buchholz, Die (Stinde) *II, 647;* II, 595
– – zweiter Teil (Stinde) *II, 648;* II, 596
– Clayhanger, Die (Bennett) VII, 11
– Darner, Die (Lewald) *II, 413;* II, 372
– des Vampirs, Die (Tolstoj, A. K.) VIII, 258
– – Wurdalaken, Die (Tolstoj, A. K.) VIII, 258
– Frank, Die (Andersen-Nexö) VIII, 15
– Hellmann, Die (Huch, Rud.) *I, 317;* I, 283
– Pfäffling, Die (Sapper) *II, 551;* II, 492
– Profit (Vallotton) VI, 249
– Revest, Die (Monnier) XIV, 60
– Rezeau, Die (Bazin) IX, 14
– Taras, Die (Gorbatow) XII, 260
– Tellier (Maupassant) VI, 171
Familienchronik, Eine (Aksakow) VIII, 143
Fanfaren der Angst (Lera) XIV, 156
Fanfarlo, Die (Baudelaire) VI, 27
Fanny (Feydeau) VI, 84
Fant (Scott, G.) XII, 103
Farinet oder das falsche Geld (Ramuz) IX, 208
Farm am Lago Argentino, Die (Goyanarte) XIV, 151
– der Tiere (Orwell) X, 193
Fast Leute vom Land (Mackenzie) X, 143
Fastnachtsbeichte, Die (Zuckmayer) XIII, 412
Father and son (Farrell) XI, 95
Faublas, Leben des Chevalier von (Louvet de Couvray) VI, 158
Fauntleroy, Der kleine Lord (Burnett) VII, 250

Faust (Turgenjew) VIII, 295
Faustine, Gräfin (Hahn-Hahn) *I, 211;* I, 182
Fausts Leben (Klinger) *I, 381;* I, 338
Faustus, Doktor (Mann, Th.) *II, 441;* II, 409
Februar (Tarassow-Rodionow) XII, 323
Fechter, Der (Witting) V, 965
Federball, Der (Miegel) IV, 584
Federzeichnungen eines Jägers (Turgenjew) VIII, 293
Fehltritt des Priesters, Der (Zola) VI, 266
Feind, Der (Meray) XII, 391
Feindlichen Brüder, Die (Stevenson) VII, 201
Feldblumen (Stifter) *II, 621;* II, 569
Feldhäfner, Der, oder Freude auf weite Sicht (Schwarzkopf) V, 797
Femhof, Der (Berens-T.) III, 42
Femmes, Les (Gascar) IX, 84
Ferdinand und Isabella (Kesten) XIII, 193
Ferdydurke (Gombrowicz) XII, 349; XIV, 411
Ferien des Monsieur Hulot, Die (Carrière) XIV, 12
– vom Ich (Keller, P.) *I, 364;* I, 327
Ferne Jahre (Paustowskij) XII, 297
Fernwest (Dumitriu) XIV, 462
Fessel, Die (Colette) VI, 45
Fest, Das (Radiguet) IX, 202
– am Carreio-See, Das (Hohoff, M. E.) XIII, 154
– auf Haderslevhuus, Ein (Storm) *II, 654;* II, 608
– in Coqueville, Das (Zola) VI, 285
Festmahl der Bettler, Das (Fabricius) X, 308
Festung, Die (Buzzati) IX, 272
– – (Walpole) X, 246
Fett schwimmt oben (Dutourd) IX, 74

Fettklößchen (Maupassant) VI, 170
Fettkloß (Maupassant) VI, 170
Feuer (Annunzio) VI, 293
–, Das (Barbusse) IX, 11
– im Schnee (Rehn) XIII, 305
– und Asche (Lützkendorf) XIII, 249
– vom Himmel (Kneip) IV, 437
Feuerfliegen, Die (Edquist) XIV, 360
Feuermohn im Weizen (Hohoff, C.) XIII, 151
Feuerprobe, Die (Bergengruen) III, 46
Feuerschiff, Das (Lenz, S.) XIII, 238
Feuerschwelle, Die (Schroers) V, 792
Feuerzangenbowle, Die (Spoerl, H.) V, 818
Feuerzeichen, Das (Bergengruen) III, 46
Feurige Engel, Der (Brjusow) VIII, 148
– Säule, Die (Bongs) XIII, 44
Feverel, Richard (Meredith) VII, 149
Fieber (Jürgensen) XII, 19
Fiesta (Hemingway) XI, 138
Filbyter, Folke (Heidenstam) VIII, 107
Finale auf Kuba (Carpentier) XIV, 138
Finanzier, Der (Dreiser) XI, 80
Fincastle, Ada (Glasgow) XI, 126
Finch im Glück (Roche, M.) X, 211
Findelkind, Das (Sand) VI, 226
Findling, Der (Kleist) *I, 376;* I, 334
Fink, Guten Morgen Miß (Patton) XI, 233
–, Jodok, Auszug des (Freumbichler) III, 226
Finn, Huckleberry (Twain) VII, 325
Finstere Franz, Der (Schnack, A.) V, 766
Finsternis bedeckt die Erde (Andrzejewski) XIV, 407

Finzi-Contini, Die Gärten der (Bassani) XIV, 98

Fiora (Montupet) XIV, 63

Finby, Geschichte des Captain (Sneider) XI, 297

Fisch auf dem Trocknen (McFee) X, 140

Fischer auf den Lofoten (Schøyen) XII, 101

– von Fécamp, Die (Queffélec) XIV, 72

– – Jarsholm, Die (Augustiny) III, 11

– – Lissau, Die (Kramp) IV, 466

Fischermädchen, Das (Björnson) VIII, 62

Fischermädel, Das (Björnson) VIII, 62

Fischerstechen, Das (Zola) VI, 285

Fischkonzert, Das (Laxness) XIV, 346

Fixlein, Quintus, Leben des (Jean Paul) I, 322; I, 289

Flachs (Hamp) IX, 117

Flachsacker, Der (Streuvels) VII, 356

Flachsbraut, Die (Oberkofler) V, 654

Flachskopf (Claes) X, 294

Flämische Dorfgeschichten (Buysse) VII, 335

Flagellant von Sevilla (Morand) IX, 179

Flagge des Mutes, Die (Crane) VII, 258

Flaggen auf den Türmen (Makarenko) XII, 281

Flamänder von Prag, Die (Strobl) V, 852

Flamingofeder (Post) X, 201

Flamme, Die (Morgan) X, 176

Flammende Schwert, Das (Daniel-Rops) IX, 60

Flanders, Moll (Defoe) VII, 55

Flandrische Erde (Walschap) X, 359

Flaschenkobold, Der (Stevenson) VII, 203

Flaschenpost, Die (Poe) VII, 320

Flaschenteufelchen, Das (Stevenson) VII, 203

Flattich, Tage aus dem Leben von Johann Friedrich (Schwarz, G.) V, 796

Flegeljahre (Jean Paul) I, 319; I, 292

Fleisch und Blut (Mauriac) IX, 144

Fleming, Kamerad (Paquet) V, 664

Flemmings Abenteuer, Reinhard (Seidel, H.) II, 591

Flieder blüht, Der (Sostschenko) XII, 321

Fliegende Fische (Ghisalberti) IX, 282

– Holländer, Der (Marryat) VII, 145

– Pfeil, Der (Steuben) V, 840

– Wirtshaus, Das (Chesterton) VII, 35

Flimmernde Steppe (Scholochow) XII, 313

Flipje (Fabricius) X, 307

Flöte des Pan, Die (Wiechert) V, 939

Florentiner Novellen (Kurz, I.) I, 357; IV, 486

Fluch der Schönheit, Der (Riehl) II, 533

Flucht, Die (Carossa) III, 132

– – (Omre) XII, 96

– der Katharina von Bora, Die (Klepper) IV, 426

– ins Ewige, Die (Wiechert) V, 937

– – Paradies, Die (Schreiber, I.) V, 783

– – weiße Land, Die (Freuchen) XII, 16

– nach Ägypten, Die (Schnurre) XIII, 335

– – Madras (Michael) IV, 579

– – Schweden, Die (Nordström) XIII, 284

– vor dem Zauberer (Murdoch) XIV, 216

Fluchtburg (Pohl) XIII, 297
Fluchtpunkt (Weiss, P.) XIII, 394
Flüchtige, Der (Panteleimonow) XII, 215
Flüchtling, Der (Gascar) XIV, 34
– Du Chêne, Der (Schlehdorn) V, 761
Flüchtlinge, Die (Linnankoski) VIII, 140
Flüsternde Krieg, Der (Ikor) XIV, 43
Flug nach Arras (Saint-Exupéry) IX, 228
Flugplatz, Der (Warner) X, 250
Flugzeug über dem Haus, Ein (Walser, M.) XIII, 384
Flush (Woolf, V.) X, 266
Fluß ohne Ufer (Jahnn) IV, 364; XIII, 163
Flußpiraten des Mississippi (Gerstäkker) I, *172;* I, 149
Flut und Ebbe (Cicellis) XII, 430
– – (Haukland) XII, 93
Fock, Berend (Blunck) III, 77
Focus (Miller, A.) XI, 213
Fönß, Frau (Jacobsen) VIII, 38
Folge dem Pfeil (Bauer, W.) XIII, 18
Folkunger, Der Stamm der (Heidenstam) VIII, 107
Fontamara (Silone) IX, 301
Forestier, Jacques, Die zwei Leben des (Giraudoux) XIV, 38
Forschungen eines Hundes (Kafka) IV, 403; XIII, 179
Forsyte-Saga, Die (Galsworthy) VII, 100
Fort mit der Sonne (Johnson, E.) XII, 136
Fort Ratonneau (Arnim) I, *13;* I, 13
Fortschritt (Knudsen) VIII, 47
Fortunas Gebrechen (Wilk) XIII, 405
Fortunat (Flake) XIII, 95
Fortunata und Jacinta (Pérez Galdós) XIV, 161

Fra Celeste (Huch, Ric.) I, *308;* I, 275
Fracasse, Kapitän (Gautier) VI, 104
Frachtdampfer S/S Omega (Holmström) XII, 131
Fräulein, Das (Andric) XIV, 444
– auf dem Regenbogen, Das (Pegel) V, 666
– Else (Schnitzler) II, *576;* II, 524
– Pudel-Dudels Wunderkuren (Mac Donald) XIV, 297
– von Scuderi, Das (Hoffmann, E. Th. A.) I, *292;* I, 255
Fragebogen, Der (Salomon) V, 729
Franceska von Rimini (Wildenbruch) II, *727;* II, 679
Frangula (Jahn, M.) IV, 358
Frank, Die Familie (Andersen-Nexö) VIII, 15
Frankenthaler, Die (Weigand) II, *715;* II, 663
Franny und Zooey (Salinger) XIV, 317
Franz de Champi (Sand) VI, 226
Franziskus (Timmermans) X, 344
Französische Jacht, Die (Márai) XII, 390
Frau allein, Eine (Gast) III, 239
– –, – (Smedley) XI, 294
– aus Andros, Die (Wilder) XI, 347
– Bürgermeisterin, Die (Ebers) I, 75
– des Missionars, Die (Buck) XI, 32
– – Pilatus, Die (le Fort) XIII, 231
–, die davonritt, Die (Lawrence, D. H.) X, 127
– eines anderen, Die (Dostojewski) VIII, 168
– im Spiegel, Die (Woolf, V.) XIV, 246
–, nach der man sich sehnt, Die (Brod) XIII, 53
– ohne Schatten, Die (Hofmannsthal) I, *299;* I, 264
– Professorin, Die (Auerbach) I, *17;* I, 15

– Sorge (Sudermann) *II, 673;* II, 621
– trägt die Krone, Eine (Wibmer-P.) XIII, 398
– und der Tod, Die (Becher, U.) XIII, 23
– von dreißig Jahren, Die (Balzac) VI, 10
– – vierzig Jahren, Eine (Fischer) XIV, 345
– – fünfzig Jahren Mrs. Dalloway, Eine (Woolf, V.) X, 263
Frau Aleit (Lauff) *II, 410*
– Beate und ihr Sohn (Schnitzler) *II, 576;* II, 523
– Berta Garlan (Schnitzler) *II, 576;* II, 522
– Bovary (Flaubert) VI, 86
– Erdmuthens Zwillingssöhne (François) *I, 132;* I, 120
– Fönß (Jacobsen) VIII, 38
– Hempels Tochter (Berend) *I, 29;* 1, 23
– Hjelde (Undset) XII, 105
– Jenny Treibel (Fontane) *I, 123;* I, 114
– Magdlene (Berens-T.) III, 43
– Maria (Handel-Mazzetti) *I, 216*
– Marie Grubbe (Jacobsen) VIII, 33
– Meseck (Halbe) *I, 211;* I, 183
– Orpha (Gevers) IX, 86
– Perchtas Auszug (Schmid-N.) V, 762
– Regel Amrain (Keller, G.) *I, 349;* I, 311
– Sixta (Zahn) *II, 744;* II, 692
– Utta und der Jäger (Bartsch) *I, 26*
Frauen der Coornvelts, Die (Ammers-Küller) X, 279
– des Hauses Wu, Die (Buck) XI, 36
– sind auch keine Engel, Die (Awertschenko) XII, 204
– von Gan, Die (Jölsen) VIII, 88
– – Messina, Die (Vittorini) XIV, 127

– – Siebenacker, Die (Huggenberger) I, 285; IV, 351
– – Tannò, Die (Zahn) *II, 740;* II, 691
– werden nicht gefragt (Haluschka) IV, 287
Frauenkreuzzug (Ammers-Küller) X, 280
Frauenmacht (Geijerstam) VIII, 99
Frauensieg (Hamsun, K.) VIII, 85
Freche Dackel Haidjer, Der (Nelissen-H.) V, 636
Freibeuter, Der (Conrad) VII, 50
Freier Fall (Golding, W. G.) XIV, 192
Freigesprochene, Der (Jellinek) IV, 368
Freiheit, Die (Molo) IV, 593
– des Gefangenen, Die (Schaper) V, 746
– geht im roten Kleid, Die (Vries, Th.) X, 354
– oder Tod (Kazantzakis) XII, 435
– und das Recht, Die (Demedts) XIV, 338
– – der General, Die (Neumann, R.) XIII, 279
Freiherrn von Gemperlein, Die (Ebner-Eschenbach) I, 71
Freihof von Aarau, Der (Zschokke) *II, 750;* II, 699
Freisasse, Der (Laxness) XII, 47
Freistatt, Die (Faulkner) XI, 97
Fremde, Der (Camus) IX, 38
– auf Erden (Troyat) IX, 250
– im Weinberg, Der (Clavel) XIV, 20
– und Brüder (Snow) XIV, 235
Fremde Erde, Die (Farrell) XI, 93
– Fräulein, Das (Schäfer, W.) II, 496; V, 737
– Frau und der Mann unter dem Bett, Die (Dostojewski) VIII, 168
– Gräser (Lipinski-G.) XIII, 243
– Kind, Das (le Fort) XIII, 232

Fremde Zeit, Die (Keckeis) IV, 407
Fremden Götter, Die (Kesten) XIII, 193
Fremder Sohn (Faust) III, 190
Fremdling unter Fremden (Gordimer) XIV, 272
Fresko, Das (Szabó) XII, 400
Fressende Haus, Das (Vegesack) V, 886
Freude, Die (Bernanos) IX, 25
– am Licht, Die (Fischer-Graz) I, 109; I, 102
Freuden der Jugend (Dumitriu) XIV, 460
– des Lebens, Die (Colette) XIV, 22
Freudlose Witwe, Die (Bruun) VIII, 27
Freund der Tiere (Varè) IX, 315
– Fritz (Erckmann-Chartrian) VI, 75
– Hein (Strauß, E.) II, 613; V, 847
– Manso (Pérez Galdós) VI, 394
Frevel in Äthiopien (Flaiano) IX, 281
Freya von den sieben Inseln (Conrad) VII, 47
Friede bei den Tieren (Colette) VI, 44
– in attischer Bucht (Venesis) XIV, 470
Frieden im Krieg (Unamuno) VI, 399
Friedländer, Der (Schreyvogl) V, 785
Friedland (Durych) XII, 374
Friedmann, Ismael (Hauptmann, C.) I, 230
Frisch weht der Wind (Macken) X, 143
Frischer Bursch, Ein (Björnson) VIII, 61
Frisette (Monnier) IX, 169
Fröhliche Armut (Waggerl) V, 901
Fröhlicher Bursch, Ein (Björnson) VIII, 61

Fröschlein auf Reisen (Garschin) VIII, 171
Fromme Elend, Das (Sillanpää) XII, 182
– Spruch, Der (Stifter) II, 639; II, 593
Fromont junior und Risler senior (Daudet) VI, 59
Fruchtbarkeit (Zola) VI, 282
Früchte, Die (Pfahler) V, 674
– des Zorns, Die (Steinbeck) XI, 307
Frühdämmerung (Negri) IX, 292
Frühe Freuden (Fedin) XII, 253
– Prosa und Reden (Benn) III, 34
Frühflut (Gunn) X, 78
Frühlicht über Cornwall (Chase) XI, 63
Frühling (Streuvels) VII, 352
– (Undset) XII, 105
–, Sommer, Herbst und Winter (Heimeran) IV, 306
– à la carte (Henry) XIV, 279
– des Lebens (Rawlings) XI, 244
Frühlingssturm (Hohlbaum) IV, 336
Frühstück bei Tiffany (Capote) XI, 58
Fuchs (Renard) VI, 207
–, Der (Lawrence, D. H.) X, 125
– und die Kamelie, Der (Silone) XIV, 121
– unterm Dach, Der (Hughes, R.) XIV, 196
Fuchs, Die junge Renate (Wassermann) II, 707
Füchse im Weinberg, Die (Feuchtwanger) III, 199
Führung und Geleit (Carossa) III, 134
Fünf Erzählungen (Verhaeren) VI, 251
Fünfte Kelch, Der (Schneider, R.) V, 774
– Siegel, Das (Vestdijk) X, 349
25 Uhr (Gheorghiu) IX, 89

Fünfzehnhundertzweiundsiebzig (Mérimée) VI, 179

Für Esmé (Salinger) XI, 263

Fürchtet nichts (Unruh, F) V, 882

Fürst der Welt, Der (Mitterer) XIII, 260

– Ganzgott (Arnim) *I, 12;* I, 13

– Serebrjany (Tolstoj, A. K.) VIII, 259

Fürstin reitet, Die (Seidel, I.) V, 809

Fund, Der (Nabl) V, 626

Funfzehnte November, Der (Tieck) *II, 686;* II, 639

Furchtbare Rache (Gogol) VIII, 172

Furie, Die (Weisenborn) V, 912

Fußbreit Erde, Ein (Baklanow) XII, 238

Fußstapfen am Meer (Sohnrey) *II, 598*

Fußtritt aus Liebe (Saroyan) XI, 270

Futač, Die Hochzeit des Imbra (Kolar) XII, 414

Gaben des Glücks (Koskenniemi) XII, 173

Gabilan, der rote Pony (Steinbeck) XI, 306

Gabriela wie Zimt und Nelken (Amado) XIV, 171

Gaël der Matrose (Tourville) IX, 247

Gänsemännchen, Das (Wassermann) *II, 706;* II, 656

Gänsemütterchens Märchen (Perrault) VI, 192

Gärten der Finzi-Contini, Die (Bassani) XIV, 98

– und Straßen (Jünger, E.) IV, 385

Gäste, Die (Munk) IV, 611

– im Paradies (Andres) III, 5

Galandot, Die zwiefache Liebe des Herrn von (Régnier) VI, 204

Galeere, Die (Werner) V, 933

Galerie, Die (Burns) XI, 42

Galgen im Weinberg, Der (Mühlberger) XIII, 267

Galgenfrist, Die (Nabl) V, 624

Galgenmännlein, Das (Fouqué) *I, 123;* I, 117

Galilei in Gefangenschaft (Brod) III, 117

Galina (Serafimowitsch) XII, 318

Galla Placidia, Die Kaiserin (Benrath) III, 37

Gammler, Zen und hohe Berge (Kerouac) XIV, 291

Gan, Rikka (Jölsen) VIII, 88

Gang auf den Hügel, Der (Cauwelaert) X, 293

– durch die Nacht, Der (Duun) XII, 70

– in die Dämmerung (Miegel) IV, 583

– nach Emmaus (Hohlbaum) IV, 337

Gantry, Elmer (Lewis, S.) XI, 183

Ganze Nacht, Die (Becher, U.) XIII, 23

Ganzer Mann, Ein (Riehl) *II, 534;* II, 479

Gardar, Christoph (Mungenast) IV, 607

Gargantua und Pantagruel (Rabelais) VI, 201

Garibaldina, Die (Vittorini) XIV, 128

Garlan, Frau Berta (Schnitzler) *II, 576;* II, 522

Garman & Worse (Kielland) VIII, 89

Garten Allahs, Der (Hichens) X, 87

– der Toten (Gascar) IX, 83

– Gottes, Der (Greinz) *I, 189;* I, 169

Gartenäre (Strauß, E.) II, 617; V, 851

Gartenfest, Das (Mansfield) X, 147

Gasmann, Der (Spoerl, H.) V, 820

Gasse am Moskaufluß, Die (Ehrenburg) XII, 243

Gast bei der Wirklichkeit (Lager-
kvist) XII, 138
Gatsby, Der große (Fitzgerald) XI,
118
Gatte, Der (Dostojewski) VIII, 162
Gaukler Pamphalon, Der (Leskow)
VIII, 228
– von Bologna, Der (Ginzkey) *I,
176;* I, 154
Gaulschreck im Rosennetz, Der
(Herzmanovsky) XIII, 146
Gayheart, Lucy (Cather) XI, 61
Gebannte, Die (Barbey d'Aurevilly)
VI, 24
Gebert, Jettchen (Hermann, G.)
I, 250; I, 221
Gebete der Einsamkeit (Saint-Exu-
péry) IX, 230
Gebirgsidyll, Ein (Hemingway) XI,
144
Geblendet in Gaza (Huxley) X, 99
Geborgenheit (Freiberg) XIII, 101
Gebrandmarkt (Hawthorne) VII,
266
Geburt (Lichnowsky) XIII, 241
– auf dem Gurkenland, Die (Gorba-
tow) XII, 259
– der Götter, Die (Mereschkowskij)
VIII, 238
– des Kindes, Die (Woestijne) VII,
368
– – Zorns (Nisser) XII, 151
Gedämpftes Saitenspiel (Hamsun,
K.) VIII, 71
Gedichte in Prosa (Baudelaire) VI,
26
– – – (Turgenjew) VIII, 307
– – – (Wilde) VII, 236
Geduldige Fleisch, Das (Heinrich)
XIII, 139
Gefährliche Freundschaften (Cho-
derlos de Laclos) VI, 43
– Liebschaften (Choderlos de Lac-
los) VI, 43

– Täuschungen (Schirmbeck) V, 760
– Umgang, Der (Choderlos de Lac-
los) VI, 43
Gefährlichen Bekanntschaften, Die
(Choderlos de Laclos) VI, 43
Gefährtin, Die (Lindbergh) XI, 195
– meines Sommers (Boerner) III, 82
Gefälschte Göttin, Die (Kluge) IV,
434
Gefangene, Die (Proust) IX, 196
– der Nacht (Hartlaub, G.) XIII,
135
– im Kaukasus, Der (Tolstoj, L. N.)
VIII, 272
Gefangenen, Die (Kessel) IX, 126
– im Kaukasus, Die (Maistre) VI,
161
Gefesselte, Der (Aichinger) XIII, 2
– Wildnis (Fleuron) XII, 12
Geflickte Tugend, Die (Cervantes)
VI, 362
Gehe hin und verkünde es vom
Berge (Baldwin) XIV, 249
Geheimagent, Der (Conrad) VII, 45
Geheimen Gründe, Die. Drei Schick-
sale (Soldati) IX, 306
Geheimes Idyll, Ein (Hallström)
VIII, 100
Geheimnis der alten Mamsell, Das
(Marlitt) *II, 448*
– – Unruhe, Das (Andreae) III, 3
– des Alten Waldes, Das (Buzzati)
IX, 272
– – Luca, Das (Silone) IX, 305
– Edwin Droods, Das (Dickens)
VII, 79
– eines Menschen (Werfel) V, 933
– Pater Browns, Das (Chesterton)
VII, 34
– um Mr. Hyde (Stevenson) VII, 196
Geheimnisse des reifen Lebens (Ca-
rossa) III, 137
– – Waldes (Prischwin) XII, 304
– von Paris, Die (Sue) VI, 241

Geheimnisvolle Dame, Eine (Romains) XIV, 80
Gehenkte, Der (Eça de Queiróz) VI, 371
Gehenna (Hemmer) XII, 129
Gehetzte, Der (Carco) IX, 42
Gehülfe, Der (Walser, R.) XIII, 388
Geier von La Florida, Die (Lynch) IX, 355
Geier-Wally, Die (Hillern) *I, 279;* I, 247
Geige, Die (Binding) I, 31; III, 65
– – (Gierer) III, 245
Geigenmacher, Der (Stehr) II, 560; V, 835
Geißel Gottes, Die (Samjatin) XIV, 396
Geist und Fleisch (Goyen) XI, 130
Geisterkutsche, Die (Kurz, K. F.) IV, 491
Geisterschiff, Das (Marryat) VII, 145
Geisterseher, Der (Green, J.) IX, 113
– – (Lie) VIII, 92
– – (Schiller) *II, 567;* II, 514
–, Die (Keller, G.) *I, 362;* I, 322
Gekreuzigte Diakon, Der (Schaper) V, 750
Gelbe Hund, Der (Harte) XIV, 275
Geld, Das (Zola) VI, 276
– und Geist (Gotthelf) *I, 184;* I, 164
Geldkomplex, Der (Reventlow) II, 475
Gelehrtenrepublik, Die (Schmidt, A.) XIII, 330
Geliebte der Großen Bärin, Der (Piasecki) XII, 363
– des Veli Pascha, Die (Andrić) XII, 409
– Söhne (Spring) X, 228
Geliebter und berühmter Arzt (Caldwell, T.) XIV, 257
Gelobte Land, Das (Feuchtwanger) XIII, 94
– –, – (Pontoppidan) VIII, 51

Gelungener Scherz, Ein (Svevo) IX, 309
Gemälde, Die (Tieck) *II, 684;* II, 637
Gemeindekind, Das (Ebner-Eschenbach) *I, 81;* I, 73
Gemme, Die (Meyer-E.) XIII, 259
Gemperlein, Die Freiherrn von (Ebner-Eschenbach) I, 71
General, Ein (Forester) X, 45
– Barcz (Kaden-Bandrowski) XII, 355
– Nachtigall (Gary) XIV, 32
Genesung in Graubünden (Hoster) IV, 345
Genfer Novellen (Toepffer) VI, 245
Genia (Seidel, H. W.) V, 803
»Genie«, Das (Dreiser) XI, 81
– und die Göttin, Das (Huxley) X, 103
Genosse mit der schönen Uniform, Der (Aksjonow) XIV, 375
– Wanka (Nilin) XII, 283
Genossenschaft der Habenichtse, Die (Panferow) XII, 290
Genoveva (Gide) VI, 118
Genug für ein Leben (Buck) XI, 39
Georg und die Zwischenfälle (Kästner, Erich) IV, 399
Georgijewna, Kyra (Nekrassow) XIV, 391
Gerber, Der Schüler (Torberg) XIII, 367
Gerettete Krone, Die (Schneider, R.) V, 771
Gerhardt, Jennie (Dreiser) XI, 78
Gericht des Meeres, Das (Le Fort) IV, 514
Gerichtet (Franck, H.) III, 214
Germinal (Zola) VI, 272
Gerold und Hansli, die Mädchenfeinde (Spitteler) *II, 613;* II, 554
Gertrud (Hesse, H.) I, 229

Gesammelte Prosa (Leifhelm) XIII, 234

Gesamtwerk, Das (Hartlaub, F.) XIII, 133

– – (Lautréamont) XIV, 49

Gesandten, Die (James, H.) XIV, 287

Geschäfte des Herrn Julius Cäsar, Die (Brecht) XIII, 48

Geschichte der Anna Waser, Die (Waser) V, 903

– – Größe und des Verfalles des Cäsar Birotteau (Balzac) VI, 17

– – jungen Renate Fuchs, Die (Wassermann) *II, 707*

– – Könige von Scheschian, Die (Wieland) *II, 724;* II, 675

– – Manon Lescaut und des Ritters Desgrieux (Prévost d'Exiles) VI, 197

– – Tilmanssöhne (Kennicott) IV, 409

– des Agathon (Wieland) *II, 723;* II, 674

– – Arthur Gordon Pym aus Nantucket (Poe) VII, 319

– – Captain Fisby (Sneider) XI, 297

– – Diethelm von Buchenberg (Auerbach) *I, 18;* I, 15

– – Fräuleins von Sternheim (La Roche) *II, 403;* II, 365

– – Gil Blas von Santillana (Lesage) VI, 154

– – großen Krakeels zwischen Iwan Iwanowitsch und Iwan Nikiforowitsch (Gogol) VIII, 176

– – Hauses Herkommer, Die (Weismantel) V, 913

– – Herrn Carl Grandison (Richardson) VII, 163

– – Herrn William Lovell (Tieck) *II, 684;* II, 636

– – reichen Jünglings, Die (Wied) V, 950

– – Spitzbuben Don Pablos (Quevedo y Villegas) VI, 396

– – Thomas Jonas, eines Findelkindes (Fielding) VII, 97

– – Tom Jones, Die (Fielding) VII, 97

– durchs Fenster, Die (Kreuder) IV, 472

– einer armen Johanna, Die (Zech) V, 969

– – Bombe, Die (Strug) XII, 366

– – Nonne (Hulme) XIV, 283

– – Seele (Molo) XIII, 262

– – Stadt, Die (Saltykow-Schtschedrin) VIII, 251

– – weißen Amsel (Musset) VI, 187

– eines Anno 1813 Conskribierten (Erckmann-Chartrian) VI, 73

– – Gewissens (Bierce) XIV, 254

– – Knaben, Die (Wiechert) V, 937

– – Rekruten (Erckmann-Chartrian) VI, 73

– Gamber-Alis (Gobineau) VI, 120

– Henry Esmonds, Die (Thackeray) VII, 213

– Jonathan Wilds (Fielding) VII, 96

– meiner Frau, Die (Füst) XIV, 432

– – Kindheit (Tolstoj, L. N.) VIII, 261

– meines Zeitgenossen, Die (Korolenko) VIII, 209

– und Leben des Erzschelms, genannt Don Paul (Quevedo y Villegas) VI, 396

– vom abgerissenen Knopf, Die (Hartleben) I, 194

– – braven Kasperl (Brentano) *I, 56;* I, 48

– – Mönch mit dem grünen Bart, Die (Desnica) XIV, 448

– – nie verlorenen Mond, Die (Piljnak) XIV, 395

– von Chloe, Die (Meredith) VII, 151

– – dem stählernen Floh und dem Linkshänder aus Tula (Leskow) VIII, 225

– – den sieben Gehenkten, Die (Andrejew) VIII, 144

– – der Hannerl, Die (Bartsch) I, 22; I, 23

– – der Liebe der Prudence Sarn, Die (Webb) X, 255

– – Pendennis, Die (Thackeray) VII, 212

– – Rasselas, Die (Johnson, S.) VII, 126

– zweier Städte, Die (Dickens) VII, 74

Geschichten (Brecht) XIII, 49

– (Remisow) XII, 220

– aus Altpreußen (Miegel) IV, 583

– – dem Dunkel (Poe) VII, 320

– – der Pickbalge (Scharrelmann) II, 563; II, 506

– – der Zachurci (Holthaus) XIII, 155

– – Flandern (Buysse) VII, 335

– – Odessa (Babel) XII, 237

– für ein Jahr (Pirandello) VI, 317

– vom Grafen Lucanor und vom wohlbewanderten Patronio (Juan Manuel) VI, 378

– – lieben Gott (Rilke) II, 539; II, 480

– – Montmartre (Dorgelès) IX, 63

– von Geld und Liebe (Henry) XIV, 279

– – Landstreichern (Gorki) VIII, 187

Geschlagenen, Die (Richter, H. W.) XIII, 310

Geschlecht der Maechler, Das (Stehr) II, 563; V, 830

– im Advent (Fussenegger) XIII, 107

Geschlechter am See (Gierer) III, 243

Geschrei aus Babylon (Hampe) XIII, 132

Geschwister (Huch, F.) I, 305; I, 271

–, Die (Freytag) I, 153; I, 139

Oppenheim, Die (Feuchtwanger) XIII, 91

– Tanner (Walser, R.) XIII, 387

– von Neapel, Die (Werfel) V, 927

Gesellschaft auf dem Lande, Die (Tieck) II, 685; II, 638

– vom Dachboden, Die (Kreuder) IV, 471

Gesetze der Gastfreundschaft, Die (Klossowski) XIV, 48

Gesicht Christi, Das (Kretzer) I, 384; I, 344

– der Zeit, Das (Milosz) XII, 359

Gespenst von Canterville, Das (Wilde) VII, 234

Gespenstische Schiff, Das (Marryat) VII, 145

Gespräch in Sizilien (Vittorini) IX, 316

Gesprengte Quartett, Das (Sjöberg) XII, 155

Geständnisse (Rousseau) VI, 221

Gestirn des Paracelsus, Das (Kolbenheyer) IV, 455

Gestohlene Mond, Der (Barlach) III, 16

Gestrüpp (Hamsun, K.) VIII, 86

Geteilte Haus, Das (Buck) XI, 30

– Visconte, Der (Calvino) XIV, 101

Getilgte Antlitz, Das (Schneider, R.) V, 771

Getreidebörse, Die (Norris) VII, 318

Getreue Eheweib, Das (Undset) XII, 110

– Strom, Der (Jarnés) IX, 349

– –, –(Zeromski) VIII, 329

Gewalten eines Toren (Wirz) V, 961

Gewand des Erlösers, Das (Douglas) XI, 77

– des Jünglings, Das (Mauriac) IX, 144

Geweb aus Erde, Das (Wolfe) XI, 362
– und Fels (Wolfe) XI, 359
Gewesenen, Die (Gorki) VIII, 188
Gewinner, Die (Cortázar) XIV, 143
Gewisse Frau Headway, Eine (James, H.) VII, 274
Gewissen der Reichen, Das (Snow) XIV, 235
Gewisses Lächeln, Ein (Sagan) XIV, 83
Gewitterjahr, Das (Freissler) III, 225
Gewitternacht (Duhamel) IX, 66
Gewöhnliche Arktis, Die (Gorbatow) XII, 259
gez. Coriolan (Döbler) XIII, 66
Gezählte Stunden (Icaza) IX, 350
Gezeichnete (Estang) IX, 75
Gib acht in Domokosch (Gaiser) XIII, 113
– mir deine Sorgen (Dobraczynski) XII, 344
Gier nach Gold (Norris) VII, 316
Gift (Kielland) XIV, 354
Giftnatter, Die (Tolstoi, A. N.) XII, 332
Giftschenke, Die (Zola) VI, 267
Giftspinne, Die (Troyat) IX, 248
Giganten (Ferber) XI, 115
Gigi (Colette) VI, 48
Gil Blas von Santillana (Lesage) VI, 154
Gilhooley, Herr (O'Flaherty) X, 191
Gille, Victalis van, Leben des (Claes) X, 294
Ginevra (Saar) II, 490
Ginseng. Die Wurzel des Lebens (Prischwin) XII, 304
Gion, Der Arzt (Carossa) III, 136
Giovannis Zimmer (Baldwin) XIV, 250
Giuliano (Stucken) XIII, 359
Gläserne Bienen (Jünger, E.) XIII, 173

Gläsernen Ringe, Die (Rinser) V, 710
Glanz lag über der Stadt, Ein (Hartmann) IV, 295
– und Elend der Kurtisanen (Balzac) VI, 19
Glas, Doktor (Söderberg) XIV, 367
Glasperlenspiel, Das (Hesse, H.) I, 260; I, 237
Glatteis (Terz) XIV, 402
Glaubenslos (Ebner-Eschenbach) I, 82; I, 75
Gleichen, Die (Jahn, M.) IV, 360
Gleichgültigen, Die (Moravia) IX, 291
Gletscher, Der (Jensen, J. V.) VIII, 41
– – (Ponten) V, 691
Glocke, Die (Talvio) XII, 189
– für Adano, Eine (Hersey) XI, 151
Glocken in der Dämmerung (Mannin) XIV, 210
– – der Neujahrsnacht (Sayers) X, 217
– von Basel, Die (Aragon) IX, 3
– – Rom, Die (Stenius) XIV, 368
Glockengießer Christoph Mahr, Der (Kluge) IV, 433
Glöckner von Notre-Dame, Der (Hugo) VI, 131
Gloriahose, Die (Wolzogen, E. v.) II, 736; II, 688
Gluck, Ritter (Hoffmann, E. Th. A.) I, 287; I, 249
Glück, Das (Andersen-Nexö) VIII, 7
– – (Pawlenko) XII, 300
– , gezahlt in kleiner Münze (Park) X, 196
– ist Trumpf (Common) X, 20
– der Andernachs, Das (Speyer) XIII, 350
– – Familie Rougon, Das (Zola) VI, 264
– des Hauses Sasetti, Das (Scharten) X, 337

– von Dürrnstauden, Das (Watzlik) V, 905
– – Lautenthal, Das (Ernst, P.) I, 86; III, 180
Glückhafte Schiff, Das (Hatzfeld) IV, 298
Glückliche Jahre (Kawerin) XII, 274
– Liebende … (Larbaud) IX, 132
– Menschen (Kesten) XIII, 192
– Tage (Lawson) XI, 176
Glücklicher, Ein (Schlumberger) IX, 242
– war ich nie (Updike) XIV, 325
Glückliches Paar, Ein (Evans) X, 43
Glücksfischer, Die (Schaffner) II, 554
Glückspilz, Ein (Caragiale) XIV, 459
Glücksritter, Die (Eichendorff) I, 88; I, 80
Glutrote Blume, Die (Linnankoski) VIII, 139
Gnade über Oberammergau (Weismantel) V, 915
Gnadenfrist, Die (Hartman) XII, 126
Gnadenstoß, Der (Bierce) XIV, 254
Godden, Johanna (Kaye-Smith) X, 115
Godekes Knecht (Leip) IV, 523
Godenwind, Hein (Fock) I, 113; I, 105
Godwi (Brentano) I, 57; I, 47
Godwie-Castle (Paalzow) II, 488
Gösta Berling (Lagerlöf) VIII, 108
Götter, Gräber und Gelehrte (Ceram) III, 137
– des Don Federico, Die (Marotta) IX, 289
– dürsten, Die (France) VI, 95
Göttinnen, Die (Mann, H.) II, 425; II, 387
Gogh, Vincent van (Stone) XI, 321
Gold (Cendrars) IX, 45

– (Mamin-Sibirjak) VIII, 230
– im Kote (Móricz) XII, 394
– und Diamanten (Balzac) VI, 12
– vom Himmel (Narayan) X, 185
– von Neapel, Das (Marotta) IX, 288
Goldelse (Marlitt) II, 450
Goldene Fracht, Die (Norris) VII, 318
– Hahn, Der (Masefield) X, 157
– Haus, Das (Andreae) III, 4
– Horde, Die (Speyer) XIII, 349
– Insel, Die (Verdaguer) IX, 369
– Kalb, Das (Ilf) XII, 264
– Reiter, Der (Muntz) X, 183
– Rose, Die (Paustowskij) XII, 299
– Spiegel, Der (Wieland) II, 724; II, 675
– Topf, Der (Hoffmann, E. Th. A.) I, 293; I, 250
– Tor, Das (Speckmann) II, 602; II, 547
– Vlies, Das (Graves-Ranke) X, 68
Goldenen Äpfel, Die (Galsworthy) VII, 112
– –, – (Rawlings) XI, 243
– Früchte, Die (Sarraute) XIV, 85
– Schlösser, Die (Bischoff) III, 73
– Schuhe einer Primaballerina, Die (Baum) XIII, 19
Goldgräbergeschichten (Harte) VII, 264
Goldgräber-Peter, Der (Bregendahl) XII, 6
Goldküste im Zwielicht (Steen) X, 232
Goldmacherdorf, Das (Zschokke) II, 752; II, 697
Goldmensch, Ein (Jókai) XIV, 434
Goldrausch (London) VII, 294
Golem, Der (Meyrink) IV, 578
Golowljow, Die Herren (Saltykow-Schtschedrin) VIII, 252
Gordejew, Foma (Gorki) VIII, 191

Gordian und der Reichtum des Lebens (Rombach) V, 719
Goriot, Vater (Balzac) VI, 13
Gotischen Zimmer, Die (Strindberg) VIII, 129
Gott braucht die Menschen (Queffélec) IX, 199
– der fremden Erde, Der (Schreiber, I.) V, 784
– ist im Exil geboren (Horia) XIV, 464
– lächelt (Duun) XII, 70
– schreibt gerade auch auf krummen Zeilen (Breedveld) X, 289
– und das Gewürm (Velde, A.) X, 347
Gottes kleiner Acker (Caldwell, E.) XI, 46
– Schrift ist schwer zu lesen (Powers) XIV, 311
– Thron steht leer (Koestler) X, 120
– Trabanten (Hartog) X, 312
Gottesferne (Bloem) *I, 38;* I, 34
Gottesfreund, Der (Schäfer, W.) II, 498; V, 732
Gotteslehen, Das (Ganghofer) *I, 159;* I, 142
Gottesmarter (Čapek) XII, 370
Gottesstreiter in fernem Land (Buck) XI, 33
Gottgelobte Herz, Das (Kolbenheyer) IV, 457
Gottsucher, Der (Lewis, S.) XI, 185
–, – (Rosegger) *II, 542;* II, 483
Gouffé, Der Fall (Maass, J.) IV, 556
Gouverneur, Der (Warren) XI, 334
– – , oder Der glückselige Schuldner (Schaper) XIII, 323
Goya (Feuchtwanger) III, 198
Grab des Lebendigen, Das (Nabl) V, 622
– zu Heidelberg, Das (Strauß, E.) II, 617; V, 851

Grabenhäger, Der (Polenz) *II, 494;* II, 443
Grabschrift, Die (Franck, H.) III, 215
Gräfin Dolores (Arnim) *I, 11;* I, 10
– Faustine (Hahn-Hahn) *I, 211;* I, 182
Gräßliche Bescherung in der Via Merulana, Die (Gadda) XIV, 106
Graf Lucanor, Der (Juan Manuel) VI, 378
– Mercy, Der (Velsen) V, 888
– von Monte Christo, Der (Dumas Vater) VI, 68
Grambauer, Lebensuhr des Gottlieb (Welk) V, 919
Grammatik der Liebe, Die (Bunin) XII, 205
Granada (García Lorca) IX, 341
Granatarmband, Das (Kuprin) XIV, 385
Grande Sertão (Rosa) XIV, 175
Grandet, Eugénie (Balzac) VI, 11
Grandison, Carl, Geschichte des Herrn (Richardson) VII, 163
Granit (Stifter) *II, 622;* II, 584
Grasharfe, Die (Capote) XI, 57
Grashütte, Die (Huxley, E. J.) XIV, 198
Graue Bischof, Der (Stickelberger) V, 844
– Haus, Das (Bang) XIV, 342
– Regenbogen, Der (Andres) XIII, 10
– Reiter, Der (Hoerner) IV, 330
Grausame Geschichten (Villiers de l'Isle) VI, 258
Gray, Dorian (Wilde) VII, 234
Graziella (Lamartine) VI, 147
Greco malt den Großinquisitor, El (Andres) III, 5
Gregors vergebliche Reise (Ihlenfeld) XIII, 168
Greis, Der (Fedin) XII, 252

Grenze Gottes, Die (Descalzo) XIV, 147
Grenzen, Die (Knoop) *I, 383*
Grenzgänger, Der (Kroneberg) XIII, 216
Grey, Agnes (Brontë, A.) XIV, 182
Grieche sucht Griechin (Dürrenmatt) XIII, 76
Griechische Passion (Kazantzakis) XII, 432
– Trilogie (Vassilikos) XIV, 469
Griff in den Staub (Faulkner) XI, 107
Grigia (Musil) XIII, 272
Grille, Die (Sand) VI, 227
Grillparzer, Franz (Schreyvogl) XIII, 338
Grimbarts Haus (Alverdes) III, 1
Grimmingtor, Das (Grogger) III, 277
Grin, Marie, Die Wandlung der (Ramuz) IX, 203
Größenwahn (Bleibtreu) *I, 35*
Größer als des Menschen Herz (Erath) III, 177
Größere Hoffnung, Die (Aichinger) XIII, 1
– Liebe, Die (Chase) XIV, 260
Große Baum, Der (Hoerner) IV, 330
– Brücke, Die (Streuvels) VII, 361
– Chance, Die (Costain) XI, 66
– Einsamkeit, Die (Manninen) XII, 176
– Erwartungen (Dickens) VII, 76
– Expedition, Die (Jürgensen) XII, 18
– Fahrt, Die (Blunck) III, 74
– Fest, Das (Priestley) X, 207
– Flucht, Die (Thorwald) XIII, 365
– Flut, Die (Augustiny) III, 12
– Freundin, Die (L'Ermite) VI, 151
– Gatsby, Der (Fitzgerald) XI, 118
– Grauen in den Bergen, Das (Ramuz) IX, 205
– Halleluja, Das (Urzidil) XIII, 378
– Herde, Die (Giono) IX, 93

– Hundespiel, Das (Nelissen-H.) V, 636
– Hunger, Der (Bojer) XII, 58
Jabadao, Der (Tourville) IX, 247
– Janja, Der (Ulitz) XIII, 375
– Kamerad, Der (Alain-F.) VI, 3
– Karussell, Das (Klose) XIII, 201
– Kluft, Die (Cocteau) IX, 52
– Kraft der Eva Auerstein, Die (Supper) *II, 675*
– Lebensabenteuer des Miguel de Cervantes, Das (Arbó) IX, 324
– Liebe zu kleinen Gärten (Nichols) X, 186
– Liebende, Die (Naso) V, 631
– Meldung, Die (Waugh) X, 253
– Mutter vom Main, Die (Kuhnert) IV, 482
– Nachtgesang, Der (La Farge) XI, 172
– Netz, Das (Kasack) IV, 405
– Regen, Der (Bromfield) XI, 23
– Saal, Der (Velde, J.) X, 348
– Schwabenzug, Der (Müller-Guttenbrunn) *II, 481;* II, 434
– Sehnen, Das (Bojer) XII, 58
– Sprung, Der (Cocteau) IX, 52
– Strom, Der (Burman) XI, 40
– Unruhe, Die (Zollinger) XIII, 409
– Verrat, Der (Lützkendorf) XIII, 247
– Versuchung, Die (Howells) XIV, 281
– Warenhaus, Das (Siwertz) XII, 157
– Wasser, Das (Gorbatow) XII, 259
– Zauberer, Der (Gobineau) VI, 121
– Zeit, Eine (Johnson) XIV, 363
Großen Söhne, Die (Ferber) XI, 114
– Wirren, Die (Tolstoi, A. N.) XII, 330
Großer Atlantik (Monsarrat) X, 172
– doppelherziger Strom (Hemingway) XI, 144

Großmeister aller Schurken, Der (Krleža) XIV, 454

Großmütiger Feldherr Arminius (Lohenstein) *II, 420;* II, 381

Großmütterchen (Streuvels) VII, 359

Großmutter, Die (Němcová) VIII, 346

Großstadt-Junge (Wouk) XI, 365

Großstadtneger (Helander) XII, 127

Großtyrann und das Gericht, Der (Bergengruen) III, 44

Großvater und die Vögel (Ribnikar) XIV, 456

Grubbe, Frau Marie (Jacobsen) VIII, 33

Grube Christianus Sextus (Falkberget) XII, 76

Grüne Delphin, Der (Goudge) X, 64

– Gartentüren (Sherriff) X, 222

– Heinrich, Der (Keller, G.) *I, 344;* I, 307

– Lady, Die (Roberts, K. L.) XI, 254

– Nachtigall, Die (Kusmin) XIV, 386

– Stute, Die (Aymé) IX, 8

– Tunnels (Huxley) X, 103

– Zweige (Jünger, F. G.) IV, 390

Grünen Hügel Afrikas, Die (Hemingway) XI, 141

– Jahre, Die (Cronin) X, 25

Grüner Siegellack (Colette) XIV, 22

Grünes Gras der Weide (O'Hara, M.) XI, 230

Grünewald genannt, Meister Mathis (Zinn) V, 978

Grünk oder Das große Lachen (Zillich) V, 977

Grüße für Marie-Ange (Brasillach) IX, 36

Gruft, Die (Kuprin) VIII, 212

Grundstein, Der (Pardo Bazán) VI, 391

Grundstück gesucht (Heimeran) IV, 305

Gruß an die Nacht (Marotta) IX, 289

Gudnatz (Stehr) II, 562; V, 837

Gudula oder die Dauer des Lebens (Schaeffer) V, 739

Günther, Johann Christian (Ortner) V, 658

Guermantes, Die Welt der (Proust) IX, 196

Gullivers Reisen in verschiedene entfernte Gegenden der Welt (Swift) VII, 205

Gummi (Lulofs) X, 323

Gunten, Jakob von (Walser, R.) II, 653; V, 902

Gustav Adolfs Page (Meyer, C. F.) *II, 461;* II, 418

Gut an der Grenze, Das (Jowkow) XII, 418

– Stepantschikowo und seine Bewohner, Das (Dostojewski) VIII, 155

– Ulloa, Das (Pardo Bazán) VI, 390

Gutsbesitzer Hellmann (Aho) VIII, 136

Gutsgeschichte, Eine (Lagerlöf) VIII, 110

Gute alte Zeit im Yankeeland, Die (Hawthorne) VII, 264

– Erde, Die (Buck) XI, 28

– Jungfrau, Die (Laxness) XII, 53

– kleine Stadt (Buchholtz) XII, 8

– Land, Das (Sanden) V, 731

– Nacht, Jakob! (Bentz) XIII, 31

– Welt, Die (Heiseler, B.) IV, 307

Guten Frauen von Cranford, Die (Gaskell) VII, 114

– Gefährten, Die (Priestley) X, 204

– Morgen Miß Fink (Patton) XI, 233

Guzman d'Alfarache (Alemán) VI, 332

Gyldholm (Skjoldborg) XII, 32

Gymnadenia (Undset) XII, 108

Gymnasium zu Stolpenburg, Das (Hoffmann, H.) *I, 294;* I, 261

Haben und Nichthaben (Hemingway) XI, 142
Habichtsnacht (Fagerberg) XII, 122
Hadlaub (Keller, G.) *I, 354;* I, 316
Hadschi Gajka verheiratet sein Mädchen (Stanković) XII, 415
– Murat (Tolstoj, L. N.) VIII, 282
Hände (Marinković) XIV, 454
Händel, Georg Friedrich (Ortner) V, 659
Häßliche Herzogin Margarete Maultasch, Die (Feuchtwanger) III, 196
Häusliche Herd, Der (Zola) VI, 271
Hafen im Osten, Ein (Tudoran) XII, 427
Hagestolz, Der (Stifter) *II, 623;* II, 578
Hahn von Quakenbrück (Huch, Ric.) *I, 310;* I, 278
Hahnemann (Gumpert) III, 278
Hahnenschrei, der den Morgen ruft (Burman) XI, 41
Hahnrei, Der (Dostojewski) VIII, 162
Haiduken, Die (Istrati) XIV, 465
Haidvogel, Herr (Hebbel) I, 211
Hakim, El (Knittel) IV, 441
Halbe Unschuld (Prévost, M.) VI, 198
Halbgott, Der (Naso) V, 633
Halbindianer, Der (Möllhausen) *II, 471;* II, 427
Halb-Jungfern (Prévost, M.) VI, 198
Halbmond über der Narenta (Michel) IV, 582
Halbzeit (Walser, M.) XIII, 386
Halket, Peter, im Mashonalande (Schreiner, O.) VII, 165
Halligpastor, Der (Lobsien) II, 376
Halsband der Königin, Das (Dumas Vater) VI, 70
Halsbandaffaire, Die (Dumas Vater) VI, 70

Hamburger Brand, Der (Schurek) V, 794
Hamlet oder die lange Nacht nimmt ein Ende (Döblin) XIII, 72
–, Papa (Holz-Schlaf) *I, 304;* I, 269
Hammer oder Amboß sein (Barea) IX, 327
– und Amboß (Spielhagen) *II, 605;* II, 550
Hammerschläge (Lersch) IV, 535
Hampit der Jäger (Kneip) IV, 435
Handvoll Brombeeren, Eine (Silone) IX, 304
– Staub, Eine (Waugh) X, 252
Hanneken (Wolff, Joh.) *II, 732;* II, 685
Hannekens große Fahrt (Wolff, Joh.) *II, 733*
Hannerl und ihre Liebhaber (Bartsch) *I, 22;* I, 23
Hannibal (Jelusich) IV, 371
Hans der Träumer (Huch, Rud.) *I, 316*
– im Glück (Pontoppidan) VIII, 52
– und Grete (Strauss, E.) II, 616; V, 850
Hanseaten (Herzog) *I, 257;* I, 226
Hansine (Egge) XII, 72
Harap Alb (Creangă) VIII, 335
Harlem Story. Der süße Leim des Lebens (Hughes) XI, 159
Harte Erde (Eysselstein) XIV, 339
– Freude, Die (Freiberg) XIII, 100
– Geschlecht, Das (Vesper) V, 891
– Herrlichkeit, Die (Randenborgh) V, 694
– Jahre (Vaering) XII, 165
– Zeiten (Dickens) VII, 73
– – (Tavaststjerna) XIV, 368
Harter blauer Himmel (Grau) XIV, 274
Hartjes, Die (Hinrichs) IV, 326
Haschen nach dem Wind (Dymow) XII, 210

Hasenherz (Updike) XIV, 323

Hasenroman, Der (Jammes, F.) VI, 141

Hasko (Luserke) IV, 548

Haß des Pal Einarsson, Der (Gunnarsson) XII, 39

Hassenburg, Die (Hille) *I, 278;* I, 246

Hastenbeck (Raabe) *II, 504;* II, 463

Hauch Traurigkeit, Ein (O'Connor, E.) XIV, 305

Haupt der Medusa, Das (Prevelakis) XIV, 468

Hauptmann Renauds Leben und Tod (Vigny) VI, 256

– Sorrell und sein Sohn (Deeping) X, 30

– von Kapernaum, Der (Wiechert) V, 939

– – Kastilien, Der (Shellabarger) XI, 280

– – Köpenick, Der (Schäfer, W.) II, 497; V, 734

Hauptmannstochter, Die (Puschkin) VIII, 248

Hauptstadt der Welt, Die (Hemingway) XI, 142

Hauptstraße, Die (Lewis, S.) XI, 179

Haus, Das (Faulkner) XIV, 269

– – (Faust) III, 191

– – (Maupassant) VI, 171

– am Fluß, Das (O'Brien) X, 188

– – Meer, Das (Godden, J.) X, 59

– an der Veronabrücke (Halm) I, 185

– aus Hauch (Goyen) XI, 129

– Claes, Das (Balzac) VI, 12

– der Blinden, Das (Gunnarsson) XII, 42

– – Dickinsons, Das (White) XIV, 332

– – dunklen Krüge, Das (Fussenegger) III, 230

– – Erde, Das (Buck) XI, 28

– – heilenden Hände, Das (Hobart) XI, 156

– – roten Krebse, Das (Krell) XIII, 212

– – sieben Giebel, Das (Hawthorne) VII, 267

– – Sonne, Das (Horgan) XIV, 280

– – Spinne, Das (Bowles) XI, 19

– – Träume, Das (Gmelin) III, 257

– des Michael Senn, Das (Greinz) *I, 190;* I, 167

– Erath, Das, oder der Niedergang des Bürgertums (Stoessl) XIII, 355

– im Hügelland, Ein (Caldwell, E.) XI, 48

– in den Dünen, Das (Meersch) IX, 164

– meines Herzens, Das (Monnier) XIV, 61

– mit dem Dachgeschoß, Das (Tschechow) VIII, 291

– – dem Engel, Das (Guido) IX, 346

– – dem Giebelzimmer, Das (Tschechow) VIII, 291

– – den drei Türen, Das (Schäfer, W.) I, 498; V, 735

– ohne Hüter (Böll) XIII, 37

– Tavelinck, Das (Ammers-Küller) X, 281

– Tellier, Das (Maupassant) VI, 171

– Vermorel, Das (Montupet) IX, 177

– Wickford (Marquand) XI, 206

– zum Monde, Das (Seidel, I.) V, 807

– – Seidenbaum, Im (Ertl) I, 88

– zur barmherzigen Mutter Gottes, Das (Cankar) VIII, 333

Hauser, Caspar (Wassermann) *II, 708;* II, 655

Hausfrau, Die (Dostojewski) VIII, 169

Hausmusik (Baumgart) XIII, 21

Haut, Die (Malaparte) IX, 287

Hautechaume, Prudence (Jouhandeau) IX, 122

Havelaar, Max, oder die Kaffee-
versteigerungen der niederländi-
schen Handelsgesellschaft (Mul-
tatuli) VII, 347
Hawaii (Michener) XIV, 301
Hawke, Arthur (Wouk) XIV, 335
Headway, Eine gewisse Frau (James,
H.) VII, 274
Hebt den Dachbalken hoch, Zim-
merleute (Salinger) XIV, 316
Heckenrosengang, Der (Hirsch)
XIII, 149
Heidedorf, Das (Stifter) *II, 624;* II,
569
Heidehof Lohe (Speckmann) *II,
600;* II, 546
Heiden, Die (Herczeg) VIII, 339
– von Kummerow, Die (Welk) V,
918
Heidepeters Gabriel (Rosegger) *II,
541;* II, 484
Heidjers Heimkehr (Speckmann) *II,
601;* II, 546
Heidnische Dorf, Das (Beste) III,
53
Heikle Geschichte, Eine (Dostojew-
ski) VIII, 169
Heilige, Der (Fogazzaro) VI, 308
– – (Meyer, C. F.) *II, 456;* II, 415
–, Die (Unruh, F.) V, 883
– Abend, Der (Stifter) *II, 619;* II,
579
– Berge (Renker) V, 703
– Cäcilie, Die (Kleist) *I, 375;* I, 333
– Land, Das (Lagerkvist) XIV, 365
– Leidenschaft (Dostojewski) VIII,
169
– Ordnung (Arland) IX, 6
– und ihr Narr, Die (Günther, A.)
I, 201; I, 176
Heiligen der letzten Tage, Die
(Ponten) V, 685
– Drei Könige an der Küste, Die
(Streuvels) VII, 359

– gehen in die Hölle, Die (Cesbron)
IX, 46
– Pferde, Die (Fabricius) XIV, 339
Heiligenhof, Der (Stehr) II, 558;
V, 828
Heiliger, Ein (Galsworthy) VII, 109
– Atem ist der Wind (Werfhorst)
X, 361
– Bimbam (Queneau) XIV, 73
Heilsame Umweg, Der (Peters) V,
672
Heim und die Welt, Das (Tagore)
X, 237
Heim will ich reiten (Widén) XII,
166
Heimat, Die (Keller, P.) *I, 365;*
I, 326
– aus Gottes Hand (Trenker) V, 867
– wider Heimat (Schröer) V, 790
Heimatgeschichten (Seidel, H.) *II,
591;* II, 539
Heimatlos (Malot) VI, 162
Heimatlosen, Die (Zeromski) VIII,
328
Heimchen auf dem Herde, Das
(Dickens) VII, 65
Heimfahrt des Andreas Kumlin,
Die (Gäng) XIII, 109
Heimkehr (Polewoi) XII, 302
–, Die (Hardy) VII, 118
– der Fronttruppen (Döblin) III,
153
– des Odysseus, Die (Johnson, E.)
XII, 133
in die Fremde (Kolbenhoff) IV,
460
– nach Björndal (Gulbranssen) XII,
84
Heimliche Freundschaften (Peyre-
fitte) IX, 187
– Hochzeiten (Marceau) XIV, 52
Heimweh, Das (Diess) III, 149
Heinrich von Ofterdingen (Novalis)
II, 485; II, 437

Heinrich von Plauen (Wichert) *II,*
719; II, 670
Heinrichs IV. von Frankreich, Der
Roman (Mann, H.) *II, 432;* II, 395
Heirat (Walschap) X, 357
Heiraten (Strindberg) VIII, 124
Heiße Küste (Duras) IX, 72
– Leben, Das (Streuvels) VII, 353
Heißen Tage von Sewastopol, Die
(Sergejew-Zenskij) XII, 318
Heißer Tag, Ein (Caldwell, E.) XI, 47
Heiterethei, Die (Ludwig) *II, 423;*
II, 383
Heizer, Der (Kafka) IV, 403
Held, Der (Kidde) XII, 21
– auf dem Rücken des Esels, Der
(Bulatović) XIV, 446
– im Schatten, Der (Bröger) III, 118
– unserer Zeit, Ein (Lermontow)
VIII, 215
Heldentod (Aldington) X, 4
Helene's Kinderchen (Habberton)
VII, 262
Helianth (Schaeffer) V, 738
Heliopolis (Jünger, E.) IV, 388
Hellas-Trilogie (Helwig) IV, 310
Helle Nächte (Dostojewski) VIII,
152
– – (Gudmundsson) XII, 37
Heller Tag (Priestley) X, 206
Helles Ufer (Panowa) XII, 292
Hellmann, Die Familie (Huch, Rud.)
I, 317; I, 283
Hellseher, Der (Lie) VIII, 92
Helmpergers denkwürdiges Jahr
(Handel-Mazzetti) *I, 213;* I, 187
Hely, Michael (Karrillon) *I, 341;*
I, 305
Hempels Tochter, Frau (Berend)
I, 29; I, 23
Hengst Maestoso Austria (Lehmann,
A.-H.) IV, 518
– St. Mawr, Der (Lawrence, D. H.)
X, 126

Henker, Der (Lagerkvist) XII, 138
– – (Schaper) V, 745
Heptameron, Der (Margarethe von
Navarra) VI, 164
Herausforderung an Venus (Morgan)
X, 179
Herberge der Träume (Wilde) VII,
236
– in den Cevennen, Die (Chamson)
IX, 48
Herbst, Daphne (Kolb, A.) XIII, 209
Herbstblüte (Tavčar) VIII, 348
Herbststerne (Munier-W.) XIII, 271
Herdfeuer (Budak) XII, 410
Herein ohne anzuklopfen (Kreuder)
XIII, 213
Herkommer, Geschichte des Hauses
(Weismantel) V, 913
Herkules und Valiska (Buchholtz,
A. H.) *I, 60;* I, 51
Herkuliskus und Herkuladisla
(Buchholtz, A. H.) *I, 61;* I, 52
Herkun (Dessauer) XIII, 62
Herlishöfer und ihr Pfarrer, Die
(Knies) IV, 439
Hermelin in Tschernopol, Ein (Rez-
zori) XIII, 310
Herr auf Jalna, Der (Roche, M.)
X, 211
– aus San Francisco, Der (Bunin)
XII, 206
– der Fliegen (Golding, W. G.) X,
62
– Etatsrat, Der (Storm) *II, 654;*
II, 606
– Fridolin und sein Glück (Saar) *II,*
546; II, 491
– G. A. in X. (Déry) XIV, 430
– Gilhooley (O'Flaherty) X, 191
– Haidvogel (Hebbel) I, 211
– Kortüm, Der (Kluge) IV, 429
– Lorenz Stark (Engel, J. J.) *I, 93;*
I, 82
– Ober, Der (Fechter) III, 194

– Prochartschin (Dostojewski) VIII, 168
– seines Leibes, Der (Kolar) XII, 413
– Teste (Valéry) VI, 247
– Theodor Mundstock (Fuks) XIV, 423
– Tourel (Walter) XIII, 389
– über Leben und Tod (Zuckmayer) V, 978
– und Knecht (Tolstoj, L. N.) VIII, 279
– von Baravore, Der (Stuart) X, 234
– – Lourdines (Chateaubriant) VI, 40
Herren der Erde, Die (Beheim-Sch.) III, 30
– Golowljow, Die (Saltykow-Schtschedrin) VIII, 252
–, Knechte, Frauen (Ammers-Küller) X, 282
– ohne Heer (Vegesack) XIII, 381
– und Knechte (Leskow) XIV, 388
– von Hermiston, Die (Stevenson) VII, 204
Herrenhaus, Das (Galsworthy) VII, 106
Herrenhofsage, Eine (Lagerlöf) VIII, 110
Herrenrasse (León y Román) IX, 353
Herrensohn, Der (Supper) II, 674; II, 627
Herrgottswiege, Die (Geissler) I, 168
Herrica, der Vagant (Walpole) X, 244
Herrmann und Ulrike (Wezel) II, 665
Herrn Arnes Schatz (Lagerlöf) VIII, 113
– Brechers Fiasko (Kessel) XIII, 190
– Dames Aufzeichnungen (Reventlow) II, 474

– Johann Jakob R's, Bürgers zu Genf, Aemil, oder Von der Erziehung (Rousseau) VI, 220
– Schmidt sein Dackel Haidjer (Nelissen-H.) V, 635
– von Montesquiou Persianische Briefe, Des (Montesquieu) VI, 183
Herrscher auf Skalholt, Der (Kamban) XII, 44
Herz (Amicis) VI, 289
– aller Dinge, Das (Giertz) XII, 123
– – –, Das (Greene) X, 75
– auf dem Meer (Oever) X, 330
– der Familie, Das (Goudge) X, 64
– – Welt (Braun, H.) III, 95
– des Hais, Das (Becher, U.) XIII, 22
– in der Brandung (Jong) X, 319
– ist ein einsamer Jäger, Das (Mac Cullers) XI, 197
– – Trumpf (Holm) I, 267
– – wach, Das (Kennicott) IV, 408
– unmodern (Cocteau) IX, 52
– von Jade, Das (Madariaga y Rojo) IX, 355
– – London, Das (Dickens, M. E.) XIV, 185
– – Midlothian, Das (Scott) VII, 169
–, wo liegst Du im Quartier? (Heynicke) IV, 323
Herzog (Bellow) XIV, 253
– Sterngucker (Kutzleb) IV, 494
Herzogin von Palliano, Die (Stendhal) VI, 241
Herzogs Kornett, Des (Vollmer) V, 895
Hesperus (Jean Paul) I, 321; I, 288
Hetmannssünden (Kraszewski) VIII, 313
Heuschrecken kommen, Die (Garnett) X, 58
Heute in vierzehn Tagen (Crottet) IX, 58
Hexe, Die (Orzeszkowa) VIII, 315

Hexendorn, Der (Park) X, 197
Hexenfieber (Bernus) III, 51
Hexenprediger, Der (Hoffmann, H.)
    I, 296
Hjelde, Frau (Undset) XII, 105
Hier bin ich, mein Vater (Torberg)
    XIII, 368
– hast du dein Leben (Johnson, E.)
    XII, 132
Higgins, Jimmie (Sinclair) XI, 287
Hilda (Bennett) VII, 11
Hilde (Vries, A.) X, 353
Hildebrand, Meister Martin (Riehl)
    II, 533; II, 475
Hilligenlei (Frenssen) I, 142; I, 127
Himmel bin ich auserkoren, Dem
    (Wilder) XI, 348
– ist rot, Der (Berto) IX, 268
– über der Wüste (Bowles) XI, 18
– und Erde (Coccioli) IX, 280
– war unten, Der (Hartung) IV, 297
Himmelfahrt (Bahr) I, 21; I, 18
Himmelsleiter, Die (Virza) XII, 194
Himmelsreiter, Der (La Varende)
    IX, 134
Himmelsvolk (Bonsels) I, 40; III, 85
Himmerlandsgeschichten (Jensen, J.
    V.) VIII, 39
Himp, Jan, und die kleine Brise
    (Leip) IV, 526
... hinab gen Jericho (Wilk) XIII,
    403
Hinkende Teufel, Der (Lesage) VI,
    153
Hinnik Seehund (Kinau, R.) IV, 417
Hinter den Linien (Schaper) V, 749
– der Gartentür (Isemann) IV, 384
– – grünen Tür (Henry) XIV, 279
– Gottes Rücken (Müller, B.) IV,
    602
– jenen Bergen (Wolfe) XI, 362
– Pflug und Schraubstock (Eyth)
    I, 99; I, 91
Hiob (Roth, J.) XIII, 316

Hipsche Tragedia von zwaien lieb-
    habenden mentschen ..., Ain VI,
    351
Hirten vom Aspromonte, Die (Al-
    varo) IX, 263
Hirtennovelle (Wiechert) V, 942
Historie von der schönen Lau
    (Mörike) II, 473; II, 430
– von Poliarchus und Argenis (Barc-
    lay) VII, 7
Historische Miniaturen (Strindberg)
    VIII, 131
Hochmütigen, Die (Romains) IX,
    217
Hochseefischer (Frank, W.) III, 224
Hochstapler Felix Krull (Mann, Th.)
    II, 410
Hochstraßers Haus, Lukas (Zahn)
    II, 741; II, 690
Hochwald, Der (Stifter) II, 625;
    II, 572
Hochwürdige Herr Kanonikus, Der
    (Tetmajer) XII, 367
Hochzeit, Die (Ernst, P.) I, 84; III,
    181
– – (Welty) XIV, 328
– !Hochzeit! (Ulitz) V, 879
– auf Buchenhorst, Die (Haupt-
    mann, G.) I, 234; I, 208
– der Aufrührer, Die (Lehmann, W.)
    IV, 522
– – Feinde, Die (Andres) III, 8
– – sieben Zigeuner, Die (Doolaard)
    X, 303
– des Herrn von Noszty, Die (Miks-
    záth) VIII, 344
– – Imbra Futač, Die (Kolar) XII,
    414
– – Mönches, Die (Meyer, C. F.)
    II, 457; II, 420
– in Atomweiler (Mrozek) XIV, 415
– ohne Bräutigam (Rogge) V, 717
Hochzeitsglocken (Jammes, F.) VI,
    144

Hochzeitsreise, Die (Coster) VI, 52
- - (Spoerl, H.) V, 821
- im Baschkirenland (Hubatius-H.)
  XIII, 159
Hochzeitsvorbereitungen auf dem
  Lande (Kafka) XIII, 178
Höchst vergnügliche Geschichte von
  John Winchcombe, Die (Deloney)
  VII, 57
Höhenflug, Der (Iwaskiewicz) XII,
  353
Höhle, Die (Colliander) XIV, 358
Hölle, wo ist dein Sieg? (Field) XI,
  116
Höllenfahrt (Tolstoi, A. N.) XII, 325
Hölzernen Kreuze, Die (Dorgelès)
  IX, 62
Hör uns, O Herr, der Du im Himmel
  wohnst (Lowry) XIV, 206
Hof am Brink, Der (Strauß und
  Torney) II, 666; II, 618
- der drei Könige, Der (Boschvogel)
  X, 287
- - schönen Mädchen, Der (Speyer)
  V, 817
- Gilje (Lie) VIII, 92
- Théotime, Der (Bosco) IX, 31
Hoffnung, Die (Malraux) IX, 143
Hoffnungslose Geschlechter (Bang)
  VIII, 21
Hohe Düne (Gevers) IX, 88
- Schein, Der (Ganghofer) I, 165
- Ziel, Das (Dos Passos) XI, 74
Holdenrieth, Dora (Bertololy) III, 51
Holgersson, Nils, Abenteuer des
  kleinen (Lagerlöf) VIII, 115
Hollands Glorie (Hartog) X, 311
Hollunder, Phosphorus (François)
  I, 126
Holm, Vera (Heiseler, B.) IV, 308
Holzschiff, Das (Jahnn) IV, 364
Homo Faber (Frisch) XIII, 106
- sapiens (Przybyszewski) XII, 365
- sum (Ebers) I, 77; I, 70

Honigsauger, Der (Ruark) XIV, 314
Horacker (Raabe) II, 505; II, 455
Horla, Der (Maupassant) VI, 176
Horn von Wanza, Das (Raabe) II,
  506; II, 459
Hornblower, Horatio (Forester) X,
  46
- wird Kommandant (Forester) X,
  46
Hornunger Heimweh, Das (Bergen-
  gruen) III, 49
Horstmann, Ingenieur (Hegeler) I,
  245; I, 217
Hortense (Flake) III, 206
Hosen des Herrn von Bredow, Die
  (Alexis) I, 1; I, 2
Hotel du Nord, Paris (Dabit) IX,
  59
- in Kastilien, Das (Klipstein) IV,
  429
- Splendid (Bemelmans) XI, 13
Hotelzimmer, Das (Colette) XIV, 22
Houtekict, Jan (Walschap) X, 358
Howards End (Forster) X, 51
Hoyer, Hein (Blunck) III, 76
Hubertus (Keller, P.) I, 366
Huckleberry Finns Abenteuer und
  Fahrten (Twain) VII, 325
Hudsons wunderbare Macht, Dr.
  (Douglas) XI, 75
Hügel, Der (Giono) IX, 90
Hühnchen, Leberecht (Seidel, H.)
  II, 592; II, 538
Hülenbauer, Der (Reyhing) V, 707
Hüter des Hauses, Die (Grau) XIV,
  275
Hufeisen-Robinson (Kennedy) VII,
  283
Hulot, Die Ferien des Monsieur
  (Carrière) XIV, 12
Humoresken und Satiren (Piran-
  dello) XIV, 118
Humoristische Erzählungen und
  Skizzen (Thackeray) VII, 217

Humphry Clinker's Reisen (Smollet) VII, 186
Hund, Der (Turgenjew) VIII, 302
– von Baskerville, Der (Doyle) VII, 85
Hundeblume, Die (Borchert) III, 88
Hundejahre (Grass) XIII, 120
100 alten Erzählungen, Die (Novellino) VI, 313
100%. Hundert Prozent (Sinclair) XI, 288
Hundert alten Novellen, Die (Novellino) VI, 313
– Jahre sind wie ein Tag (Beumelburg) III, 60
Hundertjährige, Der (Obaldia) XIV, 64
Hundertmark, Piddl (Scharrelmann) II, 562; II, 505
Hundsköpfe, Die (Jirásek) XIV, 425
Hunger (Hamsun, K.) VIII, 64
Hungerkünstler, Ein (Kafka) IV, 403; XIII, 178
Hungerpastor, Der (Raabe) II, 507; II, 449
Hurrikan (Nordhoff-Hall) XI, 224
– im Karibischen Meer (Hughes) X, 93
Husar auf dem Dach, Der (Giono) IX, 100
Huyck's, Die Abenteuer Ferdinand (Lennep) VII, 346
Hypatia oder Neue Feinde mit altem Gesicht (Kingsley) VII, 127
Hyperion (Hölderlin) I, 281; I, 248

Ja, damals ... (Hueck-D.) XIII, 160
Jackson, Wesley's Abenteuer (Saroyan) XI, 269
Jacoby, Henriette (Hermann, G.) I, 252; I, 222
Jacopo Sannazaros Arcadia (Sannazaro) VI, 318

Jäger von Fall, Der (Ganghofer) I, 161
Järfschopp, De (Wibbelt) II, 669
Jagd im Nebel (Greene) X, 73
– nach Liebe, Die (Mann, H.) II, 427; II, 389
Jagdbeute, Die (Zola) VI, 265
Jagdglück (Faulkner) XI, 107
Jagerloisl, Der (Thoma) II, 633
Jahr achtzehn, Das (Tolstoi, A. N.) XII, 325
– der schönen Täuschungen, Das (Carossa) III, 133
– des Gärtners, Das (Čapek) XII, 371
– – Herrn, Das (Waggerl) V, 899
– in Dijon, Das (Mayer, K. A.) IV, 564
– rollt übers Gebirge, Ein (Linke) IV, 539
– um Jahr (Hilton) X, 90
Jahre (Haavikko) XIV, 370
–, Die (Woolf, V.) X, 267
– der Hoffnung (Snow) XIV, 234
–, die gleich Wolken wandern (Keller, P. A.) XIII, 189
Jahrgang 1902 (Glaeser) III, 247
Jahrhundertmitte (Dos Passos) XIV, 262
Jahrmarkt der Eitelkeit (Thackeray) VII, 210
– des Lebens, Der (Thackeray) VII, 210
– von Sorotschintzy, Der (Gogol) VIII, 173
Jakob der letzte (Rosegger) II, 543; II, 484
– und die Sehnsucht (Schroers) XIII, 339
– und sein Herr (Diderot) VI, 63
Jakobus und die Frauen (Ginzkey) I, 176; I, 153
Jalousie, Die, oder die Eifersucht (Robbe-Grillet) XIV, 76

James Brodie, der Hutmacher und sein Schloß (Cronin) X, 21

Jan Himp und die kleine Brise (Leip) IV, 526

– Lobel aus Warschau (Rinser) V, 713

Jane (Maugham) XIV, 213

– Eyre, die Waise von Lowood (Brontë, Ch.) VII, 14

Ibrahims oder des durchlauchtigen Bassa Und der beständigen Isabellen Wunder-Geschichte (Scudéry) VI, 229

Ich, Claudius, Kaiser und Gott (Graves-Ranke) X, 66

– denke oft an Piroschka (Hartung) XIII, 136

–, der König (Kesten) IV, 411

–, der Unterzeichnete (Volponi) XIV, 129

– hab dich lieb, Mama (Saroyan) XI, 274

– heiße Aram (Saroyan) XI, 267

– – nicht Robertino (Magiera) XIII, 251

– klopfe an (O'Casey) XIV, 217

– komme nicht zum Abendessen (Lyttkens) XII, 143

– lebe unter einer schwarzen Sonne (Sitwell) X, 226

– stürzte aus der Ewigkeit (Salvador) IX, 366

– suchte Adam (Wendt, H.) V, 922

– war Jack Mortimer (Lernet-H.) IV, 534

– zähmte die Wölfin (Yourcenar) XIV, 95

Ida Elisabeth (Undset) XII, 109

Iden des März, Die (Wilder) XI, 349

Idiot, Der (Dostojewski) VIII, 161

Idolino (Penzoldt) V, 670

Jean und Jeannette (Gautier) VI, 101

Jeder Stern auf seiner Bahn (Stegner) XIV, 320

– stirbt für sich allein (Fallada) III, 186

– zahlt für seine Schuld (Mergendahl) XIV, 299

Jefta und seine Tochter (Feuchtwanger) XIII, 94

Jekyll, Doktor, und Herr Hyde (Stevenson) VII, 196

Jena oder Sedan? (Beyerlein) *I, 31;* I, 26

Jenatsch, Jürg (Meyer, C. F.) *II, 459;* II, 414

Jenny (Undset) XIV, 356

– und Melchior (Sand) VI, 224

Jenseits (Galsworthy) VII, 108

– der Berge oder Merkw. Reise ins Land Aipotu (Butler) VII, 23

– – Schleuse (Klose) XIII, 200

– des schweigenden Sterns (Lewis, C. St.) X, 134

– von Eden (Steinbeck) XI, 314

Jeremias – Höret die Stimme (Werfel) XIII, 395

Jeremy (Walpole) X, 242

Jermola der Töpfer (Kraszewski) VIII, 314

Jérôme liebt auf 60° nördlicher Breite (Bedel) IX, 21

Jerominkinder, Die (Wiechert) V, 944

Jerry der Insulaner (London) VII, 300

Jerusalem (Lagerlöf) VIII, 111

Jesse und Maria (Handel-Mazzetti) *I, 214;* I, 188

Jesuit, Der (Spindler) *II, 610*

Jesup, Claus (Enking) *I, 95*

Jesus Christus in Flandern (Balzac) VI, 14

Jesuskind in Flandern, Das (Timmermans) X, 340

Jettatura (Gautier) VI, 102

Jetzt und früher (Rolin) XIV, 79

Ifinger, Hermann (Wilbrandt) II, 677

Ihr erster Ball (Mansfield) X, 147

- Gatte (Verga) VI, 322
- werdet den Himmel offen sehen (Cesbron) IX, 48

Jiménez, Pepita (Valera) VI, 404

Illing, Weg der Anna (Merker) IV, 575

Illusionen (Rehmann) XIII, 304

Im Anbruch der Tage (Bunin) XII, 207

- Bauch von Paris (Zola) VI, 265
- Bereich einer Nacht (Cayrol) XIV, 14
- Dickicht des Pelion (Helwig) IV, 311
- Dschungel (Kipling) VII, 133
- Dutzend billiger (Gilbreth) XI, 124
- fernsten Land (Goyen) XI, 132
- Gottesland (Andersen-Nexö) VIII, 20
- Haus zum Seidenbaum (Ertl) I, 88
- Himmel weint man nicht (Wharton) XI, 342
- Jahre 2000. Ein Rückblick auf das Jahr 1887 (Bellamy) VII, 248
- Korallenmeer (Michener) XI, 210
- Kreis der Familie (Maurois) IX, 159
- Lande der gelben Brombeeren (Lidman) XIV, 366
- letzten D-Zugswagen (Schäfer, W.) II, 496; V, 738
- - Westen (Heye) IV, 322
- Licht der Gnade (Gullvaag) XII, 85
- Malstrom (Przybyszewski) XII, 365
- Paradiese (Heyse) *I, 274*
- Presselschen Gartenhaus (Hesse, H.) *I, 266;* I, 231

- Rettungsboot (Crane) VII, 260
- Schatten der Anden (Quiroga, C. B.) IX, 361
- - der goldenen Berge (Stewart) XI, 319
- - der Piera Alta (Betti) IX, 269
- - der Titanen (Braun, L.) *I, 54;* I, 45
- - des Elefanten (Vittorini) IX, 317
- - des Königs (Haluschka) IV, 290
- - des Schicksals (Mühlberger) IV, 600
- - junger Mädchenblüte (Proust) IX, 195
- - Shakespeares (Stucken) XIII, 358
- Schlaraffenland (Mann, H.) *II, 437;* II, 386
- Spiegel dieser Nacht (Lowrey) XI, 196
- Strom der frühen Jahre (Druten) X, 35
- - der Gezeiten (Forbes) XI, 123
- Sturm Geborenen, Die (Ostrowskij) XII, 289
- Sturmschritt vorwärts! (Katajew) XII, 271
- Taifun (Conrad) VII, 43
- Tal der donnernden Hufe (Böll) XIII, 41
- - der Reben (Packer) XIV, 225
- - von San Gabriel (Ribeyro) XIV, 163
- Teufelsmoor (Westkirch) *II, 717*
- Titanenkampf (Molo) IV, 593
- Troß der Reiter (Gierer) III, 244
- vergessenen Fort (Buzzati) IX, 272
- vierzigsten Stock (Durtain) IX, 73
- Vorübergehn (Radecki) XIII, 299
- Westen nichts Neues (Remarque) V, 700

– Wirbel des Malstroms (Poe) XIV, 308
– Wolgaland (Ponten) V, 684
– Zeichen der Schlange (Hobart) XI, 158
– – des Hammers (Falkberget) XII, 76
– – Jörds (Gunnarsson) XII, 42
– Zuge des Lebens (Maurina) XII, 177
– Zwielicht (Rodenbach) VI, 211
Imago (Spitteler) *II, 614;* II, 553
Imán. Kampf um Marokko (Sender) IX, 367
Immensee (Storm) *II, 655;* II, 597
Immer wehte der Wind (Dickens, M.) X, 34
Immoralist, Der (Gide) VI, 105
Improvisator, Der (Andersen) VIII, 4
In achtzig Tagen um die Erde (Verne) VI, 253
– den Augen der Gesellschaft (Green, J.) XIV, 41
– – Jagdgründen der Tungusen (Velter) V, 889
– – Schnee geschrieben (Robinson) XI, 258
– – Schützengräben von Stalingrad (Nekrassow) XII, 282
– – Schuhen des Fischers (West, M. L.) XIV, 329
– – Wäldern des Nordens (London) VII, 285
– der Finsternis wohnen die Adler (Markusson) XII, 94
– – Gewalt der Dinge (Lauber) XIII, 227
– – großen Drift (Krämer-B.) IV, 462
– – Nacht (Korolenko) VIII, 206
– – Steinwüste (Wast) IX, 372
– – Strafkolonie (Kafka) IV, 403; XIII, 178
– diesem Land (Knowles) XIV, 292
– doppelten Banden (Régnier) VI, 204
– einem andern Land (Hemingway) XI, 140
– – großen Haus (Caldwell, T.) XIV, 257
– – Monat, in einem Jahr (Sagan) XIV, 83
– Fesseln (Galsworthy) VII, 100
– – – frei (Lilienfein) IV, 538
– fremder Sache (Schroers) XIII, 341
– geheimer Mission durch die Wüste Gobi (Mühlenweg) IV, 601
– Mindy's Restaurant (Runyon) XI, 261
– Purpur geboren (Passuth) XIV, 439
– Reih und Glied (Spielhagen) *II, 607*
– Sankt Jürgen (Storm) *II, 658;* II, 599
– Stahlgewittern (Jünger, E.) IV, 385
– Swanns Welt (Proust) IX, 195
– Wüste und Wildnis (Sienkiewicz) VIII, 327
Incognito durch Frankreich und Paris (Bemelmans) XI, 14
Indergand, Albin (Zahn) *II, 742;* II, 690
Indiana (Sand) VI, 222
Indianerlager (Hemingway) XI, 143
Indien (Forster) X, 52
Indio, El (López y Fuentes) IX, 354
Indizien (Gombrowicz) XIV, 411
Indrek (Tammsaare) XII, 190
Inferno-Legenden (Strindberg) VIII, 125
Ingeborg (Kellermann) *I, 368*
Ingenieur Horstmann (Hegeler) *I, 245;* I, 217
Ingo und Ingraban (Freytag) *I, 147;* I, 134

Inkognito (Dumitriu) XIV, 462
Innocencia (Taunay) VI, 398
Innocens (Saar) *II, 546;* II, 488
Inquisitorium (Pinget) XIV, 69
Insel, Die (Merle) XIV, 58
– – (Ponten) V, 690
– der Circe, Die (Neumann, R.) V, 645
– – Göttin, Die (Blond) IX, 29
– – großen Mutter, Die (Hauptmann, G.) *I, 234;* I, 206
– – Leidenschaft (Tecchi) XIV, 123
– – Pinguine, Die (France) VI, 94
– des zweiten Gesichts, Die (Thelen) XIII, 362
– Felsenburg (Schnabel) *II, 574;* II, 520
– und Ich, Die (Mac Donald) XI, 202
Inselbauern, Die (Strindberg) VIII, 122
Inselheimat (Bruijn) X, 292
– (O'Sullivan) X, 195
Inselmeer, Das (Strindberg) VIII, 123
Inselnächte (Stevenson) VII, 202
Inselzauber (Goudge) X, 63
Inseln der Torheit, Die (Graves-Ranke) X, 69
Interview mit dem Tode (Nossack) V, 650
– mit einem Stern (Schnabel, E.) V, 765
Invalide auf Fort Ratonneau, Der tolle (Arnim) *I, 13;* I, 13
Jochrauten (Pichler) *II, 493*
Jody and Flag (Rawlings) XI, 245
Joggeli, Der (Speck) *II, 599;* II, 545
Johann Christof. Die Geschichte einer Generation (Rolland) VI, 211
Johannes (Falkberget) XII, 80
– (Schaffner) *II, 555;* II, 501
– der Wanderer (Eeden) VII, 343
– -Zyklus (Schaffner) *II, 555;* II, 501

Johannisnacht, Die (Gogol) VIII, 173
Johnny reitet (Forbes) XI, 122
Johnson, Mister (Cary) X, 14
Jonas, Thomas, Geschichte eines Findelkindes (Fielding) VII, 97
Jonathan Wild der Große (Fielding) VII, 96
Jones, Tom, Geschichte des (Fielding) VII, 97
Jons und Erdme (Sudermann) *II, 670;* II, 624
Josef sucht die Freiheit (Kesten) XIII, 192
Josefine, die Sängerin (Kafka) IV, 403; XIII, 179
Joseph und seine Brüder (Mann, Th.) II, 406
Josephus-Trilogie (Feuchtwanger) XIII, 93
Jowäger, Anne Bäbi (Gotthelf) *I, 184;* I, 164
Ippolita (Denti di Pirajno) XIV, 104
Irene (Icaza) IX, 350
Irgendwo in Tibet (Hilton) X, 88
Irisches Tagebuch (Böll) XIII, 38
Irland schweigt (Macken) XIV, 207
Irmela (Steinhausen) *II, 616*
Irrenarzt, Der (Machado de Assis) VI, 384
Irrgarten der Liebe herumtaumelnde Cavalier, Der im (Schnabel) *II, 574;* II, 521
Irrlicht, Das (Lange, H.) XIII, 224
Irrungen–Wirrungen (Fontane) *I, 119;* I, 111
Isabella von Ägypten (Arnim) *I, 14;* I, 11
Isabelle (Gide) VI, 108
Isar rauscht, Was die (Conrad, M. G.) *I, 65;* I, 61
Isebies (Böhlau) *I, 43*
Iskander (Gurk) III, 280
Island! Island! (Germonprez) X, 309

Islandfischer (Loti) VI, 157

Islandglocke (Laxness) XII, 51

Italienische Erzählungen (Kurz, I.) I, 358; IV, 487

Italienische Novellen u. Chroniken (Stendhal) XIV, 88

Itamar, Der Geheilte von Gerasa (Bacchelli) IX, 266

Juan in Amerika (Linklater) X, 137

Jubels große Kinder (Kaufman) XI, 168

Jud Süß (Feuchtwanger) III, 197

– – (Hauff) *I, 229;* I, 199

Juda der Unberühmte (Hardy) VII, 122

Judas (Gurk) III, 281

Judashof, Der (Strauß und Torney) *II, 666;* II, 620

Jude, Der (Spindler) *II, 611*

Juden von Zirndorf, Die (Wassermann) *II, 710;* II, 654

Judenbuche, Die (Droste-Hülshoff) *I, 75;* I, 68

Judith die Kluswirtin (François) *I, 126*

Jüdische Krieg, Der (Feuchtwanger) XIII, 93

Jüngere Bruder, Der (Nossack) XIII, 286

Jüngling im Sternenmantel, Der (Bäumer) III, 14

Jünglinge, Die (Kramp) IV, 467

Jünglingszeit des Johannes Schattenhold, Die (Schaffner) *II, 556;* 502 II,

Jüngste Goldgräber von Calaveras, Der (Harte) VII, 264

– Tag, Der (Strauß und Torney) *II, 668;* II, 620

Jürgen (Cabell) XI, 43

Jugend (Conrad) VII, 42

– im Nebel (Brod) XIII, 55

– ohne Stern (Hesse, M. R.) IV, 317

Jugendbildnis (Joyce) X, 108

Jugendjahre im Dschungel (Mukerdschi) X, 181

Jugendleben und Träume eines italienischen Dichters (Andersen) VIII, 4

Jugendzeit (Tolstoj, L. N.) VIII, VIII, 262

Jules und Henry oder die Schule des Herzens (Flaubert) VI, 88

Juli (Tarassow-Rodionow) XII, 324

Julian (Vidal) XIV, 327

– der Abtrünnige (Dahn) *I, 70*

Julie oder die neue Heloise (Rousseau) VI, 219

Julietta (Vilmorin) IX, 258

Juliette im Lande der Männer (Giraudoux) IX, 104

Julius II. (Gobineau) VI, 122

Jung-Archimedes (Huxley) X, 94

Junge Europa, Das (Laube) *II, 405;* II, 367

– Frau Amable, Die (Vailland) XIV, 91

– – von 1914 (Zweig, A.) V, 981

– Freunde (Tecchi) XIV, 123

– Garde, Die (Fadejew) XII, 250

– Herr Alexius, Der (Rombach) V, 718

– – Vidal, Der (Salvador) XIV, 165

– Hornblower, Der (Forester) X, 46

– Liebe (Romains) IX, 217

– Menschen (Alcott) VII, 245

– Monthiver, Der (Flake) III, 204

– Mutter Randi (Gast) III, 238

– Savoyarde, Der (Ramuz) IX, 210

– Sibirierin, Die (Maistre) VI, 161

– Theophil, Der (Jouhandeau) IX, 121

– und das Meer, Der (Dubow) XIV, 380

– Weib, Das (Dostojewski) VIII, 169

Jungen der Paulstraße, Die (Molnár) XII, 392

Jungen Löwen, Die (Shaw, I.) XI, 278
– Mädchen, Die (Montherlant) IX, 173
Junger Mond (Pavese) IX, 296
Jungfrau auf Skalholt, Die (Kamban) XII, 44
Junggesellen, Die (Montherlant) IX, 172
Junggesellenliebe (Aho) VIII, 136
Jungvolk (Bregendahl) XII, 7
Juniperus (Scheffel) *II, 565;* II, 511
Junker von Ballantrae, Der (Stevenson) VII, 201
Jurenito, Julio, Die ungewöhnlichen Abenteuer des (Ehrenburg) XII, 241
Jury, Rieke (Zerna) XIII, 408
Justine (Durrell) X, 40; XIV, 187
– (Sade) XIV, 81
Juvi die Lappin (Hagerup-Vassvik) XII, 87
Juwelenschmuck der Königin, Der (Almquist) VIII, 97
Juwikinger, Die (Duun) XII, 66
Juyungo (Ortiz) IX, 357
Ivalu (Freuchen) XII, 16
Ivanhoe (Scott) VII, 171
Iwan der Schreckliche (Tolstoj, A. K.) VIII, 259

Kaas (Elsschot) X, 305
Kabbala der Liebe (Hutchins) XIV, 283
Kadetten, Die (Salomon) V, 728
Kadettenkloster, Das (Leskow) VIII, 225
Kämpfende Kräfte (Hamsun, K.) VIII, 73; 85
Kämpfer, Der (Hemingway) XI, 143
Kämpfer, Gottfried (Krüger) *I, 394;* I, 350
Kärrekiek (Lauff) *II, 411;* II, 369
Käuze und Schelme (Winnig) V, 960

Kaff auch Mare Crisium (Schmidt, A.) XIII, 332
Kahn der fröhlichen Leute, Der (Klepper) IV, 424
Kaid von Santarem, Der (Herculano) VI, 377
Kain, der Schuhmacher (Gullvaag) XII, 85
Kaiser und Herzog (Beumelburg) III, 63
– Otto III., Der (Benrath) III, 40
Kaiserin Galla Placidia, Die (Benrath) III, 37
– Konstanze, Die (Benrath) III, 39
– Theophano, Die (Benrath) III, 38
– und der Rebell, Die (Forsch) XII, 254
Kaiserliche Botschaft, Eine (Kafka) XIII, 178
– Venus (Maass, E.) IV, 552
Kaiserreich, Das (Mann, H.) *II, 428;* II, 395
– (Neumann, A.) XIII, 277
Kaisers Geburtstag (Hillard) XIII, 148
– Kulis, Des (Plievier) V, 677
Kajütenbuch, Das (Sealsfield) *II, 587;* II, 536
Kakao (Amado) IX, 323
Kalamake, der Zauberer (Stevenson) VII, 203
Kalendergeschichten (Brecht) XIII, 49
– (Graf) III, 266
Kalesche, Die (Gogol) VIII, 178
Kalif Vathek (Beckford) VII, 8
Kalifornische Abenteuer (Harte) XIV, 275
– Erzählungen (Harte) VII, 264; XIV, 275
– Novellen (Harte) VII, 264
– Sinfonie (Bristow) XI, 22
Kalkstein (Stifter) *II, 625;* II, 582
Kallista (Newman) VII, 157

Kaltblütig (Capote) XIV, 258
Kalte Sonne, Die (Cayrol) XIV, 16
Kameliendame, Die (Dumas Sohn) VI, 71
Kamerad Fleming (Paquet) V, 664
Kamingeschichten (Blixen) X, 9
Kammacher, Die drei gerechten (Keller, G.) *I, 349;* I, 311
Kampf der Tertia, Der (Speyer) V, 816
– des Lebens, Der (Dickens) VII, 65
– mit dem Engel (Giraudoux) IX, 106
– um die Cheopspyramide (Eyth) *I, 98;* I, 92
– – die Wahrheit (Brod) III, 114
– – Millionen (Norris) VII, 318
– – Neuyork (Blunck) III, 78
– – Odilienberg (Ebermayer) III, 166
– – Rom, Ein (Dahn) *I, 72;* I, 64
– ums Leben (Hansen) XII, 91
– – Matterhorn, Der (Haensel) IV, 285
– – Recht, Ein (Franzos) *I, 133;* I, 122
– und Reife (Schaffner) *II, 559;* II, 504
Kampfbereite, Die (Leskow) VIII, 218
Kampfnatur, Die (Leskow) VIII, 218
Kandelaber, Der (Gregor-Dellin) XIII, 122
Kandidat, Der (Ihlenfeld) XIII, 168
Kanone, Die (Forester) X, 44
Kanther-Kinder, Die (Papendick) V, 662
Kanzler von Tirol, Der (Schmid, H.) *II, 571;* II, 517
Kap, Das (Thomas) XIV, 89
Kapitän, Der (Forester) X, 46
– – (Hartog) X, 312
– Fracasse (Gautier) VI, 104

Kaputt (Malaparte) XIV, 108
Kapuzinergruft, Die (Roth, J.) V, 724
Karamasow, Die Brüder (Dostojewski) VIII, 165
Karawane der Sünder (Gálvez) IX, 339
Kardinal, Der (Robinson) XI, 258
– Retz (Schlumberger) IX, 243
Karenina, Anna (Tolstoj, L. N.) VIII, 273
Karge Erde (Ferreira de Castro) IX, 334
Kari der Elefant (Mukerdschi) X, 181
Karin von Schweden (Jensen, W.) *I, 327;* I, 294
Karins Liebe (Tammsaare) XII, 190
Karl der Zwölfte und seine Krieger (Heidenstam) VIII, 105
– und Anna (Frank, L.) III, 222
– – Rosa (Döblin) III, 154
Karlsbader Novelle (Kolbenheyer) IV, 458
Karnevalsfest auf Ischia (Kopisch) I, 342
Karriere (Du Maurier) XIV, 187
Kartause von Parma, Die (Stendhal) VI, 237
Karwoche, Die (Aragon) XIV, 2
Kasper Ohm un ick (Brinckman) *I, 58;* I, 50
Kastanienblüte, Die (Sade) XIV, 82
Kater Murrs Lebensansichten (Hoffmann, E. Th. A.) *I, 288;* I, 256
Katharina (Eich) III, 175
– (Heiseler, B.) IV, 309
– von Bora, Die Flucht der (Klepper) IV, 426
Kathedrale, Die (Huysmans) VI, 137
– – (Walpole) X, 243
Katinka, die Fliege (Eulenberg) I, 90
Katrin wird Soldat, Die (Thomas) V, 862

Katrina (Salminen) XII, 153
Kattenburg, Dietrich (Hesse, M. R.) IV, 316
Katz und Maus (Grass) XIII, 119
Katze, Die (Colette) VI, 47
Katzenbergers Badreise (Jean Paul) *I, 319;* I, 294
Katzenfracht (Bierce) XIV, 254
Katzenjunker, Der (François) *I, 128*
Katzensilber (Stifter) *II, 626;* II, 586
Katzensteg, Der (Sudermann) *II, 671;* II, 622
Kautschukzapfer, Die (Ferreira de Castro) IX, 333
Kein Name bei den Leuten (Cicellis) XII, 431
– Stern geht verloren (Farrell) XI, 94
Keiner kommt zu kurz oder Der Stundenlohn Gottes (Marshall) X, 153
Kellerraum, Der (Greene) X, 77
Kelles, Die von (Pantenius) II, 439
Kellner, Der (Schmeljow) XII, 227
Kelter Gottes, Die (Miller, A. M.) IV, 588
Kenilworth (Scott) VII, 172
Kentauer, Der (Guérin) VI, 126
Kentucky, große Weide (Roberts, E. M.) XI, 252
Kepler (Saile) V, 727
Kerker und Kirche (Stendhal) VI, 237
Kerkhoven, Thomas (Holm) I, 266
Kerkhovens dritte Existenz, Joseph (Wassermann) *II, 704;* II, 661
Kerzelmacher von Sankt Stephan, Der (Czibulka) III, 146
Kette, Die (Zweig, St.) V, 984
Kettenträger, Der (Cooper) VII, 257
Ketzer von Soana, Der (Hauptmann, G.) *I, 236;* I, 205
Keuschheitslegende (Binding) I, 31; III, 66

Kevelaer (Lauff) *II, 411*
Kid & Co. (London) VII, 297
Kies (König) XIII, 205
Kieselstein und ein Jahrtausend, Der (Hersey) XI, 153
Kikeriki oder Das Krähen des edlen Hahns Beneventano (Melville) VII, 312
Kim (Kipling) VII, 137
Kimmerische Fahrt (Warsinsky) XIII, 390
Kind befreit die Königin, Ein (Reisiger) XIII, 306
– des Torfmachers, Das (Griese) III, 268
– von Paris, Das (Neumann, A.) V, 643
Kinder aus Ohlsens Gang, Die (Falke) I, 93
– der Eifel (Viebig) *II, 689;* II, 642
– – Erde (Kuyle) X, 321
– – Finsternis, Die (Niebelschütz) XIII, 282
– – Nacht (Cocteau) IX, 54
– – Welt (Heyse) *I, 273;* I, 244
– – Zukunft (Andersen-Nexö) VIII, 7
– des Saturn, Die (Rehn) XIII, 306
– – Zorns, Die (Aakjaer) VIII, 3
– ihrer Zeit (Hamsun, K.) VIII, 73
– im grauen Stein (Korolenko) VIII, 208
– und andere Leute (Cozzens) XIV, 261
– von Gernika, Die (Kesten) XIII, 192
Kinderdieb, Der (Supervielle) IX, 245
Kinderkreuzzug (Hartlaub, F.) XIII, 133
–, Der (Wiechert) V, 937
Kinderlegende (Leitgeb) XIII, 234
Kindernovelle (Nabl) V, 627
Kinderseelen (Larbaud) IX, 131

Kindertränen (Wildenbruch) *II*, 725; II, 680
Kindheit (Lichnowsky) IV, 537
– (Tolstoj, L. N.) VIII, 261
– des Paracelsus, Die (Kolbenheyer) IV, 454
– und Verwandlungen einer Jugend, Eine (Carossa) III, 133
Kindlmutter, Die (Grengg) III, 267
King, der König der wilden Pferde (Balch) XI, 10
Kirch, Hans und Heinz (Storm) *II*, 655; II, 607
Kirche Notre-Dame zu Paris, Die (Hugo) VI, 131
Kirschen der Freiheit, Die (Andersch) XIII, 5
Klara oder der Roman eines jungen Mädchens aus der alten Zeit (Jammes, F.) VI, 138
Klarheit (Barbusse) IX, 12
Klasse für sich, Eine (Coward) XIV, 183
Kleewitter Vermächtnis (Kries) XIII, 215
Kleider machen Leute (Keller, G.) *I, 350;* I, 312
– ohne Leute (Gary) IX, 81
Klein Dorrit (Dickens) VII, 72
Kleine Arche, Die (Hartog) X, 315
– Bernhardine, Die (Jammes, F.) VI, 142
– Dämon, Der (Sologub) VIII, 255
– Dingsda, Der (Daudet) VI, 53
– Erzählungen und Skizzen (Multatuli) VII, 349
– Fabulatorium, Das (Beheim-Sch.) XIII, 25
– Fadette, Die (Sand) VI, 227
– Frauen oder Meg, Jo, Beth und Amy (Alcott) VII, 245
– Gedichte in Prosa (Baudelaire) VI, 26

– Geschichten aus den Bergen (Kipling) VII, 131
– Gott, Der (Ziesel) XIII, 409
– Grenzverkehr, Der (Kästner, Erich) IV, 399
– Großstadt, Die (Kreis) IV, 469
– Held, Der (Dostojewski) VIII, 153
– Herr Friedemann, Der (Mann, Th.) *II, 442;* II, 400
– Hinterzimmer, Das (Balchin) X, 5
– Insel Capri (Marceau) XIV, 52
– Johannes, Der (Eeden) VII, 342
– Jon, Der (Galsworthy) VII, 100
– Kaiser, Der (Hemeldonck) X, 317
– Lord, Der (Burnett) VII, 250
– – Fauntleroy, Der (Burnett) VII, 250
– Männer (Alcott) VII, 246
– Menschen in der großen Welt (Doolaard) X, 304
– Mouche (Gallico) X, 55
– Passion, Die (Wiechert) V, 938
– Peter, Der (France) VI, 96
– Prinz, Der (Saint-Exupéry) IX, 229
– Roque, Die (Maupassant) VI, 175
– Stadt, Die (Mann, H.) *II, 437;* II, 390
– –, – (Philippe) VI, 196
– Stall, Der (Diess) III, 149
– standhafte Katri (Nuoliwaara) XII, 178
– Tellervo, Die (Sillanpää) XII, 186
– Verhältnisse (Werfel) V, 933
– Wasserhuhn, Das (Roy) IX, 221
– Welt (Martin du Gard) VI, 169
– Wunder, Das (Gallico) X, 54
Kleinen Mädchen, Die (Bowen) XIV, 181
– Wasserkinder, Die (Kingsley) VII, 128
Kleiner Bruder (Waescha-Kwonnesin) XI, 330
– Erdenspiegel (Kölwel) IV, 448

Kleiner Erdenwurm (Penzoldt) V, 669
– Mann, großer Mann – alles vertauscht (Fallada) III, 188
– – in großer Welt (Panowa) XII, 293
– –, was nun? (Fallada) III, 187
Kleines Mädchen Hoffnung (Magiera) XIII, 252
– Volk (Alcott) VII, 246
Klein-Mette (Ring) XII, 98
Kleinrussische Landedelleute (Gogol) VIII, 174
Kleinseitner Geschichten (Neruda) VIII, 347
Kleinväterische Gutsbesitzer (Gogol) VIII, 174
Kleinwelt unserer Väter, Die (Fogazzaro) VI, 306
– unserer Zeit, Die (Fogazzaro) VI, 307
Klein-Zaches (Hoffmann, E. Th. A.) I, 294; I, 253
Klerisei, Die (Leskow) VIII, 219
Kletterstange, Die (Fechter) III, 192
Klinghammer, Pastor (Hegeler) I, 247
Klinkers Fahrten (Smollet) VII, 186
Kloster bei Sendomir, Das (Grillparzer) I, 194; I, 170
– und Herd (Reade) VII, 158
Klosterjäger, Der (Ganghofer) I, 161; I, 140
Klothilde (Isemann) IV, 382
Klüth, Hann (Engel, G.) I, 90; I, 81
Knabe im Brunnen, Der (Andres) XIII, 9
– und die Furien, Der (Rombi) IX, 300
– – die Wolke, Der (Heuschele) IV, 320
– Wlaß, Der (Dymow) XII, 210
Knaben und der Fluß, Die (Mühlberger) XIII, 266

Knabenjahre (Tolstoj, L. N.) VIII, 262
Knecht Jan (Streuvels) VII, 354
– Jernej, Der (Cankar) VIII, 333
Kneipp, Sebastian (Ortner) V, 661
Knight, Sebastian, Das wahre Leben des (Nabokov) XII, 212
Knulp (Hesse, H.) I, 265; I, 231
Kobold in der Flasche, Der (Stevenson) VII, 203
König, Markus (Freytag) I, 152; I, 138
König allein, Ein (Giono) IX, 97
– der Bernina, Der (Heer) I, 240; I, 214
– – Erdgeister, Der (Gogol) VIII, 175
– Haber (Neumann, A.) V, 642
– in Westfalen, Ein (Winckler) V, 955
– Kohle (Sinclair) XI, 286
– Lear aus dem Steppenland, Ein (Turgenjew) VIII, 304
„ ... – sein dagegen sehr!“ (Lewis, S.) XI, 185
– und Betteljunge (Twain) VII, 326
– – die Königin, Der (Sender) XIV, 166
– von Korfu, Der (Schulenburg) II, 532
– – Rothenburg, Der (Schreckenbach) II, 579; II, 526
Königin, Die (Mikeleitis) IV, 585
– der Meere (Langewiesche) IV, 502
– Juwelenschmuck, Der (Almquist) VIII, 97
– von Saba, Die (Hamsun, K.) VIII, 85
Königliche Hoheit (Mann, Th.) II, 442; II, 402
Königlicher Kaufmann, Ein (Boy-Ed) I, 49; I, 42
Königreich der Broomes, Das (Dane) XIV, 184

Königs Garten, Des (Turnbull) XIV, 323
– General, Des (Du Maurier) X, 38
– –, – (Forester) X, 46
– Troß, Des (Warren) XI, 334
Königshäuser, Die (Leutelt) II, 370
Königslegende (Preradovič) V, 692
Königsloge (Keyes) XI, 171
Königsweg, Der (Malraux) IX, 141
Kohlhaas, Michael (Kleist) *I, 377;* I, 335
Kohlköpfe und Könige (Henry) VII, 268
Kojote, Der (Aslagsson) XII, 57
Kolchis, Die (Paustowskij) XII, 296
Koldewey, Angela (Ewerbeck) III, 182
Kolonie Sidney (Nordhoff-Hall) XI, 225
Kolumbus, Christoph (Ghisalberti) IX, 283
– (Jensen, J. V.) VIII, 41
– vor der Landung (Belzner) XIII, 26
Komischer Roman (Scarron) VI, 228
Komme was kommen mag (Pritchett) X, 208
Kommodore, Der (Forester) X, 46
Kommune der Habenichtse, Die (Panferow) XII, 290
Komödiantengeschichten (Ernst, P.) I, 85; III, 182
Komödianten-Roman, Der (Scarron) VI, 228
Komödiantenschiff, Das (Ferber) XI, 113
Komödie der Ehe, Die (Geijerstam) VIII, 98
Kommt wieder, Menschenkinder (Ihlenfeld) XIII, 167
Kondor, Der (Stifter) *II, 627;* II, 568
Konformist, Der (Moravia) XIV, 112
Kongreß in Florenz (Iwaskiewicz) XII, 352

Konowalow (Gorki) VIII, 190
Konradin reitet (Gmelin) III, 256
Konradstein (Bertram) III, 52
Konsta (Huovinen) XII, 169
Konstanze, Die Kaiserin (Benrath) III, 39
– und Sophie oder Die alten Damen (Bennett) VII, 9
Kontrapunkt des Lebens (Huxley) X, 96
Konzessionen des Himmels, Die (Cramer) XIII, 58
Kopf, Der (Mann, H.) *II, 430;* II, 393
Korn (Mamin-Sibirjak) VIII, 231
Korporal Mombour (Penzoldt) V, 670
Kortüm, Der Herr (Kluge) IV, 429
Kosaken, Die (Tolstoj, L. N.) VIII, 266
Kosakenblut (Gogol) VIII, 174
Koshemjakin, Matwej (Gorki) VIII, 195
Kosmas oder Vom Berge des Nordens (Schmidt, A.) XIII, 332
Kosmopolis (Bourget) VI, 33
Kowalewsky, Sonja (Hofer) IV, 332
– – (Rachmanowa) XII, 218
Krafft von Illzach, Die (Stegemann) II, 556
Kraft deiner Tage, Die (Markusson) XII, 95
– und die Herrlichkeit, Die (Greene) X, 74
Kraft-Mayr, Der (Wolzogen, E.) *II, 736;* II, 687
Krakatit (Čapek) XII, 371
Krambambuli (Ebner-Eschenbach) *I, 83;* I, 72
Kranewittbrüder, Die (Stöger) XIII, 353
Kranich mit dem Stein, Der (Bauer, J. M.) XIII, 16
Kraniche, Die (Talvio) XII, 187

Krankenzimmer Nr. 6 (Tschechow)
VIII, 290
Krantz, Johannes (Nabl) V, 627
Kranz der Engel, Der (Le Fort) IV,
510
– edler Frauen, Ein (Hardy) VII, 121
Kreidestrich, Der (Eska) XIII, 87
Kreis, Der (Ring) XII, 97
Kreisphysikus, Der (Ebner-Eschen-
bach) I, 83; I, 72
Krespel, Rat (Hoffmann, E. Th. A.)
I, 287; I, 253
Kreutzersonate, Die (Tolstoj, L. N.)
VIII, 278
Kreuz, Das (Obstfelder) VIII, 94
– im Venn, Das (Viebig) II, 644
Kreuze in Karelien (Linna) XII, 174
Kreuzritter, Die (Sienkiewicz) VIII,
326
Kreuzweg der Ehe (Lacretelle) IX,
127
Kreuzwege (Jünger, F. G.) XIII,
175
Krieg (Renn) V, 705
– im Blut (Madariaga y Rojo) XIV,
157
– mit den Molchen, Der (Čapek)
XIV, 423
– und Frieden (Tolstoj, L. N.) VIII,
267
– – Nachkrieg (Werfel) V, 932
– von 1870/71, Der (Zola) VI, 277
Kristin Lavranstochter (Undset)
XII, 106
Kroatische Gott Mars, Der (Krleža)
XIV, 451
Kröger, Tonio (Mann, Th.) II, 443;
II, 403
Krönungsoper, Die (Watzlik) V, 906
Krokodil, Das (Dostojewski) VIII,
169
Kronacker, Die (Kries) XIII, 215
Kronenwächter, Die (Arnim) I, 14;
I, 12

Krotkaja (Dostojewski) VIII, 168
Krüsemann (Seidel, H. W.) V, 802
Krull, Felix, Bekenntnisse des
(Mann, Th.) II, 410
Krumbholtz, Kaspar (Krüger) I, 395
Krumme Hund, Der (Dahl) XIV,
262
Kubinke (Hermann, G.) I, 253
Küchelbecker, Wilhelm (Tynjanow)
XII, 335
Künstler, Der (Schewtschenko) VIII,
254
Künstlerliebe (Shaw, G. B.) VII, 178
Küßchen, Küßchen (Dahl) XIV, 262
Küste der Kindheit, Die (Andersen-
Nexö) VIII, 7
Kuh, Die (Hebbel) I, 211
Kuki (Vaszary) XIV, 442
Kuli (Lulofs) X, 324
Kumlin, Andreas, Heimfahrt des
(Gäng) XIII, 109
Kungsgatan (Lo-Johansson) XII,
141
Kunstfigur, Die (Cramer) XIII, 58
Kunstseidene Mädchen, Das (Keun)
XIII, 194
Kunstwerk, Das (Zola) VI, 273
Kupferfächer, Der (Stinetorf) XI,
320
Kupferne, Die (Ribnikar) XIV, 456
Kurtisane, Die (Lin-Yü-tang) XI, 193
Kurz nach vier (Becher, U.) XIII, 23
Kurze Erzählung vom Antichrist
(Solowjow) VIII, 257
– Glück des François Villon, Das
(Erskine) XI, 91
– , glückliche Leben des Francis Ma-
comber, Das (Hemingway) XI,
142
– Straße, Die (Monnier) IX, 168
Kuß von Sentze, Der (Stifter) II,
628; II, 590
Kutscherin des Zaren, Die (Hoerner)
IV, 330

Kwimpers, Die (Powell) XIV, 310
Kyralina, Kyra (Istrati) IX, 123;
  XIV, 465

Laac, Peter van (Kapp) XIII, 183
Labyrinth, Das (Seidel, I.) V, 805
– der Welt, Das (Künkel) IV, 479
Labyrinthe (Borges) XIV, 136
– der Nacht (Curtis) XIV, 24
Lacerteux, Germinie (Goncourt, E.
  u. J.) VI, 125
Lachen, um nicht zu weinen (Hu-
  ghes) XI, 160
Lachende Hammer, Der (Schröder,
  M. L.) V, 788
Ladung Nitroglyzerin (Arnaud) IX, 7
Lady Chatterley und ihr Liebhaber
  (Lawrence) XIV, 202
– L. (Gary) XIV, 33
– Macbeth von Mzensk, Die (Les-
  kow) VIII, 217
– Molly's Menagerie (Powell) XIV,
  226
Lächeln, Das (Stuart) X, 236
– der Gioconda, Das (Huxley) X, 94
– der Penaten, Das (Kolbenheyer)
  IV, 458
Ländliche Jahr, Das (Mechow) IV,
  565
Lahme Teufel, Der (Lesage) VI, 153
Laikan der Lachs (Wenter) V, 923
Lambert, Louis (Balzac) VI, 14
Lamm, Das (Kramp) XIII, 211
– – (Mauriac) IX, 155
Lammfell, Christian (Holtei) I, 302;
  I, 268
Lampe der törichten Jungfrau, Die
  (Dörfler, P.) III, 159
Lampenschirm aus den drei Taschen-
  tüchern, Der (Kommerell) IV, 461
Lampioon küßt Mädchen (Haus-
  mann) IV, 301
Land der Hoffnung, Land der
  Trauer (Buck) XI, 35

– – Lebenden, Das (Söiberg) XII,
  34
– – 36000 Wünsche, Das (Maurois)
  IX, 157
– – spitzen Tannen, Das (Jewett)
  XIV, 288
– – Trauer, Land der Hoffnung
  (Buck) XI, 35
– des Glücks, Das (Falk-Rönne)
  XII, 10
–, in dem man nie ankommt, Das
  (Dhôtel) XIV, 25
– ohne Tod (Döblin) III, 156
– unter Sternen (Waser) V, 904
Landarzt, Der (Balzac) VI, 11
– – (Friedl) XIII, 103
–, Ein (Kafka) IV, 403; XIII, 178
– in Portugal (Namora) XIV, 174
Landgang (Kentfield) XIV, 290
Landlosen, Die (Dombrowska) XIV,
  409
Landpfarrer, Der (Balzac) XIV, 4
Landprediger von Wakefield, Der
  (Goldsmith) VII, 117
Landstörtzer Gusman von Alfarche,
  Der, oder Picaro genannt ... (Ale-
  mán) VI, 332
Landstreicher (Hamsun, K.) VIII, 79
Landvogt von Greifensee, Der
  (Keller, G.) I, 356; I, 317
Langbein, Daddy (Webster) XI, 336
Lange lange Straße lang, Die (Bor-
  chert) III, 88
– Latte und Genossen (Kipling) VII,
  136
– Nacht, Die (Moosdorf) XIII, 265
– Reise, Die (Jensen, J. V.) VIII, 41
– Schatten (Kaschnitz) XIII, 185
– Straße nach Ummera, Die (O'Con-
  nor) XIV, 220
Langerudkinder, Die (Hamsun, M.)
  XII, 88
– im Sommer und Winter, Die
  (Hamsun, M.) XII, 88

Langerudkinder wachsen heran, Die (Hamsun, M.) XII, 88

Langröckchen, Sidsel (Aanrud) VIII, 59

Langweilige Geschichte, Eine (Tschechow) VIII, 288

Lappalien (Coloma) VI, 364

Larissa (Schaffner) *II, 560*

Las Casas vor Karl V. (Schneider, R.) V, 770

Lasse Lar oder Die Kinderinsel (Bachér) XIII, 11

Lassie kehrt zurück (Knight) X, 119

Laßt uns König spielen (Steinbeck) XI, 318

Lastergrube, Die (Kuprin) VIII, 212

Lastträger Gottes, Der (Just) IX, 125

Laszlo (Künkel) IV, 478

Laubgewind (Heer) *I, 241;* I, 216

Laudin und die Seinen (Wassermann) *II, 711*

Laufen, Der (Strauß, E.) II, 617; V, 851

Laurette oder das rote Siegel (Vigny) VI, 256

Laurila, Lars (Salminen) XII, 154

Lavengro (Borrow) XIV, 180

Lavranstochter, Kristin (Undset) XII, 106

Lawine, Die (Höijer) XIV, 362

– von St. Thomas, Die (Schröer) V, 791

Lazarillo de Tormes VI, 380

Leb wohl, alter Chips! (Hilton) X, 89

– – Berlin (Isherwood) X, 112

– –, mein Herz (Molnár) XII, 393

Leben, Ein (Maupassant) VI, 172

–, – (Svevo) XIV, 121

– auf dem Mississippi (Twain) VII, 327

– – gut Glück, Das (Uhlenbusch) XIII, 374

– befiehlt, Das (Blasco Ibáñez) VI, 346

– der Bienen, Das (Maeterlinck) VI, 160

– – schwedischen Gräfin von G. (Gellert) *I, 170;* I, 147

– des Benvenuto Cellini, Goldschmieds und Bildhauers (Cellini) VI, 299

– – Grafen Federigo Confalonieri (Huch, Ric.) *I, 312;* I, 279

– – Henry Brulard, Das (Stendhal) XIV, 88

– – Magisters Sebaldus Nothanker (Nicolai) *II, 483;* II, 435

– – Quintus Fixlein (Paul Jean) *I, 322;* I, 289

– – Schulmeisterlein Wuz (Jean Paul) *I, 323;* I, 287

– geht weiter, Das (Schurek) V, 794

– heiß zu lieben, Das (Morris) XI, 219

– ist zu kurz, Das (Marquand) XI, 207

– lang, Ein (Brasillach) IX, 34

– meiner Mutter, Das (Graf) III, 265

– und Abenteuer des Chevalier Faublas (Louvet de Couvray) VI, 158

– – – des Escudero Marcos Obregon (Espinel) VI, 375

– – – des Kapitäns Singleton (Defoe) VII, 54

– – – Martin Chuzzlewits (Dickens) VII, 67

– – Begebenheiten des Escudero Marcos Obregon (Espinel) VI, 375

– – – des Obristen Jacque (Defoe) VII, 56

– – der Tod des Victalis van Gille, Das (Claes) X, 294

– – Meinungen Tristram Shandys (Sterne) VII, 189

– unterwegs, Ein (Heye) IV, 321

Lebenden und die Toten, Die (Simonow) XII, 320

Lebendige Herz, Das (Windthorst) V, 959

Lebens Blütezeit, Des (Streuvels) VII, 362

– Bogen, Des (Young) X, 273

– Überfluß, Des (Tieck) *II, 687;* II, 640

Lebensansichten des Katers Murr (Hoffmann, E. Th. A.) *I, 288;* I, 256

Lebensbuch, Ein (Villinger) *II, 693;* II, 646

Lebensfreude, Die (Zola) VI, 272

Lebensgeschichte (Jung-Stilling) *I, 339;* I, 302

– und Erfahrungen David Copperfields des Jüngeren (Dickens) VII, 69

Lebenslängliche Ehemann, Der (Dostojewski) VIII, 162

Lebensläufe (Hippel) *I, 280;* I, 247

– (Kluge, A.) XIII, 202

Lebenslauf des heiligen Wonnebald Pück (Huch, Ric.) *I, 313;* I, 280

– eines dicken Mannes, der Hamlet hieß (Britting) III, 109

Lebensreise, Die (Morgan) X, 176

Lebenstag eines Menschenfreundes (Schäfer, W.) II, 495; V, 731

Lebensuhr des Gottlieb Grambauer, Die (Welk) V, 919

Lebenswonne (Zola) VI, 272

Leberecht Hühnchen (Seidel, H.) *II, 592;* II, 538

Leboeufs, Aimé, Abenteuer (Kusmin) VIII, 213

Leda (Pillecijn) X, 333

Lederkappen, Die (Isemann) IV, 381

Lederstrumpf (Cooper) VII, 253

Leere Welt, Die (Jouve) XIV, 46

Legat, Das (Bedford) XIV, 179

Legende (Kornfeld) XIII, 210

–, Eine (Faulkner) XI, 110

– der Schwester Beatrix (Nodier) VI, 190

– vom Großinquisitor, Die (Dostojewski) VIII, 165

– – heiligen Julian, dem Hospitaliten, Die (Flaubert) VI, 89

– von der Christrose (Lagerlöf) VIII, 116

– – – tausendgesichtigen Seele, Die (Karinthy) XIV, 435

– und Taten von Uilenspiegel (Coster) VI, 51

Legenden (Bécquer) VI, 342

– der Zeit (Binding) I, 31; III, 66

– und Geschichten (Remisow) XII, 220

Legitime und die Republikaner, Der (Sealsfield) *II, 589;* II, 534

Legrand, Fanny (Daudet) VI, 58

Lehnhold, Der (Auerbach) *I, 19;* I, 16

Lehrer, Die (Snow) X, 227; XIV, 235

Lehrerin, Die (Spark) XIV, 236

Lehrreiche Erzählungen (Cervantes) VI, 358

Leib und Seele (Meersch) IX, 164

Leibhaftige Bosheit, Die (Wied) VIII, 54

Leibniz (Colerus) III, 143

Leicht, schnell und zart ... (Stolpe) XII, 163

Leichtes Mädchen in Madrid, Ein (Laiglesia) XIV, 155

Leiden des jungen Werthers, Die (Goethe) *I, 177;* I, 154

– eines Knaben, Das (Meyer, C. F.) *II, 460;* II, 419

– zweier edlen Liebenden (Cervantes) VI, 362

Leidenschaftliche Frau, Eine (O'Hara) XIV, 306

Leidensweg, Der (Tolstoi, A. N.) XII, 325

Leidweg der Liebe (Sinclair) XI, 285
Leila (Fogazzaro) VI, 309
Lein, Arnt (Egge) XII, 73
Leinwandmesser (Tolstoj, L. N.) VIII, 277
Lejon, Viktor (Böök) XII, 119
Lejondahl, Kajsa (Nordström) V, 648
Leise, er könnte dich hören (Elliott) XIV, 264
Lenau-Trilogie (Müller-Guttenbrunn) *II, 479*
Lennacker (Seidel, I.) V, 806
Lenz (Büchner) I, 53
Leo X. (Gobineau) VI, 122
Leonhard (Kauffmann) XIII, 187
Leonhardsritt, Der (Schmidt, M.) *II, 572;* II, 518
Leonore (Heuschele) IV, 319
Leopard, Der (Tomasi di Lampedusa) XIV, 125
Lerke (Tügel) V, 874
Letham, Georg (Weiss, E.) V, 915
Letzte am Schafott, Die (le Fort) IV, 513
– der Abencerragen, Der (Chateaubriand) VI, 39
– von Blasius, Das (Sommer) XIII, 347
Letzte Akt, Der (Vegesack) XIII, 381
– Blatt, Das (Porter) XI, 239
– Centaur, Der (Heyse) *I, 272;* I, 243
– Flasche Whisky, Die (La Farge) XI, 173
– Freude, Die (Hamsun, K.) VIII, 71
– Hafen, Der (Hanley) X, 81
– Hansbur, Der (Löns) *II, 419;* II, 378
– Kapitel, Das (Hamsun, K.) VIII, 77
– Komödiant, Der (Holtei) *I, 301*
– Kugel, Die (Hoerner) IV, 330

– Mohikaner, Der (Cooper) VII, 253
– Puritaner, Der (Santayana) XI, 264
– Reckenburgerin, Die (François) *I, 129;* I, 118
– Rittmeister, Der (Bergengruen) XIII, 32
– Schuß, Der (Lavrenev) XIV, 387
– Sommer, Der (Huch, Ric.) *I, 314;* I, 280
– Stündlein des Papstes, Das (Federer) *I, 104;* I, 97
– Tag eines Gerichteten, Der (Hugo) VI, 130
– – – Verurteilten, Der (Hugo) VI, 130
– Taikun, Der (Fitzgerald) XIV, 270
– Ufer, Das (Shute) X, 225
– Versuchung, Die (Kazantzakis) XIV, 467
– Weg, Der (Söiberg) XII, 35
– Zivilist, Der (Glaeser) III, 248
Letzten Briefe des Jacopo Ortis, Die (Foscolo) VI, 310
– Ritter von Marienburg, Die (Hauff) *I, 228*
– Rudelsburger, Die (Schreckenbach) *II, 580*
– Segelschiffe, Die (Hauser) IV, 298
– Tage von Pompeji, Die (Bulwer) VII, 20
Leuchtende Nacht, Die (Tunstall) X, 241
Leuchtkugeln, Die (Lange, H.) XIII, 223
Leuchtturmwärter, Der (Sienkiewicz) VIII, 323
Leun, Anna (Künkel) IV, 480
Leute auf Borg, Die (Gunnarsson) XII, 37
– – Hemsö, Die (Strindberg) VIII, 122
– aus dem Walde, Die (Raabe) *II, 515;* II, 448

– – der Lindenhütte, Die (Sohnrey) *II, 598;* II, 543
– – der Mohrenapotheke, Die (Penzoldt) V, 071
– eigener Art (Kröger) *I, 389;* I, 348
– vom blauen Guguckshaus, Die (Ertl) I, 88
– von Alt-Catawba, Die (Wolfe) XI, 363
– – Frusaglia, Die (Tombari) IX, 311
– – Peyton Place, Die (Metalious) XIV, 300
– – Seldwyla, Die (Keller, G.) *I, 347;* I, 309
Leutnant Burda (Saar) II, 489
– Gustl (Schnitzler) *II, 577;* II, 522
– Hornblower (Forester) X, 46
– von Hasle, Der (Hansjakob) *I, 221;* I, 193
– Yorck von Wartenburg, Der (Hermlin) XIII, 145
Leuwen, Lucian (Stendhal) VI, 239
Leviathan (Green, J.) IX, 111
Libelle, Die (DaviČo) XIV, 448
Licht der Heimat, Das (Hinrichs) IV, 325
– des Geistes, Das (Schmeljow) XII, 232
– erlosch, Das (Kipling) VII, 132
– im August (Faulkner) XI, 99
– – Elendhause, Das (Fischer-Graz) *I, 110;* I, 101
– – Fenster, Das (Strobach) V, 851
– – Sumpf, Das (Westkirch) *II, 716*
– in den Händen, Das (Cabanis) III, 129
– – der Laterne, Das (Timmermans) X, 343
– und Schatten (Niese) *II, 484;* II, 436
Lichtenstein (Hauff) *I, 225;* I, 195
Lichter von Rom, Die (Moravia) XIV, 112

Lichtflamme, Die (Lagerlöf) VIII, 112
Lichtstrahl, Der (Bauer, W.) III, 23
Liebe (Strauß, E.) II, 617; V, 851
– auf den letzten Blick (Sharp, M.) XIV, 232
– - Brot der Armen (Monnier) IX, 170
– der Charlotte Donc, Die (Scholz) V, 780
– – Prudence Sarn, Die (Webb) X, 255
– – toten Männer, Die (Zwerenz) XIII, 415
– des Nikolai Pereslegin, Die (Stepun) XII, 233
– – Severin Imboden, Die (Zahn) *II, 743*
– - ganz irdisch (Garnett) X, 58
– im Vallespir (Porché) IX, 191
– in der Krim (Schmeljow) XII, 230
– ist hart, Die (Hamsun, K.) VIII, 70
– – ewig, Die (Stone) XI, 323
– – wie ein frischer Apfel (Olujić) XIV, 455
– lud mich ein (Hayes, A.) XIV, 277
– ohne Liebe (Otremont) IX, 183
– Pilgerfahrt, Der (Sinclair) XI, 285
– und Ehre (Spring) X, 229
– – Haß auf Wuthering Heights (Brontë, E.) VII, 17
Liebe Augustin, Der (Geissler, H. W.) III, 241
– Gott im Trillental, Der (Schäfer, W.) I, 498; V, 736
– Renata (Hueck-D.) XIII, 161
Lieben (Green, H.) XIV, 193
Lieben Patienten, Die (Tibber) XIV, 238
Liebenden, Die (Bulatović) XIV, 446
– von Marona, Die (Iwaszkiewicz) XIV, 414
Lieber Feind (Webster) XI, 337

Liebesblätter (Zola) VI, 268
Liebesblatt, Ein (Zola) VI, 268
Liebesbriefe der Marquise, Die
   (Braun, L.) *I, 52*
Liebesbriefkasten, Der (Tschechow)
   VIII, 285
Liebesfest, Das (Vailland) XIV, 91
Liebesgeschichte, Eine (Zuckmayer)
   V, 981
– des Hertzogs von Nemours und
   der Printzeß Cleve (La Fayette)
   VI, 146
Liebesschaukel, Die (Andres) III, 6
Liebesspiel in Flandern (Streuvels)
   VII, 355
Liebesteufel, Der (Cazotte) VI, 36
Liebling, Der (Maupassant) VI, 173
– der Götter, Ein (Bedford) XIV,
   179
Lieblose Legenden (Hildesheimer)
   XIII, 147
Lied der glutroten Blume, Das
   (Linnankoski) VIII, 139
– der Welt, Das (Giono) IX, 95
– von Bernadette, Das (Werfel) V,
   924
Lienhard und Gertrud (Pestalozzi)
   II, 490; II, 440
Lilie im Tal, Die (Balzac) VI, 16
Lilien, Agnes von (Wolzogen, K.)
   II, 738; II, 689
Lillemor (Nordström) XIII, 284
Lindemans Töchter (Christensen)
   XIV, 351
Lingam (Dauthendey) I, 65
Links wo das Herz ist (Frank, L.)
   III, 222
Linkshänder, Der (Leskow) VIII, 225
Linton, Catherine (Brontë, E.) VII,
   17
Lipans, Nechifor, Weib (Sadoveanu)
   XII, 426
List - Friedrich, Roman (Molo) IV,
   594

Litauische Geschichten (Sudermann)
   II, 669; II, 623
– – (Wichert) *II, 718;* II, 671
Ljubimow (Terz) XIV, 401
Llano in Flammen, Der (Rulfo)
   XIV, 164
Lobel, Jan, aus Warschau (Rinser)
   V, 713
Lobgesang aus der Tiefe (Andersen-
   Nexö) VIII, 7
Loch im Wasser, Das (Kapp) XIII,
   182
Locke sie wie eine Taube (West)
   XI, 339
Lockruf des Goldes (London) VII,
   294
Lodz. Das gelobte Land (Reymont)
   VIII, 319
Löffelstelze, Die (Weigand) *II, 716;*
   II, 664
Löhnefink, Doktorin (Beste) III, 54
Löhnefinks leben noch! (Beste) III,
   55
Löwe und die Tänzerin, Der (Gluth)
   III, 250
– von Flandern, Der (Conscience)
   VII, 338
– – –, Ein (Buysse) VII, 334
Löwengarten, Der (Baumgart) XIII,
   20
Löwenprankes, Die (Taube) V, 858
Löwensköld, Charlotte (Lagerlöf)
   VIII, 119
Lofot, Der (Schøyen) XII, 101
Lofotfischer, Die (Bojer) XII, 59
Lohn der Angst (Arnaud) IX, 7
Loi, La (Vailland) IX, 253
Lokongo, der Häuptlingssohn (Jür-
   gensen) XII, 20
Lolita (Nabokow) XII, 211
London. Die Stadt des Nebels
   (Baroja y Nessi) VI, 341
Lonelyhearts, Schreiben Sie Miß
   (West, N.) XIV, 330

López (Gálvez) IX, 338
Lorbeerufer, Das (Barth) XIII, 15
Lord Byron (Edschmid) III, 169
– Hornblower (Forester) X, 46
– Jim (Conrad) VII, 41
– Peters abenteuerliche Hochzeitsfahrt (Sayers) X, 219
– Vanity (Shellabarger) XI, 281
Lorenz, Der alte Herr (Tumler) V, 877
Lotte in Weimar (Mann, Th.) *II, 444;* II, 405
Lotterieschwede, Der (Andersen-Nexö) VIII, 7
Lotti, die Uhrmacherin (Ebner-Eschenbach) *I, 84;* I, 74
Louis Ferdinand, Prinz (Lewald) *II, 415*
Louisiana-Fieber (Yerby) XI, 369
Lourdes (Zola) VI, 280
Lourdines, Herr von (Chateaubriant) VI, 40
Lovell, Herr William (Tieck) *II, 684;* II, 636
Lucanor, Graf (Juan Manuel) VI, 378
Lucinde (Schlegel) *II, 571;* II, 516
Ludovik (Hello) VI, 128
Lüderitzland (Grimm) III, 275
Lügengeschichten aus den Bergen Kentuckys (Mackaye) XI, 202
Lüvers Kindheit (Pasternak) XII, 296
Luise (Voigt-Diederichs) *II, 698;* II, 648
Lumera, Mara (Denti di Pirajno) XIV, 105
Lumpazivagabundus (Bartsch) *I, 23*
Lushins Verteidigung (Nabokow) XIV, 390
Lust (Annunzio) VI, 290
Lustgärten Gottes, Die (Walpole) X, 248
Lustige Discurs der Schäfereyen von der schönen verliebten Diana (Montemayor) VI, 387

– Lebensgeschichte Gussmanns von Alfarache (Alemán) VI, 332
Lyndon. Memoiren des Junkers Barry (Thackeray) VII, 209

Maartens, Martje, und der verruchte Totengräber (Streuvels) VII, 363
Mabuse, Dr. (Jacques) IV, 357
Macht der Ohnmächtigen, Die (Schaper) V, 747
– des Schicksals, Die (Nowak-Zivier) V, 652
Madam Bäurin (Christ) I, 59; III, 140
Madame Bovary oder eine Französin in der Provinz (Flaubert) VI, 85
– Sodale (Meyer-Eckhardt) IV, 577
– Sorbon (Nelissen-H.) V, 637
– Sousatzka (Rubens) XIV, 230
Mademoiselle Mimi Pinson (Musset) VI, 187
Maderneid (Mumelter) IV, 606
Madonna der Fische, Die (Timmermans) X, 343
– mit dem Fischleib, Die (Myrivilis) XII, 436
Maechler, Das Geschlecht der (Stehr) II, 563; V, 830
–, Jochen (Stehr) II, 565; V, 832
–, Nathanael (Stehr) II, 563; V, 830
Mädchen, Die (Montherlant) IX, 173
–, – (Tolstoi, A. N.) XII, 334
– auf dem Rappen, Das (Schröder, M. L.) V, 787
– aus Barly, Das (Nathan) XI, 220
– – der Mühle, Das (Espina da Serna) VI, 374
– Cluny Brown, Das (Sharp) X, 221
– Creszent mit dem bunten Hut, Das (West) XI, 341
– der Bastille, Das (Ilg) *I, 329*
– Frankie, Das (Mac Cullers) XI, 199
– in der Au, Die (Mungenast) IV, 609

Mädchen mit begrenzten Möglichkeiten (Spark) XIV, 237
– Sayward, Das (Richter, C. M.) XI, 248
– vom Moorhof, Das (Lagerlöf) VIII, 116
– von Fanö, Das (Weisenborn) V, 911
– – Nettuno, Das (Huna) IV, 355
– – Sanfrediano, Die (Pratolini) IX, 299
– – Treppi, Das (Heyse) *I, 274*
– – Utrecht, Das (Brües) III, 120
– – Zacatlan, Das (Gmelin) III, 256
– wartet, Ein (Galsworthy) VII, 110
Mährchen aus der alten Zeit oder Erzählungen der Mutter Gans (Perrault) VI, 192
Mälarpiraten, Die (Siwertz) XII, 156
Männer am feurigen Ofen, Die (Streuvels) VII, 360
– der letzten Grenze (Waescha-Kwonnesin) XI, 330
– – „Ulysses", Die (Maclean) X, 145
– des Meeres (Hugo) VI, 134
– im Boot (Crane) VII, 260
– machen Fehler (Becher, U.) XIII, 22
– von Aran, Die (Mullen) X, 182
Mär von der glücklosen Schenke, Die (Mac Cullers) XI, 199
Märchen aus Irlands Gauen (Yeats) VII, 238
– der Wirklichkeit (Gorki) VIII, 187
– für Kinder (Andersen) VIII, 5
– und Erzählungen (Wilde) VII, 233
– vom Prinzen Biribinker, Das (Wieland) II, 674
– – weißen Mohren, Das (Creangă) VIII, 335
Märkische Argonautenfahrt (Langgässer) IV, 507
Märzhoffen (Munier-W.) XIII, 270

Mätteliseppi, Das (Federer) *I, 102;* 1, 97
Magd, Die (Sudermann) *II, 670;* II, 625
– Anka, Die (Finžgar) XIV, 450
– des Jürgen Doskozil, Die (Wiechert) V, 940
Magdalene (Pérochon) IX, 186
Magdeburgische Hochzeit, Die (Le Fort) IV, 511
Maggio, das Straßenkind (Crane) VII, 259
Maghrebinische Geschichten (Rezzori) XIII, 309
Magische Jahr, Das (Maass, J.) IV, 554
Magister Rösslein (Contessa) I, 62
– Timotheus (Jensen, W.) *I, 328*
Magnolienstraße, Die (Golding, L.) X, 61
Mahnke, Patriarch (Enking) *I, 96*
Mahr, Christoph, der Glockengießer (Kluge) IV, 433
Majestät (Conrad, M. G.) *I, 66*
Mainacht, Die, oder Die Ertrunkene (Gogol) VIII, 172
Major, Der (Schaumann) V, 751
– Thompson entdeckt die Franzosen (Daninos) IX, 61
Majorat, Das (Hoffmann, E. Th. A.) *I, 290;* I, 251
Majoratsherr von Labraz, Der (Baroja y Nessi) VI, 339
Majoratsherren, Die (Arnim) *I, 15;* I, 14
Majorin, Die (Wiechert) V, 941
Maisie (Jammes, H.) VII, 277
Maismänner, Die (Asturias) IX, 325
Malavoglia, Die (Verga) VI, 321
Malcolm (Purdy) XIV, 312
Malcorde, Der Eid der Frau (Breedveld) X, 291
Maler Nolten (Mörike) *II, 475;* II, 429

Malombra (Fogazzaro) VI, 305
Malone stirbt (Beckett) XIV, 6
Malteser Ritter (Peyrefitte) XIV, 66
Maltho, Dr., und die kleine Stadt
(Buchholtz) XII, 9
Malven auf weißer Seide (Gervais)
IX, 85
Malwa (Gorki) VIII, 187
Mamba (Cloete) X, 20
Mamsell Fifi (Maupassant) XIV,
54
Man hat's nicht leicht (Thurber)
XI, 328
– nennt mich Zimmermann (Sin-
clair) XI, 289
– sollte dagegen sein (Schnurre)
XIII, 335
Manches Jahr bin ich gewandert
(Han Suyin) X, 83
Mandarin, Der (Eça de Queiróz)
VI, 371
Mandarine von Paris, Die (Beauvoir)
IX, 17
Manesses, Heinrich, Abenteuer
(Vögtlin) II, 696
Manhattan Transfer (Dos Passos)
XI, 72
Manilaseil, Das (Meri) XIV, 371
Mann, Der (Vittorini) XIV, 127
– allein, Ein (Giono) IX, 97
– auf dem Esel, Der (Prescott) X,
203
–, der Donnerstag war, Der (Chester-
ton) VII, 31
–, – durch die Wand gehen konnte,
Der (Aymé) IX, 9
–, – ein Snob war, Der (Seewald)
XIII, 342
–, – mit dem Elefanten sprach, Der
(Lawson) XI, 176
–, – nach Chikago ging, Der (Wright)
XIV, 336
–, – nicht alt werden wollte, Der
(Jens, W.) XIII, 165

– im Alang, Der (Seidel, H. W.)
V, 803
– – grauen Anzug, Der (Wilson)
XI, 353
– – Mond (Saalfeld) XIII, 320
– – Monde, Der (Hauff) I, 226; I,
196
– – Roggen, Der (Salinger) XI, 262
– – Salz, Der (Ganghofer) I, 162
– – Stadttor, Der (Ben-Gavriêl)
XIII, 29
– – Strom, Der (Lenz, S.) XIII, 238
– – Zoo, Der (Garnett) X, 56
– kuriert Europa, Ein (Ortner) V,
661
– mit dem goldenen Arm, Der
(Algren) XI, 2
– – dem Herzen im Hochland, Der
(Saroyan) XI, 271
– – den zwei Gesichtern, Der (Ste-
venson) VII, 196
– namens Schmitz, Ein (Schäfer,
W.) I, 498; V, 736
– ohne Eigenschaften, Der (Musil)
IV, 618
– stellt sich dem Schicksal, Ein
(Kaergel) IV, 395
– und die Schlange, Der (Bierce)
VII, 249; XIV, 254
– von gestern, Ein (Nabl) V, 625
– – Welt, Ein (Flake) XIII, 95
– wird älter, Ein (Svevo) XIV, 122
Mannering, Guy (Scott) VII, 167
Mannesalter (Leiris) XIV, 50
Mannesjahre oder La nausea media
(Villa) XIV, 126
Mannes Weg, Eines (Sillanpää) XII,
184
Manon Lescaut (Prévost d'Exiles)
VI, 197
Manso, Freund (Pérez Galdós) VI,
394
Manso der Puma (Holesch) IV, 340
Mantel, Der (Gogol) VIII, 178

Mantel, Der (Tumler) XIII, 372
– der Barmherzigkeit, Der (Schaper) V, 748
Mantrap (Lewis, S.) XI, 182
Mao (Huch, F.) *I, 306;* I, 272
Maouno (Crottet) IX, 55
Mappe meines Urgroßvaters, Die (Stifter) *II, 629;* II, 571
Mara (Cassola) XIV, 103
– (Strauß, E.) II, 617; V, 851
March, Augie, Die Abenteuer des (Bellow) XI, 12
Maréchal, Clotilde (Bloy) VI, 31
Maren (Fehrs) *I, 105;* I, 98
Maresiana (Weidenheim) XIII, 393
Marfa, die Frau des Possadnik (Karamsin) VIII, 205
Margaret (Farrell) XI, 93
Margaritha, der Königin von Navarra, romantische Erzählungen (Margarethe von Navarra) VI, 164
Margret (Kinkel) I, 331
Marhoul, Jan, Der Bäcker (Vančura) XII, 377
Maria im Baum (Hofer) IV, 333
Marie oder die Geschichte eines jungen Mädchens vom Land (Jammes, F.) VI, 145
Marie-Claire (Audoux) VI, 6
Marienburg, Die letzten Ritter von (Hauff) *I, 228*
Mario und der Zauberer (Mann, Th.) II, 405
Marit (Hambraeus) XII, 125
Marketa und Miklas (Vančura) XIV, 426
Marketenderin von Köln, Die (Schücking) *II, 584;* II, 529
Markgraf Gero (Schreckenbach) *II, 578;* II, 528
Markheim (Stevenson) VII, 200
Markku und sein Geschlecht (Seppänen) XII, 179

Markt der Träume (Gebert) XIII, 114
Markurell (Bergman, H.) XII, 118
Marmorbild, Das (Eichendorff) *I, 89;* I, 77
Marmorbruch, Der (Däubler) III, 147
Marmorfaun, Der (Hawthorne) XIV, 276
Marmorklippen, Auf den (Jünger, E.) IV, 388
Marner, Silas (Eliot, G.) VII, 90
Márquez, Fermina (Larbaud) IX, 130
Marquise von O ..., Die (Kleist) *I, 378;* I, 336
Mars im Widder (Lernet-H.) IV, 533
Marschall und die Gnade, Der (Edschmid) XIII, 81
Marshalls, Silvia, Weg zum Ich (Canfield-Fisher) XI, 54
Martereau (Sarraute) IX, 236
Marterpfahl, Der (Gagern) III, 234
Martha und Maria (Palacio Valdés) XIV, 159
Martin (Hausmann) IV, 304
–, der Küfer (Hoffmann, E. Th. A.) *I, 291;* I, 255
Martina (Aurell) XIV, 358
Martinsklause, Die (Ganghofer) *I, 163;* I, 141
Marzipan-Lise, Die (Halm) I, 185
Mascha (Tolstoi, A. N.) XII, 334
Maschinen und Wölfe (Pilnjak) XII, 301
Materassi, Die Schwestern (Palazzeschi) IX, 294
Mathilde (Hauptmann, C.) *I, 231;* I, 200
Matteo (Hebbel) I, 211
Mauer, Die (Sartre) IX, 237
– von Mallare, Die (Lange, H. J.) IV, 500
Maulkorb, Der (Spoerl, H.) V, 820

Maultasch, Die häßliche Herzogin Margarete (Feuchtwanger) III, 196

Mauperin, Renée (Goncourt, E. u. J.) VI, 124

Maurizius, Der Fall (Wassermann) II, 712; II, 659

Maurus und sein Turm (Franchy) XIII, 98

Meckelbörgschen Montecchi, De (Reuter, F.) II, 527; II, 472

Meer, Das (Kellermann) I, 369; I, 328

– ohne Grenzen (Nordhoff-Hall) XI, 224

Meer-Arbeiter, Die (Hugo) VI, 134

Meerminneke, Das (Strauß und Torney) II, 667; II, 619

Megi (Robakidse) XII, 222

Mein Acker die Zeit (Clancier) XIV, 20

– Alter (Hemingway) XI, 143

– Bruder Benjamin (Presber) II, 496; II, 444

– – Jonathan (Young) X, 270

– Dorf am See (Camenzind) III, 130

– eigener Henker (Balchin) X, 6

– Elternhaus (Colette) VI, 45

– Freund Flicka (O'Hara, M.) XI, 229

– – Hippolyt (Krämer-B.) IV, 465

– – Maouno (Crottet) IX, 55

– – Pierrot (Queneau) XIV, 72

– Kamerad Konowalow (Gorki) VIII, 190

– lieber Feind (Webster) XI, 337

– Lieblingsmord (Bierce) XIV, 254

– Liebster kommt (Hutchins) XIV, 284

– Mann hat immer recht (Rochefort) XIV, 78

– Onkel Barnabas (Nabl) V, 628

– – Benjamin (Tillier) VI, 243

– – Hulot (Carrière) XIV, 12

– Recht (Riehl) II, 537

– Schiff, das heißt Taifun (Weyrauch) XIII, 397

– Vater (Inber) XII, 265

– – Adam (Pasqualino) XIV, 115

– Vetter Emil (Claudius, H.) III, 142

Meine Antonia (Cather) XI, 59

– Cousine Rachel (Du Maurier) X, 39

– Frau (Tschechow) XIV, 403

– – die Füchsin (Garnett) X, 56

– Gefängnisse (Pellico) VI, 313

– Großmutter Millard und die Schlacht am Harrykin-Bach (Faulkner) XIV, 267

– Kindheit (Gorki) VIII, 196

– Reise durch mein Zimmer (Maistre) VI, 161

– Steinauer (Schussen) II, 533; V, 794

– Tochter (Inber) XII, 265

– Universitäten (Gorki) VIII, 196

Meines Vaters Sohn (Aub) XIV, 134

Meinrad Helmpergers denkwürdiges Jahr (Handel-Mazzetti) I, 213; I, 187

Meister, Der (Brod) XIII, 54

–, – (Ponten) V, 690

– am Dom (Mathar) IV, 562

– Bertram van Mynden (Claudius, H.) III, 141

– Breugnon (Rolland) VI, 214

– Cajetan (Stehr) II, 561; V, 836

– Dietrich (Contessa) I, 62

– Floh (Hoffmann, E. Th. A.) I, 285; I, 259

– Franz Rabelais, ... Gargantua und Pantagruel (Rabelais) VI, 201

– Humphreys Wanduhr (Dickens) VII, 63

– Joachim Pausewang (Kolbenheyer) IV, 453

– Lampe (Fleuron) XII, 12

Meister Lekholm hat eine Idee (Hellström) XII, 128
– Martin der Küfer (Hoffmann, E. Th. A.) *I, 291;* I, 255
– – Hildebrand (Riehl) *II, 533;* II, 475
– Mathis genannt Grünewald (Zinn) V, 978
– Schurre (Brautlacht) III, 96
– Timpe (Kretzer) *I, 386;* I, 343
– von Tanagra, Der (Wildenbruch) *II, 725;* II, 678
Meister, Wilhelm (Goethe) *I, 178;* I, 156
Meistererzählungen (Poe) XIV, 308
Meisternovellen (Balzac) XIV, 5
– (Cervantes) VI, 358
– (James, H.) VII, 276
– (Lawrence, D. H.) X, 128
– (Maupassant) XIV, 54
– (Mérimée) XIV, 58
– (Pirandello) VI, 317
Melchior (Sand) VI, 224
Melmoth, der Wanderer (Maturin) VII, 147
Melodie der frühen Jahre (Moll) XIV, 302
Melzer und die Tiefe der Jahre (Doderer) III, 150
Memnon (Voltaire) VI, 259
Memoiren aus einem Totenhaus (Dostojewski) VIII, 155
– des Herrn Ministers, Die (Bomans) X, 285
– – Junkers Barry Lyndon, Die (Thackeray) VII, 209
– eines Jägers (Turgenjew) VIII, 293
– – Wahnsinnigen (Gogol) VIII, 177
– von Jacob Casanova von Seingalt (Casanova) VI, 298
Mensch ist gut, Der (Frank, L.) III, 221
– – so geschaffen, Der (Lidman) XIV, 366
– kann, Der (Kiselew) XIV, 384
– lebt nicht vom Brot allein, Der (Dudinzew) XII, 239
– und die Mächte, Der (Duun) XII, 70
Menschen am Broadway (Rice) XI, 246
– – Marañón (Alegría) IX, 322
– – Strande (Conrad) VII, 42
– aus Krushilicha (Panowa) XII, 292
– der Südsee (Maugham) X, 166
– Göttern gleich (Wells) VII, 228
– Hörigkeit, Der (Maugham) X, 164
– im Frühling (Perkanen) XIV, 372
– – Hotel (Baum) III, 24
– in der Sommernacht (Sillanpää) XII, 185
– … nur Menschen (Lämmle) XIII, 219
Menschenkette, Die (Romero) IX, 365
Menschenkind, Ditte (Andersen-Nexö) VIII, 18
Menschenleben, Ein (Maupassant) VI, 172
Menschenschicksal, Ein (Scholochow) XII, 313
Menschensohn (Roa Bastos) XIV, 163
Menschlein Matthias, Das (Ilg) *I, 330;* I, 295
Menschliche Komödie (Saroyan) XI, 268
Menschwerdung des Amtsrates Julius Zihal (Doderer) III, 150
Mercaderes, Los (Matute) XIV, 158
Mercy, Der Graf (Velsen) V, 888
Merkwürdiger Klub, Ein (Stevenson) VII, 194
Merowinger, Die, oder Die totale Familie (Doderer) XIII, 65
Merve (Grabenhorst) III, 262

Meseck, Frau (Halbe) *I, 211;* I, 183

Mesmer, Genie oder Scharlatan? (Rothmund) V, 725

Messias, Der (Mereschkowskij) VIII, 239

Mesurat, Adrienne (Green, J.) IX, 110

Metall (Schenzinger) V, 755

– der Toten, Das (Espina da Serna) VI, 373

Meteor, Das (Nabl) V, 627

Metropole, Die (Sinclair) XI, 283

Metzgerpost, Die (Taube) V, 858

Meute, Die (Zola) VI, 265

Meuterei auf der Elsinore (London) VII, 300

Meyenburg, Michael (Schreckenbach) *II, 579*

Miau (Pérez Galdós) XIV, 161

Michael, der Bruder Jerrys (London) VII, 302

– der Finne (Waltari) XII, 196

Mihcaela (Seidel, I.) XIII, 346

Michaels erster Sommer (Landgrebe) IV, 500

Michaelsberg (Bertram) III, 52

Michaelskinder, Die (Beheim-Sch.) III, 31

Michail, der Held unserer Zeit (Lermontow) VIII, 215

Michel (Scherr) *II, 566;* II, 511

–, Peter (Huch, F.) *I, 306;* I, 270

Michelangelo (Gobineau) VI, 122

Middlemarch (Eliot, G.) VII, 92

Midshipman Easy (Marryat) VII, 143

– Ruhig (Marryat) VII, 143

Mignon (Hauptmann, G.) I, 209

Militsch, Klara (Turgenjew) VIII, 307

Millard, Meine Großmutter (Faulkner) XIV, 267

Millionär in Sowjetrußland, Ein (Ilf) XII, 264

– wider Willen (Belloc) X, 8

Millionen der Priwalows, Die (Mamin-Sibirjak) VIII, 229

Millionenbauer, Der (Kretzer) *I, 385*

Milojes Tod (Ribnikar) XIV, 456

Mimi Pinson (Musset) VI, 187

Mimili (Clauren) *I, 64*

Mimosen blühen im Winter (Golowanjuk) XIV, 360

Minde, Grete (Fontane) *I, 118;* I, 107

Mine-Haha (Wedekind) *II, 714;* II, 662

Minnehandel (Streuvels) VII, 355

Mirabell (Rainalter) V, 694

Miranda, Lucia (Wast) IX, 374

Mirgorod (Gogol) VIII, 174

Miri (Sourian) XI, 299

Miriam oder Graf und Künstlerin (Hawthorne) XIV, 277

Miß Nausikaa (Morris, W.) XIV, 304

Missa sine nomine (Wiechert) V, 947

Missbrauchten Liebesbriefe, Die (Keller, G.) *I, 351;* I, 314

Mißgeschick der Tugend, Das (Sade) XIV, 81

Mister Johnson (Cary) X, 14

Mit dem Ende beginnt es (Landgrebe) IV, 499

– – Golfstrom (Lamming) XIV, 201

– – linken Ellbogen (Liliencron) *II, 417;* II, 376

– – Ostwind (Aldecoa) XIV, 132

– den Augen des Westens (Conrad) VII, 46

– der Nacht vertraut (Gárdony) XIV, 432

– Feuer und Schwert (Mérimée) VI, 179

– Kind und Krümel nach Europa (Bemelmans) XI, 14

– Leib und Leben (Windthorst) V, 956

– Lust und Last (Windthorst) V, 957

– 17 ist man jung (Panowa) XII, 293

Mitjas Liebe (Bunin) XII, 207
Mitleid für die Frauen (Monther-
lant) IX, 173
Mitsou (Colette) VI, 46
Mittag (Schnack, F.) V, 767
Mittagsgöttin, Die (Bölsche) *I, 46;*
I, 38
Mitte des Lebens (Rinser) V, 711
Mittsommernacht (Stolpe) XII, 162
Moby Dick oder Der weiße Wal
(Melville) VII, 307
Moderne Komödie (Galsworthy) VII,
102
Mögen diese Worte meine Antwort
sein (Estang) XIV, 29
Möhring, Mathilde (Fontane) *I, 120;*
I, 116
Mönch, Der (Lewis M. G.) XIV, 204
Mörder vor dem Anruf (Piovene) IX,
297
Möwe, Die (Caballero) VI, 348
Mogador, Julia von (Barbier) IX, 10
Mogens (Jacobsen) VIII, 32
Mohammed (Klabund) IV, 421
– (Wehner) V, 907
Mohr Peters des Großen, Der (Pusch-
kin) VIII, 249
– von Kastilien, Der (Kesten) IV,
410
Moira (Green, J.) IX, 115
Moll Flanders-Begebenheiten (De-
foe) VII, 55
Molloy (Beckett) IX, 20
Moloch (Cendrars) XIV, 18
–, Der (Kuprin) XIV, 385
Mond ging unter, Der (Steinbeck)
XI, 309
Monddiamant, Der (Collins) VII, 37
Mondstaaten und Sonnenreiche
(Bergerac) VI, 28
Mondstein, Der (Collins) VII, 37
Mondtal, Das (London) VII, 297
Monika zog in die Stadt (Zierer-St.)
V, 972

Monolog eines Betroffenen (Bongs)
XIII, 45
Monschäuer, Die (Mathar) IV, 560
Montblanc (Stratz) *II, 662*
Mont-Cinère (Green, J.) IX, 109
– Oriol (Maupassant) XIV, 53
– Royal (Beumelburg) III, 62
Monthiver-Mädchen, Die (Flake)
III, 204
Moordorf, Das (Geissler) *I, 169*
Moore, Lucy (Cronin) X, 22
Moorfro, De (Jahn) IV, 362
Moorinsel, Die (Chateaubriant) VI,
41
Moors, Peter, Fahrt nach Südwest
(Frenssen) I, 128
Moralische Erzählungen (Cervantes)
VI, 358
– – (Diderot) VI, 61
Moralt, Tino (Siegfried) *II, 593*
Morastblume, Die (Herczeg) VIII,
337
Morath schlägt sich durch (Hesse,
M., R.) IV, 313
– verwirklicht einen Traum (Hesse,
M. R.) IV, 315
Mord, den jeder begeht, Ein (Do-
derer) III, 151
Moreau (Klabund) IV, 420
Moreaus Insel, Doktor (Wells) VII,
224
Morgana, Anna (Saalfeld) XIII, 319
Morgen (Schnack, F.) V, 767
– des Lebens (Gudmundsson) XII,
36
– eines Gutsbesitzers, Der (Tolstoj,
L. N.) VIII, 264
– graut, Der (Andersen-Nexö) VIII, 7
– wird's besser (Smith, B.) XI, 296
– wirst du vergessen (Field) XI, 117
Morgenbrise (Morgan) X, 178
Morgengabe, Die (Hemmer) XII, 130
Morgenlandfahrt, Die (Hesse, H.) I,
236

Morgenwache, Die (Mc Fee) X, 142
Morin, Léon, Priester (Beck, B.) IX,
  19
Morsches Holz (Saint-Hélier) IX,
  232
Morten der Rote (Andersen-Nexö)
  VIII, 18
Moselfahrt aus Liebeskummer (Bin-
  ding) I, 33; III, 66
Moses (Asch) XI, 8
Moskau (Plievier) V, 679
Motorrad, Das (Pieyre de Mandiar-
  gues) XIV, 69
Moulin rouge (La Mure) XI, 175
Mountolive (Durrell) XIV, 187
Mozart (Huch, Fel.) IV, 348
– auf der Reise nach Prag (Mörike)
  II, 474; II, 431
– in Wien (Huch, Fel.) IV, 349
Mrs. Parkington (Bromfield) XI,
  25
– Stone und ihr römischer Frühling
  (Williams, T.) XI, 351
Müde bin ich, geh zur Ruh (Heming-
  way) XI, 145
Mühle am Fluß, Die (Eliot, G.) VII,
  89
– – Po, Die (Bacchelli) IX, 265
– der Gerechtigkeit, Die (Lothar)
  IV, 544
– im kalten Grund, Die (Supper)
  II, 675; II, 626
– zu Husterloh, Die (Karrillon) I,
  342; I, 305
Münchhausen (Immermann) I, 337;
  I, 300
– , Das war (Haensel) IV, 286
Mütter (Waggerl) V, 900
Mundstock, Herr Theodor (Fuks)
  XIV, 423
Muntere Lady, Die (Roberts, K. L.)
  XI, 254
Murat, Hadschi (Tolstoj, L. N.)
  VIII, 282

Murrays, Doktor, Auftrag (Cronin)
  XIV, 184
Musa Dagh, Die vierzig Tage des
  (Werfel) V, 929
Muschelhorn, Das (Leip) IV, 523
Muscheln in meiner Hand (Lind-
  bergh) XI, 196
Muscheltiere des Herrn Chabre, Die
  (Zola) VI, 286
Musik auf dem Rhein (Zerkaulen) V,
  970
– bei Nacht (Kasakow) XII, 269
– in Florenz (Márai) XII, 389
Musikantengeschichten (Söhle) II,
  596; II, 541
Mutmaßungen über Jakob (John-
  son, U.) XIII, 169
Mutter, Die (Buck) XI, 31
–, – (Deledda) XIV, 104
–, – (Finckenstein) III, 203
–, – (Gorki) VIII, 193
– der Könige, Die (Brandys) XII,
  341
– – Neun, Die (Jellinek) IV, 368
– Erde (Zola) VI, 274
– Lise (Schlaf) II, 568; II, 515
– und die drei Soldaten, Die (Claes)
  X, 296
Mutterlosen, Die (Berg, B.) XII, 116
Muzot, Der Zauberer (Mungenast)
  IV, 608
My days of anger (Farrell) XI, 95
Mysterien (Hamsun, K.) VIII, 65
Mysterium der Sebaldusnacht
  (Greinz) I, 191

Nach dem Feuerwerk (Huxley) X, 97
– – letzten Aufstand (Nossack)
  XIII, 287
– Jahr und Tag (Hamsun, K.) VIII,
  79
– langen Jahren (Unruh, F. F.) V,
  882; XIII, 376
– Mitternacht (Keun) XIII, 195

Nach vielen Sommern (Huxley) X, 100
– zwanzig Jahren (Dumas Vater) VI, 67
Nachglanz der Sterne (Luhmann) XIII, 250
Nachkommen, Die (Stehr) II, 565; V, 830
Nachkommenschaften (Stifter) *II, 630;* II, 589
Nachmittag des Herrn Andesmas, Der (Duras) XIV, 27
Nachsommer (Galsworthy) VII, 100
– (Stifter) *II, 631;* II, 587
Nacht aus Blei, Die (Jahnn) XIII, 165
– der Erfüllung, Die (Tagore) X, 238
– des Jägers, Die (Grubb) XI, 136
– im Teppichsaal, Die (Kurz, I.) I, 361; IV, 489
– in Bombay (Bromfield) XI, 24
– nach dem Verrat, Die (O'Flaherty) X, 190
– ohne Morgen (Algren) XI, 1
– von Vincennes, Die (Vigny) VI, 256
– vor Weihnachten, Die (Gogol) VIII, 172
Nachtbetrieb (Morand) IX, 178
Nachtbraut, Die (Eeden) VII, 345
Nachtflug (Saint-Exupéry) IX, 226
Nachtgewächs (Barnes) XIV, 251
Nachtigall will zum Vater fliegen (Becher, U.) XIII, 23
Nachtläuffer, Der (Quevedo y Villegas) VI, 396
Nachträglichen Memoiren des Bras Cubas, Die (Machado de Assis) VI, 383
Nachts unter der steinernen Brücke (Perutz) XIII, 293
– weinen die Soldaten (Matute) XIV, 158
Nachtwache (Braun, H.) III, 94

– , Die (Vesaas) XIV, 356
Nachtwachen des Bonaventura (Bonaventura) *I, 47;* I, 39
Nachtwind (Schnabel, E.) V, 764
Nachzügler, Die (Henz) XIII, 144
Nackte Jahr, Das (Pilnjak) XIV, 394
– Mann, Der (Strauß, E.) II, 614; V, 848
– Wahrheit, Die (Mitterer) IV, 589
Nackten und die Toten, Die (Mailer) XI, 204
Nada (Laforet) IX, 352
Nadja (Breton) IX, 37
– (Tudoran) XII, 427
Nächste ins Paradies, Der (Hlasko) XII, 351
Nächte in Bahia (Amado) XIV, 172
– um Johanni, Die (Sadoveanu) XII 427
– und Tage (Dombrowska) XII, 345
– von Fondi (Kurz, I.) I, 360; IV, 485
Nächtlicher Besuch (Bernus) III, 51
Nala und Re (Isemann) IV, 383
Namenlose, Der (Beckett) XIV, 6
Nana (Zola) VI, 269
Nann, Die (Croissant-Rust) *I, 68*
Narr auf Manegg, Der (Keller, G.) *I, 355;* I, 317
– des Glücks (Landgrebe) XIII, 220
– in Christo Emanuel Quint, Der (Hauptmann, G.) *I, 237;* I, 203
Narren des Glücks (Henry) VII, 268
– im Schnee (Betsch) III, 57
Narrenburg, Die (Stifter) *II, 634;* II, 573
Narrenschiff, Das (Porter) XIV, 309
Narrenspiegel (Neumann, A.) V, 640
Narziß und Goldmund (Hesse, H.) *I, 265;* I, 235
Nase, Die (Gogol) VIII, 177
Nashörner, Die (Ionesco) XIV, 43
Nathan, der Squatter-Regulator (Sealsfield) *II, 590;* II, 536

Natterngezücht (Mauriac) IX, 151

Neapel – Stadt ohne Gnade (Ortese) IX, 293

Nebel (Unamuno) VI, 400

Nebenan (Moosdorf) XIII, 264

Nebenbei bemerkt (Radecki) XIII, 299

Nechifor Lipans Weib (Sadoveanu) XII, 426

Nedschma (Yacine) XIV, 94

Neewa das Bärenkind (Curwood) X, 29

Neffe, Der (Malcolm) XIV, 312

– des Rameau, Der (Diderot) VI, 65

Neger Jeff (Dreiser) XI, 85

Negri, ein kleiner Gott (Crottet) IX, 56

Neid (Olescha) XII, 286

– (Wildenbruch) II, 681

Nein. Die Welt der Angeklagten (Jens) IV, 372

Nektar in einem Sieb (Markandaya) X, 149

Nekyia (Nossack) V, 649

Nennt mich nicht Nigger (Reding) XIII, 302

Néré, Renée (Colette) VI, 45

Nest der Zaunkönige, Das (Freytag) I, 149; I, 136

– voll kleiner Leute, Ein (O'Faolain) XIV, 221

Nestwurz (Seidel, H. W.) V, 804

Neswanow, Nettchen (Dostojewski) VIII, 152

Netz, Das (Glas) III, 249

Netze im Meer, Die (Régnier) IX, 214

Neu Atlantis (Bacon) VII, 5

– ward mein Tagwerk (Randenborgh) V, 694

Neue Don Quijote, Der (Chesterton) VII, 36

– Dschungelbuch, Das (Kipling) VII, 134

– Erde (Hamsun, K.) VIII, 66

– Geschichte der Mouchette, Die (Bernanos) IX, 27

– Geschichten aus der Zachurei (Holthaus) XIII, 155

– Geschlecht, Das (Skjoldborg) XII, 33

– Heilige, Der (Huch, Ric.) I, 311; I, 278

– Heimat-Florida (Rawlings) XI, 243

– Heimat in fernem Land (Moberg) XII, 147

– Heloise, Die, oder Briefe zweyer Liebenden (Rousseau) VI, 219

– Karthago, Das (Eekhoud) VI, 72

– Tag, Der (Lützkendorf) XIII, 247

– Tempel, Der (Bojer) XII, 62

– Urwald, Der (Döblin) III, 157

– Zeiten, neue Sorgen (Uspenskij) VIII, 308

Neuen Schwänke, Die, und lustigen Unterhaltungen (Des Périers) VI, 61

Neuer Cäsar (Neumann, A.) XIII, 277

Neues Leben, Ein (Malamud) XIV, 298

Neujahrsmärchen, Ein (Dudinzew) XII 240

Neujahrsrummel (Urzidil) XIII, 378

Neuland (Turgenjew) VIII 306

– unterm Pflug (Scholochow) XII, 313

Neumann, Balthasar (Ortner) V, 660

Neun Erzählungen (Salinger) XIV, 315

– Schneider, Die (Sayers) X, 217

– Wächter, Die (Castellanos) XIV, 140

9. November, Der (Kellermann) I, 370

9. Thermidor, Der (Aldanow) XII, 201

49 Stories (Hemingway) XI, 142

Neunzehn, Die (Fadejew) XII, 249

Neunzehnhundertvierundachtzig (Orwell) X, 194

Newcomes, Die (Thackeray) VII, 216

Newski-Prospekt, Der (Gogol) VIII, 177

New Yorker Legende (Bromfield) XI, 26

Nicht der Mörder, der Ermordete ist schuldig (Werfel) V, 932

Nichts als Erinnerung (Dor) XIII, 73

– in Sicht (Rehn) XIII, 305

– vergessen und doch vertrauen (Müller, W.) IV, 603

Nichtsnutz und die Mädchen, Der (Prus) XIV, 418

Nickelby, Nikolas (Dickens) VII, 62

Nie mehr arm (Ruark) XIV, 313

– siegreich, nie geschlagen (Caldwell, T.) XI, 53

– vergessene Gesicht, Das (Griese) XIII, 124

Niederdeutsche Trilogie: Das werdende Volk (Blunck) III, 75

Niederlage von Reichenfels, Die (Robbe-Grillet) XIV, 76

Niederrhein, Die vom (Herzog) *I, 256;* I, 224

Niederschrift des Gustav Anias Horn, Die (Jahnn) IV, 365

Niegeleerte Kelch, Der (Schmeljow) XII, 227

Niels Lyhne (Jacobsen) VIII, 35

Njemenfischer, Der (Orzeszkowa) VIII, 316

Nieswanowa, Netotschka (Dostojewski) VIII, 152

Nigger auf Scharhörn, Der (Leip) IV, 525

– vom Narzissus, Der (Conrad) VII, 40

Niki oder Die Geschichte eines Hundes (Déry) XII, 380

Nikitas Kindheit (Tolstoi, A. N.) XII, 328

Niklas von Cues, Schicksal des (Künkel) IV, 477

Nikolajewna, Natascha (Saitzew) XII, 224

Nikolas Nickelby (Dickens) VII, 62

Nimmo, Chester (Cary) X, 17

Nina (Rinser) XIII, 313

Ninon de Lenclos (Naso) V, 631

Nippernaht und die Jahreszeiten (Gailit) XII, 168

Noah (Giono) IX, 98

Nobelpreis, Der (Ernst, P.) I, 85; III, 181

Noble Straße, Die (Bristow) XI, 21

Noch zehn Sekunden (Cicellis) XIV, 466

Nockler, Peter (Holzamer) I, 270

Nocturno (Kluge) IV, 435

Nofretete (Muschler) IV, 618

Noia, La (Moravia) XIV, 113

Nokturno 1951 (Becker, R.) XIII, 24

Nolten, Maler (Mörike) *II, 475;* II, 429

Nonne, Die (Diderot) VI, 64

– von Monza, Die (Manzoni, A.) XIV, 109

Nonni (Svensson) XII, 55

Noras Schicksal (Miegel) IV, 584

Nordwest-Passage (Roberts, K. L.) XI, 255

Norica (Hagen) I, 181

Norne-Gast (Jensen, J. V.) VIII, 41

Noszty, Die Hochzeit des Herrn von (Mikszáth) VIII, 344

Nothanker, Sebaldus (Nicolai) *II, 483;* II, 435

Notre-Dame-des-Fleurs (Genet) XIV, 36

– von den Wogen (Hauser) IV, 299

- von Paris (Hugo) VI, 131
Notwender, Der (Dörfler, P.) III,
160
Novelle (Goethe) *1, 181;* I, 160

NOVELLEN
Vgl. auch »Erzählungen« und
»Geschichten«.

Aho VIII, 136
Andersen-Nexö VIII, 7
Anderson XI, 7
Andrejew VIII, 145
Andres III, 5
Andrić XII, 409

Balzac XIV, 5
Bandello VI, 294
Bartsch *I, 24;* I, 20
Benn III, 34. 35
Branner XII 4

Cancar VIII 334
Čapek XII 370
Caragiale XIV, 459
Cassou IX, 43
Cervantes VI, 358
Chesterton VII, 33. 34
Cicellis XII, 430

Dauthendey *I, 73;* I, 65. 67
Des Périers VI, 61
Dostojewski VIII, 168
Dreiser XI, 85
Durtain IX, 73

Edschmid XIII, 79
Ernst I, 84; III, 181

Franck III, 213. 214
Frank, B. III, 217
Frank, L. III, 221
Frapan-Akunian *I, 137;* I, 124
Friedenthal III, 227

Galsworthy VII, 112
Garschin VIII, 170; XIV, 380
Gaudy I, 145
Gobineau VI, 120
Green J. IX, 115

Hallström VIII, 100. 101. 103
Hamsun, K. VIII, 85-87
Hardy VII, 121
Holz *I, 304;* I, 269

Jellinek IV, 367
Jensen, J. W. VIII, 39
Jókai VIII, 340
Joyce X, 106
Jürgensen XII, 19

Kafka XIII, 178
Kasakow XII, 269
Krleža XIV, 451
Kröger I, 345
Kurz, Is. I, 357. 361. IV, 486
Kusmin XIV, 386

La Farge XI, 173
Larbaud IX, 131. 132
Lawrence X, 128
Lin Yutang XI, 191

Maupassant XIV, 54
Maurois XIV, 57
Mell IV, 571
Merimée XIV, 58
Miegel IV, 583

Penzoldt V, 670
Pirandello VI, 317; XIV, 118
Poe VII, 320
Ponten V, 690
Porché IX, 191
Porter XI, 237-239
Proust IX, 194

Saroyan XI, 271

NOVELLEN
Sartre IX, 237
Schäfer, W. II, 496; V, 737
Schaukal II, 507
Schischkow XII, 307
Sealsfield *II, 587;* II, 536
Seidel, H. *II, 591;* II, 539
Straparola VI, 320
Strauß II, 616; V, 850
Strindberg VIII, 123
Sudermann *II, 669;* II, 623

Toepffer VI, 245
Tomasi di Lampedusa XIV, 126

Unamuno VI, 403
Unruh, F. Fr. XIII, 376

Viebig *II, 689;* II, 642

Wilk XIII, 404
Wright XI, 367

November 1918 (Döblin) III, 153
Novembersturm (Frank, W.) III, 224
08/15 (Kirst) XIII, 196
– im Krieg (Kirst) XIII, 197
– bis zum Ende (Kirst) XIII, 197
Numa Roumestan (Daudet) VI, 60
Nuni oder Die letzte Freude (Griffin) XI, 135
Nur Gast auf dunkler Erde (Beumelburg) III, 61
– kein Arzt (Tibber) XIV, 238
Nylonmond (Blažková) XIV, 422
Nylonpiraten, Die (Monsarrat) XIV, 214
Nymphenburg (Geissler, H. W.) III, 240

Oberen Zehntausend, Die (Wharton) XI, 343
Oberhof (Immermann) *I, 338;* I, 301
Oberlin (Lienhard) *II, 416;* II, 375
Oberst Chabert (Balzac) VI, 9

– Hannes (Defoe) VII, 56
– und der Dichter, Der (Döblin) III, 155
Oblomow (Gontscharow) VIII, 184
Obregon, Marcos (Espinel) VI, 375
Obrist Jack (Defoe) VII, 56
Ochs und Esel bei der Krippe (Supervielle) IX, 246
Ochsenfurter Männerquartett, Das (Frank, B.) III, 219
Ochsenkrieg, Der (Ganghofer) *I, 164*
Octavia (Anton Ulrich v. Braunschweig) *I, 7;* I, 6
Octopus, Der (Norris) VII, 317
Odfeld, Das (Raabe) *II, 518;* II, 460
Odyssee zu zweit (Altendorf) XIII, 3
Ödhof, Der (Nabl) V, 621
Ölbaumfeld, Das (Maupassant) VI, 179
Öllendahl, Vater (Brandenburg) III, 91
Ölzweig, Der (Langewiesche) IV, 504
Offenbarung des Wacholderbaums (Wille) *II, 730*
Offene Tür, Die (Saki) XIV, 231
Ofterdingen, Heinrich von (Novalis) *II, 485;* II, 437
Ohne Dogma (Sienkiewicz) VIII, 324
– Familie (Malot) VI, 162
– Haß und Liebe (Witte) XIII, 405
– Maß und Ende (Bronska-Pampuch) XIV, 408
– mich (Krleža) XIV, 452
– Mutter geht es nicht (Nicklisch) XIII, 281
Okkultistische Novellen (Ernst, P.) I, 85; III, 182
Oktobernacht (Paustowski) XIV, 393
Olessja (Kuprin) XIV, 385
Olewagen-Saga, Die (Grimm) III, 274
Olsens Torheit (Larsen) XII, 24
Olsöy-Burschen, Die (Duun) XII, 68

Omu, Abenteuer in der Südsee (Melville) VII, 303

O'Neill, Danny (Farrell) XI, 93

Onjegin, Eugen (Puschkin) VIII, 244

Onkel Angiël (Istrati) XIV, 465

– Benjamin, Mein (Tillier) VI, 243

– Hannes und andere Geschichten aus Flandern (Claes) X, 297

– Toms Hütte (Beecher-Stowe) VII, 247

– – Kinder (Wright) XI, 367

– Wolódja (Panteleimonow) XII, 214

Onkelchens Traum (Dostojewski) VIII, 154

Opfer, Das (Bellow) XIV, 252

– des Pater Valentino, Das (Marshall) X, 156

Opfergang, Der (Binding) I, 32; III, 66

Opium (Farrère) VI, 80

Opiumkrieg (Brunngraber) III, 122

Opoponax (Wittig) XIV, 93

Opossum (Caldwell, E.) XI, 48

Oppenheim, Die Geschwister (Feuchtwanger) XIII, 91

Orgel des Himmels, Die (Schnack, F.) V, 768

Orgel, Der Ball des Comte d' (Radiguet) IX, 202

Orkan (Masefield) X, 159

Orlando (Woolf, V.) X, 265

Orlow und seine Frau (Gorki) VIII, 191

Orpha, Frau (Gevers) IX, 86

Ortis, Jacopo, Die letzten Briefe des (Foscolo) VI, 310

Ortliebschen Frauen, Die (Nabl) V, 622

Osman (Dessauer) XIII, 61

Ostergesellschaft, Die (Sackville-West) X, 216

Osterkerze, Eine (Caragiale) XIV, 459

Osterwinde (Munier-W.) XIII, 271

Ostwind – Westwind (Buck) XI, 27

Othello (Hauff) I, 227; I, 196

Otto III., Der Kaiser (Benrath) III, 40

Ovid bei Hofe (Riehl) II, 536; II, 476

Ozean (Rossi) IX, 301

– ruft, Der (Norris) VII, 315

Pablo, oder Das Leben in den Pampas (García) VI, 376

Pakt, Der (Neumann, A.) XIII, 278

Palast am großen Strom (Keyes) XI, 170

Pallieter (Timmermans) X, 340

Palm (Franck, H.) III, 214

Palmen, Pomp und Paukenschlag (Coward) XIV, 183

Palmerstone, George (Seidel, H. W.) V, 801

Pamela oder die belohnte Tugend (Richardson) VII, 160

Pampero, Sturm und Schicksal (Goyanarte) IX, 345

Pan (Hamsun, K.) VIII, 67

– ging vorüber (Saalfeld) XIII, 318

– im Dorfe (Wiechert) V, 939

Panduren (Crnjanski) XIV, 447

– -Oberst Trenck, Der (Kayser) IV, 406

Panik in der Scala (Buzzati) IX, 273

Pankraz der Schmoller (Keller, G.) I, 347; I, 309

Panne, Die (Dürrenmatt) XIII, 77

Panzerzug Nr. 14-69 (Iwanow) XII, 266

Paolo der Heißblütige (Brancati) XIV, 99

Papa Hamlet (Holz-Schlaf) I, 304; I, 269

Papierschiff, Das (Moor) XIII, 263

Papst aus dem Ghetto, Der (Le Fort) IV, 512

Paracelsus-Trilogie (Kolbenheyer)
    IV, 454
Paradies (Forbes) XI, 121
– der Damen, Das (Zola) VI, 271
– – falschen Vögel (Hildesheimer)
    XIII, 147
– – Junggesellen, Das, und der
    Tartarus der Mädchen (Melville)
    VII, 313
Parallelen der Liebe (Huxley) X,
    95
Parchomenko, Alexander (Iwanow)
    XII, 268
Pardi, Angelo (Giono) IX, 101
Pardon wird nicht gegeben (Döblin)
    XIII, 71
Paris, Judith (Walpole) X, 245
Paris (Zola) VI, 281
– ist eine Messe wert (Uhlenbusch)
    XIII, 374
– - Rom oder Die Modifikation
    (Butor) XIV, 11
Pariser, Die (Bock) I, 36
Pariser Abendkleid, Das (Herges-
    heimer) XI, 150
– Mysterien (Sue) VI, 241
– Nocturno (Naso) V, 632
– Spleen (Baudelaire) VI, 26
– Zigeunerleben (Murger) VI, 185
Park, Der (Bäumer) III, 15
Parkington, Mrs. (Bromfield) XI, 25
Partenau (Hesse, M. R.) IV, 312
Parthenope oder Das Abenteuer in
    Neapel (Hartlaub, F.) XIII, 134
Pascal, Doktor (Zola) VI, 279
– , Mattia, Die Wandlungen des
    (Pirandello) VI, 315
Pasquier, Chronik der Familie (Du-
    hamel) IX, 67
Passagiere der leeren Plätze, Die
    (Andersen-Nexö) VIII, 7
Pastor, Vom gastfreien (Hartleben)
    I, 194
– Klinghammer (Hegeler) *I, 247*

– von Poggsee, Der (Frenssen) *I,
    143;* 1, 129
Pastorale (Mühlberger) IV, 599
– (Ramuz) XIV, 74
Pastoral-Symphonie, Die (Gide) VI,
    111
Patapuffer und Filiferen (Maurois)
    IX, 156
Pater Brown (Chesterton) VII, 34
– Sergius (Tolstoj, L. N.) VIII, 280
Patriarch Mahnke (Enking) *I, 96*
Patriot, Der (Neumann, A.) V, 639
– wider Willen, Der (Unruh, F. F.)
    V, 881
Patrizier, Der (Galsworthy) VII, 106
Patrizierin, Die (Widmann) *II, 721;*
    II, 672
Patrouillen der Nacht (Bahl) XIII,
    14
Paul und Virginie (Bernardin de
    Saint-Pierre) VI, 29
Paulina 1880 (Jouve) XIV, 45
Pauline aus Kreuzburg (Hoffmann,
    R.) IV, 334
Paulus in Babylon (Hohoff, C.)
    XIII, 152
Pausewang, Meister Joachim (Kol-
    benheyer) IV, 453
Pave und Pero (Preradovič) V, 691
Pawlin (Leskow) VIII, 223
Pechbrenner, Der (Stifter) *II, 622;*
    II, 584
Pedant, Der (Mungenast) IV, 609
Peder der Sieger (Rølvaag) XII, 100
Peerkathener Mädchenraub, Der
    (Nelissen-H.) V, 634
Pein des Alltags, Die (Pirandello)
    VI, 317
Peipussee, Der (Schischkow) XII,
    307
Peitschchen, Das (Binding) I, 31;
    III, 66
Peitsche deines Zorns (Hlasko) XIV,
    413

Peking (Lin-Yü-tang) XI, 188
Pelham (Bulwer) VII, 19
Pelle der Eroberer (Andersen-Nexö) VIII, 16
Pelzjäger, Der (Aslagsson) XII, 58
Penchuenchen, Unter den (Gerstäcker) I, 173; I, 151
Pendennis (Thackeray) VII, 212
Pennymillionär, Der (Wodehouse) XIV, 244
Pentameron, Das (Basile) VI, 295
Pepino oder Das kleine Wunder (Gallico) X, 54
Perdita (Hamer) IV, 291
Perdrix, Der alte (Philippe) VI, 194
Peregrin, Unser Freund (Seidel, I.) V, 808
– Pickles Abenteuer (Smollet) VII, 183
Perelandra (Lewis) X, 135
Pereslegin, Nikolai, Die Liebe des (Stepun) XII, 233
Périot, Patrice, Professor (Duhamel) IX, 69
Perle, Die (Steinbeck) XI, 312
Perpetua (Scholz) V, 777
Perrudja (Jahnn) IV, 362
Persianische Briefe (Montesquieu) VI, 184
Persilus und Sigismunda (Cervantes) VI, 362
Persische Briefe (Montesquieu) VI, 184
Peruanische Gesichte (García Calderón) IX, 340
Pest, Die (Camus) IX, 38
– in Bergamo (Jacobsen) VIII, 38
Peter auf den sieben Meeren (Marryat) VII, 142
– der Erste (Tolstoi, A. N.) XII, 331
– – Große (Tolstoi, A. N.) XII, 331
– Moors Fahrt nach Südwest (Frenssen) I, 128

– Schlemihls wundersame Geschichte (Chamisso) I, 62; I, 56
– Simpel (Marryat) VII, 142
– und Lutz (Rolland) VI, 215
Petersburg (Bjelyj) VIII, 148
Petroleum (Sinclair) XI, 290
– für die Lampen Chinas (Hobart) XI, 155
Petschorin (Lermontow) VIII, 215
Pfadfinder, Der (Cooper) VII, 254
Pfäffling, Die Familie (Sapper) II, 551; II, 492
Pfahl im Fleisch, Der (Sartre) IX, 240
Pfannenstiel (Zollinger) XIII, 410
Pfarrer aus dem Kempenland, Der (Claes) X, 296
– vom blühenden Weinberg, Der (Timmermans) X, 342
– von Breitendorf, Der (Polenz) II, 495
– – Lamotte, Der (Haluschka) IV, 289
– – Uddarbo, Der (Hambraeus) XII, 124
Pfarrhaus Framley, Das (Trollope) VII, 219
Pfarrherr von Ozeron, Der (Jammes, F.) VI, 143
Pfauen, Die (Jünger, F. G.) IV, 391
Pfauenfeder und Kokarde (Edmonds) XI, 87
Pfauenrad, Das (Hobart) XI, 157
Pfeffer von Stetten (Schwarz, G.) V, 796
Pfeife des Kommunarden, Die (Ehrenburg) XII, 242
Pfeiferstube, Die (Alverdes) III, 1
Pfeile und Flöten (Kaufmann, H.) XIII, 187
Pferdemusik (Tügel) V, 872
Pfingsten in Weimar (Hohlbaum) IV, 338
Pfingstreise, Die (Waggerl) V, 901

Pflichtgefühl (Howells) VII, 271

Pflücke die Rosen (Marceau) XIV, 52

Pflugschar, Die (Falkberget) XII, 79

Pförtner im Herrenhause, Der (Stifter) *II, 642;* II, 585

Pforten der Hölle, Die (Münz) XIII, 269

Pfründner, Die (Saar) *II, 547;* II, 491

Pfund Orangen, Ein (Fleisser) III, 208

Phantasien im Bremer Ratskeller (Hauff) *I, 227;* I, 197

Phantastische Geschichten (Poe) VII, 320

Pharao, Der (Prus) VIII, 318

Pharisäerin, Die (Mauriac) IX, 153

Phil und Vinca (Colette) VI, 46

Philipp der Zweite (Kesten) IV, 411

Philipps II., Der Traum (Maass, E.) IV, 550

Phönix aus der Flamme (Steen) X, 233

Physiognomien des Todes (Bierce) VII, 249; XIV, 254

Pickbalge, Geschichten aus der (Scharrelmann) *II, 563;* II, 506

Pickering, Eugen (James, H.) VII, 272

Pickle, Peregrin (Smollet) VII, 183

Picknick der Freiheit (Nowakowski) XIV, 416

Pickwicker, Die (Dickens) VII, 59

Pierre und Jean (Maupassant) XIV, 53

Pik Dame (Puschkin) VIII, 247

Pilater, Konrad (Schaffner) *II, 560;* II, 500

Pilatus (Federer) *I, 103;* I, 96

Pilger auf dem Meer (Lagerkvist) XIV, 364

– – Erden (Green, J.) IX, 115

– der Liebe, Der (Irving) VII, 282

– Kamanita, Der (Gjellerup) VIII, 29

Pilgerfahrt der heiligen Birgitta, Die (Heidenstam) VIII, 106

– nach Lübeck, Die (Franck, H.) III, 211

Pinson, Mimi (Musset) VI, 187

Pjotr (Klabund) IV, 420

Pique Dame (Puschkin) XIV, 395

Pirat, Der (Marryat) VII, 144

Piratenleutnant, Der (Möllhausen) *II, 472*

Piroschka, Ich denke oft an (Hartung) XIII, 136

Pisana oder Die Bekenntnisse eines Achtzigjährigen (Nievo) XIV, 114

Pistole, Die (Jones) XI, 165

Pistolenduell, Das (Puschkin) VIII, 245

Pitt und Fox (Huch, F.) *I, 307;* I, 272

Pittje Pittjewitt (Lauff) *II, 412;* II, 369

Planetarium, Das (Sarraute) XIV, 85

Platero und ich (Jiménez) IX, 351

Platz an der Sonne, Der (Inber) XII, 265

Plaudereien einer Pariserin über die Liebe (Prévost, M.) VI, 198

Plautus im Nonnenkloster (Meyer, C. F.) *II, 462;* II, 417

Plexus (Miller, H.) XI, 214

Plus ultra (Le Fort) IV, 516

Pnin (Nabokov) XII, 213

Poggenpuhls, Die (Fontane) I, 115

Pojaz, Der (Franzos) *I, 134;* I, 123

Pole Poppenspäler (Storm) *II, 656;* II, 601

Polikuschka (Tolstoj, L. N.) VIII, 266

Politische Novelle (Frank, B.) III, 216

Polnische Mühle, Die (Giono) IX, 102

Polnischen Bauern, Die (Reymont) VIII, 320
Polonaise Allerheiligen (Nowakowski) XII, 362
Pompadour und Pompadourin (Saltykow-Schtschedrin) VIII, 250
Porgy (Heyward) XI, 154
Port Tarascon (Daudet) VI, 56
Porta Nigra (Kneip) IV, 437
Portner, Hans Georg (Sperl) *II, 603*
Portolu, Elias (Deledda) VI, 301
Porträt, Das (Gogol) VIII, 176
Portrait eines Unbekannten (Sarraute) XIV, 84
Portugiesin, Die (Musil) XIII, 273
Portugiesische Königstochter, Die (Déry) XII, 381
Postmeister, Der (Puschkin) VIII, 246
Powenzbande, Die (Penzoldt) V, 668
Prärie, Die (Cooper) VII, 255
Prager Triptychon (Urzidil) XIII, 379
Praterveilchen (Isherwood) X, 113
Preis der Freiheit, Der (Maximoff) IX, 163
Preisträger, Der (Döbler) XIII, 67
Presselschen Gartenhaus, Im (Hesse, H.) *I, 266;* I, 231
Priester und Detektiv (Chesterton) VII, 33
– von Stargorod, Die (Leskow) VIII, 219
Prinz, Der, und der Betteljunge (Twain) VII, 326
– Efflam (Salminen) XII, 151
– Florisel (Stevenson) VII, 194
– Kuckuck (Bierbaum) *I, 33;* I, 29
– Louis Ferdinand (Lewald) *II, 415*
– Rasselas (Johnson, S.) VII, 126
– und Bettelknabe (Twain) VII, 326
– von Abyssinien, Der (Johnson, S.) VII, 126
Prinzessin Brambilla (Hoffmann, E. Th. A.) *I, 283;* I, 258

– Casamassima (James, H.) VII, 275
– Rote Jade (Payne) XI, 235
– von Babylon, Die (Voltaire) VI, 261
– – Cleve, Die (La Fayette) VI, 146
Privatleben der schönen Helena, Das (Erskine) XI, 89
Priwalowschen Millionen, Die (Mamin-Sibirjak) VIII, 229
Problematische Naturen (Spielhagen) *II, 606;* II, 549
Professor Patrice Périot (Duhamel) IX, 69
– Unrat (Mann, H.) *II, 438;* II, 390
Profit, Familie (Vallotton) VI, 249
Prokopus (Stifter) *II, 635;* II, 583
Proletarier-Novellen (Andersen-Nexö) VIII, 7
Prophezeiung, Die (Kramp) IV, 468
Provençalische Geschichten (Daudet) VI, 55
Provinz Poschechonien (Saltykow-Schtschedrin) VIII, 253
Prozeß, Der (Kafka) IV, 400
– beginnt, Der (Terz) XIV, 402
Prütske (Streuvels) VII, 359
Psmith macht alles (Wodehouse) X, 262
Psyche (Storm) *II, 657;* II, 602
Ptolemäer, Der (Benn) III, 35
Pu baut ein Haus (Milne) XIV, 213
– der Bär (Milne) XIV, 213
Puck vom Buchsberg (Kipling) VII, 138
Pudding des armen Mannes, Der, und die Brosamen des Reichen (Melville) VII, 313
Pudels Kern, Des (Cary) X, 15
Pück, Lebenslauf des heiligen Wonnebald (Huch, Ric.) *I, 313;* I, 280
Pulham, H. M. (Marquand) XI, 207
Puppe, Die (Prus) VIII, 317
Puppen von Pohansk, Die (Neumann, R.) V, 644

Purpurne Stadt, Die (Langner) IV, 508

Purpursegel, Das (Grin, A. St.) XII, 261

Pus, Minneke, oder Die schönen Tage im Kempenland (Timmermans) X, 346

Puschkin in der Verbannung (Nowikow) XII, 284

Pym, Gordon (Poe) VII, 319

Quai des brumes, Le (Mac Orlan) IX, 137

Quartett-Finale, Ein (Speck) *II, 600*

Quartier an der Mosel, Das (Borée) XIII, 45

– für die Nacht (Stevenson) VII, 193

Quell, Der (Morgan) X, 175

– am Ende der Welt, Der (Gunn) X, 80

Quelle, Die (Michener) XIV, 301

– des Glücks, Die, oder der Brief vom Fischer Markus (Scott, G.) XII, 102

Quercy, Thomas (Otremont) IX, 182

Quesnay, Bernhard (Maurois) IX, 157

Quick (Saint-Hélier) IX, 235

Quijote von der Mancha (Cervantes) VI, 352

Quijotes, Don, Wiederkehr (Chesterton) VII, 36

Quinettes Verbrechen (Romains) IX, 217

Quint, Emanuel, Der Narr in Christo (Hauptmann, G.) *I, 237;* I, 203

Quo vadis? (Sienkiewicz) VIII, 325

Rabbi von Bacharach (Heine) *I, 249;* I, 219

Rache des Toten, Die (Flaubert) VI, 89

Rad, Das (Leach) X, 130

Radetzkymarsch (Roth, J.) V, 723

Radium (Brunngraber) III, 121

Räuberbande, Die (Frank, L.) III, 219

Räuberbraut Marketa Lazarowa, Die (Vančura) XIV, 426

Räuberdorf, Das (Leskow) XIV, 388

Ragnhild (Duun) XII, 69

Rajahs Diamant, Des (Stevenson) VII, 194

Rakkóx der Billionär (Scheerbart) II, 509

Rákóczi, der Rebell (Herczeg) VIII, 338

Rameaus Neffe (Diderot) VI, 65

Randfiguren (Schuster, E.) XIII, 342

Random, Roderich (Smollet) VII, 181

Randoms Begebenheiten (Smollet) VII, 181

Rangierbahnhof, Der (Böhlau) *I, 44;* I, 37

Raps, Hannes (Claes) X, 295

Rapunzel (Finckh) *I, 107;* I, 99

Raquin, Therese (Zola) VI, 262

Raritätenladen, Der (Dickens) VII, 63

Rasch tritt der Tod den Menschen an (Zola) VI, 286

Rasenstück, Das (Nabl) XIII, 274

Raskolnikow (Dostojewski) VIII, 158

Raskolnikows Schuld und Sühne (Dostojewski) VIII, 158

Rasputin (Guenther, J.) XIII, 125

– (Klabund) IV, 421

Rasselas, Prinz von Habesch (Johnson, S.) VII, 126

Rat Krespel (Hoffmann, E. Th. A.) *I, 287;* I, 253

Ratsmädelgeschichten (Böhlau) *I, 44;* I, 37

Ratten und Schwäne (Lampe) IV, 497

Raubfischer in Hellas (Helwig) IV, 310

Raubgraf, Der (Wolff, Jul.) II, 734

Raubmenschen (Dauthendey) I, 74; I, 67

Rauch (Turgenjew) VIII, 302

–, Der (Pirandello) XIV, 118

– über der Prärie (Richter, C. M.) XI, 250

– – Sanct Florian (Wied) V, 952

Rausch und Erfüllung (Monnier) IX, 170

Ravensnest oder die Rothäute (Cooper) VII, 257

Reading, Thomas von (Deloney) VII, 58

Rebächle, Die (Villinger) II, 693; II, 645

Rebecca (Du Maurier) X, 36

Reben von Dieu Donné, Die (Packer) XIV, 225

Rebull, Mariona (Agustí) IX, 321

Rechenschaft (Déry) XIV, 429

Rechnung, die nicht aufgeht, Eine (Schnurre) XIII, 335

– ohne den Wirt, Die (Cain) XI, 44

Recht ist Unrecht (Franck, H.) III, 214

Rechtschaffene Herz, Das (Bruns) III, 124

Reckenburgerin, Die letzte (François) I, 129; I, 118

Red Rover (Cooper) VII, 256

Redburns erste Reise (Melville) VII, 304

Rede unter dem Galgen (Aichinger) XIII, 2

Redliche Zeitgenosse, Der (Sostschenko) XII, 321

Regenbogen, Der (Franck, H.) III, 215

–, – (Lawrence, D. H.) X, 124

Regenkönig, Der (Bellow) XIV, 253

Regine (Keller, G.) I, 361; I, 321

– (Voigt-Diederichs) II, 699; II, 649

Regulatoren in Arkansas, Die (Gerstäcker) I, 174; I, 148

Regules, Nacha (Gálvez) IX, 337

Reich der Träume, Das (Macleod) VII, 140

Reiche Mann, Der (Galsworthy) VII, 100

Reiches Kommen, Des (Kröger) I, 388; I, 348

– Krone, Des (Raabe) II, 514; II, 454

Reichsgräfin Gisela (Marlitt) II, 449

Reif auf Olivenblüten (Cironella) XIV, 151

Reiher, Der (Morgan) X, 178

Reine Frau, Eine (Hardy) VII, 119

– Herz, Das (Meersch) IX, 165

Reineke, Engelbert (Schallück) XIII, 322

Reis aus Silberschalen (Ekert-R.) XIII, 83

Reise, Die (Morgan) X, 176

– ans Ende der Nacht (Céline) IX, 44

– des Tobias, Die (Hartlaub, F.) XIII, 134

– durch die Sippschaft (Montella) IX, 290

– durchs Familienalbum (Ridge) X, 209

– in die Heimat, Die (Ehrler) III, 174

– nach Braunschweig, Die (Knigge) I, 382; I, 340

– – dem Mond, Die (Verne) VI, 252

– – Dublin, Die (O'Connor) XIV, 219

– – Faremido, Die (Karinthy) XIV, 435

– – Tilsit, Die (Sudermann) II, 669; II, 623

– – Tripstrill, Die (Finckh) I, 108; I, 100

Reise ohne Heimkehr (Helwig) XIII, 142
– um die Erde in 80 Tagen, Die (Verne) VI, 253
– – mein Zimmer, Die (Maistre) VI, 161
– von Petersburg nach Moskau (Radischtschew) VIII, 249
Reiseleben (Gobineau) VI, 121
Reisen des Sir John Fairfax durch die Türkei, Die (Kusmin) VIII, 214
Reisenden der Oberklasse, Die (Aragon) IX, 4
Reiser, Anton (Moritz) *II, 476;* II, 432
Reispflanzerlied, Das (Chang) XI, 62
Reißenden Wasser von Velaba, Die (Packer) XIV, 225
Reit heut nacht! (Moberg) XII, 145
Reiter, Der (Branner) XII, 5
– auf dem fahlen Pferd, Der (Stikkelberger) V, 843
– – dem Regenbogen, Der (Engel, G.) *I, 91*
– aus Erz, Der (Mereschkowskij) VIII, 237
– vom Teufelsgrund, Die (Boldrewood) VII, 13
Reitergeschichte (Hofmannsthal) I, 263
Rektor Müslins italienische Reise (Widmann) *II, 721;* II, 672
Religiöse Erzählungen eines Atheisten (Tschechow) XIV, 403
Reliquie, Die (Eça de Queiróz) VI, 368
Rembrandt (Vries, Th.) X, 353
Renaissance, Die (Gobineau) VI, 121
Renate (Storm) *II, 658;* II, 605
Rendezvous, Das (Colette) XIV, 22
– im Zoo, Das (Lichnowsky) IV, 536
René, oder die Wirkungen der Leidenschaften (Chateaubriand) VI, 38

Requiem der Liebe (Saar) *II, 546;* II, 491
– für eine Nonne (Faulkner) XI, 109
Rette sich, wer kann (Thurber) XI, 328
Rettung, Die (Conrad) VII, 49
– ins Leben (Muschler) IV, 616
Rettungsanker, Der (Sostschenko) XII, 321
Retz, Kardinal (Schlumberger) IX, 243
Rëubeni, Fürst der Juden (Brod) III, 115
Revest, Die Familie (Monnier) XIV, 60
Rezeau, Die Familie (Bazin) IX, 14
Rheingauer Deutsch (Riehl) *II, 532;* II, 478
Rheinischer Hausfreund (Hebel) I, 212
Rheinisches Zwischenspiel (Ponten) V, 685
Rheinsberg (Tucholsky) V, 869
Rjabzew, Kostja, auf der Universität (Ognjew) XII, 285
Richard Feverels Prüfung (Meredith) VII, 149
Richter, Der (Morgan) X, 177
– in der Karu, Der (Grimm) III, 275
– und sein Henker, Der (Dürrenmatt) XIII, 75
Richterin, Die (Meyer, C. F.) *II, 463;* II, 421
Riechbüchschen, Das (Wildenbruch) *II, 726;* II, 680
Riedland (Guggenheim) XIII, 127
Riemenschneider, Dill (Weismantel) V, 914
Rienzi der letzte Tribun (Bulwer) VII, 21
Ries, Erzählungen aus dem (Meyr) *II, 466;* II, 424
Riese, Der (Déry) XII, 381
Rima (Hudson) XIV, 196

Rinaldini, Rinaldo (Vulpius) *II, 702;* II, 652

Ring, Konstanze (Skram) XIV, 355

Ring, Der (Weigand) II, 664

– des Generals, Der (Lagerlöf) VIII, 117

– – Lebens, Der (Paulus) V, 665

– schließt sich, Der (Hamsun, K.) VIII, 82

Ringlinie West (Rowdon) X, 213

Ringwald, Thomas (Stegemann) *II, 615*

Rip van Winkle (Irving) VII, 281

Ritt ins Abendrot (Laar) XIII, 219

Ritter der Gerechtigkeit (Andres) XIII, 8

– Gluck (Hoffmann, E. Th. A.) *I, 287;* I, 249

– vom Geiste, Die (Gutzkow) *I, 203;* I, 178

Ritterhelm, Die beiden (Huch, Rud.) *I, 318;* I, 282

Rittmeister, Der (Naso) V, 634

Robert (Gide) VI, 118

Robinson (Spark) XIV, 236

– Crusoe (Defoe) VII, 51

– –, Zweyter und letzter Theil (Defoe) VII, 53

Rodendahls, Die (Baumgardt) III, 28

Römische Brunnen, Der (Le Fort) IV, 509

– Erzählungen (Moravia) XIV, 112

Röslein oder der Roman eines leicht hinkenden jungen Mädchens (Jammes, F.) VI, 140

Rohrdommel ruft jeden Tag, Die (Schnurre) V, 776

Rohrstock, Der (Vigny) VI, 256

Rokoko, Sterbendes (Bartsch) *I, 24;* I, 20

Roland von Berlin, Der (Alexis) *I, 2;* I, 1

Roller, Heinrich (Kurz, H.) *I, 397;* I, 353

Rom (Zola) VI, 281

– 12 Uhr mittags (Macpherson) XIV, 208

Roman der drei Mädchen, Der (Jammes, F.) VI, 138

– – Stiftsdame, Der (Heyse) *I, 275;* I, 245

– des Abendlandes (Meissinger) IV, 570

– – Hauses Fromont, Der (Daudet) VI, 59

– – Phänotyp (Benn) III, 36

– eines Dienstmädchens, Der (Goncourt, E. u. J.) VI, 125

– – jungen Mannes, Der (Flaubert) VI, 88

– – Schwindlers (Guitry) IX, 116

– Heinrichs IV. von Frankreich, Der (Mann, H.) *II, 432;* II, 395

– in neun Briefen, Ein (Dostojewski) VIII, 169

– meines Lebens, Der (Knigge) *I, 382;* I, 339

Romane der Leidenschaft (Klabund) IV, 420

Romantische Küster auf Ranö, Der (Strindberg) VIII, 123

Romeo oder Der Liebhaber der Liebe (Woestijne) VII, 367

– und Julia auf dem Dorfe (Keller, G.) *I, 348;* I, 310

Romola (Eliot, G.) VII, 92

Roque, Die kleine (Maupassant) VI, 175

Rosa (Hamsun, K.) VIII, 70

Rosalva, Don Sylvio von (Wieland) II, 673

Rose, Jimmy (Melville) VII, 313

Rosen blühen auch im Herbst (Heynicke) IV, 324

– im September (Maurois) IX, 161

– und Porree (Schmidt, A.) XIII, 331

Rosendoktor, Der (Finckh) *I, 109;* I, 99

Rosenschloß, Das (Gómez de la Serna) IX, 344
Rosmarinbaum, Der (Goudge) X, 65
Rosse des Urban Roithner, Die (Bodmershof) III, 79
Roßhalde (Hesse, H.) I, *267;* I, 230
Rostschins, Nikita, Das ungewöhnliche Abenteuer (Tolstoi, A. N.) XII, 334
Rot und Schwarz (Stendhal) VI, 235
– (Tarsis) XIV, 400
Rote, Die (Andersch) XIII, 7
– A, Das (Hawthorne) VII, 266
– Blume, Die (Garschin) VIII, 170
– Donau, Die (Marshall) X, 152
– Freibeuter, Der (Cooper) VII, 256
– Gießkanne, Die (Saint-Hélier) IX, 234
– Hahn fliegt himmelwärts, Der (Bulatović) XII, 412
– Koppel, Die (Fleuron) XII, 12
– Lachen, Das (Andrejew) VIII, 144
– Lilie, Die (France) VI, 93
– Marder, Der (Nisser) XII, 150
– Nelke, Die (Vittorini) IX, 315
– Rose, Die (Hallström) VIII, 103
– Schlange, Die (Bengtsson) XII, 115
– Strich, Der (Kianto) XII, 173
– Sturm, Der (Steuben) V, 840
– Zimmer, Das (Strindberg) VIII, 121
– Zora und ihre Bande, Die (Held) XIII, 142
Rotfuchs (Renard) VI, 207
Rotkinnsohn, Stelling (Blunck) III, 75
Rott, Stefan, oder Das Jahr der Entscheidung (Brod) XIII, 54
Rotte, Die (Azuela) IX, 326
Rougon-Macquart, Die (Zola) VI, 263
Roumestan, Numa (Daudet) VI, 60

Roxelane (Tralow) V, 864
Rubin, Der (Hebbel) I, 212
– der Herzogin, Der (Presber) *II, 497*
Rudin (Turgenjew) VIII, 296
Rückblick aus dem Jahre 2000 auf das Jahr 1887, Ein (Bellamy) VII, 248
Rückkehr, Die (Hardy) VII, 118
– des Buddha, Die (Iwanow) XIV, 383
– – Filip Latinovicz, Die (Krleža) XIV, 453
– nach Peyton Place (Metalious) XIV, 300
– – Wargamäe (Tammsaare) XII, 190
– zur Natur, Die (Fechter) III, 193
Ruepp, Der (Thoma) *II, 679;* II, 634
Rüstig, Sigismund (Marryat) VII, 146
Ruf ans andere Ufer, Der (Cèspedes) IX, 275
– aus der Tiefe (Boudier-Bakker) X, 288
– der Heimat (Nordström) XIII, 284
– – Wälder (Steuben) V, 841
– – Wildgänse, Der (Ostenso) XI, 230
– – Wildnis, Der (London) VII, 287
– mich, wenn das Kreuz sich wendet (Niland) XIV, 217
Ruhe ist die erste Bürgerpflicht (Alexis) *I, 3;* I, 4
Ruhekissen, Das (Rochefort) XIV, 78
Ruhekur, Die (Huxley) X, 104
Ruhiges Leben, Ein (Duras) XIV, 27
Ruhm des Daseins (Lehmann, W.) XIII, 233
– und Ehre (Iwaskiewicz) XII, 353
– und Elend (Balzac) VI, 79
Ruin, Der (Uspenskij) VIII, 307

Ruiz, Gaspar (Conrad) VII, 44
Rumänisches Tagebuch (Carossa) III, 134
Rumplhanni, Die (Christ) I, 58; III, 139
Russische Familienchronik (Aksakow) VIII, 143
– Wald, Der (Leonow) XII, 278
Rya-Rya ... nur eine Mutter (Lo-Johansson) XII, 142

Saat der Zeit (Rilla) XIII, 312
– von Hiroshima, Die (Morris, E.) XIV, 303
Saaten Kains, Die (Coelho-Lisboa) IX, 329
Saber, Sekondeleutnant (Tynjanow) XII, 336
Sabishisa (Mannin) XIV, 209
Sache wie die Liebe, Eine (Bender) XIII, 27
Sänger, Der (Huch, Ric.) I, 311; I, 278
Sängerin, Die (Hauff) I, 228; I, 197
Sage von der schläfrigen Schlucht, Die (Irving) VII, 281
– von Sankt Julianus, dem Gastfreien, Die (Flaubert) VI, 90
Saint-Saturnin (Schlumberger) IX, 244
Salambo (Flaubert) VI, 87
Salander, Martin (Keller, G.) I, 359; I, 324
Salar der Lachs (Williamson) X, 259
Salko, der Alkar (Simunović) XII, 415
Salto mortale (Dor) XIII, 74
Salut gen Himmel (Hausmann) IV, 301
Salwàre oder Die Magdalena von Bozen (Zuckmayer) V, 979
Salzsäule, Die (Memmi) XIV, 57
Salzstraße, Die (Bauer, J. M.) III, 19

Samen unterm Schnee, Der (Silone) IX, 303
Samgin, Klim (Gorki) VIII, 199
Sampeh (Morris, E.) XIV, 304
Samstag Nacht und Sonntag Morgen (Sillitoe) XIV, 234
San Manuel der Gute (Unamuno) XIV, 167
– Michele, Das Buch von (Munthe) XII, 149
– Salvatore (Kades) IV, 394
Sánchez, Abel (Unamuno) VI, 401
Sanctuary (Faulkner) XI, 97
Sandalenmachergasse, Die (Petersen) XII, 30
Sandburg, Die (Murdoch) X, 184
Sandgräfin, Die (Frenssen) I, 143
Sandkorn für Sandkorn (Guggenheim) XIII, 128
Sandmann, Der (Hoffmann, E. Th. A.) I, 291; I, 252
Sanduhr, Die (Flake) III, 207
Sandwirt, Der (Rainalter) XIII, 300
Sanfte, Die (Dostojewski) VIII, 168
– Gewalt, Die (Brehm) III, 104
Sang der Sakije, Der (Seidel, W.) V, 810
Sanin (Arzybaschew) VIII, 146
Sankt Blehk oder Die große Veränderung (Tügel) V, 870
– Georgs Stellvertreter (Binding) I, 31; III, 66
– Thomasnacht (Kallas) XII, 170
Sansibar oder der letzte Grund (Andersch) XIII, 6
Santa Lucia (Serao) VI, 319
– Rogelia (Palacio Valdés) VI, 389
Santeuil, Jean (Proust) XIV, 70
Sappho (Daudet) VI, 58
Saratoga (Ferber) XI, 114
Sardische Ernte (Rombi) XIV, 119
Sargmacher, Der (Puschkin) VIII, 245

Sarn, Prudence, Die Liebe der (Webb) X, 255

Sarryn, Cäcilie von (Ompteda) *II, 487*

Sartor Resartus oder Leben und Meinungen des Herrn Teufelsdröckh (Carlyle) VII, 27

Sasetti, Das Glück des Hauses (Scharten) X, 337

Satan mit gefälschtem Pass (Tammsaare) XII, 193

Satanische Trinität, Die (Ouwendijk) X, 330

Satanszehe (Cooper) VII, 257

Satyrische und lehrreiche Erzählungen (Cervantes) VI, 358

Savanarola (Gobineau) VI, 121

Savata (Goyen) XIV, 273

Sawyer, Tom (Twain) VII, 324

Sayonara (Michener) XI, 212

Sayward, Das Mädchen (Richter, C. M.) XI, 248

Schach dem Schicksal (Shute) X, 224

– von Wuthenow (Fontane) *I, 120;* I, 109

Schachnovelle (Zweig, St.) V, 986

Schärenleute (Strindberg) VIII, 123

Schaktarp, Der (Wichert) *II, 719;* II, 671

Schall und Wahn (Faulkner) XI, 96

Schandfleck, Der (Anzengruber) *I, 9;* I, 8

Scharfrichter von Eger, Der (Vögtlin) *II, 697*

Scharlachbuchstabe, Der (Hawthorne) VII, 266

Scharlachrote Buchstabe, Der (Hawthorne) VII, 266

– Stadt, Die (Haasse) X, 311

Schatten der Hügel, Die (Arpino) XIV, 96

– – Titanen, Im (Braun, L.) *I, 54;* I, 45

– über den blauen Bergen (Mason) X, 161

Schattenhold, Johannes (Schaffner) *II, 556;* II, 502

Schattenlinie, Die (Conrad) VII, 49

Schattenpuppen (Seidel, W.) V, 811

Schatz der Sierra Madre, Der (Traven) XIII, 369

– im Morgenbrotstal, Der (Ernst, P.) I, 86; III, 179

Schatzgräber von Manhattan, Der (Irving) VII, 280

Schatzgräbergeschichte (Bergengruen) III, 48

Schatzinsel, Die (Stevenson) VII, 194

Schatzkästlein des Rheinischen Hausfreundes (Hebel) I, 212

Schau heimwärts, Engel! (Wolfe) XI, 355

Schauet die Lilien! (Huxley) X, 103

Schaukel, Die (Kolb) I, 341; IV, 451

Scheckige Mustangs (Faulkner) XI, 98

Scheerauer, Till (Pleyer) V, 675

Scheler, Franziska (Brentano) III, 108

Schellmuffskys Reisebeschreibung (Reuter, Chr.) *II, 523;* II, 467

Schelm von Bergen, Der (Traun) *II, 688*

Schelme von Tortilla Flat, Die (Steinbeck) XI, 303

Schenke zur ewigen Liebe, Die (Vollmer) V, 894

Schermesser, Das große (Stehr) II, 566; V, 833

Schicksal (Couperus) VII, 340

– am See (Widmann, I.) V, 935

– auf schmalen Wegen (Chiesa) IX, 277

– aus deiner Hand (Tudoran) XII, 428

– der Irene Forsyte, Das (Galsworthy) VII, 100

– des Niklas von Cues (Künkel) IV, 477
– in der Nordwand (Renker) V, 704
Schicksale am Fluß (Ostenso) XI, 231
– Doktor Bürgers, Die (Carossa) III, 132
Schicksalsanekdoten (Blixen) XIV, 344
Schicksalshof, Der (Deeping) X, 31
Schicksalssymphonie, Eine (Schrey-vogl) V, 786
Schicksalswiese, Die (Huggenberger) I, 286; IV, 352
Schiefen Häuser, Die (Bosper) III, 89
Schiff, Das (Holthusen) XIII, 156
– – (Jensen, J. V.) VIII, 41
– der Verdammten, Das (Wendt, H.) V, 921
– im Berg, Das (Gaiser) XIII, 111
– ohne Hafen (Nordhoff-Hall) XI, 223
Schiffe am Himmel (Gunnarsson) XII, 40
Schiffer Worse (Kielland) VIII, 90
Schilf im Wind (Deledda) VI, 301
Schilfrohr im Winde (Deledda) VI, 301
Schiller-Roman, Der (Molo) IV, 592
Schillers Heimatjahre (Kurz, H.) I, 397; I, 353
Schimmelreiter, Der (Storm) II, 659; II, 611
Schindelmacher, Der (Stehr) II, 556, V, 835
Schischyphusch (Borchert) III, 88
Schiwago, Dr. (Pasternak) XII, 294
Schlacht, Die (Nisser) XII, 152
Schlachtruf oder Urlaub bis zum Wecken (Uris) XIV, 325
Schlägel, Schneidermeister Nepo-muk (Hebbel) I, 211
Schlaf schneller, Genosse! (Sost-schenko) XII, 321

Schlafenden, Die (Sarvig) XIV, 348
Schlafwandler, Der (Broch) III, 111
Schlag die Wölfe, Hirte (Vries, Th.) X, 355
Schlage doch gewünschte Stunde (Cabanis) XIV, 12
Schlangengrube, Die (Ward) XI, 333
Schlangenhemd, Das (Robakidse) XII, 221
Schlaraffenland, Im (Mann, H.) II, 437; II, 386
Schlegel, Caroline (Rothmund) V, 726
Schleier, Der (Strauß, E.) II, 616; V, 850
Schlemihl, Peter (Chamisso) I, 62; I, 56
Schlesische Barmherzigkeit, Die (Hoffmann, R.) IV, 335
Schlichte Geschichten aus Indien (Kipling) VII, 131
Schlichtes Herz, Ein (Flaubert) VI, 89
Schlimme Geschichten (Lagerkvist) XII, 137
– Liebschaften (Choderlos de Lac-los) VI, 43
Schlittenfahrt, Die (Wharton) XI, 341
Schlitters (Hartlaub, F.) XIII, 134
Schloß, Das (Kafka) IV, 401
– Chevron (Sackville-West) X, 214
– Dürande, Das (Eichendorff) I, 87; I, 79
– Gripsholm (Tucholsky) XIII, 370
– Hubertus (Ganghofer) I, 160; I, 142
– in Österreich, Ein (Tumler) V, 875
– Räckrent (Edgeworth) VII, 87
– Ribeira (Costa) IX, 330
Schloßlegende (Bernus) III, 50
Schlucht, Die (Gontscharow) VIII, 185
– – (Monnier) IX, 171

Schlüssel von Sankt Peter, Die
(Peyrefitte) XIV, 66
– zum Abgrund, Der (Csokor) XIII,
60
– – Königreich, Die (Cronin) X, 25
Schlüsselloch, Das (Radičević) XIV,
456
Schlummertal, Das (Irving) VII, 281
Schlußball (Gaiser) XIII, 112
Schmarotzer, Der (Renard) XIV, 75
Schmerzliches Wiedersehen (Basso)
XI, 11
Schmetterling, Der (Busch) I, 55
– flog auf, Ein (Agee) XIV, 248
Schmetterlingspuppe, Die (Lehmann,
W.) IV, 520
Schmied seines Glückes, Der (Kel-
ler, G.) *I, 351;* I, 313
Schmutziger Lorbeer (Schulberg)
XI, 275
Schnapsbude, Die (Zola) VI, 267
Schneckenweg, Der (Britting) III,
110
Schnee schmilzt, Der (Gladkow)
XII, 258
Schneesturm (Johann, A. E.) IV,
379)
–, Der (Puschkin) VIII, 245
– – (Tolstoj, L. N.) VIII, 264
Schneider himmlischer Hosen, Der
(Varè) IX, 312
– von Ulm, Der (Eyth) *I, 100;* I, 92
Schneiderlein im Hohen Venn, Das
(Mathar) IV, 561
Schneidermeister Nepomuk Schlä-
gel (Hebbel) I, 211
Schneller Fuß und Pfeilmädchen
(Steuben) V, 840
Schnellere Schiff, Das (Luserke)
XIII, 251
Schnipp Fidelius Adelzahn (Fleu-
ron) XII, 12
Schnitter, Der (Jowkow) XII, 418
– im Mond, Der (Wiechert) V, 940

Schnock (Hebbel) *I, 239;* I, 210
Schön ist die Jugend (Hesse, H.)
I, 268; I, 228
Schöne Asa, Die (Leskow) VIII,
228
– Freund, Der (Maupassant) VI, 173
– Georg, Der (Maupassant) VI, 173
– Gesine, Die (Ringeling) V, 709
– Jagd, Die (Schendel) VII, 352
– Jahr des Carolus, Das (Thiry) X,
338
– Mädchen von Pao, Das (Bier-
baum) I, 28
– – von Perth, Das (Scott) VII, 176
– neue Welt (Huxley) X, 98
– Sommer, Der (Pavese) XIV, 116
Schöner Vogel Quetzal (Bachér)
XIII, 12
Schönheit auf Erden, Die (Ramuz)
IX, 206
– und Elend des Lebens (Sillanpää)
XII, 186
Schönste Erzählungen (Lazarević)
VIII, 341
Schönsten Erzählungen, Die (Stak-
kelberg) XIII, 350
– Geschichten, Die (Poe) VII, 320
Scholle, Die (Blasco Ibáñez) VI, 344
Schreckgespenst, Das (Leskow) VIII,
226
Schreckliche Rache (Gogol) VIII,
172
Schrecklichen Pferde, Die (Brehm)
III, 102
Schrei aus dem Abgrund (Duhamel)
IX, 70
– aus der Tiefe (Duhamel) IX, 70
Schreiben Sie Miß Lonelyhearts
(West, N.) XIV, 330
Schriften des Waldschulmeisters,
Die (Rosegger) *II, 545;* II, 482
Schritt hinüber, Der (Tumler) XIII,
371
Schrottplatz (Féjes) XIV, 431

Schuberts Lebenslied, Franz (Lux) II, 385

Schubladen des Unbekannten, Die (Aymé) XIV, 2

Schüdderump, Der (Raabe) *II, 511;* II, 453

Schüler, Der (Bourget) VI, 32

– Gerber, Der (Torberg) XIII, 367

– – hat absolviert, Der (Torberg) XIII, 367

Schuld des Pastor Mouret, Die (Zola) VI, 266

– – Professors Bonnard, Die (France) XIV, 30

– und Sühne (Dostojewski) VIII, 158

Schuldlosen, Die (Broch) III, 112

Schule an der Grenze, Die (Ottlik) XIV, 439

– der Empfindsamkeit, Die (Flaubert) VI, 88

– – Frauen, Die (Gide) VI, 117

– – Gleichgültigen, Die (Giraudoux) IX, 103

Schulmeister von Flat-Creek, Der (Eggleston) VII, 261

– – Handewitt, Der (Kröger) *I,390;* I, 346

Schulmeisterlein Wuz (Jean Paul) *I, 323;* I, 287

Schulte Witte (Wibbelt) II, 668

Schummerstunde (Söhle) *II, 596;* II, 542

Schurre, Meister (Brautlacht) III, 96

Schuß, Der (Puschkin) VIII, 245

– im Nebel, Ein (Jacobsen) VIII, 32

– – Park, Der (Hauptmann, G.) *I, 238;* I, 208

– von der Kanzel, Der (Meyer, C. F.) *II, 464;* II, 415

Schuster und der Satan, Der (Tschechow) VIII, 286

Schutzengelhaus, Das (Billinger) III, 64

Schwachen Säulen des Himmels, Die (Nemitz) XIII, 276

Schwaches Herz, Ein (Dostojewski) VIII, 169

– –, – (Flaubert) VI, 89

Schwärmer (Hamsun, K.) VIII, 69

Schwärmerei (Green, H.) X, 70

Schwammerl (Bartsch) *I, 26;* I, 22

Schwanengesang (Finckenstein) III, 203

– (Galsworthy) VII, 102

Schwarze, Der (Bulatović) XIV, 446

Schwarze Diamanten (Jókai) VIII, 339

– Erde (Andersen-Nexö) VIII, 7

– Fahnen (Strindberg) VIII, 130

– Galeere, Die (Raabe) *II, 503;* II, 450

– Haut, Die (Ruark) XI, 259

– Hengst Bento, Der (Holesch) IV, 339

– Herr Bahßetup, Der (Thelen) XIII, 363

– Kaiser, Der (Wehner) V, 909

– Kunst, Die (Birkenfeld) III, 70

– Netze (Paustowski) XIV, 393

– Präsident, Der (Wallace, I.) XIV, 327

– Reiter, Der (Schischkow) XII, 307

– Rose, Die (Costain) XI, 64

– Sonne, Die (Steen) X, 232

– Spiegel, Der (Borges) XIV, 135

– Spinne, Die (Gotthelf) *I, 186;* I, 163

– Stierc meines Zorns (Fernández de la Reguera) XIV, 148

– Storch, Der (Molzahn) IV, 597

– Tal, Das (O'Flaherty) X, 192

– Traum, Der (Wright) XIV, 336

– Vögel (Bahl) XIII, 13

– Weide (Lange, H.) IV, 501

– Wolke, Die (Hoyle) X, 91

Schwarzen Engel, Die (Mauriac) IX, 152

SchwarzenPferde,Die(Faralla)XI,93
– –, (Vesaas) XII, 111
Schwarzer Frühling (Miller, H.)
XI, 214
– Harlekin (Faulkner) XIV, 267
– Prinz, Ein (Cary) X, 13
Schwarzes Land (Chateaubriant) VI,
41
Schwarzwälder Dorfgeschichten
(Auerbach) I, 17; I, 15
Schwebender Weg (Kreuder) IV, 472
Schwedische Gräfin von G. (Gellert)
I, 170; I, 147
– Reiter, Der (Perutz) XIII, 293
Schweidler, Maria, die Bernstein-
hexe (Meinhold) II, 453; II, 412
Schweigen, Das (Vercors) IX, 255
– der Prärie, Das (Rølvaag) XII, 99
– des Meeres, Das (Vercors) IX, 255
– im Walde, Das (Ganghofer) I, 166;
I, 143
Schweigsame Haus, Das (Christen-
sen) XIV, 351
Schwejk, Die Abenteuer des braven
Soldaten (Hašek) XII, 375
Schwejks Lehrjahre (Hašek) XIV,
424
Schweißtuch der Veronika, Das
(Le Fort) IV, 509
Schweizerhäusl, Das (Roth, E.) V,
722
Schweizer Reise, Die (Unger) V, 881
Schweizerspiegel (Inglin) IV, 378
Schwelende Glut (Pieyre de Man-
diargues) XIV, 68
Schwere Jungen, leichte Mädchen
(Runyon) XI, 261
Schweres Blut (Aho) VIII, 136
– – (Waggerl) V, 898
Schwertner, Stephana (Handel-Maz-
zetti) I, 218; I, 189
Schwester aus Paris, Die (Ring)
XII, 98
– Carrie (Dreiser) XI, 77

– des Don Quijote, Die (Kessel)
XIII, 190
– Euphemia (Strauß, E.) II, 617;
V, 850
– Therese (Estaunié) VI, 77
Schwestern, Die (Stifter) II, 638;
II, 580
– – (Tolstoi, A. N.) XII, 325
– im Kreuz, Die (Remisow) XII, 219
– Materassi, Die (Palazzeschi) IX,
294
Schwierige Jugend (Maass, J.) IV,
555
Schwierigen, Die, oder J'adore ce
qui me brûle (Frisch) XIII, 104
Schwierigkeiten beim Häuserbauen
(Lettau) XIII, 241
Schwingende Saite, Die (Canfield-
Fisher) XI, 54
Schwur, Ein (Feuillet) VI, 83
Scuderi, Fräulein von (Hoffmann,
E. Th. A.) I, 292; I, 255
Sebastian (Franck, H.) III, 210
– am Seitenweg (Knyphausen) IV,
446
– im Wald (Schnack, F.) V, 767
– und Leidlieb (Oberkofler) V, 653
Sechs Fuß Erde (Gordimer) XI, 129
– Mündungen, Die (Edschmid)
XIII, 79
Sechste Gesang, Der (Schnabel, E.)
XIII, 333
Sechsundzwanzig und Eine (Gorki)
VIII, 188
Sechzehn Schlösser (Domahidy)
XIV, 431
See ruft, Die (Kinau, J.) IV, 415
See- und Strandgeschichten (Drach-
mann) VIII, 28
Seeadler, Der (Peisson) IX, 185
Seefahrt ist not! (Fock) I, 114; I, 106
Seefall, Der (Berg, B.) XII, 116
Seefräulein, Das (Seidel, H. W.) V,
804

Seekönig, Der (Söiberg) XII, 35
Seekranke Walfisch, Der, oder Ein Israeli auf Reisen (Kishon) XIV, 201
Seelambs, die Goldjäger (Siwertz) XII, 156
Seelandschaft mit Pocahontas (Schmidt, A.) XIII, 331
Seelchen (Tschechow) XIV, 403
Seelenbräu, Der (Zuckmayer) V, 980
Seelenwäger, Der (Maurois) XIV, 56
See-Novellen (Andersen-Nexö) VIII, 7
Seerose, Die (Vialar) IX, 256
Seespeck (Barlach) III, 17
Seevolk (Nylander) VIII, 120
Seewolf, Der (London) VII, 288
Seezigeuner Gry (Masefield) X, 158
Segel vor Wind! (Schneller) XIII, 334
Segelfoß-Romane, Die (Hamsun, K.) VIII, 73
Segen der Erde (Hamsun, K.) VIII, 75
– – Liebe (Estaunié) VI, 76
Sehr schönen Stunden Jungfer Symforosas des Beginchens, Die (Timmermans) X, 341
Seilgefährten (Frison-Roche) IX, 78
Seine Excellenz Eugène Rougon (Zola) VI, 267
– Hochzeitsreise (Ponten) V, 689
– schönste Münchnerin (Gluth) III, 250
Seit Menschen Gedenken (Field) XI, 115
Sekondeleutnant Saber (Tynjanow) XII, 336
Selbstmörderklub, Der (Stevenson) VII, 194
Seldwyla, Die Leute von (Keller, G.) I, 347; I, 309
Selige Mister Apley, Der (Marquand) XI, 205

Seligkeit (Mansfield) X, 147
Seliwan der Waldschreck (Leskow) VIII, 226
Seltsame Ehe (Mikszáth) VIII, 343
– Fall des Doktor Jekyll und Herrn Hyde, Der (Stevenson) VII, 196
– Geschichte, Eine (Turgenjew) VIII, 303
– Geschichten (Hello) VI, 127
– Handwerker, Der, und andere Erzählungen (Verhaeren) VI, 251
– Liebende (Régnier) VI, 205
– Liebesbund, Der (Dostojewski) VIII, 152
– Liebschaften (Régnier) VI, 205
Seltsames Spiel (Vailland) XIV, 90
Seltzame Springinsfeld, Der (Grimmelshausen) I, 197; I, 173
Selva. In den Urwäldern Amazoniens (Ferreira de Castro) IX, 333
Semester in Paris (Sharp, M.) XIV, 232
Sempers Jugendland, Asmus (Ernst, O.) I, 97; I, 84
Senn, Michael, Das Haus des (Greinz) I, 190; I, 167
Sennor Aguila (Gerstäcker) I, 172
Sentimentaler Roman (Panowa) XII, 293
Septakkord (Franck, H.) III, 213
Séraphita (Balzac) VI, 14
Serbische Erzählungen (Lazarević) VIII, 341
Serenade in Mexiko (Cain) XI, 44
Sergeanten Grischa, Streit um den (Zweig, A.) V, 982
Sergius, Vater (Tolstoj, L. N.) VIII, 280
Serjoscha (Panowa) XII, 293
Seydlitz (Naso) V, 631
Seyfried, Jost (Flaischlen) I, 111; I, 103
Seymour wird vorgestellt (Salinger) XIV, 316

Shakespeare-Erzählungen (Lamb) VII, 139
Shandy, Tristram (Sterne) VII, 189
Shanghaied (Norris) VII, 315
Shannons, Dr., Weg (Cronin) X, 26
Sherlock Holmes. Die Abenteuer des (Doyle) VII; 84
Shim (Davis) XI, 69
Shiner, Blumen für (Llewellyn) XIV, 205
Shiralee (Niland) X, 187
Shirley (Brontë, Ch.) VII, 15
Sibirische Geschichten (Korolenko) VIII, 206
Sibylle, Die (Lagerkvist) XII, 140
Sicheres Geleit (Pasternak) XII, 296
Siddharta (Hesse, H.) *I, 268;* I, 233
Sidsel Langröckchen (Aanrud) VIII, 59
Sie fielen aus Gottes Hand (Richter) V, 708
– fragten ihre Frauen (Hawley) XIV, 276
– kam und blieb (Beauvoir) IX, 16
– und die anderen (McCarthy) XIV, 295
Sieben am Sandbach, Die (Windthorst) V, 956
– auf der Flucht (Prokosch) XI, 241
– Boten, Die (Buzzati) XIV, 100
– Briefe des Doktor Wambach, Die (Nonnenmann) XIII, 283
– Brüder, Die (Kivi) VIII, 137
– Einfälle der Thamar Dor, Die (Ben-Gavriêl) XIII, 30
– Gehenkten, Die (Andrejew) VIII, 144
– Tage Finsternis (Gunnarsson) XII, 39
– Tierdialoge (Colette) VI, 44
– Todsünden, Die (Lagerlöf) VIII, 112
Siebenbürgen (Móricz) XII, 396

Siebengestirn, Das (Gobineau) VI, 119
Sieben-Giebel-Haus, Das (Hawthorne) VII, 267
Siebenkäs (Jean Paul) *I, 324;* I, 290
Siebensorg (Tinhofer) V, 863
Siebte Kreuz, Das (Seghers) V, 799
Siebzehn Brückenbauer – ein Paar Schuh (Grisar) III, 276
Siechentrost (Heyse) *I, 276*
Sieg der Dämonen (Kesten) XIII, 193
– – Natur über die Schwärmerei, Der (Wieland) II, 673
– in den Bergen (Faulkner) XI, 108
Siegesaltar, Der (Brjusow) VIII, 149
Siegfried oder die zwei Leben des Jacques Forestier (Giraudoux) XIV, 38
Siegwart (Miller, J. M.) *II, 469;* II, 426
Siehe, er kommt hüpfend über die Berge (Andrzejewski) XIV, 407
Siesta (Hamsun, K.) VIII, 85
Sigismund Rüstig (Marryat) VII, 146
Signal, Das (Garschin) XIV, 380
Sigurd-Saga, Die (Gullvaag) XII, 85
– Torleifsons Pferde (Fleuron) XII, 13
Silas Marner, der Weber von Raveloe (Eliot, G.) VII, 90
Silber am Sandawaku (Velter) V, 890
Silberdistel, Die (Schaumann) V, 753
Silberkelch, Der (Brües) III, 119
Silbermond und Kupfermünze (Maugham) X, 166
Silberne Fürst, Der (Tolstoj, A. K.) VIII, 259
– Löffel, Der (Galsworthy) VII, 102
– Sporn, Der (Vialar) IX, 257
– Taube, Die (Bjelyj) VIII, 147
– Wagen, Der (Wiechert) V, 936
Silbervogel (O'Flaherty) XIV, 224
Silja, die Magd (Sillanpää) XII, 183

Silvia und die Freier (Michael) IV, 581
– Marshalls Weg zum Ich (Canfield-Fisher) XI, 54
Simon (Giraudoux) XIV, 38
– im Glück (Brües) III, 119
– und die Pferde (Bauer, J. M.) III, 20
Simone (Feuchtwanger) III, 201
Simpel, Peter (Marryat) VII, 142
Simplicissimus, Der abentheuerliche (Grimmelshausen) I, 196; I, 171
Singende Apfelbaum, Der (Diess) III, 149
Singerlein, Das (Viesèr) V, 892
Singleton, Bob, Leben des Seeräubers (Defoe) VII, 54
Sinngedicht, Das (Keller, G.) I, 361; I, 320
Sintflut, Die (Andres) III, 8; XIII, 10
Sinuhe der Ägypter (Waltari) XII, 195
Sirca, Marianna (Deledda) VI, 302
Sirene, Die (Tomasi di Lampedusa) XIV, 126
Sirius und Siderius (Eeden) VII, 344
Sisto e Sesto (Federer) I, 104; I, 96
Sittsam' Heim, Ein (Zola) VI, 271
Sizilianische Dorfgeschichten (Verga) VI, 324
– Geschichten (Verga) VI, 324
Skandal, Der (Alarcón Yariza) XIV, 131
Skizzen aus dem Provinzleben (Uspenskij) VIII, 307
Skizzenbuch (Irving) VII, 280
Sklave, Der (Kirk) XII, 22
Sklaven der Liebe (Hamsun, K.) VIII, 85
Sklaventum und Größe des Soldaten (Vigny) VI, 255
Sklovskijs, Viktor, sentimentale Reise (Sklovskij) XIV, 400

Skorpion, Der (Strauß, E.) II, 617; V, 851
Skorpionenfeld (Nusser) XI, 226
Skram, Inger (Oterdahl) XII, 152
Smetse der lustige Schmied (Coster) VI, 53
Sneckenström, Die von (Stjernstedt) XII, 161
Snob-Buch, Das (Thackeray) VII, 217
So frei von Schuld (Risse) V, 715
– grün war mein Tal (Llewellyn) X, 139
– hoch der Himmel (Erath) XIII, 85
– ist das Leben (Glasgow) XI, 127
– lebt der Mensch (Malraux) IX, 141
– spricht der Hund (Thurber) XI, 328
– weit die Füße tragen (Bauer, J. M.) XIII, 15
– zärtlich war Suleyken (Lenz, S.) XIII, 238
– zünden die Väter das Feuer an (Erath) XIII, 86
Sodale, Madame (Meyer-Eckhardt) IV, 577
Sodom und Gomorra (Proust) IX, 195
Söhlenthal, Minette von (Niese) II, 484
Söhne (Buck) XI, 29
–, Die (Bredel) III, 101
–, – (Feuchtwanger) XIII, 93
– Abrahams, Die (Ikor) IX, 120
– der Weißgerberin, Die (Kutzleb) IV, 493
– des Herrn Budiwoj, Die (Sperl) II, 604; II, 549
– – Senators, Die (Storm) II, 660; II, 606
– Hiobs, Die (Schaper) XIII, 324
– und Liebhaber (Lawrence, D. H.) X, 123
Sohn, Der (Brautlacht) III, 98

Sohn, Der (Jellinek) IV, 368
– der Donau (Petroff) XI, 235
– – Hagar, Der (Keller, P.) *I, 367;*
I, 326
– – Sonne, Ein (London) VII, 298
– des Generals, Der (Unruh, F.)
XIII, 376
– – Kolumbus, Der (Baumann) III,
27
– – Manitu, Der (Steuben) V, 841
– – Tizian, Der (Musset) VI, 187
– – Virgilius Timár, Der (Babits)
XII, 380
– – Wolfs, Der (London) VII, 284
– einer Magd, Der (Strindberg) VIII
125
– von hundert Königen (Costain)
XI, 65
– zweier Mütter, Der (Bontempelli)
IX, 270
Sokrates und Xanthippe (Panzini)
IX, 295
Solange die Welt besteht (Troyat)
IX, 249
Solbakken, Synnöve (Björnson)
VIII, 60
Soldat und die Lady, Der (Mac Cul-
lers) XI, 198
Soldaten der Kaiserin, Die (Stock-
hausen) V, 845
– werden nicht geboren (Simonow)
XIV, 399
Soldaten-Geschichten (Kipling) VII,
129
Soldaten-Kleeblatt, Das (Kipling)
VII, 129
Soldatenknechtschaft und Soldaten-
größe (Vigny) VI, 255
Soldatenschicksal (Vigny) VI, 255
Solent, Wolf (Powys) X, 202
Solfeng, Sölve, das Sonntagskind
(Aanrud) VIII, 59
Soll und Haben (Freytag) *I, 156;*
I, 131

Sombra, Don Segundo (Güiraldes)
IX, 347
Sommer 1914 (Martin du Gard) VI,
166
– in der Mongolei (Waln) XI, 332
– – Nipperwiese (Zerna) XIII, 407
– – Sossnjaki (Rybakow) XIV, 396
– – Torremolinos (Goytisolo, J.)
XIV, 153
Sommergäste in Sophienlust (Wendt,
E.) V, 920
Sommergewitter (Hortelano) XIV,
154
Sommerinsel, Die (Wilson) XI, 353
Sommerparadies, Das (Geijerstam,
G.) XII, 82
Sommersegen (Munier-W.) XIII, 270
Sommers ganze Fülle, Des (Lee)
XIV, 204
Sommerspiel zu Dritt (Williams, T.)
XIV, 333
Sonderbare Ehe (Mikszáth) VIII, 343
– Geschichte von Dr. Jekyll und
Herrn Hyde (Stevenson) VII, 196
Sonderung der Rassen (Ramuz) IX,
204
Sonne (Lawrence, D. H.) X, 128
– der Toten, Die (Schmeljow) XII,
228
– des Lebens (Sillanpää) XII, 181
– – Todes, Die (Prevelakis) XIV,
468
– Satans, Die (Bernanos) IX, 23
– über München (Gluth) III, 252
– und Mond (Gütersloh) XIII, 126
Sonnenblumen, Die (Kusenberg) IV,
493
Sonnenbruder, Der (Sterneder) V,
839
Sonnenfinsternis (Koestler) X, 119
Sonnenflöte, Die (Leip) IV, 524
Sonnenstaat, Der (Campanella) VI,
297
Sonnenuntergang (Babel) XIV, 377

Sonnenwende (Munier-W.) XIII, 271

Sonnenwirt, Der (Kurz, H.) *I, 398;* I, 354

Sonntag in Bukarest (Petrescu) XII, 421

Sonntagnachmittag (Namora) XIV, 174

Sonntags ein Huhn im Topf (Uhlenbusch) XIII, 374

Sonst war es wirklich reizend (Boo) XII, 65

Sophiens Reise von Memel nach Sachsen (Hermes) *I, 254;* I, 223

Sorbas, Alexis (Kazantzakis) XII, 434

Sorbon, Madame (Nelissen-H.) V, 637

Sorotschinsker Jahrmarkt, Der (Gogol) VIII, 173

Sorrell, Hauptmann, und sein Sohn (Deeping) X, 30

Sotileza, das Fischermädchen von Santander (Pereda) VI, 392

Sousatzka, Madame (Rubens) XIV, 230

Späte Entdeckungen (Wilson) X, 260

– Rache (Doyle) VII, 83

Spätestens im November (Nossack) XIII, 286

Spahi, Der (Loti) VI, 156

Spanische Gärtner, Der (Cronin) X, 27

– Heirat (Lera) XIV, 157

– Insel, Die (Muron) IV, 613

– Pachthof, Der (Mottram) X, 180

– Robinson, Der, oder Sonderbahre Geschichte des Gil Blas von Santillana (Lesage) VI, 154

– Rosenstock, Der (Bergengruen) III, 48

Spartacus (Fast) XIV, 265

Speranzella (Bernari) XIV, 99

Sphinx der Maragatos, Die (Espina da Serna) VI, 372

Spiegel, das Kätzchen (Keller, G.) *I, 350;* I, 312

– –, Der (Strauß, E.) II, 615; V, 849

– des Todes, Der (Unamuno) VI, 403

Spiegelhütte (Lenz, H.) XIII, 235

Spiegeltüren, Die (Stahl) V, 826

Spiel auf der Tenne, Das (Matscher) IV, 563

– des Zufalls (Conrad) VII, 48

– geht weiter, Das (Rice) XI, 247

– im Sommerwind (Wispler) V, 963

– in den Kulissen (Stolpe) XII, 164

Spielball der Götter (Hagelstange) XIII, 131

Spiele der Hölle und des Himmels, Die (Ghéon) IX, 88

– der Nacht (Dagerman) XIV, 359

Spieler, Der (Dostojewski) VIII, 160

– in Gottes Hand (Pleyer) V, 676

– und Abenteurer: der Klub der Selbstmörder (Stevenson) VII, 194

Spion, Der (Cooper) VII, 251

Spitzbuben, Die (Faulkner) XIV, 270

Sport um Gagaly (Edschmid) XIII, 80

Spottdrossel, Die (Bierce) XIV, 254

Spreeman & Co. (Berend) *I, 30;* I, 25

Spreu und Weizen (Namora) XIV, 174

Springer greift an, Der (Faulkner) XIV, 268

Springinsfeld, Der seltzame (Grimmelshausen) *I, 197;* I, 173

Sprödes Herz, Ein (Cassola) XIV, 103

Sprung ins Abenteuer, Der (Ponten) V, 687

Spuk im Florianital (Cankar) VIII, 334

Spur im Hafen (Vring) XIII, 383

– im Treibsand (Kokoschka) XIII, 208

– verliert sich, Die (Wass) XIV, 442

Spuren im Sand (Richter, H. W.)
  XIII, 311
Squirrel (Penzoldt) XIII, 291
Ssuchodol (Bunin) XIV, 379
St. Helena, eine kleine Insel (Alda-
  now) XII, 201
– Nikolaus in Not (Timmermans)
  X, 343
Staaks und Genossen (Kipling) VII,
  136
Staas, Ernst, Advokat (Bergmann)
  VII, 333
Stadt, Die (Faulkner) XI, 111
– – (Richter, C. M.) XI, 248
– am Inn, Die (Greinz) *I, 192*
– der Freiheit, Die (Faesi) III, 184
– – Väter, Die (Faesi) III, 183
– – verlorenen Schiffe, Die (Sabu-
  rowa) XII, 223
– des Goldes, Die (Young) X, 271
– – wunderschönen Unsinns, Die
  (Thurston) X, 240
– hinter dem Strom, Die (Kasack)
  IV, 404
– im Osten, Die (Meschendörfer) IV,
  576
– – Seewind (Jürgens) IV, 392
– in der Steppe (Serafimowitsch)
  XII, 316
– – der Wüste, Die (Saint-Exupéry)
  IX, 230
– ohne Vergangenheit (Knöller)
  XIII, 203
– Segelfoß, Die (Hamsun, K.) VIII,
  73
– Tondi, Die (Hoerschelmann) IV,
  331
– und die Hunde, Die (Vargas Llosa)
  XIV, 168
– – Gebirg (Eça de Queiróz) VI,
  369
– – Land (Moore) XIV, 215
– wie Alice, Eine (Shute) X, 224
Stadtgespräch (Lenz, S.) XIII, 239

Stadtpfeifer, Der (Riehl) *II, 538;*
  II, 476
Stadtrand (Testori) XIV, 125
Städte, Landschaften und ewige
  Bewegung (Paquet) V, 665
– und Jahre (Fedin) XII, 250
Stählerne Floh, Der (Leskow) VIII,
  225
Staffel, Die (Schuster, E.) XIII, 341
Stahlgewittern, In (Jünger, E.) IV,
  385
Stalingrad (Plievier) V, 678
Stalinorgel, Die (Ledig) XIII, 230
Stamm der Folkunger, Der (Heiden-
  stam) VIII, 107
Standarte, Die (Lernet-H.) IV, 531
Standhafte Geometer, Der (Rom-
  bach) V, 721
Stark, Herr Lorenz (Engel, J. J.)
  I, 93; I, 82
Stark wie der Tod (Maupassant)
  VI, 177
Starke Frauen (Prévost, M.) VI, 199
Starken Seelen, Die (Giono) IX, 99
Staufers, Karl, Lebensgang, (Schäfer,
  W.) II, 494; V, 733
Stechginster von Sussex (Kaye-
  Smith) X, 114
Stechinelli (Schulenburg) *II, 586;*
  II, 531
Stechlin, Der (Fontane) *I, 121;* I, 116
Stegreif-Geschichten (Diess) III, 148
Steh auf und geh (Bazin) IX, 14
Steigende Flut, Die (Man) X, 325
Stein, Lol. V., Die Verzückung der
  (Duras) XIV, 28
Stein der Weisen, Der (Larsen) XII, 23
– des Magiers, Der (Schneider, R.)
  V, 771
Steinbruch, Der (Goltz) III, 261
Steinerne Herz, Das (Schmidt, A.)
  XIII, 330
– Mann von Hasle, Der (Hans-
  jakob) *I, 222;* I, 193

Steinklopfer, Die (Saar) *II, 547;*
II, 489
Steirische Lebenswanderung (Nabl)
V, 629
Steirischer Lobgesang (Mell) IV, 574
Stella (Hartog) X, 314
Steppe, Die (Tschechow) VIII, 287
Steppenjunker, Ein (Turgenjew)
VIII, 304
Steppenverhör, Das (Helwig) XIII,
143
Steppenwind (Johann, A. E.) IV, 379
Steppenwolf, Der (Hesse, H.) *I, 269;*
I, 234
Sterben (Malraux) IX, 141
– (Schnitzler) *II, 577;* II, 522
– in den Gassen, Das (Weismantel)
V, 913
– und Auferstehen (Sillanpää) XII,
182
Sterbende Jagd, Die (Gaiser) XIII,
110
– Kirche, Die (Schaper) V, 744
Stern der Ungeborenen (Werfel) V,
930
– – Unglücklichen (Lipinski-G.)
XIII, 243
– des Orsini, Der (Huna) IV, 354
– fiel in den Staub, Ein (Molo) XIII,
262
– weicht nicht aus seiner Bahn, Ein
(Menzel, G. W.) XIII, 258
Sternbalds, Franz, Wanderungen
(Tieck) *II, 686;* II, 637
Sterne blicken herab, Die (Cronin)
X, 23
– der Heimkehr (Seidel, I.) V, 807
– fallen herab, Die (Meckauer) IV,
568
Sternen zu, Den (Molo) IV, 594
Sternenbaum, Der (Schnack, F.)
V, 769
Sternheim, Fräulein von (La Roche)
II, 403; II, 365

Sternsteinhof, Der (Anzengruber)
I, 10; I, 9
Sternstunden der Menschheit (Zweig,
St.) V, 986
Stickerin von Treviso, Die (Heyse)
I, 277; I, 243
Stiere von Rom, Die (Huna) IV, 354
Stifter in Kirchschlag (Zerzer) V, 971
Stille Don, Der (Scholochow) XII,
310
– Haus, Das (Lenz, H.) IV, 530
– Kampf, Der (Ammers-Küller) X,
279
–Welt, Eine (Kröger) *I, 391;* I, 345
Stiller (Frisch) XIII, 105
Stiller Musikant, Ein (Storm) *II,
656;* II, 602
Stilles Land (Vincent) IX, 259
– Werben (Galsworthy) VII, 102
Stilpe (Bierbaum) *I, 34;* I, 27
Stimme aus dem Untergrund, Die
(Dostojewski) VIII, 157
– des Berges, Die (Camenzind) III,
131
– hebt an, Eine (Gaiser) III, 237
Stimmen des Abends, Die (Ginzburg)
XIV, 107
– unter dem Fenster (Hearne) X, 86
Stimmeninsel, Die (Stevenson) VII,
203
Stine (Fontane) *I, 122;* I, 112
– Menschenkind (Andersen-Nexö)
VIII, 18
Stobäus, Dietrich, Die Tat des (Halbe) *I, 212;* I, 184
Störtebecker, Claus (Engel, G.) *I, 92*
–, Klaus (Lobsien) II, 377
Stolz und Leid (O'Hara, J.) XI, 228
– – Vorurteil (Austen) VII, 3
Stolze Bruder, Der (Wolfe) XI, 362
– Nymphe, Die (Wendt, E.) V, 921
Stolzen Ambersons, Die (Tarkington) XI, 327
Stolzes Herz (Buck) XI, 34

Stone, Mrs., und ihr römischer Frühling (Williams, T.) XI, 351
Stopfkuchen (Raabe) II, 461
Storchkalif, Der (Babits) XII, 379
Stories vom Broadway (Runyon) XI, 261
Strafkolonie Sidney (Nordhoff-Hall) XI, 225
Strafregister-Auszug (Rasmus-B.) XIII, 301
Strahlende Stern, Der (Steuben) V, 841
Strahlungen (Jünger, E.) IV, 386
Strand von Falesa, Der (Stevenson) VII, 202
Straße, Die (Gagern) III, 236
– der Freude, Die (Schmeljow) XII, 230
– – Väter, Die (Curwood) X, 28
– des lachenden Kamels (Burman) XIV, 256
– in Flandern, Die (Simon) XIV, 87
Straßen des Schicksals (Henry) VII, 269
Straßenballade (Piasecki) XII, 364
Streit um den Sergeanten Grischa, Der (Zweig, A.) V, 982
Streitaxt, Die (Powers) XIV, 311
Striptease (Mrozek) XIV, 415
Strohreiter (Saint-Hélier) IX, 233
Strom, Der (Faulkner) XI, 104
– des Lebens (Wolfe) XI, 359
–, du Schicksal (Hobart) XI, 155
Stromer, Der (O'Flaherty) XIV, 224
Stroomkoning, Büro Rechtsanwalt (Bordewijk) X, 286
Strudel, Der (Rivera) IX, 363
Strudelhofstiege, Die (Doderer) III, 150
Stud. chem. Helene Willfüer (Baum) III, 25
Studenten, Liebe, Tscheka und Tod (Rachmanowa) XII, 216

– von Berlin, Die (Meichsner) XIII, 256
– – Lyon, Die (Ponten) V, 688
Studien (Stifter) II, 641; II, 585
Stück Weges, Ein (Maugham) X, 169
Stürmische Ernte (Steinbeck) XI, 304
– Hügel (Brontë, E.) VII, 17
Stufenjahre eines Glücklichen (François) I, 131; I, 121
Stumme, Der (Walter) XIII, 388
– Ratsherr, Der (Riehl) II, 536; II, 477
Stunde des Uhrmachers, Die (Estang) XIV, 29
Stundentrommel vom Heiligen Berg Athos, Die (Kästner, Erh.) XIII, 177
Sturm (Asturias) XIV, 133
– (Stewart) XI, 320
–, Der (Ehrenburg) XII, 247
– ist vorüber, Der (White) XIV, 332
Sturmflut (Spielhagen) II, 609; II, 552
Sturmfluten des Frühlings, Die (Hemingway) XI, 139
Sturmgeborenen, Die (Ostrowskij) XII, 289
Sturmheidehof, Der (Brontë, E.) VII, 17
Sturmhöhe, Die (Brontë, E.) VII, 17
Sturmwind auf Jamaika, Ein (Hughes) X, 92
–, Flickas Sohn (O'Hara, M.) XI, 230
Sturz der Göttin (Pohl) XIII, 296
Stuttgarter Hutzelmännlein, Das (Mörike) II, 473; II, 430
Suche nach Phoebe, Die (Dreiser) XI, 85
Suchen und Hoffen (Kawerin) XII, 275
Südamerika-Trilogie (Döblin) III, 156
Südkurier (Saint-Exupéry) IX, 225

Südseegeschichten (London) VII, 295

Südseeinsel, Die (Franck, H.) III, 213

Südsee-Nachtgeschichten (Stevenson) VII, 202

Südwind (Douglas) XIV, 186

Sühne (Andersen-Nexö) VIII, 14

Sülfmeister, Der (Wolff, Jul.) *II*, *735;* II, 686

Sünde (Caragiale) XIV, 459

–, Die (Mauriac) IX, 146

– der Adelaide, Die (Walschap) X, 356

– des Abbé Mouret, Die (Zola) VI, 266

– – Priesters, Die (Zola) VI, 266

Sünder am Meer (Hoel) XII, 94

Sünderin, Die (Dixelius) XII, 122

Sündigen Engel, Die (James, H.) VII, 279

Süße Bitternis (Penzoldt) V, 670

– Frucht, bittre Frucht China (Waln) XI, 331

Süßer als Gift (Sologub) VIII, 256

Sumpf, Der (Sinclair) XI, 282

Sumpfblume, Die (Herczeg) VIII, 337

Sumpffieber (Blasco Ibáñez) VI, 345

Susanne – Susannes Ehe (Buchholtz, J.) XII, 7

Suso (Diehl) III, 147

Svarres, Christian, Kongofahrt (Jürgensen) XII, 17

Swehn, Jürnjakob, der Amerikafahrer (Gillhoff) I, 152; III, 246

Sybil oder die beiden Nationen (Disraeli) VII, 81

Sybille oder die gedoppelte Nation (Disraeli) VII, 81

Sylter Hahn, Der (Boie) III, 83

Sylvesterglocken, Die (Dickens) VII, 65

Sylvie (Nerval) VI, 190

Symphonie für Jazz (Schickele) XIII, 326

– Pathétique (Mann, K.) IV, 558

Syrerin Aramena (Anton Ulrich von Braunschweig) *I, 6;* 1,5

Tabak (Dimoff) XII, 417

Tabakstraße, Die (Caldwell, E.) XI, 45

Tägliche Brot, Das (Poulaille) IX, 192

– –, – (Viebig) II, 644

Tänzerin von Schemacha, Die (Gobineau) VI, 120

Tag der Eule, Der (Sciascia) XIV, 120

– – Heuschrecke (West, N.) XIV, 331

– eines Wahlhelfers, Der (Calvino) 120

– hat 24 Stunden, Der (Velde, A.) X, 348

– im Jahr, Einen (Narcisse) IX, 181

– – „Neuen Leben", Ein (Abramow) XIV, 374

– wird kommen, Der (Feuchtwanger) XIII, 93

– zum Lieben, Ein (Bridge) X, 12

– zuviel, Ein (Robbe-Grillet) IX, 215

Tage der Freuden (Proust) IX, 194

– – Schlehen (Stahl) XIII, 352

– des Königs (Frank, B.) III, 217

– in Terracina (Carossa) III, 135

– und Nächte (Simonow) XII, 319

– – Stunden aus dem Leben von Johann Friedrich Flattich (Schwarz, G.) V, 796

Tagebuch des Schülers Kostja Rjabzew, Das (Ognjew) XII, 285

– einer Verlorenen (Böhme) *I, 45*

– eines Antihelden (Filipowicz) XIV, 410

– – armen Fräuleins (Nathusius) *II 482*

Tagebuch eines Chirurgen (Douglas) XI, 76
– – Jägers (Delibes) XIV, 146
– – jungen Edelmannes (Kraszewski) VIII, 314
– – Landpfarrers (Bernanos) IX, 26
– – Narren, Das (Gogol) VIII, 177
– – Schwindlers (Guitry) IX, 116
– – Wahnsinnigen (Gogol) VIII, 177
Tagesanbruch (Colette) XIV, 22
Taifun (Conrad) VII, 43
Taipi (Melville) VII, 303
Tal der Issa (Milosz) XII, 360
– des Himmels, Das (Steinbeck) XI, 301
– von Lausa und Duron, Das (Tumler) V, 876
Talisman (Gabele) III, 233
– , Der (Scott) VII, 175
Talsperre, Die (Monnier) XIV, 61
Tamerlan der Herzen (Obaldia) XIV, 64
Tampico (Hergesheimer) XI, 149
Tancred oder der neue Kreuzzug (Disraeli) VII, 82
Tander, Johan (Vesaas) XII, 113
Tanil und Tak (Luserke) IV, 549
Tanne, Else von der (Raabe) *II, 521;* II, 452
Tanner, Geschwister (Walser, R.) XIII, 387
Tanning junior (Merrill) XIV, 299
Tantchen Rosmarin (Zschokke) *II, 753*
Tante Dot, das Kamel und ich (Macaulay) XIV, 206
– Lisbeth (Balzac) VI, 20
– Tula (Unamuno) VI, 402
Tanz der sieben Teufel, Der (Habeck) XIII, 129
– um die Guillotine (Ammers-Küller) X, 282
– zur Zeitmusik (Powell) XIV, 226

Tanzende Elefant, Der (Jones) XIV, 289
Tara (Del Castillo) XIV, 145
Taras, Die Familie der (Gorbatow) XII, 260
Taras Bulba (Gogol) VIII, 174
Tartarin aus Tarascon (Daudet) VI, 56
– in den Alpen (Daudet) VI, 56
Tartarins Reise in die Schweizer Alpen (Daudet) VI, 56
Tarub, Bagdads berühmte Köchin (Scheerbart) II, 508
Taschkent, die brotreiche Stadt (Newerow) XII, 282
Tat der Therese Desqueyroux, Die (Mauriac) IX, 148
– des Dietrich Stobäus, Die (Halbe) *I, 212;* I, 184
Tau an den Stufen des Parthenon, Der (Helwig) XIII, 142
Tauben im Gras (Koeppen) IV, 449
– von San Marco, Die (Hartlaub, G.) XIII, 134
Taufe, Die (Ernst, P.) I, 85; III, 181
Taugenichts, Aus dem Leben eines (Eichendorff) *I, 89;* I, 78
Tausend offene Wege (Green, J.) XIV, 42
– Seelen (Pisjemskij) VIII, 243
Tausendjährige Krug, Der (Dörfler, A.) III, 157
Tauwetter (Ehrenburg) XII, 248
Tavelinck, Das Haus (Ammers-Küller) X, 281
Tecumseh der Berglöwe (Steuben) V, 841
Tecumsehs Tod (Steuben) V, 841
Tedebus, Matthias, der Wandersmann (Enking) *I, 97*
Tee aus Futschau (Masefield) X, 157
Telemach (Fénelon) VI, 81
Tellier, Das Haus (Maupassant) VI, 171

Tempel der kostbaren Weisheit, Der (Varè) IX, 312

Tempelsucher (Romains) IX, 217

ten Swaart, Angelika (Thieß) XIII, 365

Terra buena (West, J.) XIV, 329

Testament der Frau von Castérac, Das (Estaunié) VI, 79

– des Odysseus, Das (Jens, W.) XIII, 166

– einer Liebe, Das (Brautlacht) III, 97

– Sr. Gnaden, Das (Bergman, H.) XII, 117

Teste, Herr (Valéry) VI, 247

Teufel, Der (Neumann, A.) V, 638

– auf den Hügeln, Der (Pavese) XIV 117

– im Leib, Den (Radiguet) IX, 201

– in Seide (Kaus) XIII, 188

– von Loudun, Der (Huxley, A. L.) XIV, 197

Teufelsbrücke, Die (Aldanow) XII, 201

Teufelskinder (Barbey d'Aurevilly) VI, 25

Teufelsmaar, Das (Sand) VI, 225

Teufelsmoor, Das (Sand) VI, 225

Teufelspfütze, Die (Sand) VI, 225

Teufels Puppe, Des (Hippius) VIII, 204

– Schaubude, Des (Schmeljow) XII, 232

Teufelssumpf, Der (Sand) VI, 225

Teuflischen, Die (Barbey d'Aure-villy) VI, 25

Thees Bott, dat Waterküken (Kinau, R.) IV, 416

Theophano, Die Kaiserin (Benrath) III, 38

Therese (Schnitzler) II, 524

Theresle (Stegemann) II, 616; II, 555

Theresienstädter Requiem (Bor) XIV, 422

Thibaults, Die (Martin du Gard) VI, 165

Thirza, Tochter der See (Paterson) X, 198

Thomas der Schwindler (Cocteau) IX, 53

Thorne, Doctor (Trollope) VII, 218

Thron im Bannkreis der Frauen (Uhlenbusch) XIII, 374

Throne stürzen, Die (Brehm) III, 103

Tief unten (Huysmans) VI, 136

– – in Demarara (Sharp, A.) XIV, 232

Tiefer als der Abgrund (Sperber) XIII, 348

– Süden (Bristow) XI, 20

Tiefseefische (Andersen-Nexö) VIII, 7

Tier, Das (Leskow) VIII, 226

– aus der Tiefe, Das (Andres) III, 9

– von Krutojar, Das (Prischwin) XII, 304

Tiere, Die (Gascar) XIV, 34

– der Wildnis (Seton, E. Th.) XI, 278

Tierhelden (Seton, E. Th.) XI, 277

Tiermenschen (Montherlant) XIV, 62

Tiger in der Küche (Soerensen) XIV, 349

– Juan (Pérez de Ayala) IX, 359

Tilmansöhne, Die Geschichte der (Kennicott) IV, 409

Timár, Virgilius, Der Sohn des (Babits) XII, 380

Timpe, Meister (Kretzer) I, 386; I, 343

Timur (Edschmid) XIII, 79

Tine (Bang) VIII, 23

Tipsys sonderliche Liebesgeschichte (Hueck-D.) XIII, 162

Tirol, Allerlei Geschichten aus (Pichler) II, 491; II, 441

Tischtuch ist zerschnitten, Das (Bazin) IX, 14
Titan (Jean Paul) *I, 325;* I, 291
– , Der (Dreiser) XI, 80
Titanen, Im Schatten der (Braun, L.) *I, 54;* I, 45
Tizianello (Musset) VI, 187
Tochter, Die (Söiberg) XII, 35
– der Ostsee (Talvio) XII, 189
– des Kunstreiters, Die (Brackel) *I, 51;* I, 44
– Farinatas, Die (Le Fort) IV, 515
Tod Ahasvers, Der (Lagerkvist) XIV, 364
– am Nachmittag (Hemingway) XI, 140
– auf Borg (Céline) XIV, 16
– – Kredit (Céline) XIV, 16
– der Götter, Der (Julian Apostata) (Mereschkowskij) VIII, 233
– – stolze Bruder (Wolfe) XI, 362
– des Athleten, Der (Mészöly) XIV, 437
– – Iwan Iljitsch, Der (Tolstoj, L. N.) VIII, 276
– – Kleinbürgers, Der (Werfel) V, 933
– – Mondes, Der (Inber) XII, 265
– – Vergil, Der (Broch) III, 113
– einer Stadt (Cicellis) XII, 432
– eines Intellektuellen (Swinnerton) XIV, 237
– in Hollywood (Waugh) XIV, 239
– – Rom (Koeppen) XIII, 207
– – Venedig, Der (Mann, Th.) *II, 445;* II, 403
– kommt zum Erzbischof, Der (Cather) XI, 60
– und Verklärung (Thieß) XIII, 364
– von Falern, Der (Thieß) XIII, 364
– – Reval, Der (Bergengruen) XIII, 31

Todesnacht, Eine (Bregendahl) XII, 6
Todfeind, Der (Scholochow) XII, 313
Töchter der Erde (Molzahn) IV, 596
– – Flamme (Nerval) VI, 189
Tödlichen Wünsche, Die (Balzac) VI, 8
Tödlicher Frühling (Zilahy) XII, 401
Tönende Erdkreis, Der (Brunngraber) III, 123
Tönernen Füße, Die (Paulus) XIII, 290
Törichte Heirat, Die (Shaw, G. B.) VII, 179
Törless, Die Verwirrungen des Zöglings (Musil) XIII, 272
Tötende Eros, Der (Kallas) XII, 170
Tolldreiste Geschichten (Balzac) VI, 23
Tolle Bomberg, Der (Winckler) V, 954
– Professor, Der (Sudermann) *II, 672;* II, 625
Tollen Männer, Die (Stevenson) VII, 200
Toller Invalide auf Fort Ratonneau (Arnim) *I, 13;* I, 13
Tollhaus oder Herrenhaus (Dostojewski) VIII, 155
Tolpatsch, Der (Hašek) XIV, 424
–, – (Leskow) VIII, 229
Tom Sawyers Abenteuer und Streiche (Twain) VII, 324
Tondi, Die Stadt (Hoerschelmann) IV, 331
Tonka (Musil) XIII, 273
Tor der Freude, Das (Kirschweng) IV, 418
– – Frühe, Das (Seidel, I.) V, 807
– – glücklichen Sperlinge, Das (Varè) IX, 312
Torero Caracho (Gómez de la Serna) IX, 345

Torheiten der Liebe (Bordeaux) IX, 30
Torleifs, Sigurd, Pferde (Fleuron) XII, 13
Tormes, Lazarillo de VI, 380
Tornado (Nijenhuis) X, 328
Tortilla Flat (Steinbeck) XI, 303
Tote Brügge, Das (Rodenbach) VI, 208
– Fall, Der (Hallström) VIII, 101
– Gast, Der (Zschokke) II, 751; II, 698
– Gemeinde, Die (Bernanos) IX, 27
– Haus, Das (Dostojewski) VIII, 156
– Mann, Der (Gagern) III, 234
– von Beverly Hills, Die(Goetz) III, 259
Toten befehlen, Die (Blasco Ibáñez) VI, 346
– bleiben jung, Die (Seghers) V, 800
– schämen sich nicht, Die (Baklanow) XIV, 377
– Seelen, Die (Gogol) VIII, 179
Totenhaus, Das (Ouwendijk) X, 331
Totenhorn-Südwand (Strobl) V, 853
Totenreich, Das (Pontoppidan) VIII, 53
Totenschiff, Das (Traven) V, 865
Totentanz in Livland (Vegesack) XIII, 381
Totschläger, Der (Zola) VI, 267
Toupetkünstler, Der (Leskow) VIII, 218
Tourel, Herr (Walter) XIII, 389
Towers, Die (Wescott) XI, 337
Trachtenberg, Judith (Franzos) I, 136
Tracys Tiger (Saroyan) XI, 271
Tränen für den Sieger (Hirschler) XIII, 150
– im Wein (Vittorini) IX, 316
Tränenhaus, Das (Reuter, G.) II, 531; II, 473

Träume (Schreiner, O.) VII, 164
–, Die (Quevedo y Villegas) VI, 397
– von Rosen und Feuer (Johnson, E.) XII, 135
Träumer, Der (Giono) IX, 94
–, Die (Blixen) X, 9
Tragikomödien (Ruederer) II, 487
Tragödie auf der Jagd, Die (Tschechow) VIII, 284
Transit (Seghers) XIII, 344
Transport, Der (Altendorf) XIII, 4
Transvaal (Fedin) XII, 252
Trap, Mette (Michaelis) VIII, 49
Traum, Der (Dostojewski) VIII, 169
–, – (Turgenjew) VIII, 305
–, – (Wells) VII, 229
–, – (Zola) VI, 275
– der Erde (Stahl) V, 825
– eines lächerlichen Menschen, Der (Dostojewski) VIII, 169
– in der Sierra (García Calderón) IX, 340
– Philipps II., Der (Maass, E.) IV, 550
– und Leben (Nodier) VI, 190
– vergangener Zeiten (Cather) XIV, 259
– von Troja, Der (Stoll) XIII, 356
Traumbild, Das, und die Jahreszeiten (Coccioli) IX, 280
Treffpunkt jenseits der Schuld (Weidenheim) XIII, 393
– jüngstes Gericht (Dumitriu) XIV, 461
– in Samara (O'Hara, J.) XI, 227
Treibel, Jenny, Frau (Fontane) I, 123; I, 114
Treibgut (Green, J.) IX, 112
– (Neumann, R.) XIII, 281
Treibhaus, Das (Koeppen) XIII, 206
Treibjagd, Die (Zola) VI, 265
Tremain, Johnny (Forbes) XI, 122
Trenck (Frank, B.) III, 218
–, Der Panduren-Oberst (Kayser) IV, 406

Treue, Die (Tügel) V, 869
- der Tavelincks, Die (Ammers-
  Küller) X, 283
- Nymphe, Die (Kennedy) X, 116
Trilby (Du Maurier) VII, 86
- , der Kobold von Argyll (Nodier)
  VI, 190
Trinidad, Die Brautnacht des
  schwarzen (Sender) XIV, 167
Trinker, Der (Fallada) III, 189
Triptychon von den heiligen drei
  Königen (Timmermans) X, 343
Tristan (Mann, Th.) *II, 446;* II, 401
Tristram Shandy (Sterne) VII, 189
Triumph des Lebens (Giono) IX, 97
- des Todes, Der (Annunzio) VI, 292
Triumphgasse, Aus der (Huch, Ric.)
  I, 276
Trockenes Brot (Verga) VI, 324
Trödler mit den Drahtfiguren, Der
  (Schroers) V, 792
Troglodytin, Die (Saar) *II, 547;* II,
  490
Trollatische Geschichten (Balzac)
  VI, 23
Trollelch, Der (Fönhus) XII, 81
Trommeln zur Seligkeit (Hughes)
  XI, 161
Tromsöer Seeteufel (Hansen) XII, 90
Tropfen Zeit, Ein (Madariaga y Rojo)
  XIV, 157
Truck, Weg des Thomas (Holländer)
  I, 300
Trüber Morgen (Tolstoi, A. N.) XII,
  325
Trug-Gold (Baumbach) *I, 28*
Trunkenbold, Der (O'Connor) XIV,
  220
Trunkener Sommer (Humo) XIV,
  450
Truthahn mit Kastanien, Der
  (Awertschenko) XIV, 376
Trutz Simplex (Grimmelshausen) *I,
  198;* I, 173

Trutze von Trutzberg (Ganghofer)
  I, 167
Tschapajew (Furmanow) XII, 255
Tschelkasch (Gorki) VIII, 189
Tschinderle, Nikolaus (Perkonig) V,
  671
Tschinghis Chan und sein Erbe
  (Prawdin) XII, 215
Tschitschikows, Paul, Irrfahrten
  (Gogol) VIII, 179
Tsushima (Thieß) V, 860
Tubus, Die beiden (Kurz, H.) *I, 399;*
  I, 356
Tuchweber von Flandern, Die (De-
  pauw) X, 302
Türkis, Der (Seton, A.) XI, 276
Türkische Vaterunser, Das (Weiden-
  heim) XIII, 392
Tumult des Herzens (Spring) X, 231
Tungusen, In den Jagdgründen der
  (Velter) V, 889
Tunnel, Der (Kellermann) *I, 371;*
  I, 329
Turkmenenkrieg, Der (Gobineau)
  VI, 121
Turmalin (Stifter) *II, 642;* II, 585
Turmwächter, Der (Falkberget) XII,
  76
Turnier, Das (Priestley) XIV, 227
Tut-ench-Amon auf Kreta (Meresch-
  kowskij) VIII, 238
Twist, Oliver (Dickens) VII, 61
Tycho Brahes Weg zu Gott (Brod)
  III, 114
Tyll Ulenspiegel und Lamm Goed-
  zak (Coster) VI, 51
Tyra die Märcheninsel (Kurz, K. F.)
  IV, 490
Tyrann, Der (Cronin) X, 21
- Banderas (Del Valle Inclán) XIV,
  146

Uarda (Ebers) *I, 79*
Udyta (Wiessalla) V, 953

Über Bord (Przybyszewski) XII, 365
– den Fluß und in die Wälder (Hemingway) XI, 147
– – hohen Bergen (Björnson) VIII, 60
– – Strom (Galsworthy) VII, 110
– mich selbst (Pasternak) XII, 296
Überfall der Jahrhunderte, Der (Kirschweng) IV, 419
Überfluß (Andersen-Nexö) VIII, 15
Überlebende, Der (Supervielle) IX, 245
Übermensch, Ein (Weyssenhoff) XII, 368
Überreife Zeit (Hesse, M. R.) IV, 318
Überschwemmung, Die (Zola) VI, 286
Ufer der Syrten, Das (Gracq) IX, 108
Uhl, Jörn (Frenssen) I, 144; I, 126
Uhr, Die (Turgenjew) VIII, 305
– ohne Zeiger (McCullers) XIV, 296
– von Gold, Die (Ponten) V, 691
Uhuru (Ruark) XIV, 314
Ulanenpatrouille (Lange, H.) XIII, 222
Ulenspiegel (Coster) VI, 51
Uli der Knecht (Gotthelf) I, 187; I, 161
– der Pächter (Gotthelf) I, 187; I, 162
Ulysses (Joyce) X, 109
Um das kommende Geschlecht (Dörfler, P.) III, 159
– den Gipfel der Welt (Ehmer) III, 173
– – Wegzoll (Kröger) I, 391
– die Krone (Kesten) IV, 410
– – Wartburg (Schreckenbach) II, 581; II, 527
– Zepter und Kronen (Samarow) II, 548
Ums Menschentum (Molo) IV, 592

Umsiedler, Die (Schmidt, A.) XIII, 332
Umweg, Ein (Doderer) III, 151
Umwitterte Höhen (Brontë, E.) VII, 17
Unauffindbaren, Die (Kreuder) IV, 473
Unauslöschliche Siegel, Das (Langgässer) IV, 505
Unbändige Glück, Das (Giono) XIV, 37
Unbekannte, Die (Muschler) IV, 617
– Gott, Der (Bruun) VIII, 27
– Größe, Die (Broch) XIII, 51
– Schicksal, Das (Péladan) VI, 191
Unbekannten Gott, Dem (Kröger) I, 388; I, 349
Unbekannter Meister (Kawerin) XIV, 384
Unbesiegte, Der (Hemingway) XI, 144
Unbesiegten, Die (Faulkner) XI, 102
Unbeugsamen, Die (Gorbatow) XII, 260
Und da kam Line (Jensen, A.) XIV, 353
– ewig singen die Wälder (Gulbranssen) XII, 82
– fänden die Liebe nicht (Buck) XI, 37
– freitags Fisch (O'Connor) XIV, 220
– Gott schweigt (Lützkendorf) XIII, 248
– immer neue Tage (Keyser, Ch.) IV, 414
– legte Feuer an dies Haus (Styron) XIV, 322
. . . – nähme doch Schaden an seiner Seele (Braine) XIV, 181
. . . – noch ein Küßchen (Dahl) XIV, 262

Und nun warten wir auf das Schiff (Laucscn) XII, 25

– sagte kein einziges Wort (Böll) XIII, 36

– schenke uns allen ein fröhliches Herz (Mostar) XIII, 265

... – schwarz für die Nacht (Caldwell, E.) XIV, 256

– sie bewegt sich doch! (Hársanyi) XII, 384

– suchet, wen er verschlinge (Estang) IX, 76

– vergib uns unsere Schuld (Douglas) XI, 76

– was bleibt, ist der Mensch (Ziesel) V, 974

– wenn Du willst, vergiß! (Vring) V, 896

... – wusch ihre Hände in Unschuld (Szabó) XIV, 440

– zur Erinnerung Sommersprossen (Delibes) XIV, 145

Undine (Fouqué) *I, 124;* I, 118

Unentwegte, Der (Dreiser) XI, 86

Unersättliches Herz (Lehmann, R.) X, 132

Unersättlichkeit (Witkiewicz) XIV, 421

Unerwartete Erbe, Das (Roche, M.) X, 210

Unfruchtbare Feigenbaum, Der (Monnier) XIV, 60

Ungarische Rhapsodie (Hársanyi) XII, 383

Ungeduld des Herzens (Zweig, St.) V, 984

Unger, Michael (Huch, Ric.) *I, 315;* I, 277

Ungerechte Heller, Der (Dörfler, P.) III, 158

Ungetaufte Pope, Der (Leskow) VIII, 224

Ungeteilte Vergnügen, Das (Marshall) X, 156

Ungewöhnliche Abenteuer Nikita Rostschins, Das (Tolstoi, A. N.) XII, 334

Ungewöhnlichen Abenteuer des Julio Jurenito und seiner Jünger, Die (Ehrenburg) XII, 241

Ungewöhnlicher Sommer, Ein (Fedin) XII, 253

Ungleiche Welten (Carossa) III, 136

Ungleichen Schwestern, Die (Raschke) V, 696

Unglückliche Liebe, Eine (Koeppen) XIII, 206

Unheimliche Geschichten (Poe) XIV 308

– Mitspieler, Der (Gäng) XIII, 109

Unhold, Der (Gogol) VIII, 175

Union der festen Hand (Reger) V, 698

Unkalifornische Geschichten (Saroyan) XIV, 318

Unordentlicher Mensch, Ein (Morriën) X, 326

Unrat, Professor (Mann, H.) *II, 438;* II, 390

Unruhige Nacht (Goes) III, 257

Uns aber liebt Paris (Brasillach) IX, 34

Unschuld andere Seite, Der (Caldwell, T.) XI, 52

Unschuldige, Der (Annunzio) VI, 291

Unschuldsengel vom Broadway (Henry) XIV, 279

Unseligen Könige, Die (Druon) XIV, 26

Unser altes Haus (Schröder, R. A.) V, 788

– Fräulein Lehrerin (Monnier) XIV, 61

– Freund Peregrin (Seidel, I.) V, 808

– gemeinsamer Freund (Dickens) VII, 77

– Herr Wrenn (Lewis, S.) XI, 177

– – Vater (Day) XI, 70
– Herz (Maupassant) VI, 178
– Mann in Havanna (Greene) XIV, 193
Unsere biederen Stadtleut (Furetière) VI, 100
– Carlotta (Kurz, I.) I, 359; IV, 488
– Frau Mama (Day) XI, 71
Unseres Herrgotts Kanzlei (Raabe) II, 513; II, 446
Unsichtbar (Ellison) XIV, 264
Unsichtbare, Der (Wells) VII, 225
Unsterbliche Frau (Stone) XI, 322
Unsterblichen von Apagia, Die (Gheorghiu) XIV, 463
Unsterblichkeit (Binding) I, 32; III, 67
Unter dem Äquator (Gerstäcker) I, 171; I, 150
– – Hügel (Beardsley) XIV, 178
– – Jägermond (Farrell) XIV, 189
– – Maulbeerbaum (Papa) XII, 437
– – Regenbogen (Paludan) XII, 29
– – Tannenbaum (Storm) II, 661; II, 598
– – Vulkan (Lowry) X, 140
– – wechselnden Mond (Munier-W.) XIII, 270
– den Apfelbäumen (Lederer) XIII, 229
– – Dolomiten (Telmann) II, 678; II, 629
– – Eichen (Bentlage) III, 41
– – Penchuenchen (Gerstäcker) I, 173; I, 151
– der Haut (Hopp) XIII, 157
– – Maske (La Varende) IX, 133
– einer anderen Sonne (Lothar) XIII, 246
– fremden Menschen (Gorki) VIII, 196
– heißem Himmel (Porter) XI, 237
– heißerer Sonne (Jensen, W.) I, 328

– Herbststernen (Hamsun, K.) VIII, 71
– leerem Himmel (Queffélec) IX, 200
– Tage (Wiessalla) XIII, 401
– Tieren (Kyber) IV, 496
– wehender Flagge (Forester) X, 46
Untergang der Anna Hollmann (Frenssen) I, 146; I, 128
– des Hauses Usher (Poe) XIV, 308
Unterhaltungen deutscher Ausgewanderter (Goethe) I, 155
Unterm Birnbaum (Fontane) I, 116; I, 110
– Rad (Hesse, H.) I, 270; I, 227
Untertan, Der (Mann, H.) II, 428; II, 391
Unterwegs (Kerouac) XI, 169
– (Przybyszewski) XII, 365
Unversehrte Jahr, Das (Leitgeb) IV, 528
Unverstandene auf dem Dorfe, Die (Ebner-Eschenbach) I, 84
Unverwesliche Erbe, Das (Seidel, I.) XIII, 345
Unvollendete Satz, Der (Déry) XIV, 428
Unwandelbare Herz, Das (Boerner) III, 82
Unwiederbringlich (Fontane) I, 112
Urbervilles, Tess von (Hardy) VII, 119
Ursache, Die (Frank, L.) III, 220
Ursächer, Der (Engasser) III, 176
Ursitory, Die (Maximoff) IX, 162
Ursleu, Erinnerungen von Ludolf (Huch, Ric.) I, 309; I, 274
Ursula (Boerner) III, 83
– (Keller, G.) I, 358; I, 320
Urteil, Das (Kafka) IV, 403; XIII, 178
Urwald, Der (Ponten) V, 691
U.S.A. (Dos Passos) XI, 72
Ut de Franzosentid (Reuter, F.) II, 526; II, 468

Ut mine Festungstid (Reuter, F.) *II, 526;* II, 469
– mine Stromtid (Reuter, F.) *II, 529;* II, 469
Utopia (Morus) VII, 156
– , Wir sind (Andres) III, 7
Utta und der Jäger, Frau (Bartsch) *I, 26*
Uz, Der (Nyirö) XII, 398

Väter, Die (Bredel) III, 100
– und Söhne (Turgenjew) VIII, 300
– zogen aus, Die (Ponten) V, 682
Vagabund, Der (Gorki) VIII, 188
Vagabunden, Die (Holtei) *I, 303;* I, 268
Vagabundentage (Hamsun, K.) VIII, 85
Vaiden, Colonel (Stribling) XI, 325
Valka, Salka (Laxness) XII, 46
Vampyr, Der (Oller) VI, 388
– , – (Tolstoj, A. K.) VIII, 258
Vanadis (Kurz, I.) I, 363; IV, 483
Vanessa (Walpole) X, 247
Van Zantens Abenteuer. – Wundersame Reise. – Törichte Liebe (Bruun) VIII, 27
– glückliche Zeit (Bruun) VIII, 25
– Insel der Verheißung (Bruun) VIII, 26
Varnholzer, Die (Seidel, H. W.) V, 802
Vasco Moscoso, Die Abenteuer des Kapitäns (Amado) XIV, 171
Vater, Der (Klepper) IV, 425
– Goriot (Balzac) VI, 13
– Öllendahl (Brandenburg) III, 91
– sein dagegen sehr ... (Biernath) XIII, 35
– Sergius (Tolstoj, L. N.) VIII, 280
– und sein erstes Kind, Der (Heimeran) IV, 305
– – Sohn (Hughes) XI, 159
– – Sohn im Examen (Federer) *I, 105;* I, 95

– unser bestes Stück (Nicklisch) XIII, 281
Vaterlandslosen, Die (Bang) VIII, 24
Vaters Ferien (Streeter) XI, 325
Vathek, Kalif (Beckford) VII, 8
Veli Pascha, Die Geliebte des (Andrić) XII, 409
Venegas, Manuel (Alarcón) VI, 328
Venetianische Novellen (Gaudy) I, 145
Venus und Maria (Sexau) V, 813
– von Ille, Die (Mérimée) VI, 181
Verbannung, Die (Pavese) XIV, 117
Verborgene Antlitze (Alvaro) IX, 263
– Blume, Die (Buck) XI, 37
– Krug, Der (Kölwel) XIII, 204
Verbotene Spiele (Boyer) IX, 33
– Stadt, Die (Hohoff, C.) XIII, 153
Verbrannte Dornbusch, Der (Sperber) XIII, 348
Verbrechen, Ein (Bernanos) IX, 26
– der Liebe (Sade) XIV, 82
– des Paters Amaro, Das (Eça de Queiróz) VI, 366
Verbrecher aus verlorener Ehre, Der (Schiller) *II, 568;* II, 513
Verbummelter Student, Ein (Sack) XIII, 320
Verdacht, Der (Dürrenmatt) XIII, 76
Verdächtigen Schritte, Die (Chesterton) VII, 33
Verdammt in alle Ewigkeit (Jones) XI, 163
Verdammte der Inseln, Der (Conrad) VII, 39
– Hof, Der (Andrić) XII, 408
– Toskaner (Malaparte) XIV, 109
Verdammten, Die (Thieß) V, 859
Verdi (Werfel) V, 928
– -Roman, Ein (Nowak-Zivier) V, 652
Vereinigung durch den Feind hindurch (Borchardt) III, 86

Verfluchten Inseln, Die (Melville) VII, 312

Verfluchtes Gold (Norris) VII, 316

Verführerin, Trösterin (Lehmann, W.) IV, 522

Verführung (Gombrowicz) XIV, 411

Vergeltung (Ledig) XIII, 230

Vergessene Dorf, Das (Kröger, Th.) IV, 474

– Gesichter (Jens) IV, 374

Vergiß, wenn du kannst (Erskine) XI, 91

–, wer du bist (Bondarew) XIV, 377

Vergnügliche Leben der Doktorin Löhnefink, Das (Beste) III, 54

Vergrabene Wort, Das (West) XI, 340

Verhängnis und Größe des Soldaten (Vigny) VI, 255

– und Verheißung (Mühlberger) IV, 598

Verhängnisvolle Liebe (Nałkowska-Rygier) XII, 361

Verheirateten, Die (Strindberg) VIII, 124

Verhexte Spitzweg, Der (Gluth) III, 251

– Stelle, Die (Gogol) VIII, 173

Verhör, Das (Müller, W.) IV, 604

Verkaufte Heimat, Die (Rainalter) V, 693

Verkehr mit der Firma Dombey u. Sohn (Dickens) VII, 68

Verklungene Tage (Zweig, A.) V, 983

Verliebte Teufel, Der (Cazotte) VI, 36

Verliese des Vatikan, Die (Gide) VI, 109

Verlobten, Die (Manzoni) VI, 311

Verlobung in St. Domingo (Kleist) I, 379; I, 336

Verlobungsring, Der (Talvio) XII, 188

Verlöschende Feuer (Lange, H.) XIII, 224

Verlogenen, Die (Mallet-Joris) XIV, 51

Verlorene Brief, Der (Gogol) VIII, 172

– Bucht, Die (Sperber) XIII, 348

– Erde, Die (Brust) III, 125

– Geliebte, Die (Urzidil) XIII, 378

– Generation, Die (Andersen-Nexö) VIII, 18

– Handschrift, Die (Freytag) I, 155; I, 132

– Haus, Das (Barth) III, 18

– Illusionen (Balzac) VI, 18

– Lachen, Das (Keller, G.) I, 353; I, 315

– Land, Das (Jensen, J. V.) VIII, 41

– Leben, Das (Gunn) X, 79

– Paradies, Das (Fernández de la Reguera) XIV, 149

Verlorenen Zeit, Auf der Suche nach der (Proust) IX, 195

Vermächtnis, Das (Aman) III, 2

Vermorel, Das Haus (Montupet) IX, 177

Verräterische Herz, Das (Poe) VII, 320

Verrat, Der (Wilk) XIII, 402

Verratene Armee, Die (Gerlach) XIII, 115

Verratenes Volk (Döblin) III, 153

Verrückte Ferdinand, Der (Pohl) V, 680

Verrückter, Ein (Ruederer) II, 486

Verschleppt (Stevenson) VII, 197

Verschwenderin, Die (Alarcón) VI, 329

Verschwörung, Die (Aldanow) XII, 201

– der Gleichen, Die (Ehrenburg) XII, 244

– des Alzaga, Die (Wast) IX, 373

Verschwundene Meer, Das (Hartog) X, 316
– Miniatur, Die (Kästner, Erich) IV, 398
– Urkunde, Die (Gogol) VIII, 172
Versehen, Ein (Cayrol) XIV, 15
Versiegelte Engel, Der (Leskow) VIII, 220
Versöhnung (Heiseler, B.) IV, 306
Versprechen, Das (Dürrenmatt) XIII, 78
Verstoßene, Die (Beheim.-Sch.) III, 32
Verstummte Planet, Der (Lewis) X, 134
Versucher, Der (Broch) XIII, 52
Versuchung, Die (Régnier) IX, 214
– der Macht (Fast) XIV, 265
– des Domenico, Die (Buzzati) XIV, 100
– – Pescara, Die (Meyer, C. F.) *II, 465;* II, 422
– in Budapest (Körmendi) XII, 385
Versuchungen des Don Ramiro (Larreta) VI, 379
Versunkene Weg, Der (Prischwin) XII, 305
– Welt (Vegesack) V, 885
Verteidigung Granadas, Die (Brandys) XII, 341
Vertrauliche Aufzeichnungen eines gerechtfertigten Sünders (Hogg) VII, 123
Veruntreute Himmel, Der (Werfel) V, 925
Verwandlung, Die (Kafka) IV, 403; XIII, 178
– durch Liebe (Lothar) IV, 545
Verwandte und Bekannte (Bredel) III, 100
Verwegene, Der (Boulanger) XIV, 8
Verwirrung der Gefühle (Zweig, St.) V, 984

Verwirrungen des Zöglings Törless, Die (Musil) XIII, 272
Verwitterte Steine (Eysselstein) X, 306
Verworfene Erbe, Das (Faulkner) XI, 105
Verwünschte, Der (Dickens) VII, 65
Verzaubert (Barbier) IX, 11
Verzauberte Pilger, Der (Leskow) VIII, 222
– Seele (Rolland) VI, 217
– Wälder (Crottet) IX, 57
– Wanderer, Der (Leskow) VIII, 222
Verzauberten, Die (Betsch) III, 56
– Inseln, Die (Melville) VII, 312
Verzauberter Sommer (Bridge) X, 12
Verzögerte Hochzeit, Die (Manzoni) VI, 311
Verzückung der Lol. V. Stein, Die (Duras) XIV, 28
Verzweifelte, Der (Bloy) VI, 30
Vesuv, Der (Robles) XIV, 77
– raucht nicht mehr, Der (Bernari) IX, 267
Vetter Basilio (Eça de Queirós) XIV, 172
– Pons (Balzac) VI, 21
Vetters Eckfenster, Des (Hoffmann, E. Th. A.) *I, 293;* I, 260
Via Mala (Knittel) IV, 443
Victoria (Hamsun, K.) VIII, 68
Viele sind berufen (Hoster) IV, 344
Vielgeliebte, Der, und die Vielgehaßte (Viebig) *II, 691*
– Sohn, Der (Betzner) III, 59
Vier Elemente, Die (Hallström) VIII, 101
– Evangelien, Die (Zola) VI, 282
– Monate auf den Marquesas-Inseln (Melville) VII, 303
– Schwestern (Alcott) VII, 245
– Tage auf dem Schlachtfeld (Garschin) VIII, 170

– – Trubel (Milne) XIV, 214
– Weihnachtsgeschichten (Dickens) VII, 65
Viertel der Reichen, Die (Aragon) IX, 4
Vierzehn Nothelfer, Die (Riehl) *II, 535;* II, 477
Vierzehnhundertsechsundsechzig (Reade) VII, 158
14. Dezember, Der (Mereschkowskij) VIII, 237
Vierzehnte Gast, Der (Manzoni, C.) XIV, 110
Vierzig Tage des Musa Dagh, Die (Werfel) V, 929
Vikar von Wakefield, Der (Goldsmith) VII, 117
Viktorianische Miniaturen (Galsworthy) VII, 112
Villa, Pancho, Vorwärts mit (Muñoz) IX, 357
Villa Beatrice (Cicognani) IX, 279
– Falconieri (Voss) *II, 701*
Villatauri, Die (Tecchi) IX, 310
Villette (Brontë, Ch.) VII, 16
Villon, François, Das kurze Glück des (Erskine) XI, 91
Viola tricolor (Storm) *II, 662;* II, 601
Viper im Würgegriff (Bazin) IX, 14
Virey und die Aristokraten, Der (Sealsfield) *II, 590;* II, 535
Virgil (Schäfer, W.) II, 496; V, 738
Virginier, Der (Wister) XI, 354
–, Die (Thackeray) VII, 214
Visionen und Phantastische Erzählungen (Turgenjew) XIV, 404
Vita somnium breve (Huch, Ric.) *I, 315;* I, 277
– Violenta (Pasolini) XIV, 115
Vlimmen, Dr. (Roothaert) X, 335
– gegen Vlimmen (Roothaert) X, 336

Vlimmens zweite Jugend (Roothaert) X, 336
Vögel der fernen Inseln, Die (Galzy) IX, 80
– ums Feuer (Paludan) XII, 29
Vöst, Andreas (Thoma) *II, 680;* II, 632
Vogelnest, Wunderbarliches (Grimmelshausen) *I, 199;* I, 174
Vogelscheuche, Die (Binding) I, 32; III, 66
–, – (Leskow) VIII, 226
Vogelweide, Der von der (Ginzkey) *I, 175*
Vogt auf Mühlstein, Der (Hansjakob) *I, 222;* I, 192
– von Kastrópyrgos, Der (Karagatsis) XIV, 466
– – Sylt, Der (Mügge) *II, 478;* II, 432
Volk, Ein (Gagern) III, 235
– am Meer (Bojer) XII, 62
– – – (Hinrichs) IV, 327
– auf dem Wege (Ponten) V, 682
– ohne Raum (Grimm) III, 270
Volkserzählungen (Tolstoj, L. N.) VIII, 275
Vollkommene Freude, Die (Rinser) XIII, 314
– Lady, Die (Sharp) X, 220
Vollschiff Johanna Maria, Das (Schendel) VII, 351
Vom gastfreien Pastor (Hartleben) I, 194
– Golde verfolgt (Jókai) XIV, 434
– großen Abenteuer (Hamsun, K.) VIII, 85
– Kap nach Port Natal (Young) X, 271
– Meere gefangen (Mohrt) XIV, 59
– sterbenden Rokoko (Bartsch) *I, 24;* I, 20
– Tod zum Morgen (Wolfe) XI, 362
– Winde verweht (Mitchell) XI, 216

Von dazumal (Kurz, I.) I, 358; IV, 487
– den Königen und der Krone (Huch, Ric.) I, 311
– der Erde zum Mond in 97 Stunden (Verne) VI, 252
– – Lieb Astreae und Celadonis (Urfé) VI, 246
– Dienstag bis Dienstag (Hughes) X, 93
– einem alten Wirtshausschild (Ullmann) V, 880
– – Schloß zum andern (Céline) XIV, 17
– Hof zu Hof (Lo-Johansson) XII, 143
– Mäusen und Menschen (Steinbeck) XI, 305
– Paul zu Pedro (Reventlow) II, 475
– Tag zu Tag (Goetel) XII, 347
– Teufeln, Geistern und Dämonen (Bécquer) VI, 342
– Tür zu Tür (Lampe) IV, 498
– Zeit und Strom (Wolfe) XI, 357
Vor Augen (Piontek) XIII, 294
– dem großen Schnee (Pump) XIII, 299
– – Mast (Last) X, 322
– – Sturm (Fontane) I, 107
– – – (Troyat) IX, 252
– den Toren (Cisek) III, 141
– soviel Sommern (Hamer) IV, 292
– Tau und Tag (Auesow) XII, 235
– – – (Seidel, I.) XIII, 346
– unserer Tür (Wiebe) XIII, 400
Vorabend (Turgenjew) VIII, 298
Vorarbeiter Czyź (Goetel) XII, 348
Voreilige Schlüsse (Howells) VII, 270
Vorfrühling (Schmeljow) XII, 229
Vorgebliche Tante, Die (Cervantes) VI, 362
Vorletzte Gericht, Das (Storm, R.) XIII, 357
Vorsommer (Mechow) IV, 566

Vorspiel (Strauß, E.) II, 616; V, 850
– zur Liebe (Ostenso) XI, 231
Vorwärts mit Pancho Villa! (Muñoz) IX, 357
Voss (White) X, 258
Voss, Peter, der Millionendieb (Seeliger) II, 537
Vulkan, Der (Mann, K.) XIII, 253

Waage, Harriet (Undset) XII, 105
Wachsame Hähnchen, Das (Reger) V, 699
Wackere neue Welt (Huxley) X, 98
Wärwolf, Der (Alexis) I, 4; I, 3
Waffen für Amerika (Feuchtwanger) III, 199
– nieder, Die (Suttner) II, 677; II, 628
Waffenbrüder, Die (Binding) I, 31; III, 65
Wagenburg, Die (Griese) III, 268
Waghalsige junge Mann auf dem fliegenden Trapez, Der (Saroyan) XI, 266
Waghalß Buscón, Der (Quevedo y Villegas) VI, 396
Wagrainer Tagebuch (Waggerl) V, 900
Wahlverwandtschaften, Die (Goethe) I, 181; I, 159
Wahnschaffe, Christian (Wassermann) II, 713; II, 657
Wahre Charlotte, Die (Somerville) VII, 187
– Geschichte, Eine (Diderot) VI, 62
– Leben des Sebastian Knight, Das (Nabokow) XII, 212
– Mensch, Der (Polewoi) XII, 302
Wahrheit (Zola) VI, 284
– und Recht (Tammsaare) XII, 190
– unter der Haut, Die (Ganachaud) XIV, 32
Waise von Lowood, Die (Brontë, Ch.) VII, 14

Waisenhaus, Das (Weinheber) V, 910

Wald der Erwartung (Haasse) X, 310

– rauscht, Der (Korolenko) VIII, 206

Waldbrunnen, Der (Stifter) *II, 643;* II, 591

Walden (Thoreau) VII, 323

Waldgänger, Der (Stifter) *II, 644;* II, 581

Waldhorn in Böhmen, Das (Lang, W.) XIII, 221

Waldkind, Das (Schnack, F.) V, 769

Waldläufer, Der (Ferry) VI, 82

Waldsteig, Der (Stifter) *II, 645;* II, 578

Waldwinter (Keller, P.) *I, 367;* I, 325

Wall, Der (Hersey) XI, 152

Wallenstein (Döblin) XIII, 69

Wallensteins Antlitz (Flex) *I, 112;* I, 104

Wallstreet (Sinclair) XI, 283

Wally, die Zweiflerin (Gutzkow) *I, 206;* I, 177

Walstatt von Liegnitz, Die (Kossak) XII, 356

Wandelstern, Der (Barth) III, 18

Wanderer, Der (Hamsun, K.) VIII, 71

– , Ein (Schendel) VII, 350

– in den Morgen, Der (Gorki) VIII, 196

– , kommst du nach Spa ... (Böll) III, 81

– und die Heimat, Der (Schröder, R. A.) V, 788

Wanderfalke, Der (Wescott) XI, 338

Wandernde Wagen (Cloete) X, 18

Wanderung im dunklen Wind (Lipinski-G.) XIII, 242

Wanderungen durch Rußland (Gorki) VIII, 187

Wandlung der Marie Grin, Die (Ramuz) IX, 203

– des Nikolai Pereslegin, Die (Stepun) XII, 233

Wandlungen des Mattia Pascal, Die (Pirandello) VI, 315

– einer Liebe (Maurois) IX, 157

Wanja im heiligen Moskau (Schmeljow) XII, 231

Wanka, Genosse (Nilin) XII, 283

Ware, Julian (Wilson, G.) XIV, 243

Wargamäe (Tammsaare) XII, 190

Warschauer Karwoche (Andrzejewski) XIV, 406

Warten, Vergessen (Blanchot) XIV, 8

Wartende Land, Das (Fechter) III, 191

Wartesaal (Besch) XIII, 33

Wartet, ich komme mit (Rojas) IX, 364

Was die Isar rauscht (Conrad, M. G.) *I, 65;* I, 61

– – Nachtigall sang (Sostschenko) XII, 321

– ein Mensch wert ist (Kramp) IV, 468

– für Lumpen sind doch die Männer (Awertschenko) XII, 204

– – reizende Vögel (Wilson) X, 261

– ich sagen wollte (Radecki) XIII, 299

– – wandre dort und hier (Trappe) XIII, 369

– meine Mühle erzählt (Daudet) VI, 55

– tun ? (Tschernyschewskij) VIII, 292

Waser, Die Geschichte der Anna (Waser) V, 903

Washington (Bloem) *I, 40*

Wasser der Hügel, Die (Pagnol) XIV, 65

Wasserkinder, Die (Kingsley) VII, 128

Wassermann, Der (Bischoff) III, 73

Waterloo (Erckmann-Chartrian) VI, 73

Waverley oder es ist sechzig Jahre her (Scott) VII, 166

Wawas Ende (Heiseler, H.) IV, 309

Webber, Wolfert (Irving) VII, 280

Webster, Daniel, und die Seeschlange (Benét) XI, 16

Webstuhl, Der (Kasack) IV, 405

Wechsler, Die (Sinclair) XI, 283

Weder Gott noch Teufel (Rebatet) XIV, 74

Weg allen Fleisches, Der (Butler) VII, 25

– der Anna Illing, Der (Merker) IV, 575

– des Dr. Carlos, Der (Pombo Angulo) IX, 360

– – Thomas Truck, Der (Holländer) I, 300

– ins Leben, Der (Makarenko) XII, 279

– – Nirgendwo, Der (Mackiewicz) XII, 358

– nach Emmaus (Hohlbaum) IV, 337

– – Glockenreich, Der (Martinson) XII, 144

– – Ilok, Der (Scholz) V, 778

– – Mandalay, Der (Masters) XIV, 212

– übers Gebirge, Der (Roth, E.) XIII, 315

Wege der Freiheit, Die (Sartre) IX, 239

– nach Haus (Snow) XIV, 235

Wegbereiter, Die (Rølvaag) XII, 99

Weggefährten (Panowa) XII, 291

Weggenossen (Panowa) XII, 291

Wehrwolf, Der (Löns) II, 419; II, 379

Weiber am Brunnen, Die (Hamsun, K.) XIV, 352

Weiberdorf, Das (Viebig) II, 692; II, 643

Weichselwinde (Kries) XIII, 215

Weide meine Böcke (Küper) XIII, 218

Weihnachten in Brabant (Coolen) X, 300

Weihnachtsabend, Der (Dickens) VII, 65

Weihnachtserzählungen (Dickens) VII, 65

Weihnachtsfund, Der (Kurz, H.) I, 400; I, 355

Weihnachtsgeschichten (Dickens) VII, 65

– (Streuvels) VII, 358

Weinberg der Gerechten, Der (Morel) IX, 181

Weingott (Lehmann, W.) IV, 521

Weinhaus Wolf (Benn) III, 35

Weinhüter, Der (Heyse) I, 278; I, 242

Weinlese (Torga) XIV, 177

Weiße Affe, Der (Galsworthy) VII, 102

– Amsel, Die (Musset) VI, 187

– Haus, Das (Bang) XIV, 342

– Hölle, Die (Hansen) XII, 90

– Kondor, Der (Lütgen) IV, 547

– Reiher, Der (Jewett) XIV, 289

– Rose, Die (Traven) V, 866

– Sonne (Johann, A. E.) IV, 379

– Süden, Der (Innes) X, 105

– Tod, Der (Stratz) II, 663; II, 612

– Yacht, Die (Rung) XII, 32

Weißen Brüder, Die (Choromanski) XII, 342

– Götter, Die (Stucken) V, 854

– Nächte, Die (Dostojewski) VIII, 152

Weißes Segel einsam gleitet, Ein (Katajew) XII, 271

Weißgepuderte Gesichter (Hughes, L.) XIV, 282

Weißjacke oder die Welt auf einem Kriegsschiff (Melville) VII, 305

Weißzahn der Wolfsohn (London) VII, 289

Weizenstrauß, Der (Zillich) V, 976

Wellen, Die (Woolf, V.) XIV, 245

Welt, Die, das Glück und Father Smith (Marshall) X, 151

– der Guermantes, Die (Proust) IX, 196

– – Liebe, Eine (Bowen) X, 11

– des William Clissold, Die (Wells) VII, 231

– in der Nußschale, Die (Friedenthal) XIII, 102

– – der Tasche, Die (Radecki) XIII, 299

– – Ingoldau, Die (Inglin) IV, 376

– wohin? (Huxley) X, 98

– zu Füßen, Eine (Yerby) XI, 368

Weltbimmel, Die (Des Périers) VI, 61

Welt-Ende (Sinclair, U.) XIV, 319

Weltlicht (Laxness) XII, 48

Weltmaschine, Die (Volponi) XIV, 130

Weltwanderer, Die (Gjellerup) VIII, 30

Wem die Stunde schlägt (Hemingway) XI, 146

Wen das Los trifft (Dorp) IX, 65

Wendelmut Melistochter (Bruijn) X, 292

Wendemarke (Faulkner) XI, 100

Wenigen und die Vielen, Die (Sahl) XIII, 321

Wenn alles schief geht (Alcántara) XIV, 132

– der Schläfer erwacht (Wells) VII, 226

– die Erde bebt (Risse) V, 714

– – Hoffnung nicht wäre (Götz) III, 259

– – Mondwinden blühen (Carleton) XIV, 259

– – Natur ruft (London) VII, 287

– – Sonne nicht mehr wiederkäme (Ramuz) IX, 211

– – Wölfe heulen (Ribeiro, A.) XIV, 175

– es Herbst wird (Lipinski-G.) XIII, 244

– – Rosen sind (Edschmid) III, 170

– ich du wäre (Green, J.) IX, 114

– man aufhören könnte zu lügen (Schallück) V, 743

– mein Mädchen heimkommt ... (Pritchett) XIV, 228

– wir alle Engel wären (Spoerl, H.) V, 819

Wer betet für Judas? (Reding) XIII, 302

– die Nachtigall stört ... ((Lee) XIV, 294

– einmal aus dem Blechnapf frißt (Fallada) XIII, 88

– in den Wäldern wohnt (Klingele) IV, 427

– ist schuld? (Herzen) VIII, 203

– zuletzt lacht ... (Boo) XII, 64

Werbung des Richters, Die (Alarcón) VI, 330

Werdejahre (Dostojewski) VIII, 164

Werden und Wachsen, Erlebnisse der Pfäfflingskinder (Sapper) *II, 552;* II, 493

Werdende Volk, Das (Blunck) III, 75

Werk, Das (Zola) VI, 273

– der Artamanows, Das (Gorki) VIII, 198

– im Urwald, Das (Leonow) XII, 277

Werthers, Die Leiden des jungen (Goethe) *I, 177;* I, 154

Wesire und Konsuln (Andric) XIV, 444

Wesley's Abenteuer (Saroyan) XI, 269

Wessobrunner, Die (Dörfler, P.) III, 162

Wetterwart, Der (Heer) *I, 243;* I, 215

Whisky-Schiff, Das (Mackenzie) X, 145

Wickford, Haus (Marquand) XI, 206

Widder auf den Wolken, Der (Pasqualino) XIV, 115

Widergänger, Der (Helwig) IV, 311

Widerhall (Blixen) XIV, 343

Wie Anne Bäbi Jowäger haushaltet (Gotthelf) *I, 184;* I, 164

– der Herr befehlen (Delibes) XIV, 146

– – Kleine zum Teufel wurde (Hartleben) I, 194

– – Stahl gehärtet wurde (Ostrowskij) XII, 287

– – Stein fällt (Németh) XII, 397

– ein Tag (Pirandello) XIV, 118

– eine Träne im Ozean (Sperber) XIII, 348

– es ist (Beckett) XIV, 7

– – kam, daß Iwan Iwanowitsch und Iwan Nikiforowitsch sich entzweit hatten (Gogol) VIII, 176

– ich den lieben Gott suchte (Claudius, H.) III, 142

– ist die Welt so weit (Lewis, S.) XI, 186

– Uli der Knecht glücklich wird (Gotthelf) *I, 187;* I, 161

– verlorene Hunde (Cesbron) IX, 47

– Wasser unter der Brücke (Gibson) XIV, 272

Wieck, Hein (Kröger) *I, 392;* I, 347

Wiedergefundene Zeit, Die (Proust) IX, 196

Wiedersehen mit Brideshead (Waugh) X, 254

– mit Pu (Milne) XIV, 213

Wieringer, Die (Depauw) X, 302

Wiesenzaun, Der (Ginzkey) *I, 177;* I, 153

Wieviel Erde braucht der Mensch (Tolstoj, L. N.) VIII, 276

Wij (Gogol) VIII, 175

Wilde Flamme, Die (Steinbeck) XI, 313

– Jagd, Die (Zola) VI, 265

– Palmen (Faulkner) XI, 103

– Zustände (Conchon) XIV, 23

Wildefüer (Schreckenbach) *II, 582*

Wilden Mann, Zum (Raabe) *II, 516;* II, 456

Wilder Weg (Abrahams) X, 3

Wildgans, Die (Moore) VII, 155

Wildnis braust, Die (Fönhus) XII, 81

Wilds, Jonathan, Geschichte (Fielding) VII, 96

Wildtöter, Der (Cooper) VII, 253

Wilhelm Meisters Lehrjahre (Goethe) *I, 178;* I, 156

Wilhelm Meisters Wanderjahre (Goethe) *I, 179;* I, 158

Wilhelmine (Thümmel) *II, 681;* II, 635

Will von der Mühle (Stevenson) VII, 201

Willfüer, Helene, Stud. chem. (Baum) III, 25

Williams, Caleb (Godwin) VII, 115

Wiltfeber, der ewige Deutsche (Burte) *I, 61;* I, 54

Winchcombe, John (Deloney) VII, 57

Wind an vielen Küsten (Lindbergh) XI, 194

– ist mein Kleid, Der (Han Suyin) X, 84

– , Sand und Sterne (Saint-Exupéry) IX, 227

– über weißen Wegen (Evans) X, 43

– und Woge (Macleod) VII, 140

– von Süd (Grin, E.) XII, 262

– weht nicht, wohin er will, Der (Griese) XIII, 123

– – von der Oder, Der (Niekra-
wietz) XIII, 283
– –, wie er will, Der (Vesaas) XII,
112
– –, wo er will, Der (Lesort) IX,
137
Windrose, Die (Paustowski) XIV,
393
Windswept (Chase) XI, 63
Winesburg, Ohio (Anderson) XI, 5
Wingerath, Angelika (Meissinger)
IV, 569
Winkelquartett (Croissant-Rust) I,
69; I, 63
Winnetou, der rote Gentleman (May)
II, 451; II, 411
Winter (Griese) III, 269
– im Jägerhof, Ein (Fleuron) XII,
11
Wintererzählungen (Stackelberg) V,
824; XIII, 350
Wintergewitter (Ihlenfeld) IV, 375
Wintermoor, Das (Vaering) XII, 165
Winternot (Munier-W.) XIII, 271
Winthrop, Georgie (Wilson, S.)
XIV, 334
Wir (Samjatin) XII, 225
Wir alle kamen nach Amsterdam
(Ridge) X, 210
–, die das Leben lieben (Aabye)
XIV, 342
–, die wir den Küchenweg gehen
(Boo) XII, 63
– fordern Reims zur Übergabe auf
(Binding) I, 34; III, 68
– leben eine Spanne Zeit (Velsen) V,
887
– Lügner (Saroyan) XI, 272
– pilgern zum Himalaya (Muker-
dschi) X, 181
– sind Gefangene (Graf) III, 264
– – Utopia (Andres) III, 7
– werden weiter marschieren (Kra-
mer) IV, 465

– Wunderkinder (Hartung) XIII,
137
Wirbel in Sankt Margreit (Gluth)
III, 253
Wirinea (Sejfullina) XII, 315
Wirkliche Welt, Die (Aragon) IX, 3
Wirkungen eines weißen Mantels
(Stifter) II, 619; II, 574
Wirtin, Die (Dostojewski) VIII, 169
Wirtshaus im Spessart, Das (Hauff)
I, 200
– zur Zwietracht, Das (Coolen) X,
301
Wiskottens, Die (Herzog) I, 258; I,
225
Wiswell, Oliver (Roberts, K. L.) XI,
256
Witiko (Stifter) II, 645; II, 592
Wittiber, Der (Thoma) II, 681; II,
632
Witwe, Die (Feuillet) VI, 83
– Bosca, Die (Schickele) V, 758
Wlaß, Der Knabe (Dymow) XII, 210
Wlassenkowa, Tatjana, Doktor (Ka-
werin) XII, 275
Wo aber Gefahr ist … (Andreae)
III, 4
– bleibst du, Trost … (Hagel-
stange) XIII, 130
– der Pfeffer wächst (Laiglesia) XIV,
155
– Spinnen ihre Nester bauen (Cal-
vino) XIV, 101
– Tränen verboten sind (Ekert-R.)
XIII, 84
– warst Du Adam? (Böll) III, 80
Wochenend in Zidcoote (Merle) IX,
167
Wölfe (Fönhus) XII, 81
– im Paradies (Forbes) XI, 121
– und Tauben (Bender) XIII, 27
Wölfin von Frankreich, Die (Druon)
XIV, 26
Wörter, Die (Sartre) XIV, 86

Wohnung des Glücks, Die (Kröger) *I, 393;* I, 347
Woldemar, Der falsche (Alexis) *I, 5*
Wolf in der Hürde, Der (Schickele) V, 758
– und Glocke (Bulatović) XIV, 445
– – sein Bruder, Der (Wiechert) V, 937
– unter Wölfen (Fallada) XIII, 89
Wolfe, Turbott (Plomer) XIV, 225
Wolfert Webber oder goldene Träume (Irving) VII, 280
Wolfsblut (London) VII, 289
Wolfshaut, Die (Lebert) XIII, 228
Wolfzahn (London) VII, 289
Wolga fällt ins Kaspische Meer, Die (Pilnjak) XII, 301
Wolgabauern (Panferow) XII, 290
Wolken über Härnevi (Spong) XII, 160
– – Metapont (Johnson) XIV, 362
Wolle und Schnee (Ferreira de Castro) IX, 335
Wonne des Lebens, Die (Zola) VI, 272
Wonniger Donnerstag (Steinbeck) XI, 317
World I never made, A (Farrell) XI, 93
Worte aus dem Dunkel (Dudinzew) XII, 240
Wovon die Leute leben (Tolstoj, L. N.) VIII, 275
– lebt der Mensch (Tolstoj, L. N.) VIII, 275
Wrack der Finsternis, Das (Bloy) VI, 31
Wrenn, Unser Herr (Lewis, S.) XI, 177
Wu, Die Frauen des Hauses (Buck) XI, 36
Wüste, Die (Dobraczynski) XII, 344
Wunder der Liebe, Das (London) VII, 297

– – Rose (Genet) XIV, 35
– des Malachias, Das (Marshall) X, 150
Wunderapostel, Der (Sterneder) V, 840
Wunderbare Fischzug, Der (Pourtalès) IX, 193
– Macht, Die (Douglas) XI, 75
– Sommer, Der (Ulitz) V, 879
– Welt (Winnig) V, 960
Wunderbaren Abenteuer des Herrn Tartarin aus Tarascon, Die (Daudet) VI, 56
Wunderbarliches Vogelnest (Grimmelshausen) *I, 199;* I, 174
Wunderbrunnen, Der (Chamson) IX, 49
Wunderkraut von Lohina, Das (Mikszáth) VIII, 342
Wunderliche Fata einiger Seefahrer (Schnabel) *II, 574;* II, 520
Wunderlichen Schelme von Tortilla Flat, Die (Steinbeck) XI, 303
Wundersame Abenteuer des edlen Tartarin von Tarascon (Daudet) VI, 56
– Reise des kleinen Nils Holgersen mit den Wildgänsen (Lagerlöf) VIII, 114
Wunnigel (Raabe) *II, 522;* II, 457
Wunschkind, Das (Seidel, I.) V, 804
Wunschkost (Bender) XIII, 28
Wurzeln des Himmels, Die (Gary) IX, 82
Wutheringshöhe (Brontë, E.) VII, 17
Wuz in Auental, Schulmeisterlein (Jean Paul) *I, 323;* I, 287

Xenia, die Sünderin (Jewdokimow) XIV, 382

Yali und sein weißes Weib (Seidel, W.) V, 812
Yalu fließt, Der (Li, M.) X, 136

Yeast, ein Problem, oder Was Herr Lancelot Smith dachte (Kingsley) VII, 127

Yorck von Wartenburg, Der Leutnant (Hermlin) XIII, 145

Yoricks empfindsame Reise durch Frankreich und Italien (Sterne) VII, 192

Yrjö, der Läufer (Karhumäki) XII, 172

Zadig oder das Geschick (Voltaire) VI, 259

Zähmung des Himmels (Granin) XIV, 381

Zärtlich ist die Nacht (Fitzgerald) XI, 119

Zärtliche Joseph, Der (Kusmin) VIII, 214

Zahir, Der (Borges) XIV, 137

Zalacain, der Abenteurer (Baroja y Nessi) VI, 340

Zamour (Goyen) XI, 131

Zane, Betty (Grey) XI, 133

Zanoni (Bulwer) VII, 22

Zar Peters Werktag (Tolstoi, A. N.) XII, 330

Zauber der Broomes, Der (Dane) XIV, 184

Zauberberg, Der (Mann, Th.) *II, 446;* II, 404

Zauberer, Der (Gogol) VIII, 172

– Muzot, Der (Mungenast) IV, 608

– von Rom, Der (Gutzkow) *I, 207*

Zauberfaden, Der (Edschmid) III, 172

Zauberfaß, Das (Malamud) XIV, 298

Zaubergeige, Die (Kluge) IV, 432

Zauberglocken, Die (Dickens) VII, 65

Zauberische, Die (Pegel) V, 666

Zauberring, Der (Fouqué) *I, 125*

Zauberschloß, Das (Tieck) *II, 687;* II, 640

Zazie in der Metro (Queneau) XIV, 73

Zehn Indianer (Hemingway) XI, 144

Zehnte Bruder, Der (Jurčič) XIV, 451

Zeit der Hoffnung (Snow) XIV, 234

– – Magnolienblüte oder Die Versuchung der Laurie Mae (Willingham) XIV, 333

– – Reife (Sartre) IX, 239

– des Raben – Zeit der Taube (Fussenegger) XIII, 108

– ist reif, Die (Zweig, A.) XIII, 414

– muß enden (Huxley) X, 101

– und der Wind, Die (Veríssimo) IX, 370

Zeitlupe, Die (Döblin) XIII, 68

Zeitmaschine, Die (Wells) VII, 223

Zeitplan, Der (Butor) XIV, 10

Zeltbuch von Tumilad (Kästner, Erh.) XIII, 176

Zement (Gladkow) XII, 256

Zentaur, Der (Updike) XIV, 324

Zenturionen, Die (Lartéguy) XIV, 49

Zerbrechliche Glück, Das (Kern) XIV, 47

Zerbrochene Krug, Der (Zschokke) *II, 752;* II, 696

Zero (Horst) IV, 342

Ziegelhaus, Das (Bergmann) VII, 333

Zigeuner, Der, und die Jungfrau (Lawrence, D. H.) X, 129

Zigeunerleben (Murger) VI, 185

Zihal, Menschwerdung des Amtsrates (Doderer) III, 150

Zimmer mit Aussicht, Ein (Radecki) XIII, 299

Zink wird Gold (Nowak-Zivier) V, 651

Zimtläden, Die (Schulz) XIV, 420

Zitadelle, Die (Cronin) X, 24

Zoll des Glücks, Der (Hartley) X, 85

Zu Erb und Eigen (Windthorst) V, 958

Zu Fuß durch Afrika (Defoe) VII,
54
– Haus in Louisiana (Douglas, E.)
XIV, 263
– vermieten (Caragiale) XIV, 459
– – (Galsworthy) VII, 100
Züricher Novellen (Keller, G.) *I, 354;*
I, 316
Zug der Cimbern, Der (Jensen, J. V.)
VIII, 41
– – großen Vögel, Der (Griese) III,
270
– – Hirten (Regler) XIII, 303
– – Renntiere, Der (Evans) X, 41
– durchs Rote Meer, Der (Romano-
wiczowa) XIV, 419
– nach dem Kaukasus, Der (Ponten)
V, 686
Zugänge (Penzoldt) V, 671
Zum Glück der Damen (Zola) VI,
271
– Paradies der Damen (Zola) VI,
271
– wilden Mann (Raabe) *II, 516;* II,
456
Zur Chronik von Grieshuus (Storm)
II, 651; II, 607
– Lebensfreude (Zola) VI, 272
– Neujahrszeit im Pastorat zu
Nöddebo (Nicolai) VIII, 50
– Ruhe kam der Baum des Men-
schen nie (White) X, 257
Zurück in den Himmel (Buck) XI,
39
– ins Paradies (Michener) XI, 211
Zusammenbruch, Der (Zola) VI, 277
Zuschauer, Der (Klipstein) IV, 428
Zwanzig Jahre nachher (Dumas
Vater) VI, 67
Zwei, Die (Bondarew) XIV, 378
– Admirale (Cooper) VII, 256
– blaue Vögel (Lawrence) XIV, 203
– Gefangene (Zilahy) XII, 402
– Geliebten, Die (Musset) VI, 187

– gute Freunde (Turgenjew) VIII,
295
– Kapitäne (Kawerin) XII, 272
– Lebende und ein Toter (Christian-
sen) XII, 65
– Maitressen (Musset) VI, 187
– Menschen (Voss) *II, 700;* II, 651
– Minuten Schweigen (Branner)
XII, 4
– oder drei Grazien (Huxley) X, 96
– ohne Gnade (Mumelter) IV, 605
– Schwestern (Jünger, F. G.) XIII,
174
– – (Stifter) *II, 638;* II, 580
– Seelen (Speck) II, 544
– Städte (Dickens) VII, 74
– Welten (Babel) XII, 237
– – (Colerus) III, 144
Zweikampf, Der (Kleist) *I, 380;*
I, 337
– , – (Kuprin) VIII, 211
– , Ein (Tschechow) VIII, 289
Zweimal blüht der Fliederbaum
(Mason) XIV, 211
– erzählte Geschichten (Hawthorne)
VII, 264
Zweite Gesicht, Das (Löns) *II, 418;*
II, 380
42. Breitengrad, Der (Dos Passos)
XI, 72
Zwerg, Der (Lagerkvist) XII, 138
Zwiebel, Die (Schaumann) XIII, 325
Zwiefache Liebe des Herrn von Ga-
landot, Die (Régnier) VI, 204
Zwillinge von Nürnberg, Die
(Kesten) IV, 413
Zwillingsbrüder, Die (Gabele) III,
231
Zwingherr, Der (Dörfler, P.) III, 161
Zwischen Elbe und Alster (Frapan)
I, 137; I, 124
– den Akten (Woolf, V.) XIV, 245
– Grenzen und Zeiten (Zillich) V,
975

Zwischen Himmel und Erde (Ludwig)
  II, *424;* II, 383
– Weiß und Rot (Dwinger) III, 165
– zwei Welten (Sinclair) XI, 292
Zwischenfall in Lohwinkel (Baum)
  III, 26
Zwischenreich (Odojewski) XIV, 417

Zwölf aus der Steiermark (Bartsch)
  I, *27;* I, 20
– Stühle (Ilf) XII, 263
– um ein Bett (Dickens, M.) X, 33
Zyklopen, Die (Langner) XIII, 225
Zypressen glauben an Gott, Die
  (Gironella) IX, 342

2.

REGISTER DER ORIGINALTITEL
DER FREMDSPRACHIGEN WERKE

	Seite
Französische Romane	242
Italienische Romane	255
Spanische Romane	258
Portugiesische Romane	262
Englische und Amerikanische Romane	263
Flämische und Holländische Romane	288
Dänische Romane	291
Norwegische Romane	294
Schwedische Romane	296
Finnische, Estnische und Lettische Romane	299
Russische Romane	300
Polnische Romane	308
Tschechische Romane	309
Jugoslawische Romane	310
Bulgarische Romane	310
Ungarische Romane	311
Rumänische Romane	312
Griechische Romane	312

Französische Romane

À la mémoire d'un ange (Veraldi) IX, 254

À la recherche du temps perdu (Proust) IX, 195

À l'ombre des jeunes filles en fleur (Proust) IX, 196

Abbaye d'Évolayne, L' (Régnier) IX, 213

Abbesse de Castro, L' (Stendhal) VI, 240

Accoramboni, Vittoria (Stendhal) VI, 241

Adam et Ève (Ramuz) IX, 207

Adolphe (Constant de Rebecque) VI, 49

Âge de l'homme, L' (Leiris) XIV, 50

– – raison, L' (Sartre) IX, 239

Agneau, L' (Mauriac) IX, 155

Aigle de mer, L' (Peisson) IX, 185

Albertine disparue (Proust) IX, 196

Albinier, Marie (Jouhandeau) IX, 122

Amants, heureux amants (Larbaud) IX, 132

– singuliers, Les (Régnier) VI, 205

Âme enchantée, L' (Rolland) VI, 217

Amélie (Troyat) IX, 252

Âmes fortes, Les (Giono) IX, 99

Ami Fritz, L' (Erckmann-Chatrian) VI, 75

Amitiés particulières, Les (Peyrefitte) IX, 187

Amour déraisonnable, L' (Otremont) IX, 183

– nuptial (Lacretelle) IX, 127

Amours au Vallespir (Porché) IX, 191

– du Chevalier de Faublas, Les (Louvet de Couvray) VI, 159

– enfantines, Les (Romains) IX, 217

Andesmas, L'après-midi du Monsieur (Duras) XIV, 27

Anges noirs, Les (Mauriac) IX, 152

Année de la vie du Chevalier de Faublas, Une (Louvet de Couvray) VI, 158

Annette et Sylvie (Rolland) VI, 217

Annonciata (Monnier) IX, 168

Annonciatrice, L' (Rolland) VI, 217

Antigone ou l'idylle en Crète (Sainte-Soline) IX, 223

Appel de la route, L' (Estaunié) VI, 77

Après-midi du Monsieur Andesmas, L' (Duras) XIV, 27

Araignée, L' (Troyat) IX, 248

Arbre, L' (Rodenbach) VI, 209

Arche de Noé, L' (Supervielle) IX, 246

Argent, L' (Zola) VI, 276

Ariane, jeune fille russe (Anet) VI, 4

Armance ou quelques scènes d'un salon de Paris en 1827 (Stendhal) VI, 234

Arrosoir rouge, L' (Saint-Hélier) IX, 234

Ascension de Monsieur Baslèvre, L' (Estaunié) VI, 76

Assomoir, L' (Zola) VI, 267

Astrée (Urfé) VI, 246

Atala, ou les amours de deux sauvages dans le désert (Chateaubriand) VI, 37

Atelier de Marie-Claire, L' (Audoux) VI, 7

Atlantide, L' (Benoît) IX, 22

Attente, L', l'oubli (Blanchot) XIV, 8

Au bon beurre, ou Dix ans de la vie d'un crésnier (Dutourd) IX, 74

– bonheur des dames (Zola) VI, 271

– château d'Argol (Gracq) XIV, 40

– milieu du chemin (Rod) VI, 207

Auberge de l'abîme, L' (Chamson) IX, 48

Aubert, Thérèse (Nodier) VI, 191
Aucassin et Nicolette VI, 5
Augustin ou le maître est là (Malègue) IX, 138
Aurélia, ou le rêve de la vie (Nerval) VI, 190
Aurélien (Aragon) IX, 5
Aventures de Télémaque (Fénelon) VI, 81
– prodigieuses de Tartarin de Tarascon (Daudet) VI, 56

Baiser au lépreux, Le (Mauriac) IX, 145
Bal du Comte d'Orgel, Le (Radiguet) IX, 202
Balcon en forêt, Un (Gracq) XIV, 41
Barnabooth, A. O., Les poésies de (Larbaud) IX, 129
Barny (Beck) IX, 19
Barois, Jean (Martin du Gard) VI, 164
Barrage contre le Pazifique, Un (Duras) IX, 72
– d'Arvillard (Monnier) XIV, 61
Batailles dans la montagne (Giono) IX, 96
Beau masque (Vailland) XIV, 91
Beauté sur la terre, La (Ramuz) IX, 206
Beaux quartiers, Les (Aragon) IX, 4
Bel-Ami (Maupassant) VI, 173
Bella, histoire des Fontranges (Giraudoux) IX, 104
Belles natures, Les (Marceau) XIV, 52
Besoin de voir clair, Le (Romains) XIV, 80
Bestiaires, Les (Montherlant) XIV, 62
Bête humaine, La (Zola) VI, 276
Bêtes, Les (Gascar) XIV, 34
Bijoux de famille (Dumitriu) XIV, 420

Birotteau, César, Histoire de (Balzac) VI, 17
Blanchard, Charles (Philippe) VI, 196
Blé en herbe, Le (Colette) VI, 46
Boeuf et l'âne de la crèche, Le (Supervielle) IX, 246
Bohème, Scènes de la vie de (Murger) VI, 184
Bois mort (Saint-Hélier) IX, 232
Bonheur du jour, Le (Cabanis) XIV, 12
– fou, Le (Giono) XIV, 37
– fragile, Le (Kern) XIV, 47
Bonjour tristesse (Sagan) IX, 222
Bonnard, Sylvestre, Le crime de (France) XIV, 30
Boule de suif (Maupassant) VI, 170
Boussardel, La famille (Hériat) IX, 118
Bouvard et Pécuchet (Flaubert) VI, 91
Boyards, Les (Dumitriu) XII, 420; XIV, 460
Braf le prophète (Coster) VI, 53
Breugnon, Colas (Rolland) VI, 214
Brière, La (Chateaubriant) VI, 41
Bruges-la-morte (Rodenbach) VI, 208
Bubu-de-Montparnasse (Philippe) VI, 193

Campagne (Vincent) IX, 259
Candide, ou l'optimisme (Voltaire) VI, 260
Capitaine Fracasse, Le (Gautier) VI, 104
Capri petite île (Marceau) XIV, 52
Captifs, Les (Kessel) IX, 126
Carmen (Mérimée) VI, 183
Carnets du major Thompson, Les (Daninos) IX, 61
Cathédrale, La (Huysmans) VI, 137
Cavalier de paille, Le (Saint-Hélier) IX, 233

Caves du Vatican, Les (Gide) VI, 109

Célibataires, Les (Montherlant) IX, 172

Cenci, La (Stendhal) VI, 241

Centaure, Le (Guérin) VI, 126

– de Dieu, Le (La Varende) IX, 134

Centenaire, Le (Obaldia) XIV, 64

Centurions, Les (Lartéguy) XIV, 49

Cercle de la famille, Le (Maurois) IX, 159

Certain sourire, Un (Sagan) XIV, 83

Chair et le sang, La (Mauriac) IX, 144

Chambre d'hôtel (Colette) XIV, 22

Champ d'oliviers, Le (Maupassant) VI, 179

Chant du monde, Le (Giono) IX, 95

Chants de Maldoror, Les (Lautréamont) XIV, 49

Chaos, La, et la nuit (Montherlant) XIV, 62

Chapdelaine, Marie (Hémon) VI, 129

Charges d'âme (Estang) IX, 75

Chartreuse de Parme, La (Stendhal) VI, 237

Château de l'ouest (Gevers) IX, 88

Chatte, La (Colette) VI, 47

Chemins de la liberté, Les (Sartre) IX, 239

– de terre, Les (Queffélec) IX, 200

Cherchant qui dévorer (Estang) IX, 76

Chéri (Colette) XIV, 21

Chevalier de Faublas, Le (Louvet de Couvray) VI, 158

– de Malte (Peyrefitte) XIV, 66

Chiens perdus sans collier (Cesbron) IX, 47

Choix des élues (Giraudoux) XIV, 39

Choses voient, Les (Estaunié) VI, 75

Chronique des Pasquiers (Duhamel) IX, 67

Chroniques italiennes (Stendhal) XIV, 88

– maritales (Jouhandeau) IX, 123

Chute, La (Camus) IX, 40

Cinq-Mars, ou une conjuration sous Louis XIII. (Vigny) VI, 254

Citadelle (Saint-Exupéry) IX, 230

Clarté (Barbusse) IX, 12

Clélie, histoire romaine (Scudéry) VI, 231

Clérambault (Rolland) VI, 216

Clés de Saint Pierre, Les (Peyrefitte) XIV, 66

Climats (Maurois) IX, 157

Clochemerle (Chevallier) IX, 51

Cloches de Bâle, Les (Aragon) IX, 3

– pour deux mariages (Jammes) VI, 144

Clown, Le (Kern) XIV, 46

Cœur (Monnier) IX, 169

– simple, Un (Flaubert) VI, 89

Coin de village, Un (Lemonnier) VI, 148

Collier de la reine, Le (Dumas père) VI, 70

Collinne, La (Giono) IX, 90

Colomba (Mérimée) VI, 182

Colonel Chabert (Balzac) VI, 9

Combat avec l'ange (Giraudoux) IX, 106

Combe, La (Monnier) IX, 171

Comme le temps passe (Brasillach) IX, 34

Comment c'est (Beckett) XIV, 7

Comte de Monte-Christo, Le (Dumas père) VI, 68

Comtesse à deux maris, La (Balzac) VI, 9

Condition humaine, La (Malraux) IX, 141

Confession d'un enfant du siècle (Musset) VI, 186

Confessions (Rousseau) VI, 221

Conquérants, Les (Malraux) IX, 140

Conquête de Plassans (Zola) VI, 266

Contes cruels (Villiers de l'Isle-Adam) VI, 258
- de ma mère l'Oye, Les (Perrault) VI, 192
- de minuit (Verhaeren) VI, 251
- des fées, Les (Perrault) VI, 192
- drôlatiques (Balzac) VI, 23
- extraordinaires (Hello) VI, 127
- moraux (Diderot) VI, 61
- ou nouvelles recréations et joyeux devis de feu (Des Périers) VI, 61
- tout simples (Coppée) VI, 50
Contrat de mariage, Le (Balzac) XIV, 3
Coquillages de M. Chabre, Les (Zola) VI, 286
Corinne ou l'Italie (Staël-Holstein) VI, 232
Corps et âmes (Meersch) IX, 164
Cosmopolis (Bourget) VI, 33
Côté des Guermantes, Le (Proust) IX, 196
Coupable innocent, Le (Morel) IX, 181
Coureur des bois ou les chercheurs d'or (Ferry) VI, 82
Courrier sud (Saint-Exupéry) IX, 225
Cousin Pons, Le (Balzac) VI, 21
Cousine Bette, La (Balzac) VI, 20
Cri des profondeurs (Duhamel) IX, 70
Crime, Un (Bernanos) IX, 26
- de Quinette, Le (Romains) IX, 217
- de Sylvestre Bonnard, Le (France) XIV, 30
Croix de bois, Les (Dorgelès) IX, 62
Curé de Tours, Le (Balzac) XIV, 5
- de village, Le (Balzac) XIV, 4
Curée, La (Zola) VI, 265
Cymbalum mundi (Des Périers) VI, 61

Dame aux camélias, La (Dumas fils) VI, 71

Dans le labyrinthe (Robbe-Grillet) XIV, 76
- un mois, dans un an (Sagan) XIV, 83
De la terre à la lune (Verne) VI, 252
Débacle, La (Zola) VI, 277
Demi-Vierges (Prévost) VI, 198
Demoiselle, La (Monnier) XIV, 61
Démon de la connaissance, Le (Mauriac) IX, 150
- du bien, Le (Montherlant) IX, 173
Derborence (Ramuz) IX, 209
Dernier des Abencérages, Le (Chateaubriand) VI, 39
- jour d'un condamné, Le (Hugo) VI, 130
- rapport, Le (Meray) XII, 391
Dernière chance, La (Sartre) IX, 239
Désert de l'amour, Le (Mauriac) IX, 147
Désespéré, Le (Bloy) VI, 30
Desqueyroux, Thérèse (Mauriac) IX, 148
Deux étendards, Les (Rebatet) XIV, 74
- maîtresses, Les (Musset) VI, 187
Diable amoureux, Le (Cazotte) VI, 36
- au corps, Le (Radiguet) IX, 201
- boiteux, Le (Lesage) VI, 153
Diaboliques, Les (Barbey d'Aurevilly) VI, 25
Diagnostic, Le (André) XIV, 1
Diógo (Landry) IX, 128
Dieu est né en exil (Horia) XIV, 464
Dieux ont soif, Les (France) VI, 95
Disciple, Le (Bourget) VI, 32
Docteur Pascal, Le (Zola) VI, 279
Dominique (Fromentin) VI, 98
Domnitza de Snagov (Istrati) XIV, 465
Donadieu, Marie (Philippe) VI, 195
Double maitresse, La (Régnier) VI, 204

Drôle de jeu (Vailland) XIV, 90
Du côté de chez Swann (Proust) IX, 195
Duchesse de Palliano, La (Stendhal) VI, 241
D'un château à l'autre (Céline) XIV, 17

Eau des collines, L' (Pagnol) XIV, 65
École des femmes, L' (Gide) VI, 117
– des indifférents, L' (Giraudoux) IX, 103
Écornifleur, L' (Renard) XIV, 75
Écume des jours, L' (Vian) XIV, 92
Éducation européenne, L' (Gary) XIV, 32
– sentimentale, L', histoire d'un jeune homme (Flaubert) VI, 88
Églantine (Giraudoux) IX, 105
Ellébeuse, Clara d' (Jammes) VI, 138
Émigré, L' (Bourget) VI, 35
Émile ou de l'éducation (Rousseau) VI, 220
Emmeline (Musset) VI, 187
Emploi du temps, L' (Butor) XIV, 10
En de secrètes noces (Marceau) XIV, 52
– famille (Malot) VI, 163
Enfant de la haute mer, L' (Supervielle) IX, 246
Enfantines (Larbaud) IX, 131
Enfants gâtés, Les (Hériat) IX, 120
– sans âge, Les (Cassou) IX, 43
– terribles, Les (Cocteau) IX, 54
Ensorcelée, L' (Barbey d'Aurevilly) VI, 24
Entrave, L' (Colette) VI, 45
Épaves (Green, J.) IX, 112
Épée de feu, L' (Daniel-Rops) IX, 60
Éperon d'argent, L' (Vialar) IX, 257
Épilogue (Martin du Gard) VI, 166
Épithalame, L' (Chardonne) IX, 50
Ermeline (Jouhandeau) IX, 123
Éros de Paris (Romains) IX, 217

ERZÄHLUNGEN:
Aymé IX, 9
Barbey d'Aurevilly VI, 25
Baudelaire VI, 26
Camus IX, 41
Colette XIV, 22
Crottet IX, 57
Dorgelès IX, 63
Gascar IX, 84
Gide XIV, 37
Giono IX, 93
Giraudoux IX, 103
Ionesco XIV, 43
Jouhandeau IX, 122; XIV, 44
Musset VI, 187
Philippe VI, 196; XIV, 67
Pieyre de Mandiargues XIV, 68
Plisnier IX, 188
Ramuz XIV, 74
Régnier VI, 205
Rodenbach VI, 211
Sade XIV, 82
Saint-Exupéry IX, 227
Stendhal XIV, 88
Supervielle IX, 246
S. a. »Novellen«
Espace d'une nuit, L' (Cayrol) XIV, 14
Espagnol, L' (Clavel) XIV, 20
Espoir, L' (Malraux) IX, 143
État sauvage, L' (Conchon) XIV, 23
Été, L' (Rolland) VI, 217
– 1914, L' (Martin du Gard) VI, 166
Étranger, L' (Camus) IX, 38
Etremont, Almaide d' (Jammes) VI, 139
Ève future, L' (Villiers de l'Isle-Adam) VI, 257
Exile de Capri, L' (Peyrefitte) XIV, 67
– et le royaume, L' (Camus) IX, 41
Extraits du log-book de M. Teste (Valéry) VI, 248

Extrême-occident, L' (Dumitriu) XIV, 462

Facino Cane (Balzac) XIV, 5
Famille Boussardel, La (Hériat) IX, 118
– Profit, La (Vallotton) VI, 249
Fanfarlo, La (Baudelaire) VI, 27
Fanny (Feydeau) VI, 84
Farinet ou la fausse monnaie (Ramuz) IX, 208
Faublas, Le Chevalier de (Louvet de Couvray) VI, 158
Faute de l'abbé Mouret, La (Zola) VI, 266
Faux-Monnayeurs, Les (Gide) VI, 112
Faux passeports (Plisnier) IX, 188
Femme cachée, La (Colette) XIV, 22
– de trente ans, La (Balzac) VI, 10
– pauvre, La (Bloy) VI, 31
– singulière, Une (Romains) XIV, 80
Femmes, Les (Gascar) IX, 84
Fermé la nuit (Morand) IX, 178
Fête, La (Vailland) XIV, 91
– à Coqueville, La (Zola) VI, 285
Feu, Le (Barbusse) IX, 11
– de braise (Pieyre de Mandiargues) XIV, 68
Figuier stérile, Le (Monnier) XIV, 60
Fil de la vie, Le. Né de la chair (Lesort) IX, 136
– de la vierge, Le (Bordeaux) IX, 30
Filets dans la mer, Les (Régnier) IX, 214
Fille aux yeux d'or, La (Balzac) XIV, 5
– de H'an, Une (Gervais) IX, 85
– Elisa, La (Goncourt, E. de) VI, 123
– pauvre, La (Meersch) IX, 165
Fils d'Avrom, Les (Ikor) IX, 120
– du Titien, Le (Musset) VI, 187
Fin de Chéri, La (Colette) XIV, 21

– de la nuit, La (Mauriac) IX, 149
– des amours du Chevalier de Faublas (Louvet de Couvray) VI, 158
Flagellant de Séville, Le (Morand) IX, 179
Fleuve (Monnier) IX, 170
Fontaine Rouge, La (Montupet) IX, 177
Fontaines du grand abîme, Les (Estang) IX, 77
For intérieur, Le (Rolin) XIV, 79
Forêts de la lune. Légendes lapones-scoltes (Crottet) IX, 57
– de la nuit, Les (Curtis) XIV, 24
Fort comme la mort (Maupassant) VI, 177
Fortune des Rougon, La (Zola) VI, 264
Foudre sur la maison, La (Vallotton) VI, 250
François le Champi (Sand) VI, 226
Froid du soleil, Le (Cayrol) XIV, 16
Fromont jeune et Risler aîné (Daudet) VI, 59
Fruits d'or, Les (Sarraute) XIV, 85
Fugitif, Le (Gascar) XIV, 34
Fumée d'opium (Farrère) VI, 80

Gaël, Matelot (Tourville) IX, 247
Gaffe, La (Cayrol) XIV, 15
Garçon Savoyard, Le (Ramuz) IX, 210
Gargantua et Pantagruel (Rabelais) VI, 200
Geneviève (Gide) VI, 118
Germinal (Zola) VI, 272
Gigi (Colette) VI, 48
Gil Blas de Santillane (Lesage) VI, 154
Gommes, Les (Robbe-Grillet) IX, 215
Grand Cap; Le Pain des pauvres (Monnier) IX, 170
– écart, Le (Cocteau) IX, 52

Grand honnête homme, Un (Romains)
XIV, 80
– Meaulnes, Le (Alain-Fournier) VI, 3
– troupeau, Le (Giono) IX, 93
– vestiaire, Le (Gary) IX, 81
Grande amie, La (L'Ermite) VI, 151
– peur dans la montagne, La (Ramuz) IX, 205
Grandet, Eugénie (Balzac) VI, 11
Graziella (Lamartine) VI, 147
Guérison des maladies, La (Ramuz)
IX, 203
Guermantes, Le côté des (Proust)
IX, 196

Happe-Chair (Lemonnier) VI, 149
Hautechaume, Prudence (Jouhandeau) IX, 122
Heptaméron des nouvelles (Marguérite d'Angoulême) VI, 164
Hérodias (Flaubert) VI, 89
Histoire comique des états et empires de la Lune et du Soleil (Bergerac) VI, 28
– d'amour de la rose de sable, L' (Montherlant) IX, 176
– d'un conscrit de 1813 (Erckmann-Chatrian) VI, 73
– d'un merle blanc (Musset) VI, 187
– de Gil Blas de Santillane (Lesage) VI, 154
– – la grandeur et de la décadence de César Birotteau (Balzac) VI, 17
– – Manon Lescaut et du Chevalier Des Grieux (Prévost d'Exiles) VI, 197
– des amants fortunés (Marguérite d'Angoulême) VI, 164
Histoires ou contes du temps passé (Perrault) VI, 192
Histoirettes, contes et fabliaux (Sade) XIV, 82
Hombre de la mort, L' (Narcisse) IX, 181

Homme heureux, Un (Schlumberger)
IX, 242
– traqué, L' (Carco) IX, 42
Hommes de bonne volonté, Les (Romains) IX, 217
Honorable partie de campagne, L' (Raucat) IX, 212
Horla, Le (Maupassant) VI, 176
Horloger du cherche-midi, L' (Estang) XIV, 29
Hôtel du nord, L' (Dabit) IX, 59
Humbles, Les (Romains) IX, 217
Hussard sur le toit, Le (Giono) IX, 100

Jabadao (Tourville) IX, 247
Jacques le fataliste et son maitre (Diderot) VI, 63
Jalousie, La (Robbe-Grillet) XIV, 76
Ibrahim ou l'Illustre Bassa (Scudéry) VI, 229
Jean-Christophe (Rolland) VI, 211
– et Jeannette (Gautier) VI, 101
– le bleu (Giono) IX, 94
Jérôme, 60° latitude nord (Bedel)
IX, 21
Jésus-Christ en Flandre (Balzac)
VI, 14
Jettatura (Gautier) VI, 102
Jeune sibérienne, La (Maistre) VI, 161
Jeunes filles, Les (Montherlant) IX, 173
Jeunesse de Théophile, La (Jouhandeau) IX, 121
Jeux de l'enfer et du ciel, Les (Ghéon) IX, 88
– interdits, Les (Boyer) IX, 33
Il est plus tard que tu ne penses (Cesbron) XIV, 19
Île, L' (Merle) XIV, 58
– de la déesse, L' (Blond) IX, 29
– des pingouins, L' (France) VI, 94
Illuminés, Les (Just) IX, 124

Illusions perdues (Balzac) VI, 18
Immoraliste, L' (Gide) VI, 105
Immortels d'Agapia, Les (Gheorghiu) XIV, 463
Imposture, L' (Bernanos) IX, 24
Incognito (Dumitriu) XIV, 462
Indiana (Sand) VI, 222
Innommable, L' (Beckett) XIV, 6
Inondation, L' (Zola) VI, 286
Inquisitoire, L' (Pinget) XIV, 69
Introduction aux infortunes du hussard (Giono) XIV, 37
Invitée, L' (Beauvoir) IX, 16
Joie, La (Bernanos) IX, 25
– de vivre, La (Zola) VI, 272
Jour vert, Le (Monnier) XIV, 61
Journal d'un curé de campagne (Bernanos) IX, 26
Isabelle (Gide) VI, 108
Juif errant, Le (Sue) VI, 242
Julie ou la nouvelle Héloïse (Rousseau) VI, 219
Julietta (Vilmorin) IX, 258
Juliette au pays des hommes (Giraudoux) IX, 104
Jument verte, La (Aymé) IX, 8
Justine ou les malheurs de la vertu (Sade) XIV, 81

Karamel (Porché) IX, 191
Kyralina, Kyra (Istrati) XIV, 465

Là-bas (Huysmans) VI, 136
Labyrinthe, Le (Estaunié) VI, 79
Lacerteux, Germinie (Goncourt, E. et J.) VI, 125
Lady L. (Gary) XIV, 33
Lambert, Louis (Balzac) VI, 14
Lanceurs de rails, Les (Dorp) IX, 65
Lauret, ou le cachet rouge (Vigny) VI, 256
Légende de saint Julien l'hospitalier, La (Flaubert) VI, 89

– de Soeur Béatrix, La (Nodier) VI, 190
–, La, et les aventures d'Ulenspiegel et Lamme Goedzak (Coster) VI, 51
Lépreuses, Les (Montherlant) IX, 173
Lépreux de la cité d'Aoste, Le (Maistre) VI, 161
Lettre de Mme. Émilie Teste (Valéry) VI, 248
– d'un ami (Valéry) VI, 247
Lettres de mon moulin (Daudet) VI, 55
– persanes (Montesquieu) VI, 183
Leuwen, Lucien (Stendhal) VI, 239
Lève toi et marche (Bazin) IX, 14
Leviathan (Green, J.) IX, 111
Liaisons dangereuses, Les (Choderlos de Laclos) VI, 43
Lion devenu vieux, Le (Schlumberger) IX, 243
Lis, Le, et le lion (Druon) XIV, 26
Livre mystique (Balzac) VI, 14
Loi, La (Vailland) IX, 253
Lois de l'hospitalité, Les (Klossowski) XIV, 48
Lourdines, Monsieur de (Chateaubriant) VI, 40
Louve de France, La (Druon) XIV, 26
Ludivine (Barbier) IX, 11
Ludovic (Hello) VI, 128
Lys dans la vallée, Le (Balzac) VI, 16
– rouge, Le (France) VI, 93

Ma fille Bernadette (Jammes) VI, 142
Madame Bovary, mœurs de province (Flaubert) VI, 85
– Orpha, ou la sérénade de mai (Gevers) IX, 86
Mademoiselle Fifi (Maupassant) XIV, 54

Mains disloquées, Les (Ganachaud) XIV, 32

Maison dans la dune, La (Meersch) IX, 164

– de Claudine, La (Colette) VI, 45

– de rendez-vous, La (Robbe-Grillet) XIV, 77

– Tellier, La (Maupassant) VI, 171

Mal, Le (Mauriac) IX, 146

Malfaiteur, Le (Green, J.) XIV, 41

Malicroix (Bosco) IX, 32

Malone meurt (Beckett) XIV, 6

Mandarins, Les (Beauvoir) IX, 17

Maouno de Finlande (Crottet) IX, 55

Marchand d'oiseaux, Le (Brasillach) IX, 34

Mare au diable, La (Sand) VI, 225

Mariage basque, Le (Jammes) VI, 144

– de raison, Le (Jammes) VI, 144

Marie-Claire (Audoux) VI, 6

Márquez, Fermina (Larbaud) IX, 130

Martereau (Sarraute) IX, 236

Martin-pêcheur, Le (Saint-Hélier) IX, 234

Mas Théotime, Le (Bosco) IX, 31

Matelot Gaël (Tourville) IX, 247

Mauperin, Renée (Goncourt, E. et J.) VI, 124

Mauvais rêve, Un (Bernanos) IX, 28

Meaulnes, Le grand (Alain-Fournier) VI, 3

Médecin de campagne, Le (Balzac) VI, 11

Melchior (Sand) VI, 224

Mémoires (Casanova) VI, 298

– d'Hadrien (Yourcenar) XIV, 95

– d'un tricheur (Guitry) IX, 116

Mensonges, Les (Mallet-Joris) XIV, 51

Mère et fils (Rolland) VI, 217

Mères (Plisnier) IX, 189

Mesurat, Adrienne (Green, J.) IX, 110

Mille chemins ouverts (Green, J.) XIV, 42

Miracle de la rose (Genet) XIV, 35

Misérables, Les (Hugo) VI, 132

Mitsou ou comment l'esprit vient aux filles (Colette) VI, 46

Modification, La (Butor) XIV, 11

Moïra (Green, J.) IX, 115

Moissonneur d'épines, Le (Govy) IX, 107

Molloy (Beckett) IX, 20

Mon oncle (Carrière) XIV, 12

– oncle Benjamin (Tillier) VI, 243

– village (Cau) XIV, 13

Monde désert, Le (Jouve) XIV, 46

– réel, Le (Aragon) IX, 3

Monsieur de Lourdines (Chateaubriant) VI, 40

– Ouine (Bernanos) IX, 27

– Teste (Valéry) VI, 247

Mont Cinère (Green, J.) IX, 109

– Oriol (Maupassant) XIV, 53

Montagne des alouettes, La (Sainte-Soline) IX, 223

Moravagine (Cendrars) XIV, 18

Morin, Léon, prêtre (Beck) IX, 19

Mort à crédit (Céline) XIV, 16

– dans l'âme, La (Sartre) IX, 240

– du petit cheval, La (Bazin) IX, 14

– irrégulière, Une (Beck) IX, 19

Motocyclette, La (Pieyre de Mandiargues) XIV, 69

Mots, Les (Sartre) XIV, 86

Moulin de Pologne, Le (Giono) IX, 102

Mouret, La faute de l'abbé (Zola) VI, 266

Mr. le curé d'Ozéron (Jammes) VI, 143

Mur, Le (Sartre) IX, 237

Murmures de la guerre, Les (Ikor) XIV, 43

Mystères de Paris, Les (Sue) VI, 241

Nadja (Breton) IX, 37
Naissance du jour, La (Colette) XIV, 22
Nana (Zola) VI, 269
Nausée, La (Sartre) IX, 237
Nedjma (Yacine) XIV, 94
Negri (Crottet) IX, 56
Neige en deuil, La (Troyat) IX, 251
– et la fleur, La (Chamson) IX, 50
Nène (Pérochon) IX, 186
Neveu de Rameau, Le (Diderot) VI, 65
Nez-de-Cuir, Gentilhomme d'amour (La Varende) IX, 133
Nina (Porché) IX, 191
Noé (Giono) IX, 98
Noeud de vipères, Le (Mauriac) IX, 151
Notre coeur (Maupassant) VI, 178
Notre-Dame de Paris (Hugo) VI, 131
– -des-Fleurs (Genet) XIV, 36
Nouvelle Carthage, La (Eekhoud) VI, 72
– Héloïse, La (Rousseau) VI, 219
– histoire de Mouchette (Bernanos) IX, 27
Nouvelles asiatiques (Gobineau) VI, 120
– genevoises (Toepffer) VI, 245
NOVELLEN :
  Balzac XIV, 5
  Cassou IX, 43
  Durtain IX, 73
  Gobineau VI, 120
  Green, J. IX, 115
  Larbaud IX, 131. 132
  Maupassant XIV, 54
  Maurois XIV, 57
  Merimée XIV, 58
  Musset VI, 187
  Porché IX, 191
  Proust IX, 194
  Sartre IX, 237
  S. a. »Erzählungen«

Nuit d'orage, La (Duhamel) IX, 66
Numa Roumestan (Daudet) VI, 60

Oeuvre, L' (Zola) VI, 273
Oiseaux des îles, Les (Galzy) IX, 80
Oncle Anghel (Istrati) XIV, 465
Opoponax, L' (Wittig) XIV, 93
Or, L' (Cendrars) IX, 45
Ordre, L' (Arland) IX, 6
Orgel, Le bal du Comte d' (Radiguet) IX, 202
Orpha, Madame (Gevers) IX, 86
Ouine, Monsieur (Bernanos) IX, 27
Ouvert la nuit (Morand) IX, 178

Pablo (García, E.) VI, 376
Page d'amour, Une (Zola) VI, 268
Pain des pauvres, Le (Monnier) IX, 52
– noir, Le (Clancier) XIV, 20
– quotidien, Le (Poulaille) IX, 192
Paix chez les bêtes, La (Colette) VI, 44
Pantagruel (Rabelais) VI, 200
Pardi, Angelo (Giono) IX, 101 ; XIV, 37
Pascal, Le Docteur (Zola) VI, 279
Pasquiers, Chronique des (Duhamel) IX, 67
Passe-muraille, Le (Aymé) IX, 9
Passion dans le désert, Une (Balzac) XIV, 5
Pastorale (Ramuz) XIV, 74
Patapoufs et filifers (Maurois) IX, 156
Paul et Virginie (Bernardin de Saint-Pierre) VI, 29
Paulina (Jouve) XIV, 45
Pays des trente-six-mille volontés, Le (Maurois) IX, 157
– où l'on n'arrive jamais, Le (Dhôtel) XIV, 25
Paysans, Les (Balzac) VI, 22
Peau de chagrin, Le (Balzac) VI, 8

Pêche miraculeuse, La (Pourtalès) IX, 193

Pêcheur d'Islande (Loti) VI, 157

Peine des hommes, La (Hamp) IX, 117

Père Goriot, Le (Balzac) VI, 13

– Perdrix, Le (Philippe) VI, 194

Périot, Patrice, Le voyage de (Duhamel) IX, 69

Perrito (Porché) IX, 192

Peseur d'âmes, Le (Maurois) XIV, 56

Peste, La (Camus) IX, 38

Petit chose, Le, histoire d'un enfant (Daudet) VI, 53

– Pierre, Le (France) VI, 96

– prince, Le (Saint-Exupéry) IX, 229

Petite Fadette, La (Sand) VI, 227

– poule d'eau, La (Roy) IX, 221

– Roque, La (Maupassant) VI, 175

– ville, Une (Philippe) VI, 196

Petits poèmes en prose (Baudelaire) VI, 26

Pharisienne, La (Mauriac) IX, 153

Pierre et Jean (Maupassant) XIV, 53

– et Luce (Rolland) VI, 215

Pierrot mon ami (Queneau) XIV, 72

Piéta (Jouhandeau) IX, 123

Pilote de guerre (Saint-Exupéry) IX, 228

Pinson, Mimi (Musset) VI, 187

Pitié de Dieu, La (Cau) XIV, 13

– pour les femmes (Montherlant) IX, 173

Plaisirs de la jeunesse, Les (Dumitriu) XIV, 460

– et les jours, Les (Proust) IX, 194

Planétarium, Le (Sarraute) XIV, 85

Pléiades, Les (Gobineau) VI, 119

Poésies de A. O. Barnabooth, Les (Larbaud) IX, 129

Poil de carotte (Renard) VI, 207

Pomme d'anis (Jammes) VI, 140

Pons, Le cousin (Balzac) VI, 21

Pont de la rivière Kwai, Le (Boulle) XIV, 9

Port-Tarascon (Daudet) VI, 56

Porte étroite, La (Gide) VI, 107

Portefaix de Dieu, Le (Just) IX, 125

Portrait d'un inconnu (Sarraute) XIV, 84

Pot-bouille (Zola) VI, 271

Pour piano seul (Maurois) XIV, 57

Premier de cordée (Frison-Roche) IX, 78

Première éducation sentimentale, La (Flaubert) VI, 88

Premiers pas de l'univers (Supervielle) IX, 246

Présentation des Haidoucs (Istrati) XIV, 465

Princesse de Babylone, La (Voltaire) VI, 261

– de Clèves, La (La Fayette) VI, 146

Prison maritime, La (Mohrt) XIV, 59

Prisonnière, La (Proust) IX, 196

Prisonniers du Caucase, Les (Maistre) VI, 161

Prix de la liberté, Le (Maximoff) IX, 163

Profit, La famille (Vallotton) VI, 249

Promesse de l'aube, La (Gary) XIV, 33

Promontoire, Le (Thomas) XIV, 89

Puits des miracles, Le (Chamson) IX, 49

Quai des brumes, Le (Mac Orlan) IX, 137

Quand j'étais Montmartrois (Dorgelès) IX, 63

Quarantième étage (Durtain) IX, 73

Quatre éléments, Les (Chamson) XIV, 19

– évangiles, Les (Zola) VI, 282

Quatre-vingt-treize (Hugo) VI, 135

Que ces mots répondent (Estang) XIV, 29

Quercy, Thomas (Otremont) IX, 182
Quesnay, Bernhard (Maurois) IX, 157
Quick (Saint-Hélier) IX, 235
1572. Chronique du temps de Charles IX (Mérimée) VI, 179

Racines du ciel, Les (Gary) IX, 82
Raquin, Thérèse (Zola) VI, 262
Ravissement de Lol. V. Stein, Le (Duras) XIV, 28
Recherche de l'absolu, La (Balzac) VI, 12
– d'une église (Romains) IX, 217
Récits d'Adrien Zograffi, Les (Istrati) IX, 123
Recteur de l'île de Sein, Un (Queffélec) IX, 199
Regain (Giono) IX, 92
Reins et les coeurs, Les (Lesort) IX, 135
Religieuse, La (Diderot) VI, 64
Renaissance, La (Gobineau) VI, 121
Renaud, Vie et mort du capitaine (Vigny) VI, 256
Rendezvous, Le (Colette) XIV, 22
– au jugement dernier (Dumitriu) XIV, 461
René (Chateaubriand) VI, 38
Repos du guerrier, Le (Rochefort) XIV, 78
Rêve, Le (Zola) VI, 275
Révolte des anges, La (France) VI, 95
Rezeau, La famille (Bazin) IX, 14
Rivage des Syrtes, Le (Gracq) IX, 108
Robe prétexte, La (Mauriac) IX, 144
Robert (Gide) VI, 118
Roi sans divertissement, Un (Giono) IX, 97
Rois maudits, Les (Druon) XIV, 26
Roman bourgeois, Le (Furetière) VI, 100

– comique, Le (Scarron) VI, 228
– du lièvre (Jammes) VI, 141
– d'un Spahi, Le (Loti) VI, 156
Rondache, La (Péladan) VI, 191
Rose de la mer, La (Vialar) IX, 256
Roses de septembre, Les (Maurois) IX, 161
Rôtisserie de la reine Pédauque, La (France) VI, 92
Rouet des brumes, Le (Rodenbach) VI, 211
Rouge et noir, Le (Stendhal) VI, 235
Rougon-Macquart, Les (Zola) VI, 263
Route de Flandre, La (Simon) XIV, 87
Rue courte, La (Monnier) IX, 168

Sac et la cendre, Le (Troyat) IX, 250
Saga (Morel) IX, 180
Sagouin, Le (Mauriac) IX, 154
Saint Gliglin (Queneau) XIV, 73
– -Saturnin (Schlumberger) IX, 244
Saints vont en enfer, Les (Cesbron) IX, 46
Salaire de la peur, Le (Arnaud) IX, 7
Salammbô (Flaubert) VI, 87
Sans famille (Malot) VI, 162
Santeuil, Jean (Proust) XIV, 70
Sapho, moeurs parisiennes (Daudet) VI, 58
Sarrasine (Balzac) XIV, 5
Scènes de la vie de Bohème (Murger) VI, 185
Seconde, La (Colette) VI, 47
Ségabri (Porché) IX, 191
Semailles, Les, et les moissons (Troyat) IX, 252
Semaine sainte, La (Aragon) XIV, 2
Séparation des races, La (Ramuz) IX, 204
Sept Dialogues de Bêtes (Colette) VI, 44
Séraphita (Balzac) VI, 14

Servitude et grandeur militaires (Vigny) VI, 255

Si j'étais vous (Green, J.) IX, 114

– le soleil ne revenait pas (Ramuz) IX, 211

Siegfried et le Limousin (Giraudoux) XIV, 38

Silence de la mer, Le (Vercors) IX, 255

Siloé (Gadenne) IX, 79

Simon le pathétique (Giraudoux) XIV, 38

Singes, Les (Cousseau) XIV, 23

Six heures à perdre (Brasillach) IX, 36

– semaines de la vie du Chevalier de Faublas (Louvet de Couvray) VI, 158

6 octobre, Le (Romains) IX, 217

Smetse Smee (Coster) VI, 53

Sodome et Gomorrhe (Proust) IX, 196

Soirée avec M. Teste, La (Valéry) VI, 247

Solitude de la pitié (Giono) IX, 93

Solitudes (Queffélec) XIV, 72

Son excellence Eugène Rougon (Zola) VI, 267

Sous le soleil de Satan (Bernanos) IX, 23

Spleen de Paris, Le (Baudelaire) VI, 26

Splendeurs et misères des courtisanes (Balzac) VI, 19

Stances à Sophie, Les (Rochefort) XIV, 78

Statue de sel, La (Memmi) XIV, 57

Stein, Lol. V., Le ravissement de (Duras) XIV, 28

Stigmates, Les (Estang) IX, 75

Superbes, Les (Romains) IX, 217

Sursis, Le (Sartre) IX, 240

Survivant, Le (Supervielle) IX, 245

Sylvie (Nerval) VI, 190

Symphonie pastorale, La (Gide) VI, 111

Tamerlan des coeurs (Obaldia) XIV, 64

Tant que la terre durera (Troyat) IX, 249

Tartarin sur les Alpes (Daudet) VI, 56

Télémaque, Aventures de (Fénelon) VI, 81

Tellier, La Maison (Maupassant) VI, 171

Téméraire, Le (Boulanger) XIV, 8

Temps des morts, Le (Gascar) IX, 83

– retrouvé, Le (Proust) IX, 196

Tentation (Régnier) IX, 214

Terre, La (Zola) VI, 274

– des hommes (Saint-Exupéry) IX, 227

– promise (Maurois) IX, 160

Teste, Monsieur (Valéry) VI, 247

Thibaults, Les (Martin du Gard) VI, 165

Thomas l'imposteur (Cocteau) IX, 53

Tiroirs de l'inconnu, Les (Aymé) XIV, 2

Tour du monde en 80 jours, Le (Verne) VI, 253

Tous les hommes sont mortels (Beauvoir) IX, 16

Travailleurs de la mer, Les (Hugo) VI, 134

Travaux (Monnier) XIV, 60

Traverse de Fiora Valencourt, La (Montupet) XIV, 63

Trilby ou le Lutin d'Argail (Nodier) VI, 190

Triomphe de la vie (Giono) IX, 97

Trois mousquetaires, Les (Dumas père) VI, 66

– villes, Les (Zola) VI, 280

Troisième jour, Le (La Varende) IX, 134

Un de Baumugnes (Giono) IX, 91
Ursitory, Les (Maximoff) IX, 162

Vacances de monsieur Hulot, Les (Carrière) XIV, 12
Vache qui pleure, La (Crottet) IX, 58
Vagabonde, La (Colette) VI, 45
Valencourt, Fiora, La traverse de (Montupet) XIV, 63
Vase étrusque, Le (Mérimée) VI, 180
Veillée de Vincennes, La (Vigny) VI, 256
Vent dans les moulins, Le (Lemonnier) VI, 150
– souffle où il veut, Le (Lesort) IX, 137
Ventre de Paris, Le (Zola) VI, 265
Venus d'Ille, La (Mérimée) VI, 181
Verdugo, El (Balzac) XIV, 5
Vernet de Mogador, Julia (Barbier) IX, 10
Vésuv, Le (Robles) XIV, 77
Veuve, La (Feuillet) VI, 83
Vie, Une (Maupassant) VI, 172
– de Henry Brulard, La (Stendhal) XIV, 88
– des abeilles, La (Maeterlinck) VI, 160
– en fleurs, La (France) VI, 97
– et la mort du capitaine Renaud, La (Vigny) VI, 256
– tranquille, La (Duras) XIV, 27
Vieille France (Martin du Gard) VI, 169
Vierges fortes, Les (Prévost) VI, 100
Vingt ans après (Dumas père) VI, 67

Vingt-cinquième heure, La (Gheorghiu) IX, 89
Vipère au poing (Bazin) IX, 14
Visionnaire, Le (Green, J.) IX, 113
Vocation, La (Rodenbach) VI, 209
Voie royale, La (Malraux) IX, 141
Vol de nuit (Saint-Exupéry) IX, 226
Voleur d'enfants, Le (Supervielle) IX, 245
Vous verrez le ciel ouvert (Cesbron) IX, 48
Voyage au bout de la nuit (Céline) IX, 44
– autour de ma chambre (Maistre) VI, 161
– d'Edgar, Le (Peisson) IX, 184
– de noce, Le (Coster) VI, 52
– de Patrice Périot, Le (Duhamel) IX, 69
Voyages en Orient (Nerval) VI, 189
Voyageurs de l'impériale, Les (Aragon) IX, 4
Voyeur, Le (Robbe-Grillet) IX, 216

Waterloo, suite du conscrit de 1813 (Erckmann-Chatrian) VI, 73
Weekend à Zuydcoote (Merle) IX, 167

Zadig, ou la destinée (Voltaire) VI, 259
Zazie dans le métro (Queneau) XIV, 73
Zograffi, Adrien, Les récits de (Istrati) IX, 123

Italienische Romane

A cena col commendatore (Soldati) IX, 306
All'erta, randinella! (Serao) VI, 319

Alumni del sole, Gli (Marotta) IX, 289
Arcadia (Sannazaro) VI, 318

Barone rampante, Il (Calvino) XIV, 102

Baroni, I (Callegari) IX, 274

Belfagor (Machiavelli) VI, 311

Bella estate, La (Pavese) XIV, 116

Bisenta, La (Pasqualino) XIV, 115

Burla riuscita, Una (Svevo) IX, 309

Canne al vento (Deledda) VI, 301

Carcere, Il (Pavese) XIV, 117

Cavalleria rusticana (Verga) VI, 324

Cento novelle antiche, Le VI, 313

Christo si è fermato a Eboli (Levi) IX, 286

Cielo e la terra, Il (Coccioli) IX, 280

– è rosso, Il (Berto) IX, 268

Città del sole (Campanella) VI, 297

Cognizione del dolore, La (Gadda) XIV, 106

Confessioni di un Italiano, Le (Nievo) XIV, 114

– di un ottuagenario (Nievo) XIV, 114

Conformista, Il (Moravia) XIV, 112

Conversazione in Sicilia (Vittorini) IX, 316

Cosima (Deledda) VI, 303

Coszienza di Zeno, La (Svevo) IX, 308

Cunto de li Cunti, Lo (Basile) VI, 295

Cuore, Il (Amicis) VI, 289

– arido, Un (Cassola) XIV, 103

Cronaca di poveri amanti (Pratolini) IX, 298

Dalla parte di lei (Cèspedes) IX, 276

Decamerone, Il (Boccaccio) VI, 296

Delitto d'onore, Un (Arpino) XIV, 96

Deserto dei Tartari, Il (Buzzati) IX, 272

Diavolo sulle colline, Il (Pavese) XIV, 117

Don Camillo (Guareschi) IX, 284

Donne di Messina, Le (Vittorini) XIV, 127

Egoisti, Gli (Tecchi) XIV, 124

ERZÄHLUNGEN:
Buzzati XIV, 100
Chiesa IX, 277
Manzoni XIV, 110
Ortese IX, 293
Pirandello XIV, 118
Serao VI, 319
Soldati IX, 306
Svevo IX, 309
Tecchi XIV, 123
Verga VI, 324

S. a. »Novellen«

Euryalus et Lucretia (Enea Silvio) VI, 304

Fabbricone, Il (Testori) XIV, 125

Figlio de due madri, Il (Bontempelli) IX, 270

Fior di passione (Serao) VI, 319

Fontamara (Silone) IX, 301

Fuoco, Il (Annunzio) VI, 293

Garibaldina, La (Vittorini) XIV, 128

Garofano rosso, Il (Vittorini) IX, 315

Gattopardo, Il (Tomasi di Lampedusa) XIV, 125

Gazzetta nera, La (Piovene) IX, 297

Gente in Aspromonte (Alvaro) IX, 263

Giardino dei Finzi-Contini, Il (Bassani) XIV, 98

Giornata, Una (Pirandello) XIV, 118

– d'uno scrutatore, La (Calvino) XIV, 102

Giorno della civetta, Il (Sciascia) XIV, 120

Giovani amici (Tecchi) XIV, 123

Il fu Mattia Pascal (Pirandello) VI, 315

Imagine e le stagioni, L' (Coccioli)
IX, 280
Indifferenti, Gli (Moravia) IX, 291
Innocente, L' (Annunzio) VI, 291
Ippolita (Denti di Pirajno) XIV, 104
Isola appassionata, L' (Tecchi) XIV,
123
– di Arturo, L' (Morante) XIV, 111

Kaputt (Malaparte) XIV, 108

Ladri di biciclette (Bartolini) IX,
267
Leila (Fogazzaro) VI, 309
Lettere da Capri, Le (Soldati) IX,
307
Lumera, Mara (Denti di Pirajno)
XIV, 105
Luna e i falò, La (Pavese) IX, 296

Macchina mondiale, La (Volponi)
XIV, 130
Madre, La (Deledda) XIV, 104
Malavoglia (Verga) VI, 321
Maledetti Toscani (Malaparte) XIV,
109
Malombra (Fogazzaro) VI, 305
Manciata di more, Una (Silone) IX,
304
Mare non bagna Napoli, Il (Ortese)
IX, 293
Marito di Elena, Il (Verga) VI, 322
Mestiere del marito, Il (Ambra) IX,
264
Mie prigioni, Le (Pellico) VI, 313
Mio padre Adamo (Pasqualino) XIV,
115
Mondo piccolo „Don Camillo"
(Guareschi) IX, 284
– – – e il suo gregge (Guareschi)
IX, 284
Mulino del Po, Il (Bacchelli) IX, 265

Nausea media, La (Villa) XIV, 126

Nessuno torna indietro (Cèspedes)
IX, 275
Noia, La (Moravia) XIV, 113
Novelle per un anno (Pirandello) VI,
317
– rusticane (Verga) VI, 324
NOVELLEN:
Bandello VI, 294
Pirandello VI, 317; XIV, 118
Straparola VI, 320
Tomasi di Lampedusa XIV, 126
S. a. »Erzählungen«
Novellino VI, 313

Occhiali d'oro, Gli (Bassani) XIV, 97
Oceano (Rossi) IX, 301
Ombra delle colline, L' (Arpino)
XIV, 96
Opale (Serao) VI, 319
Oro di Napoli, L' (Marotta) IX, 288
– e la croce, L' (Ghisalberti) IX, 283

Pane e vino (Silone) IX, 302
Paolo il caldo (Brancati) XIV, 99
Parenti del sud, I (Montella) IX,
290
Pascal, Il fu Mattia (Pirandello) VI,
315
Paura alla Scala (Buzzati) IX, 273
Pelle, La (Malaparte) IX, 287
Pentamerone, Il, ossia la fiaba delle
fiabe (Basile) VI, 295
Perdu (Rombi) IX, 300
Pesci volanti, I (Ghisalberti) IX, 282
Piacere, Il (Annunzio) VI, 290
Piacevoli notti (Straparola) VI, 320
Piccolo mondo antico (Fogazzaro)
VI, 306
– – moderno (Fogazzaro) VI, 307
Piera Alta, La (Betti) IX, 269
Pisana (Nievo) XIV, 114
Portolu, Elias (Deledda) VI, 301
Promessi sposi, I (Manzoni, A.) VI,
311

Quer pasticciaccio brutto de via Merulana (Gadda) XIV, 106

Racconti romani (Moravia) XIV, 112
Ragazza di bube, La (Cassola) XIV, 103
Ragazze di Sanfrediano, Le (Pratolini) IX, 299
Romana, La (Moravia) IX, 292
Romanzo di un cane, Il (Varè) IX, 315

Salute a noi (Marotta) IX, 289
Santippe (Panzini) IX, 295
Santo, Il (Fogazzaro) VI, 308
Segreto del bosco vecchio, Il (Buzzati) IX, 272
– di Luca, Il (Silone) IX, 305
Seme sotto la neve, Il (Silone) IX, 303
Sempione strizza l'occhio al frejus, Il (Vittorini) IX, 317
Senilità (Svevo) XIV, 122
Sentiero dei nidi di ragno, Il (Calvino) XIV, 101
Sette messaggeri, I (Buzzati) XIV, 100
Sguardo del Jesu, Lo (Bacchelli) IX, 266
Sirca, Marianna (Deledda) VI, 302
Sorelle Materassi, Le (Palazzeschi) IX, 294

Speranzella (Bernari) XIV, 99
Stella mattutina (Negri) IX, 292

Tempo di uccidere (Flaiano) IX, 281
Trionfo della morte (Annunzio) VI, 292
Tutta Frusaglia (Tombari) IX, 311

Ultime lettere di Jacopo Ortis (Foscolo) VI, 310
Uno, nessuno e centomila (Pirandello) VI, 316
Uomini e no (Vittorini) XIV, 127

Vesuvio e pane (Bernari) IX, 267
Viaggio d'Europa (Bontempelli) IX, 271
Villa Beatrice (Cicognani) IX, 279
Villatauri, I (Tecchi) IX, 310
Visconte dimezzato, Il (Calvino) XIV, 101
Vita, Una (Svevo) XIV, 121
– dei campi, La (Verga) VI, 324
– di Benvenuto Cellini (Cellini) VI, 299
– violenta, Una (Pasolini) XIV, 115
Voci della sera, Le (Ginzburg) XIV, 107
Volpe, La, e le camelie (Silone) XIV, 121

Spanische Romane

Acoso, El (Carpentier) XIV, 138
Afueras, Las (Goytisolo, L.) XIV, 153
Águila y la serpiente, El (Guzmán) IX, 348
Alvareda, La familia (Caballero) VI, 350
Amadís de Gaula VI, 333
Amalia (Mármol) VI, 386
Amante liberal, El (Cervantes) VI, 359

Amigo Manso, El (Pérez Galdós) VI, 394
Andia, Las inquietudes de Shanti (Baroja y Nessi) VI, 341
Árbol de la ciencia, El (Baroja y Nessi) XIV, 134
Armas secretas, Las (Cortázar) XIV, 142
Atracadores, Los (Salvador) XIV, 165

Balún Canán (Castellanos) XIV, 140

Banderas, Tirano (Del Valle Inclán) XIV, 146

Barraca, La (Blasco Ibáñez) VI, 344

Belarmino y Apolonio (Pérez de Ayala) XIV, 160

Bestiario (Cortázar) XIV, 142

Boda, La (Lera) XIV, 157

Boy (Coloma) VI, 365

Buenas intenciones, Las (Aub) XIV, 134

Buscón, La vida del (Quevedo y Villegas) VI, 396

Camino, El (Delibes) XIV, 145

Caminos de la muerte, Los (Gálvez) IX, 338

Canaima (Gallegos) XIV, 150

Cañas y barro (Blasco Ibáñez) VI, 345

Caracho, El torero (Gómez de la Serna) IX, 345

Caranchos de la Florida, Los (Lynch) IX, 355

Casa de pensão (Azevedo) VI, 338

– del àngel, La (Guido) IX, 346

Casamiento engañoso, El (Cervantes) VI, 361

Casta de hidalgos (León y Román) IX, 353

Celestina VI, 351

Celoso extremeño, El (Cervantes) VI, 360

Cervantes (Arbó) IX, 324

Chalet de las rosas, El (Gómez de la Serna) IX, 344

Ciegas hormingas, Las (Pinilla) XIV, 162

Cipreses creen en Dios, Los (Gironella) IX, 342

Ciudad de la niebla, La (Baroja y Nessi) VI, 341

– y los perros, La (Vargas Llosa) XIV, 168

Clarines del miedo, Los (Lera) XIV, 156

Clavo, El (Alarcón) VI, 330

Colmena, La (Cela) XIV, 141

Coloquio de los perros Cipión y Berganza, El (Cervantes) VI, 361

Color de sangre (García Calderón) IX, 340

Comedia de Calisto y Melibea VI, 351

Con el viento solano (Aldecoa) XIV, 132

Conde Lucanor, El (Juan Manuel) VI, 378

Corazón de piedra verde, El (Madariaga y Rojo) IX, 355

Crónica de San Gabriel (Ribeyro, J.) XIV, 163

Cuando voy a morir (Fernández de la Reguera) XIV, 148

Cura se confiesa, Un (Descalzo) XIV, 147

Desierto de piedra (Wast) IX, 372

Desterrados, Los. Tipos de ambiente (Quiroga, H.) IX, 362

Diario de un cazador (Delibes) XIV, 146

Don Pablos, La vida del buscón llamado (Quevedo y Villegas) VI, 396

– Quixote de la Mancha (Cervantes) VI, 352

– Segundo Sombra (Güiraldes) IX, 347

Doña Bárbara (Gallegos) IX, 336

Dorotea (Vega Carpio) VI, 406

Dos doncellas, Las (Cervantes) VI, 361

Duarte, Pascual, La familia de (Cela) XIV, 140

Dulce nombre (Espina da Serna) VI, 374

Epitalamio del prieto Trinidad (Sender) XIV, 167
ERZÄHLUNGEN:
Béquer VI, 342
Borges XIV, 135. 136
Castelnuovo IX, 328
Cervantes VI, 358
Cortázar XIV, 142
García Calderón IX, 340
García Lorca IX, 341
Quevedo y Villegas VI, 397
Quiroga, H. IX, 362
Rulfo XIV, 164
Unamuno VI, 403
Escándalo, El (Alarcón) XIV, 131
Escanya-pobres, L' (Oller) VI, 388
Escenas de la guerra del Paraguay (Gálvez) IX, 338
Esfinge maragata, La (Espina da Serna) VI, 372
Española inglesa, La (Cervantes) VI, 359
Espejo de la muerte, El (Unamuno) VI, 403

Familia de Alvareda, La (Caballero) VI, 350
– de Pascual Duarte, La (Cela) XIV, 140
Final del juego (Cortázar) XIV, 142
Forja de un rebelde, La (Barea) IX, 327
Fortunata y Jacinta (Pérez Galdós) XIV, 161
Frontera de Dios, La (Descalzo) XIV, 147
Fuente enterrada, La (Icaza) IX, 350
Fuerza de la sangre, La (Cervantes) VI, 360
Fulanita y sus mengaños (Laiglesia) XIV, 155

Gaviota, La (Caballero) VI, 348
Gitanilla, La (Cervantes) VI, 358

Gloria de Don Ramiro, La (Larreta) VI, 379
Gota de tiempo, Una (Madariaga y Rojo) XIV, 157
Granada (García Lorca) IX, 341
Guzman de Alfarache (Alemán) VI, 332

Hijo de hombre (Roa Bastos) XIV, 163
– de ladrón (Rojas) TX, 364
Historia de la vida del buscón llamado Don Pablos (Quevedo y Villegas) VI, 396
– universal de la infamia (Borges) XIV, 135
Historias de Valcanillo (Salvador) IX, 366
Hoja roja, La (Delibes) XIV, 146
Hombres de maíz (Asturias) IX, 325
Horas contadas, Las (Icaza) IX, 350
Hospital general (Pombo Angulo) IX, 360
Humanitá (Gálvez) IX, 338

Jarama, El (Sánchez Ferlosio) XIV, 165
Jiménez, Pepita (Valera) VI, 404
Jinete de fuego, El (Wast) IX, 373
Ilustre fregona, La (Cervantes) VI, 360
Imán (Sender) IX, 367
Indio, El (López y Fuentes) IX, 354
Ingenioso Hidalgo Don Quixote de la Mancha, El (Cervantes) VI, 352
Inquietudes de Shanti Andia, Las (Baroja y Nessi) VI, 341
Jornadas de agonía (Gálvez) IX, 339
Isla, La (Goytisolo, J.) XIV, 153
– de oro, La (Verdaguer) IX, 369
Juegos de manos (Goytisolo, J.) XIV, 152
Juyungo (Ortiz) IX, 357

Laborinto mágico, El (Aub) XIV, 133

Labyrinthe (Borges) XIV, 137

Lago Argentino (Goyanarte) XIV, 151

Lazarillo de Tormes VI, 380

Leyendas (Bécquer) VI, 342

Libro de los Enxiemplos del Conde Lucanor et de Patronio, El (Juan Manuel) VI, 378

Licenciado Vidriera, El (Cervantes) VI, 360

Llano en llamas, Il (Rulfo) XIV, 164

Los de abajo (Azuela) IX, 326

– que se fueron a la porra (Laiglesia) XIV, 155

Mare nostrum (Blasco Ibáñez) VI, 347

Marta y Maria (Palacio Valdés) XIV, 159

Mayorazgo de Labraz, El (Baroja y Nessi) VI, 339

Mercaderes, Los (Matute) XIV, 158

Metal de los muertos, El (Espina da Serna) VI, 373

Miau (Pérez Galdós) XIV, 161

Miércoles santo (Gálvez) IX, 339

Millón de muertos, Un (Gironella) XIV, 151

Miranda, Lucía (Wast) IX, 374

Muerta le sienta bien a Villalobos, La (Alcántara) XIV, 132

Muertos mandan, Los (Blasco Ibáñez) VI, 346

Myriam la conspiradora (Wast) IX, 373

Nada (Laforet) IX, 352

Niebla (Unamuno) VI, 400

Niño de la bola, El (Alarcón) VI, 328

Noria, La (Romero) IX, 365

Novelas (Unamuno) VI, 403

– ejemplares (Cervantes) VI, 358

Novia del hereje, La, ó La inquisición de Lima (López, V. F.) VI, 381

Obregon, Vida del escudero Marcodc (Espinel) VI, 375

Pablo (García, E.) VI, 376

Paz en la guerra (Unamuno) VI, 399

Pazos de Ulloa, Los (Pardo Bazán) VI, 390

Peñas Arriba (Pereda) VI, 393

Pequeñeces (Coloma) VI, 364

Perdimos el Paraíso (Fernández de la Reguera) XIV, 149

Persiles y Sigismunda (Cervantes) VI, 362

Piedra angular, La (Pardo Bazán) VI, 391

Platero y yo (Jiménez) IX, 351

Premios, Los (Cortázar) XIV, 143

Primera memoria (Matute) XIV, 158

Pródiga, La (Alarcón) VI, 329

Quatro libros del Virtuoso cauallero Amadís de Gaula VI, 333

Quemazón, La (Goyanarte) IX, 345

Quixote de la Mancha, Don (Cervantes) VI, 352

Raza sufrida, La (Quiroga, C. B.) IX, 361

Rebull, Mariona (Agustí) IX, 321

Regules, Nacha (Gálvez) IX, 337

Relaciones de la vida del escudero Marcodc Obregon (Espinel) VI, 375

Rey, El, y la reina (Sender) XIV, 166

Rinconete y Cortadillo (Cervantes) VI, 359

Río fiel, El (Jarnés) IX, 349

San Manuel Bueno mártir (Unamuno) XIV, 167

Sánchez, Abel (Unamuno) VI, 401
Sangre y arena (Blasco Ibáñez) VI, 345
Santa Rogelia (Palacio Valdés) VI, 389
Señora Cornelia, La (Cervantes) VI, 361
Serpiente de oro, La (Alegría) IX, 322
Siglo des las luces, El (Carpentier) XIV, 139
Soldados lloran de noche, Los (Matute) XIV, 158
Sombra, Don Segundo (Güiraldes) IX, 347
Sombrero de tres picos, El (Alarcón) VI, 327
Sotileza (Pereda) VI, 392
Sueños (Quevedo y Villegas) VI, 397

Tanguy (Del Castillo) XIV, 144
Tara (Del Castillo) XIV, 145
Tía fingida, La (Cervantes) VI, 362
– Tula, La (Unamuno) VI, 402
Tigre Juan y El curandero de su honra (Pérez de Ayala) IX, 359
Tinieblas (Castelnuovo) IX, 328
Tirano Banderas (Del Valle Inclán) XIV, 146

Torero Caracho, El (Gómez de la Serna) IX, 345
Tormenta de Verano (Hortelano) XIV, 154
Trabajos de Persiles y Sigismunda, Los (Cervantes) VI, 362
Tragicomedia de Calisto y Melibea VI, 351
Tres novelas ejemplares y un prólogo (Unamuno) VI, 403

Vámonos con Pancho Villa (Muñoz) IX, 357
Venganza del cóndor, La (García Calderón) IX, 340
Vida como es, La (Zunzunegui y Loredo) XIV, 169
– de Guzman de Alfarache (Alemán) VI, 332
– de Lazarillo de Tormes, La VI, 380
Viento fuerte (Asturias) XIV, 133
Villa, Pancho, Vámonos con (Muñoz) IX, 357
Vorágine, La (Rivera) IX, 363

Zalacaín el aventurero (Baroja y Nessi) VI, 340

Portugiesische Romane

Alcaide de Santarem, O (Herculano) VI, 377
Alienista, O (Machado de Assis) VI, 384

Casmurro, Dom (Machado de Assis) VI, 385
Cidade e as serras, A (Eça de Queiróz) VI, 369
Completa verdade sôbre as discutidas aventuras do Comandante Vasco Moscoso de Arago, A (Amado) XIV, 171

Corpo de baile (Rosa, J. G.) XIV, 176
Crime do Padre Amaro, O (Eça de Queiróz) VI, 366
Cubas, Bras, Memorias posthumas de (Machado de Assis) VI, 383

Defunto, O (Eça de Queiróz) VI, 371
Diana de Jorge de Montemayor (Montemayor) VI, 387
Dom Casmurro (Machado de Assis) VI, 385
Domingo à tardo (Namora) XIV, 174

Emigrantes (Ferreira de Castro) IX, 332

Gabriela, cravo e canela (Amado) XIV, 171
Galo doido (Costa) IX, 330
Grande Sertão (Rosa, J. G.) XIV, 175

Innocência (Taunay) VI, 398
Inocentes, As (Costa) IX, 330

Lã e a neve, A (Ferreira de Castro) IX, 335

Mandarim, O (Eça de Queiróz) VI, 371
Memorias posthumas de Bras Cubas (Machado de Assis) VI, 383
Moscoso, Vasco, Aventuras do (Amado) XIV, 171

Pastôres da noite, Os (Amado) XIV, 172
Primo Bazilio, O (Eça de Queiróz) XIV, 172

Quando os lobos uivam (Ribeiro, A.) XIV, 175

Reliquia, A (Eça de Queiróz) VI, 368
Retalhos da vida de um módico (Namora) XIV, 174
Retrato, O (Veríssimo) IX, 371

Seara de Caim, A (Coelho-Lisboa) IX, 329
Selva, A (Ferreira de Castro) IX, 333
Siete libros de la Diana de Jorge de Montemayor, Los (Montemayor) VI, 387
Solar desabitado, O (Costa) IX, 330

Tempo e o vento, O (Veríssimo) IX, 370
Terra fria (Ferreira de Castro) IX, 334
Terras do sem fim (Amado) IX, 323
Trigo e o joio, O (Namora) XIV, 174

Vindima (Torga) XIV, 177

Englische und Amerikanische Romane

Absalom, Absalom (Faulkner) XI, 101
Absentee, The (Edgeworth) VII, 87
Acceptance world, The (Powell) XIV, 226
Accounting, The (Marshall) X, 155
Across the river and into the trees (Hemingway) XI, 147
Adam and Eve, though he knew better (Erskine) XI, 90
Adeane, Daphne (Baring) X, 7
Adventures of Augie March, The (Bellow) XI, 12
– – Huckleberry Finn, The (Twain) VII, 325
– – Oliver Twist, The (Dickens) VII, 61
– – Peregrine Pickle, The (Smollet) VII, 183
– – Roderick Random, The (Smollet) VII, 181
– – Sawyer, The (Twain) VII, 324
– – Sherlock Holmes, The (Doyle) VII, 84
– – Wesley Jackson, The (Saroyan) XI, 269
Adverse, Anthony (Allen) XI, 2
Aerodrome, The (Warner) X, 250
Affair, The (Snow) XIV, 235
African witch, The (Cary) X, 13

After many a summer (Huxley) X, 100

Age of innocence, The (Wharton) XI, 342

– – longing, The (Koestler) X, 120

Alexander's bridge (Cather) XIV, 259

Alhambra, The (Irving) VII, 282

Alice's adventures in wonderland (Carroll) VII, 29

All glorious within (Marshall) X, 151

– in a twilight (Evans) X, 43

– men are mariners (Kentfield) XIV, 290

– passion spent (Sackville-West) X, 215

– the king's men (Warren) XI, 334

– this and heaven too (Field) XI, 116

– through the night (Vaughan) X, 242

Almayer's folly (Conrad) VII, 38

Altar of the dead, The (James, H.) VII, 277

Ambassador, The (West, M.) XIV, 330

Ambassadors, The (James, H.) XIV, 287

Amber, Forever (Winsor) XIV, 334

Ambersons, The magnificent (Tarkington) XI, 327

Ambrosio the monk (Lewis, M. G.) XIV, 204

America, America (Kazan) XIV, 290

American, The (James, H.) XIV, 285

American dream, An (Mailer) XIV, 297

– tragedy, An (Dreiser) XI, 83

Ancient highway, The (Curwood) X, 28

And now tomorrow (Field) XI, 117

...and the rain my drink (Han Suyin) X, 84

Andersonville (Kantor) XI, 167

Andrews, Joseph, and Abraham Adams (Fielding) VII, 95

Angel and the sailor, The (Kentfield) XIV, 290

– in the corner, The (Dickens, M.) XIV, 185

– pavement (Priestley) X, 205

Anglo-Saxon attitudes (Wilson, A.) X, 260

Angry angel, The (Zilahy) XII, 403

Animal farm (Orwell) X, 193

– heroes (Seton, E. Th.) XI, 277

Another country (Baldwin) XIV, 251

Antiquary, The (Scott) VII, 168

Anybody can do anything (Mac Donald) XI, 201

Ape and essence (Huxley) X, 102

Apley, George, The late (Marquand) XI, 205

Appleton, Elizabeth (O'Hara) XIV, 307

Appointment in Samarra (O'Hara, J.) XI, 227

Arcadia (Sidney) VII, 180

Argenis (Barclay) VII, 7

Armageddon (Uris) XIV, 326

Arrowsmith (Lewis, S.) XI, 181

Arundel (Roberts, K. L.) XI, 253

As I lay dying (Faulkner) XIV, 267

– it was in the beginning (Benét) XI, 18

Asiatics, The (Prokosch) XI, 240

Aspects of love (Garnett) X, 58

Aspern papers, The (James, H.) VII, 276

Assyrian, The, and other stories (Saroyan) XIV, 318

At heaven's gate (Warren) XI, 334

– Lady Molly's (Powell) XIV, 226

Awakening (Galsworthy) VII, 100

Babbit (Lewis) XI, 180

Back street (Hurst) XI, 162

Bailey, Lydia (Roberts, K. L.) XI, 257
Ballad and the source, The (Lehmann, R.) X, 132
– of the sad café, The (Mac Cullers) XI, 199
Balthazar (Durrell) XIV, 187
Band of angels (Warren) XI, 335
Bankaudit, The (Marshall) X, 155
Barber Cox (Thackeray) VII, 217
Barclai, Joannis, Argenis (Barclay) VII, 7
Bartleby, the scrivener (Melville) VII, 311
Basement room, The (Greene) X, 77
Battle Cry (Uris) XIV, 325
– of the life, The (Dickens) VII, 65
Beach of Falesa, The (Stevenson) VII, 202
Beachcomber, The (McFee) X, 140
Bede, Adam (Eliot, G.) VII, 88
Behold thy daughter (Paterson) X, 198
Belisarius, Count (Ranke-Graves) XIV, 229
Bell for Adano, A (Hersey) XI, 151
Belles on their toes (Gilbreth) XI, 124
Ben Hur (Wallace) VII, 328
Bent twig, The (Canfield-Fisher) XI, 54
Berenice (Poe) VII, 321
Best Short Stories, The (Dreiser) XI, 85
Between the acts (Woolf) XIV, 245
– two worlds (Sinclair) XI, 292
Beyond (Galsworthy) VII, 108
– the hungry country (Stinetorf) XI, 320
B. F.'s daughter (Marquand) XI, 208
Big money, The (Dos Passos) XI, 72
– rock candy mountain, The (Stegner) XI, 300

Bird alone (O'Faolain) XIV, 222
– of dawning, The (Masefield) X, 157
Bishop's beggar, The (Benét) XI, 17
Bit off the map, A (Wilson) X, 261
Black cat, The (Poe) VII, 321
– cloud, The (Hoyle) X, 91
– renegade (Faralla) XI, 93
– rose, The (Costain) XI, 64
– spring (Miller, H.) XI, 214
Blanket boy's moon (Lanham) X, 121
Bleak house (Dickens) VII, 70
Bliss and other stories (Mansfield) X, 147
Blow for a landing (Burman) XI, 40
Blue hotel, The (Crane) VII, 259
– plate special (Runyon) XI, 261
Boat, The (Hartley) XIV, 194
Book of Snobs, The (Thackeray) VII, 217
Bostonians, The (James, H.) XIV, 286
Botany Bay (Nordhoff-Hall) XI, 225
Bottle imp, The (Stevenson) VII, 203
Boyds of black river, The (Edmonds) XI, 88
Bracebridge Hall (Irving) VII, 281
Bradleys, Dr., remembers (Young) X, 273
Bramble bush, The (Mergendahl) XIV, 299
Brave new world (Huxley) X, 98
Breakfast at Tiffany's (Capote) XI, 58
Breeze of morning, A (Morgan, Ch.) X, 178
Bride of Lammermoor, The (Scott) VII, 170
Brideshead revisited (Waugh) X, 254
Bridge, The (Stuart) X, 235
– of San Luis Rey, The (Wilder) XI, 345
Bridges at Toko-Ri, The (Michener) XI, 211

Brief candles (Huxley) X, 97
– hour of François Villon, The (Erskine) XI, 91
Bright day (Priestley) X, 206
– pavilions, The (Walpole) X, 248
Brighton rock (Greene) X, 72
Brodie, The prime of Miss Jean (Spark) XIV, 236
Broome stages (Dane) XIV, 184
Brown, Cluny (Sharp) X, 221
Budd, Billy (Melville) VII, 314
Burning bright (Steinbeck) XI, 313
– daylight (London) VII, 294
Busman's honeymoon (Sayers) X, 219
Butcher's broom (Gunn) X, 79
Buttercups and daisies (Mackenzie) X, 143
Buyer's market, A (Powell) XIV, 226
Byron's, Cashel, Profession (Shaw, G. B.) VII, 177

Cabala, The (Wilder) XI, 344
Cabbages and kings (Henry) VII, 268
Cade, Rachel (Mercer) XI, 209
Caine mutiny, The (Wouk) XI, 366
Caliph Vathek, The history of (Beckford) VII, 8
Call me when the cross turns over (Niland) XIV, 217
– of the wild, The (London) VII, 287
Callista (Newman) VII, 157
Campbells kingdom (Innes) X, 105
Can such things be? (Bierce) VII, 249
Cannery Row (Steinbeck) XI, 310
Canterbury tales, The (Chaucer) VII, 30
Captain from Castille (Shellabarger) XI, 280
– Sorrell and son (Deeping) X, 30
Cardinal, The (Robinson) XI, 258
Careful, he might hear you (Elliott) XIV, 264

Casamassima, Princess (James, H.) VII, 275
Cashel Byron's Profession (Shaw, G. B.) VII, 177
Cask of Amontadillo, The (Poe) VII, 322
Castle of Otranto, The (Walpole) VII, 220
– Rackrent (Edgeworth) VII, 87
Catcher in the rye, A (Salinger) XI, 262
Cathedral, The (Walpole) X, 243
Catriona (Stevenson) VII, 198
Celtic twilight, The (Yeats) VII, 238
Centaur, The (Updike) XIV, 324
Cereno, Benito (Melville) VII, 310
Chainbearer, The (Cooper) VII, 257
Chaka (Mofolo) X, 171
Challange to Venus (Morgan, Ch.) X, 179
Champion (Lardner) XIV, 293
Chance (Conrad) VII, 48
Chatterley's, Lady, Lover (Lawrence) XIV, 202
Cheaper by the dozen (Gilbreth) XI, 124
Chequer-board, The (Shute) X, 224
Children and others (Cozzens) XIV, 261
– of the forest (London) VII, 285
Chimes, The (Dickens) VII, 65
Chinatown family (Lin Yutang) XI, 190
Chost and flesh (Goyen) XI, 130
Christian, Katherine (Walpole) X, 249
Christmas carol in prose, A (Dickens) VII, 65
– stories (Dickens) VII, 65
Chuzzlewit, Martin (Dickens) VII, 67
Cider with Rosie (Lee) XIV, 204
Cimarron (Ferber) XI, 114
Citadel, The (Cronin) X, 24
City boy, The (Wouk) XI, 365

– in the dawn, The (Allen) XI, 4
– of beautiful nonsense, The (Thurston) X, 240
– of gold, The (Young) X, 271
Clarissa Harlowe, or the history of a young lady (Richardson) VII, 161
Claudius the god and his wife Messalina (Graves-Ranke) X, 66
Claud's dog (Dahl) XIV, 262
Clayhanger (Bennet) VII, 11
Clea (Durrell) XIV, 188
Clinker, Humphry, The expedition of (Smollet) VII, 186
Clissold, William, The world of (Wells) VII, 231
Clock without hands (McCullers) XIV, 296
Cloister and the hearth, The (Reade) VII, 158
Close to home (Caldwell, E.) XIV, 256
Closed harbour, The (Hanley) X, 81
Cobweb, The (Gibson) XIV, 272
Collected stories (Faulkner) XIV, 266
– – (Saki) XIV, 231
Colonel Jacque (Defoe) VII, 56
Come back to Erin (O'Faolain) X, 189
Come, my beloved (Buck) XI, 37
Commodore, The (Forester) X, 46
Common heart, The (Horgan) XIV, 280
Company she keeps, The (McCarthy) XIV, 295
Concluding (Green, H.) X, 70
Confessions of an English Opium-Eater (Quincey) XIV, 228
Confidential agent, The (Greene) X, 73
Coningsby, or the new generation (Disraeli) VII, 80

Conscience of the rich, The (Snow) XIV, 235
Consider the lilies (Huxley) X, 103
Constant nymph, The (Kennedy) X, 116
Copperfield, David (Dickens) VII, 69
Coromandel (Masters) X, 163
Count Belisarius (Ranke-Graves) XIV, 229
Country house, The (Galsworthy) VII, 106
– of the pointed firs, The (Jewett) XIV, 288
Courtesan (Miss tu) (Lin Yutang) XI, 193
Cousin Jan (Ridge) X, 210
– Rachel, My (Du Maurier) X, 39
Crackel barrel trouble shooter (Kjelgaard) XIV, 292
Cranford (Gaskell) VII, 114
Cricket on the Hearth, The (Dickens) VII, 65
Cruel sea, The (Monsarrat) X, 172
Crusoe, Robinson (Defoe) VII, 51
Cry, the beloved country (Paton) X, 198
Cup and the sword, The (Hobart) XIV, 280
Curfew at dawn (Mannin) XIV, 210
Curve and the tusk, The (Cloete) X, 19

Daddy-long-legs (Webster) XI, 336
Dalloway, Mrs. (Woolf, V.) X, 263
Dance to the music of time, A (Powell) XIV, 226
Daring young man on the flying trapeze, The, and other stories (Saroyan) XI, 266
Dark flower, The (Galsworthy) VII, 107
– laughter (Anderson) XIV, 249
Darkness at noon (Koestler) X, 119
Daughter of earth (Smedley) XI, 294

Dawn in Lyonesse (Chase) XI, 63
Day of the locust, The (West, N.)
    XIV, 331
Dealings with the firm of Dombey
    and son (Dickens) VII, 68
Dear and glorious physician (Cald-
    well, T.) XIV, 257
– enemy (Webster) XI, 337
Death, the proud brother (Wolfe)
    XI, 362
– comes to the archbishop (Cather)
    XI, 60
– in the afternoon (Hemingway) XI,
    140
– – the family, A (Agee) XIV, 248
– of a hero (Aldington) X, 4
– – a hightbrow (Swinnerton) XIV,
    237
– – a town (Cicellis) XII, 432
Decline and fall (Waugh) X, 251
Deep summer (Bristow) XI, 20
Deerslayer, The (Cooper) VII, 253
Delahanty, Cress (West) XI, 341
Delta wedding (Welty) XIV, 328
Descent into the Maelstrom, A (Poe)
    VII, 321
Desperate hours, The (Hayes) XI,
    137
Destination Chungking (Han Suyin)
    X, 83
Devils of Loudon, The (Huxley,
    A. L.) XIV, 197
Dharma bums, The (Kerouac) XIV,
    291
Diana of the crossways (Meredith)
    VII, 152
Divided lady, The (Marshall) XIV,
    211
Doctor Hudson's secret journal
    (Douglas) XI, 76
– Thorne (Trollope) VII, 218
Dodsworth, Sam (Lewis, S.) XI, 184
Dombey and son (Dickens) VII,
    68

Dominion of dreams, The (Macleod)
    VII, 140
Doomsday (Deeping) X, 31
Doting (Green, H.) X, 70
Dove's nest and unfinished stories
    (Mansfield) X, 147
Down at the dinghy (Salinger) XI,
    263
– the garden path (Nichols) X, 186
Dr. Bradleys remembers (Young)
    X, 273
– Shannon's way (Cronin) X, 26
Dragons teeth (Sinclair) XIV, 319
Dream, The (Wells) VII, 229
Dreams (Schreiner) VII, 164
Drood, Edwin, The mystery of
    (Dickens) VII, 79
Drums along the Mohawk (Edmonds)
    XI, 87
Dubliners (Joyce) X, 106
Dukays, The (Zilahy) XII, 402
Durward, Quentin (Scott) VII, 174
Dynasty of death (Caldwell, T.) XI,
    51

Early Amerikana (Richter) XI, 250
East of Eden (Steinbeck) XI, 314
– – the giants (Stewart) XI, 319
– River (Asch) XI, 9
Easter party, The (Sackville-West)
    X, 216
Eastwind – westwind (Buck) XI, 27
Easy, Midshipman (Marryat) VII,
    143
Easy way, The (Cicellis) XII, 430
Echo in Asia (Morris, E.) XIV, 304
Eden, Martin (London) VII, 292
Edge of darkness, The (Chase) XIV,
    260
– – sadness, The (O'Connor, E.)
    XIV, 305
Edwardians, The (Sackville-West)
    X, 214
Egg and I, The (Mac Donald) XI, 200

Egoist, The (Meredith) VII, 150
Eight men (Wright) XIV, 336
Eleonora (Poe) VII, 321
Elevator, The (Hutchins) XIV, 284
Eliot, The middle age of Mrs. (Wilson, A.) XIV, 241
Elsmere, Robert (Ward) VII, 222
Emigrants, The (Lamming) XIV, 201
Encantadas, The, or Enchanted isles (Melville) VII, 312
Enchanter's nightshade (Bridge) X, 12
End of the affair, The (Greene) X, 76
– – the chapter (Galsworthy) VII, 110
Enormous room, The (Cummings) XI, 67
Erewhon (Butler) VII, 23

ERZÄHLUNGEN:
  Benét XI, 16
  Bierce VII, 249; XIV, 254
  Capote XI, 56–58
  Chaucer VII, 30
  Conrad VII, 42
  Crane VII, 260
  Doyle VII, 84
  Eliot VII, 93
  Faulkner XI, 105. 111; XIV, 266. 268
  Fitzgerald XI, 120
  Galsworthy VII, 112
  Gordimer XI, 129
  Goyen XI, 130. 131; XIV, 273
  Harte VII, 264
  Hawthorne VII, 265
  Hemingway XI, 142
  Henry XIV, 279
  Hughes, L. XI, 160
  Hutchins XIV, 284
  James, H. XIV, 287
  Jewett XIV, 289
  Irving VII, 280

  Kentfield XIV, 290
  Kipling VII, 129–136
  Lardner XIV, 293
  Lawrence XIV, 203
  Lin Yutang XI, 191
  London VII, 284. 285. 295. 298
  Lowry XIV, 206
  Mackaye XI, 202
  Macleod VII, 140
  Malamud XIV, 298
  Mansfield X, 147
  Marshall X, 156
  Maugham X, 166; XIV, 213
  Michener XI, 210
  Miller, H. XI, 214
  Moore XIV, 215
  O'Connor, F. XIV, 220
  O'Faolain XIV, 223
  O'Flaherty XIV, 224
  Poe VII, 320; XIV, 308
  Powers XIV, 311
  Pritchett X, 208; XIV, 228
  Richter XI, 250
  Runyon XI, 261
  Sackville-West X, 214
  Saki XIV, 231
  Salinger XI, 263; XIV, 315
  Saroyan XI, 266. 267. 270. XIV, 318
  Schreiner VII, 164
  Seton, E. XI, 277
  Steinbeck XI, 306
  Tagore X, 238
  Thackeray VII, 217
  Thurber XI, 328
  Updike XIV, 325
  Wilde VII, 233. 236
  Williams, T. XIV, 333
  Wilson, A. X, 261
  Wodehouse XIV, 244
  Wolfe XI, 362
  Woolf, V. XIV, 246
  Wright XIV, 336
  S. a. »Novellen«

Escape of Socrates, The (Pick) XI, 236

Esmond, Henry, The history of (Thackeray) VII, 213

Esther Waters (Moore) VII, 153

Eternal fire (Willingham) XIV, 333

– moment, The (Forster) X, 53

Etsu and Ted (Buck) XI, 39

Except the lord (Cary) X, 17

Executive suite (Hawley) XIV, 276

Exile, The (Buck) XI, 32

Exodus (Uris) XIV, 326

Expedition of Humphry Clinker, The (Smollet) VII, 186

Eyeless in Gaza (Huxley) X, 99

Eyre, Jane (Brontë, Ch.) VII, 14

Fabiola, or the church of the catacombs (Wiseman) VII, 236

Fable, A (Faulkner) XI, 110

Facts in the case of Mr. Valdemar, The (Poe) VII, 322

Fair bride, The (Marshall) X, 154

– maid of Perth, or the Valentine's Day (Scott) VII, 176

– sister, The (Goyen) XIV, 273

Fall of the house of Usher, The (Poe) VII, 322

Fame is the spur (Spring) X, 229

Family album (Ridge) X, 209

Family's affairs, A (Douglas, E.) XIV, 263

Famine (O'Flaherty) X, 192

Famous Chinese short stories (Lin Yutang) XI, 191

Far and near (Buck) XI, 39

Farewell my heart (Molnár) XII, 393

– to arms, A (Hemingway) XI, 140

Farther adventures of Robinson Crusoe, The (Defoe) VII, 53

Father, dear father (Bemelmans) XI, 14

– and son (Farrell) XI, 95

– – – (Hughes) XI, 159

– Brown, The innocence of (Chesterton) VII, 33

– Malachy's miracle (Marshall) X, 150

– of the bride (Streeter) XI, 324

Fauntleroy, Little Lord (Burnett) VII, 250

Favourite of the gods, A (Bedford) XIV, 179

Festival at Farbridge (Priestley) X, 207

Fever tree, The (Mason) XIV, 211

Feverel, Richard, The ordeal of (Meredith) VII, 149

Few flowers for Shiner, A (Llewellyn) XIV, 205

Fiddler in Barly, The (Nathan) XI, 220

Fields, The (Richter) XI, 248

Fifth column and the first forthynine, The (Hemingway) XI, 142

Fighting angel, The (Buck) XI, 33

Financial expert, The (Narayan) X, 185

Financier, The (Dreiser) XI, 80

Finch's fortune (Roche) X, 211

Finest stories, The (O'Faolain) XIV, 223

Finn, Huckleberry (Twain) VII, 325

First men in the moon, The (Wells) VII, 227

– wife and other stories, The (Buck) XI, 31

Flame trees of Thika, The (Huxley, E. J.) XIV, 198

Flamingo feather (Post) X, 201

Flanders, Moll (Defoe) VII, 55

Flicka, My friend (O'Hara) XI, 229

Flight from the enchanter, The (Murdoch) XIV, 216

Flowering Judas (Porter) XI, 237

– wilderness (Galsworthy) VII, 110

Flowers of Hiroshima, The (Morris, E.) XIV, 303

Flush (Woolf, V.) X, 266
Flying colours (Forester) X, 46
– inn, The (Chesterton) VII, 35
Focus (Miller, A.) XI, 213
For Esmé – with love and squalor (Salinger) XI, 263
– whom the bell tolls (Hemingway) XI, 146
Foregone conclusion, A (Howells) VII, 270
Forever Amber (Winsor) XIV, 334
Forget if you can (Erskine) XI, 91
Forgive us our trespasses (Douglas) XI, 76
Forsyte saga, The (Galsworthy) VII, 100
Fortnight in September, The (Sherriff) X, 222
Fortress, The (Walpole) X, 246
Fortunes and misfortunes of the famous Moll Flanders, The (Defoe) VII, 55
Foster, Amy (Conrad) VII, 42
Fountain, The (Morgan, Ch.) X, 175
– overblows, The (West) XIV, 240
Fountainhead, The (Rand) XI, 242
Four day's wonder (Milne) XIV, 214
– million, The (Henry, O.) XIV, 279
42nd parallel, The (Dos Passos) XI, 72
Fox, The (Lawrence) X, 125
– in the attic, The (Hughes, R. A. W.) XIV, 196
Foxes of Harrow, The (Yerby) XI, 368
Framley parsonage (Trollope) VII, 219
Franny and Zooey (Salinger) XIV, 317
Free air (Lewis, S.) XI, 179
– fall (Golding, W. G.) XIV, 192
Freya of the seven isles (Conrad) VII, 47

Friendly persuasion, The (West) XI, 339
From death to morning (Wolfe) XI, 362
– here to eternity (Jones) XI, 163
– the dark tower (Pawel) XI, 234
Frome, Ethan (Wharton) XI, 341
Fruit tramp, The (Williams, V.) XI, 352

Gahagan, The life of Major (Thackeray) VII, 217
Gallery, The (Burns) XI, 42
Gantry, Elmer (Lewis, S.) XI, 183
Garden of Allah, The (Hichens) X, 87
– party, The, and other stories (Mansfield) X, 147
Gate of happy sparrows, The (Varè) IX, 312
Gatsby, The great (Fitzgerald) XI, 118
Gaudy night (Sayers) X, 218
Gayheart, Lucy (Cather) XI, 61
General, The (Forester) X, 45
»Genius«, The (Dreiser) XI, 81
– and the goddess, The (Huxley) X, 103
Gentian hill (Goudge) X, 64
Gerhardt, Jennie (Dreiser) XI, 78
Giant (Ferber) XI, 115
Gift and the giver, The (White) XIV, 332
– from the sea (Lindbergh) XI, 196
Gilhooley, Mr. (O'Flaherty) X, 191
Gioconda smile, The (Huxley) X, 94
Giovanni's room (Baldwin) XIV, 250
Girls of slender means, The (Spark) XIV, 237
Go-between, The (Hartley) X, 85
Go down, Moses (Faulkner) XI, 105
– tell it on the mountain (Baldwin) XIV, 249
God and my father (Day) XI, 70

Godden, Jonana (Kaye-Smith) X, 115

God's little acre (Caldwell, E.) XI, 46

Godseeker, The (Lewis, S.) XI, 185

Gogh, Vincent van (Stone) XI, 321

Gold bug, The (Poe) VII, 322

Golden appels (Rawlings) XI, 243

– fleece, The (Graves-Ranke) X, 68

– warrior, The (Muntz) X, 183

Gone with the wind (Mitchell) XI, 216

Good companions, The (Priestley) X, 204

– earth, The (Buck) XI, 28

– morning, Miss Dave (Patton) XI, 233

– soldier, The (Ford) XIV, 190

Good-bye, Mr. Chips (Hilton) X, 89

– to Berlin (Isherwood) X, 112

Grand design, The (Dos Passos) XI, 74

Grandison, Charles, The history of Sir (Richardson) VII, 163

Grandmothers, The (Wescott) XI, 337

Grapes of wrath, The (Steinbeck) XI, 307

Grassharp, The (Capote) XI, 57

Grasshoppers come, The (Garnett) X, 58

Gray, Dorian, The picture of (Wilde) VII, 234

Great Expectations (Dickens) VII, 76

– Gatsby, The (Fitzgerald) XI, 118

– madow, The (Roberts, E. M.) XI, 252

– snow, The (Robinson) XI, 258

– son (Ferber) XI, 114

– squire, The (Stuart) X, 234

Green dolphin country (Goudge) X, 64

– grass of Wyoming (O'Hara, M.) XI, 230

– hills of Africa (Hemingway) XI, 141

– mansions (Hudson) XIV, 196

– tree in Gedde, A (Sharp, A.) XIV, 232

– tunnels (Huxley) X, 103

– years, The (Cronin) X, 25

Greengates (Sherriff) X, 222

Grey, Agnes (Brontë, A.) XIV, 182

Group, The (McCarthy) XIV, 294

– of noble dames, A (Hardy) VII, 121

Growth (Tarkington) XI, 327

Gulliver, Lemuel, Travels by (Swift) VII, 205

Gun, The (Forester) X, 44

Guys and dolls (Runyon) XI, 261

Halket, Peter, of Mashonaland (Schreiner) VII, 165

Hamlet, The (Faulkner) XI, 104

Handful of dust, A (Waugh) X, 252

Handsome road, The (Bristow) XI, 21

Happy prince, The, and other tales (Wilde) VII, 233

– prisoner, The (Dickens, M.) X, 33

– return, The (Forester) X, 46

Hard blue sky, The (Grau) XIV, 274

– times (Dickens) VII, 73

Harder they fall, The (Schulberg) XI, 275

Hari, the jungk lad (Mukerdschi) X, 181

Harlowe, Clarissa (Richardson) VII, 161

Harp in the south, The (Park) X, 196

Hatter's castle (Cronin) X, 21

Haunted man, The (Dickens) VII, 65

Hawaii (Michener) XIV, 301

Hawke, Young blood (Wouk) XIV, 335

Hear us O Lord from heaven thy dwelling place (Lowry) XIV, 206

Heart is a lonely hunter, The (Mac Cullers) XI, 197

– of London, The (Dickens, M.) XIV, 185

– – Midlothian, The (Scott) VII, 169

– – the family, The (Goudge) X, 64

– – the matter, The (Greene) X, 75

Heaven's my destination (Wilder) XI, 348

Heir, The (Sackville-West) X, 214

Helen's babies (Habberton) VII, 262

Henderson the rain king (Bellow) XIV, 253

Herries, Rogue (Walpole) X, 244

Herzog (Bellow) XIV, 253

Hidden flower, The (Buck) XI, 37

Hideous strength, The (Lewis, C. St.) X, 136

Higgins, Jimmie (Sinclair) XI, 287

High wind in Jamaica, A (Hughes) X, 92

Hills beyond, The (Wolfe) XI, 362

History and life of the Colonel Jacque, The (Defoe) VII, 56

– of Caliph Vathek, The (Beckford) VII, 8

– – Henry Esmond Esq., The (Thackeray) VII, 213

– – Pendennis, The (Thackeray) VII, 212

– – Rasselas, prince of Abissinia, The (Johnson, S.) VII, 126

– – Sir Charles Grandison, The (Richardson) VII, 163

– – the adventures of Joseph Andrews and of his friend Mr. Abraham Adams, The (Fielding) VII, 95

– – – life of the late Mr. Jonathan Wild the Great (Fielding) VII, 96

– – Tom Jones, a foundling, The (Fielding) VII, 97

H. M. S. Ulysses (Maclean) X, 145

Hobbs', Mr., Vacation (Streeter) XI, 325

Home and the world, The (Tagore) X, 237

Homecomings (Snow) XIV, 235

Honey badger, The (Ruark) XIV, 314

Hoosier schoolmaster, The (Eggleston) VII, 261

Hop-frog, The (Poe) VII, 322

Hornblower (Forester) X, 46

– and the Atropos (Forester) X, 46

Horse's mouth, The (Cary) X, 15

Horseshoe Robinson (Kennedy) VII, 283

Hotel Splendid (Bemelmans) XI, 13

Hound of the Baskervilles, The (Doyle) VII, 85

House at Pooh Corner, The (Milne) XIV, 213

– by the sea, The (Godden, J.) X, 59

– divided, A (Buck) XI, 30

– in Peking, A (Payne) XI, 235

– – the uplands, A (Caldwell, E.) XI, 48

– of breath, The (Goyen) XI, 129

– – earth, The (Buck) XI, 28

– – exile, The (Waln) XI, 331

– – pomegranates, A (Wilde) VII, 233

– – the seven gables, The (Hawthorne) VII, 267

How green was my valley (Llewellyn) X, 139

– to travel incognito (Bemelmans) XI, 14

Howards End (Forster) X, 51

Huckleberry Finn, The adventures of (Twain) VII, 325

Hudson's, Doctor, Journal (Douglas) XI, 76

Human comedy, The (Saroyan) XI, 268

Humphrey's clock, Master (Dickens) VII, 63

Hundred percent (Sinclair) XI, 288

Hungry hill (Du Maurier) X, 37

Hurricane (Nordhoff-Hall) XI, 224

Hypatia (Kingsley) VII, 127

I, Claudius (Graves-Ranke) X, 66

- knock at the door (O'Casey) XIV, 217

- live under a black sun (Sitwell) X, 226

Jackson, Wesley, The adventures of (Saroyan) XI, 269

Jalna, The master of (Roche) X, 211

Jane (Maugham) XIV, 213

Ides of march, The (Wilder) XI, 349

Jekyll, Dr., and Mr. Hyde (Stevenson) VII, 196

Jeremy (Walpole) X, 242

- and Hamlet (Walpole) X, 242

- at Crale (Walpole) X, 243

Jerry of the islands (London) VII, 300

Immortal wife (Stone) XI, 322

Imperative duty, An (Howells) VII, 271

Imperial City (Rice) XI, 246

In a farther country (Goyen) XI, 132

- chancery (Galsworthy) VII, 100

- cold blood (Capote) XIV, 258

- dubious battle (Steinbeck) XI, 304

- hazard (Hughes) X, 93

- love (Hayes, A.) XIV, 277

- the first watch (Mc Fee) X, 142

- - midst of life (Bierce) VII, 249

- this our life (Glasgow) XI, 127

Indian summer of a Forsyte (Galsworthy) VII, 100

Informer, The (O'Flaherty) X, 190

Inheritors, The (Golding, W. G.) XIV, 192

Innocence of father Brown, The (Chesterton) VII, 33

Intruder in the dust (Faulkner) XI, 107

Invisible man (Ellison) XIV, 264

- - , The (Wells) VII, 225

Invitation to the waltz (Lehmann, R.) X, 132

Ioannis Barclai Argenis (Barclay) VII, 7

Job, The (Lewis, S.) XI, 178

Johnson, Mister (Cary) X, 14

Jones, Tom, History of (Fielding) VII, 97

Iron heel, The (London) VII, 290

Irrational knot, The (Shaw, G. B.) VII, 179

Island magic (Goudge) X, 63

- Night's Entertainments (Stevenson) VII, 202

- of Doctor Moreau, The (Wells) VII, 224

Isle of voices, The (Stevenson) VII, 203

Isles of wisdom, The (Graves-Ranke) X, 69

It may never happen (Pritchett) X, 208

Juan in America (Linklater) X, 137

Jubilee trail (Bristow) XI, 22

Jubel's children (Kaufman) XI, 168

Jude the obscure (Hardy) VII, 122

Judge's story, The (Morgan, Ch.) X, 177

Julian (Vidal) XIV, 327

Jungle, The (Sinclair) XI, 282

- beasts and men (Mukerdschi) X, 181

- book (Kiplimg) VII, 133

Jurgen (Cabell) XI, 43

Justine (Durrell) X, 40; XIV, 187

Ivanhoe (Scott) VII, 171

Kari the elephant (Mukerdschi) X, 181

Keepers of the house, The (Grau) XIV, 275

Kenilworth (Scott) VII, 172

Keys of the kingdom, The (Cronin) X, 25

Kiddar's Luck (Common) X, 20

Kidnapped (Stevenson) VII, 197

Kikeriki (Melville) VII, 312

Kim (Kipling) VII, 137

King coal (Sinclair) XI, 286

Kingfishers catch fire (Godden, R.) X, 60

King's general, The (Du Maurier) X, 38

– orchard, The (Turnbull) XIV, 323

Kiss, kiss (Dahl) XIV, 262

Knight, Sebastian, The real life of (Nabokow) XII, 212

Knight's gambit, The (Faulkner) XIV, 268

Lady, The (Richter) XI, 251

– Chatterley's Lover (Lawrence) XIV, 202

– in the lookingglass, The (Woolf) XIV, 246

– into fox (Garnett) X, 56

Lapham, Silas, The rise of (Howells) XIV, 281

Lassie come home (Knight) X, 119

Last days of Pompeii, The (Bulwer) VII, 20

– of the Mohicans, The (Cooper) VII, 253

– Puritan, The (Santayana) XI, 264

– tycoon, The (Fitzgerald) XIV, 270

Late George Apley, The (Marquand) XI, 205

Laughing boy (La Farge) XI, 172

– matter, The (Saroyan) XI, 273

Lavengro (Borrow) XIV, 180

Leaf in the storm, A (Lin Yutang) XI, 190

Leaning tower, The (Porter) XI, 239

Leave it to Psmith (Wodehouse) X, 262

Legacy, A (Bedford) XIV, 179

Legend of sleepy hollow, The (Irving) VII, 281

Leper and other stories, The (Djilas) XIV, 449

Lessways, Hilda (Bennet) VII, 11

Let us play king (Lewis, S.) XI, 185

Levelling wind, The (Benaya) XI, 15

Lieutnant Hornblower (Forester) X, 46

Life, adventures and pyracies of the famous Captain Singleton, The (Defoe) VII, 54

– and adventures of Martin Chuzzlewit, The (Dickens) VII, 67

– – – of Nicholas Nickelby, The (Dickens) VII, 62

– – opinions of Tristram Shandy, The (Sterne) VII, 189

– – strange surprising adventures of Robinson Crusoe of York, The (Defoe) VII, 51

– of Major Gahagan, The (Thackeray) VII, 217

– on the Mississippi (Twain) VII, 327

– with mother (Day) XI, 71

Ligeia (Poe) VII, 321

Light in August (Faulkner) XI, 99

– that failed, The (Kipling) VII, 132

Lightning rod man, The (Melville) VII, 312

Listen: the wind (Lindbergh) XI, 194

Little ark, The (Hartog) X, 315

– Dorrit (Dickens) VII, 72

– girls, The (Bowen) XIV, 181

– Lord Fauntleroy (Burnett) VII, 250

– men (Alcott) VII, 246

– women (Alcott) VII, 245

Lively lady, The (Roberts, K. L.)
XI, 254
Lodging for the night, A (Stevenson)
VII, 193
Lonely hearts, Miß (West, N.) XIV,
330
– road (Shute) XIV, 233
Long dream, The (Wright) XIV, 336
– valley, The (Steinbeck) XI, 306
Lonlyhearts, Miss (West, N.) XIV,
330
Look back, Mrs. Lot! (Kishon) XIV,
200
– homeward angel (Wolfe) XI, 355
Looking backward: 2000 (Bellamy)
VII, 248
Lord Arthur Savile's crime and other
stories (Wilde) VII, 233
– Hornblower (Forester) X, 46
– Jim (Conrad) VII, 41
– of the flies (Golding, W. G.) X,
62
– Vanity (Shellabarger) XI, 281
Lost horizon (Hilton) X, 88
– Phoebe, The (Dreiser) XI, 85
– sea, The (Hartog) X, 316
Love among artists (Shaw, G. B.)
VII, 178
– – the haystacks (Lawrence) X,
128
– is a pie (Hutchins) XIV, 283
– – eternal (Stone) XI, 323
– of seven dolls (Gallico) X, 55
– song of Mara Lumera, The (Denti
di Pirajno) XIV, 105
Loved one, The (Waugh) XIV, 239
Lovely ambition, The (Chase) XIV,
260
Love's pilgrimage (Sinclair) XI, 285
Loving (Green, H.) XIV, 193
Luck of Barry Lyndon, The (Thackeray) VII, 209
– – roaring camp, The (Harte) VII,
264

Lumera, Mara, The song of (Denti
di Pirajno) XIV, 105
Lust for life. A novel of Vincent van
Gogh (Stone) XI, 321
Lying days, The (Gordimer) XI, 128
Lyndon, Barry, The luck of (Thacke-
ray) VII, 209

Madame Sousatzka (Rubens) XIV,
230
Maggie, a girl of the street (Crane)
VII, 259
Magic barrel, The (Malamud) XIV,
298
Magnificent Ambersons, The (Tar-
kington) XI, 327
– obsession (Douglas) XI, 75
Magnolia street (Golding, L.) X, 61
Maid in waiting (Galsworthy) VII,
110
Mainstreet (Lewis, S.) XI, 179
Maisie (James, H.) VII, 277
Maker of heavenly trousers, The
(Varè) IX, 312
Malcolm (Purdy) XIV, 312
Mama, I love you (Saroyan) XI, 274
Mamba (Cloete) X, 20
Man, The (Wallace) XIV, 327
– in the grey flannel suit, The (Wil-
son, S.) XI, 353
– – the zoo, A (Garnett) X, 56
– of Aran (Mullen) X, 182
– – property, The (Galsworthy)
VII, 100
– on a donkey, The (Prescott) X,
203
– who loved islands, The (Lawrence)
X, 129
– – was Thursday, The (Chesterton)
VII, 31
– with the golden arm, The (Algren)
XI, 2
– – the heart in the highlands, The
(Saroyan) XI, 271

Manhattan Transfer (Dos Passos) XI, 72

Mannering, Guy (Scott) VII, 167

Mano Majra (Khushwant) X, 117

Mansion, The (Faulkner) XIV, 269

Mantrap (Lewis, S.) XI, 182

Manuscript found in the bottle, A (Poe) VII, 320

Many-splendoured thing, A (Han Suyin) X, 82

Marble faun, The, or the romance of Monte Beni (Hawthorne) XIV, 277

March, Augie, The adventures of (Bellow) XI, 12

Markheim (Stevenson) VII, 200

Marner, Silas (Eliot, G.) VII, 90

Martha in Paris (Sharp, M.) XIV, 232

Masque of the red death, The (Poe) VII, 322

Master Humphrey's clock (Dickens) VII, 63

– of Ballantrae, The (Stevenson) VII, 201

– – Jalna, The (Roche) X, 211

Masterman Ready (Marryat) VII, 146

Masters, The (Snow) X, 227; XIV, 235

Mc Teague (Norris) VII, 316

Melmoth the wanderer (Maturin) VII, 147

Member of the wedding, A (Mac Cullers) XI, 199

Memoir of spring (Moll) XIV, 302

Men against the sea (Nordhoff-Hall) XI, 224

– like gods (Wells) VII, 228

– of the last frontier (Waescha-Kwonnesin) XI, 330

Merry men, The (Stevenson) VII, 200

Metropolis (Sinclair) XI, 283

Michael, brother of Jerry (London) VII, 302

Midcentury (Dos Passos) XIV, 262

Middle age of Mrs. Eliot, The (Wilson, A.) XIV, 241

Middlemarch (Eliot, G.) VII, 92

Midlanders, The (Tarkington) XI, 327

Midshipman Easy (Marryat) VII, 143

Mill on the Floss, The (Eliot, G.) VII, 89

Mine own executioner (Balchin) X, 6

Miri (Sourian) XI, 299

Miß Lonelyhearts (West, N.) XIV, 330

Mister Johnson (Cary) X, 14

Moby-Dick, or the whale (Melville) VII, 307

Modern comedy, A (Galsworthy) VII, 102

Moll Flanders (Defoe) VII, 55

Moment in Peking (Lin Yutang) XI, 188

Money from home (Runyon) XI, 261

Money-changers, The (Sinclair) XI, 283

Moon and sixpence, The (Maugham) X, 166

– is down, The (Steinbeck) XI, 309

Moonflower vine, The (Carleton) XIV, 259

Moonstone, The (Collins) VII, 37

Moran of the lady Letty (Norris) VII, 315

Moreau, The island of Doctor (Wells) VII, 224

Morella (Poe) VII, 321

Morning tide (Gunn) X, 78

Morte d'Urban (Powers) XIV, 311

Mother, The (Buck) XI, 31

Moulded in earth (Vaughan) X, 241

Moulin rouge (La Mure) XI, 175

Mountain victory (Faulkner) XI, 108

Mountolive (Durrell) XIV, 187

Mr. Gilhooley (O'Flaherty) X, 191
- Hobbs' vacation XI, 325
- Midshipman Hornblower (Forester) X, 46
- Petre (Belloc) X, 8
- Wilmer (Lawson) XI, 176

Mrs. Dalloway (Woolf, V.) X, 263
- Parkington (Bromfield) XI, 25
- Piggle-Wiggle (Mac Donald) XIV, 297

Murders in the Rue Morgue, The (Poe) VII, 321

Music of time, The (Powell) XIV, 226

Mutiny of the Elsinore, The (London) VII, 300
- on the Bounty (Nordhoff-Hall) XI, 223

My Antonia (Cather) XI, 59
- brother Jonathan (Young) X, 270
- cousin Rachel (Du Maurier) X, 39
- darling from the lions (Morris) XI, 219
- days of anger (Farrell) XI, 95
- friend Flicka (O'Hara, M.) XI, 229
- grandmother Millard and General Bedford Forrest and the battle of Harrykin-creek (Faulkner) XIV, 267
- life and hard times (Thurber) XI, 328
- name is Aram (Saroyan) XI, 267
- son, my son (Spring) X, 228

Mystery of Edwin Drood, The (Dickens) VII, 79
- - Marie Rôget, The (Poe) VII, 321

Naked and the dead, The (Mailer) XI, 204

Narrative of Arthur Gordon Pym, The (Poe) VII, 319

Narrow corner, The (Maugham) X, 169

Native doctor, The (Cronin) XIV, 184

Nectar in a sieve (Markandaya) X, 149

Nephew, The (Purdy) XIV, 312

Nest of simple folk, A (O'Faolain) XIV, 221

Never come morning (Algren) XI, 1
- victorious, never defeated (Caldwell, T.) XI, 53

New Atlantis, The (Bacon) VII, 5
- life, A (Malamud) XIV, 298
- York legend (Bromfield) XI, 26

Newcomes, The (Thackeray) VII, 216

Nickelby, Nicholas (Dickens) VII, 62

Nigger Jeff (Dreiser) XI, 85
- of the Narcissus, The (Conrad) VII, 40

Night in Bombay (Bromfield) XI, 24
- of the hunter, The (Grubb) XI, 136

Nighttrunners of Bengal (Masters) X, 162

Nightwood (Barnes) XIV, 251

Nine stories (Salinger) XIV, 315
- tailors, The (Sayers) X, 217

Nineteen eightyfour (Orwell) X, 194
- nineteen (Dos Passos) XI, 72

No more meadows (Dickens, M.) X, 34
- name in the street (Cicellis) XII, 431
- star is lost (Farrell) XI, 94
- trumpet before him (White) XIV, 332
- white coat (Tibber) XIV, 238

Noah's ark, tourist class (Kishon) XIV, 200

Nobbs, Albert (Moore) VII, 155

Nomads of the north (Curwood) X, 29

Nor the moon by night (Packer) XIV, 225

Northanger abbey (Austen) VII, 5
Northward ho! (Evans) X, 43
Northwest-passage (Roberts, K. L.)
   XI, 255
NOVELLEN:
   Anderson XI, 7
   Chesterton VII, 33. 34
   Dreiser XI, 85
   Galsworthy VII, 112
   Hardy VII, 121
   Joyce X, 106
   La Farge XI, 173
   Lawrence X, 128
   Lin Yutang XI, 191
   Poe VII, 320
   Porter XI, 237-239
   Saroyan XI, 271
   Wright XI, 367
   S. a. »Erzählungen«
Nuni (Griffin) XI, 135
Nun's story, The (Hulme) XIV, 283
Nutmeg tree, The (Sharp) X, 220
Nylonpirates, The (Monsarrat) XIV,
   214

O Absalom! (Spring) X, 228
– river, remember (Ostenso) XI, 231
Octopus (Norris) VII, 317
Of human bondage (Maugham) X,
   164
– mice and men (Steinbeck) XI, 305
– time and the river (Wolfe) XI,
   357
Oil (Sinclair) XI, 290
– for the lamps of China (Hobart)
   XI, 155
Old boys, The (Trevor) XIV, 239
– curiosity shop, The (Dickens) VII,
   63
– man and the sea, The (Hemingway) XI, 147
– men at the zoo, The (Wilson, A.)
   XIV, 242
– wives' tale, The (Bennet) VII, 9

Omoo, a narrative of adventures in
   South Seas (Melville) VII, 303
On Forsyte change (Galsworthy)
   VII, 104
– the beach (Shute) X, 225
– – road (Kerouac) XI, 169
O'Neill, Danny (Farrell) XI, 93
Onions in the stew (Mac Donald) XI,
   202
Onkl Moses (Asch) XI, 8
Only child, An (O'Connor) XIV, 220
Open boat, The, and other tales of
   adventure (Crane) VII, 260
Ordeal of Richard Feverel, The
   (Meredith) VII, 149
Orlando (Woolf, V.) X, 265
Other people's children (Habberton)
   VII, 262
– voices, other rooms (Capote) XI,
   55
Our man in Havanna (Greene) XIV,
   193
– Mr. Wrenn (Lewis, S.) XI, 177
   mutual friend (Dickens) VII, 77
Out of the silent planet (Lewis, C. St.)
   X, 134
Outcast of the islands, An (Conrad)
   VII, 39
Outcasts of Poker Flat, The (Harte)
   VII, 264
Over the river (Galsworthy) VII, 110

Pail of oysters, A (Sneider) XI, 298
Painted veil, The (Maugham) X, 168
Pale horse, pale rider (Porter) XI,
   238
Pamela, or virtue rewarded (Ri-
   chardson) VII, 160
Pantalon in black (Faulkner) XIV,
   267
Paradise (Forbes) XI, 121
– of bachelors, The (Melville) VII,
   313
Paris, Judith (Walpole) X, 245

Parkington, Mrs. (Bromfield) XI, 25
Party dress, The (Hergesheimer) XI,
    150
Passage to India, A (Forster) X, 52
Passers-by (Galsworthy) VII, 102
Pastures of heaven, The (Steinbeck)
    XI, 301
Pathfinder, The (Cooper) VII, 254
Patients of a saint (Tibber) XIV, 238
Patrician, The (Galsworthy) VII, 106
Patriot, The (Buck) XI, 35
Pause in the desert, A (La Farge) XI,
    173
Pavilion of women (Buck) XI, 36
Peacock sheds his tail, The (Hobart)
    XI, 157
Pearl, The (Steinbeck) XI, 312
Pelham (Bulwer) VII, 19
Pendennis, The history of (Thacke-
    ray) VII, 212
Perelandra (Lewis, C. St.) X, 135
Perfect day for Bananafish, A (Sa-
    linger) XI, 263
Perimeter West (Rowdon) X, 213
Personal history ... of David Cop-
    perfield the younger, The (Dickens)
    VII, 69
Persuasion (Austen) VII, 4
Peyton Place (Metalious) XIV, 300
Phantom ship, The (Marryat) VII,
    145
Phoenix rising (Steen) X, 233
Pickering, Eugene (James, H.) VII,
    272
Pickle, Peregrine, The adventures of
    (Smollet) VII, 183
Pickwick-Club, The posthumous
    papers of the (Dickens) VII, 59
Picture of Dorian Gray, The (Wilde)
    VII, 234
Pictures in the hallway (O'Casey)
    XIV, 217
Piggle-Wiggle, Mrs. (Mac Donald)
    XIV, 297

Pilgrim hawk, The (Wescott) XI,
    338
Pilgrims of the wild (Waescha-
    Kwonnesin) XI, 330
Pink house, The (White) XIV, 332
Pioneer, go home (Powell) XIV, 310
Pioneers, The (Cooper) VII, 254
Pirate and the three cutters, The
    (Marryat) VII, 144
Pistol, The (Jones) XI, 165
Pit, The (Norris) VII, 318
Pit and the pendulum, The (Poe)
    VII, 322
Pitcairn's Island (Nordhoff-Hall)
    XI, 224
Place called Estherville (Caldwell,
    E.) XI, 49
– to stand, A (Bridge) X, 12
Plague and I, The (Mac Donald) XI,
    201
Plain tales from the hills (Kipling)
    VII, 131
Playboy (Ruark) XIV, 314
Pleasant Historie of John Winch-
    comb, The (Deloney) VII, 57
Plexus (Miller, H.) XI, 214
Poems in prose (Wilde) VII, 236
Point counter point (Huxley) X, 96
– of no return (Marquand) XI, 208
Pomp and circumstance (Coward)
    XIV, 183
Poor man's pudding and rich man's
    crumbs (Melville) VII, 313
– – orange (Park) X, 196
– no more (Ruark) XIV, 313
– white (Anderson) XI, 6
Porgy (Heyward) XI, 154
Portrait in a mirror (Morgan, Ch.)
    X, 174
– of a lady (James, H.) VII, 273
– – Clare (Young) X, 268
– – Jennie (Nathan) XI, 221
– – the artist as a young man, A
    (Joyce) X, 108

Posthumous papers of the Pickwick-Club, The (Dickens) VII, 59
Postman always rings twice, The (Cain) XI, 44
Power ... (Fast) XIV, 265
– and the glory, The (Greene) X, 74
Prairie, The (Cooper) VII, 255
Prater violet (Isherwood) X, 113
Precious bane (Webb) X, 255
Presence of Grace, The (Powers) XIV, 311
Pretty mouth and green my eyes (Salinger) XI, 263
Pride and prejudice (Austen) VII, 3
Prime of Miss Jean Brodie, The (Spark) XIV, 236
Prince and the pauper, The (Twain) VII, 326
– of Abissinia, The (Johnson, S.) VII, 126
– – Darkness, The (Powers) XIV, 311
Princess, The (Lawrence) X, 128
– Casamassima (James, H.) VII, 275
Prisoner of grace (Cary) X, 16
Private life of Helen of Troy, The (Erskine) XI, 89
– memoirs and confessions of a justified sinner, The (Hogg) VII, 123
Progress of Julius, The (Du Maurier) XIV, 187
Prologue to love (Ostenso) XI, 231
Psmith, Leave it to (Wodehouse) X, 262
Puck of Pook's Hill (Kipling) VII, 138
Pulham, H. M., Esquire (Marquand) XI, 207
Purloined letter, The (Poe) VII, 321
Pylon (Faulkner) XI, 100
Pym, Arthur Gordon (Poe) VII, 319

Question of upbringing, A (Powell) XIV, 226

Rabbit Hill (Lawson) XI, 176
– run (Updike) XIV, 323
Rabble in arms (Roberts, K. L.) XI, 253
Rage to live, A (O'Hara) XIV, 306
Rajah's Diamond, The (Stevenson) VII, 194
Rain on the wind (Macken) X, 143
Rainbow, The (Lawrence) X, 124
Rains came, The (Bromfield) XI, 23
Raise high the roof beam, carpenters, and Seymour an introduction (Salinger) XIV, 316
Random, Roderick, Adventures of (Smollet) VII, 181
Rasselas, prince of Abissinia (Johnson, S.) VII, 126
Razor's edge, The (Maugham) X, 170
Real Charlotte, The (Somerville) VII, 187
– life of Sebastian Knight, The (Nabokow) XII, 212
Rebecca (Du Maurier) X, 36
Red badge of courage, The (Crane) VII, 258
– Danube, The (Marshall) X, 152
– rover, The (Cooper) VII, 256
– skins, The (Cooper) VII, 257
Redburn (Melville) VII, 304
Redemption (Stuart) X, 236
Reflections in a golden eye (Mac Cullers) XI, 198
Reindeer trek (Evans) X, 41
Reivers, The (Faulkner) XIV, 270
Requiem for a nun (Faulkner) XI, 109
Rescue, The (Conrad) VII, 49
Rest cure, The (Huxley) X, 104
Return of Don Quixote, The (Chesterton) VII, 36

Return of the native, The (Hardy) VII, 118
– to paradise (Michener) XI, 211
– – Peyton Place (Metalious) XIV, 300
Rice-sprout song, The (Chang) XI, 62
Rienzi, the last of the tribunes (Bulwer) VII, 21
Rings around us (Gilbreth-Carey) XI, 125
Rip van Winkle (Irving) VII, 281
Rise of Silas Lapham, The (Howells) XIV, 281
River line, The (Morgan, Ch.) X, 178
– supreme (Hobart) XI, 155
Road, The (London) VII, 291
– past Mandalay, The (Masters) XIV, 212
Roads of destiny (Henry) VII, 269
Roaring boys, The (Payne) XI, 234
Robbery under arms (Boldrewood) VII, 13
Robe, The (Douglas) XI, 77
Robinson (Spark) XIV, 236
– Crusoe of York (Defoe) VII, 51
Rock Wagram (Saroyan) XI, 272
Rôget, Marie, The mystery of (Poe) VII, 321
Roman spring of Mrs. Stone, The (Williams, T.) XI, 351
Romany Rye, The (Borrow) XIV, 180
Rome 12 Noon (Macpherson) XIV, 208
Romola (Eliot, G.) VII, 92
Room at the top (Braine) XIV, 181
Rooster crows for a day (Burman) XI, 41
Roper's row (Deeping) X, 32
Rose, Jimmy (Melville) VII, 313
Rosemary tree, The (Goudge) X, 65
Rover, The (Conrad) VII, 50
Royal box, The (Keyes) XI, 171

Rudge, Barnaby (Dickens) VII, 63
Ruiz, Gaspar, a romantic tale (Conrad) VII, 44
Running of the tide, The (Forbes) XI, 123

Sabishisa (Mannin) XIV, 209
Saddest story, The (Ford) XIV, 190
Saint, The, and Mary Kate (O'Connor) XIV, 219
Saint's progress (Galsworthy) VII, 109
Salar the salmon (Williamson) X, 259
Sanctuary (Faulkner) XI, 97
Sandcastle, The (Murdoch) X, 184
Saratoga trunk (Ferber) XI, 114
Saroyan special, The (Saroyan) XI, 270
Sartor Resartus (Carlyle) VII, 27
Satanstoe (Cooper) VII, 257
Saturday night and sunday morning (Sillitoe) XIV, 234
Savile's, Lord Arthur, Crime (Wilde) VII, 233
Sawyer, Tom (Twain) VII, 324
Sayonara (Michener) XI, 212
Scarlet letter, The (Hawthorne) VII, 266
Scenes of clerical life (Eliot, G.) VII, 93
Scoop (Waugh) X, 253
Scorpion field, The (Nusser) XI, 226
Seasick whale; an Israeli abroad (Kishon) XIV, 201
Sea-wolf, The (London) VII, 288
Second Jungle book (Kipling) VII, 134
Secret of father Brown, The (Chesterton) VII, 34
Secret agent, The (Conrad) VII, 45
– rose, The (Yeats) VII, 239
Seeds of Hiroshima, The (Morris, E.) XIV, 303

Selected short stories (Galsworthy) VII, 112

Sentimental journey through France and Italy, A (Sterne) VII, 192

Separate peace, A (Knowles) XIV, 292

Seraglio, The (Merrill) XIV, 299

Serenade (Cain) XI, 44

Serpent-wreathed staff, The (Hobart) XI, 158

Set this house on fire (Styron) XIV, 322

Seven Gothic tales (Blixen) X, 9

– who fled (Prokosch) XI, 241

Shades of spring, The (Lawrence) X, 128

Shadow and the peak, The (Mason) X, 161

– line, The (Conrad) VII, 49

Shandy, Tristram (Sterne) VII, 189

Shannon's, Dr., way (Cronin) X, 26

Sheltering sky, The (Bowles) XI, 18

Sherlock Holmes, The adventures of (Doyle) VII, 84

Shim (Davis) XI, 69

Shiner, A few flowers for (Llewellyn) XIV, 205

Shiny night, The (Tunstall) X, 241

Ship of fools (Porter) XIV, 309

– – the line, A (Forester) X, 46

Shiralee, The (Niland) X, 187

Shirley (Brontë, Ch.) VII, 15

Shoes of the fisherman, The (West, M.) XIV, 329

Shooting star, A (Stegner) XIV, 320

Short reign of Pipin IV., The (Steinbeck) XI, 318

Show must go on, The (Rice) XI, 247

Show-boat (Ferber) XI, 113

Siege of London, The (James, H.) VII, 274

Silas Marner, the weaver of Raveloe (Eliot, G.) VII, 90

Silent people, The (Macken) XIV, 207

– wooing, A (Galsworthy) VII, 102

Silver spoon, The (Galsworthy) VII, 102

Simple, Peter (Marryat) VII, 142

Single man, A (Isherwood) XIV, 199

– pebble, A (Hersey) XI, 153

Singleton, Life and adventures of the Captain (Defoe) VII, 54

Sir Michael and Sir George (Priestley) XIV, 227

Sister Carrie (Dreiser) XI, 77

Six feet of the country (Gordimer) XI, 129

Sketch book, The (Irving) VII, 280

Small back room, The (Balchin) X, 5

– miracle, The (Gallico) X, 54

Smoke and shorty (London) VII, 297

– Bellow (London) VII, 296

Snake pit, The (Ward) XI, 333

Snob Papers (Thackeray) VII, 217

So little time (Marquand) XI, 207

Socrates, The escape of (Pick) XI, 236

Sojourner, The (Rawlings) XI, 245

Soldiers three (Kipling) VII, 129

Solent, Wolf (Powys) X, 202

Some came running (Jones) XI, 165

– on like you ... (Dahl) XIV, 262

Something light (Sharp, M.) XIV, 232

– of value (Ruark) XI, 259

Son of a hundred kings (Costain) XI, 65

– – the Danube (Petroff) XI, 235

– – – sun, A (London) VII, 298

– – – wolf, The (London) VII, 284

Sons (Buck) XI, 29

– and lovers (Lawrence) X, 123

Sorrell, Captain, and son (Deeping) X, 30

Sound and the fury, The (Faulkner) XI, 96

Source, The (Michener) XIV, 301
Sousatzka, Madame (Rubens) XIV, 230
Sout of the angels (West, J.) XIV, 329
South sea tales (London) VII, 295
– wind (Douglas) XIV, 186
Southerner, The (Kiker) XI, 172
Spanish farm-trilogy, The (Mottram) X, 180
– gardener, The (Cronin) X, 27
Sparkenbroke (Morgan, Ch.) X, 176
Spartacus (Fast) XIV, 265
Spectacles, The (Poe) VII, 322
Spider's house, The (Bowles) XI, 19
Spotted horses (Faulkner) XI, 98
Spy, The (Cooper) VII, 251
Stalky and Co. (Kipling) VII, 136
Stars look down, The (Cronin) X, 23
Steamboat Gothic (Keyes) XI, 170
Steep ascent, The (Lindbergh) XI, 195
St. Mawr (Lawrence) X, 126
Stoic, The (Dreiser) XI, 86
Stone, Mrs., The Roman spring of (Williams, T.) XI, 351
Store, The (Stribling) XI, 325
Storm (Stewart) XI, 320
Strange case of Dr. Jekyll and Mr. Hyde, The (Stevenson) VII, 196
Stranger at the gate (Hearne) X, 87
Strangers and Brothers (Snow) XIV, 234
Street of the laughing camel, The (Burman) XIV, 256
Study in scarlet, A (Doyle) VII, 83
Such darling dodos (Wilson) X, 261
Suicide club (Stevenson) VII, 194
Summer place, A (Wilson) XI, 353
Sun (Lawrence) X, 128
– also rises, The (Hemingway) XI, 138
– is my undoing, The (Steen) X, 232
Sunset touch, A (Spring) X, 231

Supreme night, The (Tagore) X, 238
Sussex gorse (Kaye-Smith) X, 114
Swan song (Galsworthy) VII, 102
Sweet flypaper of life, The (Hughes) XI, 159
– thursday (Steinbeck) XI, 317
Sybil, or the two nations (Disraeli) VII, 81

Taking of the Gry, The (Masefield) X, 158
Tale of Chloe (Meredith) VII, 151
– – two cities (Dickens) VII, 74
Tales from an empty cabin (Wae-scha-Kwonnesin) XI, 331
– – Shakespeare (Lamb) VII, 139
– of soldiers and civilians (Bierce) VII, 249
– – the Argonauts (Harte) VII, 263
– – – grotesque and arabesques (Poe) VII, 320
– – – South Pacific (Michener) XI, 210
Talisman, The (Scott) VII, 175
Tall tales of the Kentucky Mountains (Mackaye) XI, 202
Tambourines to glory (Hughes) XI, 161
Tampico (Hergesheimer) XI, 149
Tancred, or The New Crusade (Disraeli) VII, 82
Tapioca surprise (Goyen) XIV, 273
Tartarus of maids, The (Melville) VII, 313
Teahouse of the August moon, The (Sneider) XI, 297
Tears might cease, The (Farrell) XIV, 189
Teddy (Salinger) XI, 264
Tell freedom (Abrahams) X, 3
Tell-tale heart, The (Poe) VII, 322
Temple of costly experience, The (Varè) IX, 312

Ten north Frederick (O'Hara, J.) XI, 228

– seconds from now (Cicellis) XIV, 466

Tenants (Goyen) XIV, 273

Tender is the night (Fitzgerald) XI, 119

Tess of the D'Urbervilles (Hardy) VII, 119

That evening sun (Faulkner) XI, 111

These twain (Bennet) VII, 11

They call me carpenter (Sinclair) XI, 289

– seek a country (Young) X, 271

Thief Coyote, The (Goyen) XIV, 273

Thin red line, The (Jones) XIV, 289

Things as they are, or the adventures of Caleb Williams (Godwin) VII, 115

Third day, The (Hayes, J.) XIV, 278

– man, The (Greene) X, 71

This above all (Knight) X, 118

– proud heart (Buck) XI, 34

– side of glory (Bristow) XI, 21

– – – innocence (Caldwell, T.) XI, 52

– very earth (Caldwell, E.) XI, 48

Thomas of Reading (Deloney) VII, 58

Thorne, Doctor (Trollope) VII, 218

Those barren leaves (Huxley) X, 95

Thousand-and-second-tale of Sheherazade, The (Poe) VII, 322

Three black pennies, The (Hergesheimer) XI, 148

– harbours (Mason) XI, 208

– lives (Stein) XIV, 321

– loves (Cronin) X, 22

– men in a boat (Jerome) VII, 125

– players of a summer game (Williams) XIV, 333

– soldiers (Dos Passos) XI, 71

Thunderhead (O'Hara, M.) XI, 230

Thundering herd, The (Grey) XI, 134

Thurber carnival, The (Thurber) XI, 328

Thurbers dogs (Thurber) XI, 328

Tiffany's, Breakfast at (Capote) XI, 58

Tillotson-banquet, The (Huxley) X, 103

Time and time again (Hilton) X, 90

– machine, The (Wells) VII, 223

– must have a stop (Huxley) X, 101

– of hope (Snow) XIV, 234

– out of mind (Field) XI, 115

To every man a penny (Marshall) X, 153

– have and have not (Hemingway) XI, 142

– kill a mockingbird (Lee) XIV, 294

– let (Galsworthy) VII, 100

– the lighthouse (Woolf, V.) X, 264

Tobacco road (Caldwell, E.) XI, 45

To-morrow (Conrad) VII, 42

– will be better (Smith) XI, 296

Tontine, The (Costain) XI, 66

Too late the phalarope (Paton) X, 200

Torrents of spring, The (Hemingway) XI, 139

Tortilla Flat (Steinbeck) XI, 303

Towers of Trebizond, The (Macaulay) XIV, 206

Town, The (Faulkner) XI, 111

– – (Richter) XI, 248

– like Alice, A (Shute) X, 224

Tracy's tiger (Saroyan) XI, 271

Travels into several remote nations of the world by Lemuel Gulliver (Swift) VII, 205

Treasure island (Stevenson) VII, 194

Tree grows in Brooklyn, A (Smith) XI, 295

– of man, The (White) X, 257

– – night, A (Capote) XI, 56

Trees, The (Richter) XI, 248

Tremain, Johnny (Forbes) XI, 122

Trembling of a leaf (Maugham) X, 166
Trilby (Du Maurier) VII, 86
Triumph of the egg, The (Anderson) XI, 7
Trooper Peter Halket of Mashonaland (Schreiner) VII, 165
Trouble in July (Caldwell, E.) XI, 47
Trustee from the toolroom (Shute) XIV, 233
Turmoil, The (Tarkington) XI, 327
Turn of the screw, The (James, H.) VII, 279
Turning wheels (Cloete) X, 18
Turquois, The (Seton, A.) XI, 276
Twenty short stories (Saroyan) XIV, 318
– years a-growing (O'Sullivan) X, 195
Twenty-five short stories (Benét) XI, 16
Twice told stories (Hawthorne) VII, 264
Twilight on the Floods (Steen) X, 232
– sleep (Wharton) XI, 343
Twist, Oliver, The adventures of (Dickens) VII, 61
Two admirals (Cooper) VII, 256
– or three graces (Huxley) X, 96
Typee, a peep at Polynesian life (Melville) VII, 303
Typhoon (Conrad) VII, 43

Uhuru (Ruark) XIV, 314
Ulysses (Joyce) X, 109
– , H. M. S. (Maclean) X, 145
Uncle Tom's cabin (Beecher-Stowe) VII, 247
– – children (Wright) XI, 367
Under the hill (Beardsley) XIV, 178
– – volcano (Lowry) X, 140
– western eyes (Conrad) VII, 46
Unpleasantness at the Bellona Club, The (Sayers) X, 216

Unsocial socialist, The (Shaw, G. B.) VII, 177
Unvanquished, The (Faulkner) XI, 102
Urban, Morte d' (Powers) XIV, 311
Urbervilles, Tess of the d' (Hardy) VII, 119
U. S. A. (Dos Passos) XI, 72
Usher, The fall of the house of (Poe) VII, 322
Utopia (Morus) VII, 156

Valley of the moon, The (London) VII, 297
– – – vines, The (Packer) XIV, 225
Vanessa (Walpole) X, 247
Vanity fair (Thackeray) VII, 210
Vathek, The history of Caliph (Beckford) VII, 8
Vein of iron (Glasgow) XI, 126
Vicar of Wakefield, The (Goldsmith) VII, 117
Vicarious years, The (Druten) X, 35
Victim, The (Bellow) XIV, 252
Victorious Troy or the Hurrying Angel (Masefield) X, 159
View from Pompey's head, The (Basso) XI, 11
Villette (Brontë, Ch.) VII, 16
Violent bear it away, The (O'Connor, F.) XIV, 306
Virgin and the gipsy, The (Lawrence) X, 129
Virginian, The (Wister) XI, 354
Virginians, The (Thackeray) VII, 214
Vixens, The (Yerby) XI, 369
Vodi, The (Braine) XIV, 182
Voice of the city, The (Henry, O.) XIV, 279
Voices under the window (Hearne) X, 86
Voss (White) X, 258
Voyage, The (Morgan, Ch.) X, 176

Wagram, Rock (Saroyan) XI, 272
Walden, or Life in the Woods (Thoreau) VII, 323
Wall, The (Hersey) XI, 152
Wallstreet (Sinclair) XI, 283
War in the blood (Madariaga y Rojo) XIV, 157
Ware, Julian (Wilson, G.) XIV, 243
Was (Faulkner) XI, 107
Watch night (Lowrey) XI, 196
Water-babies, The (Kingsley) VII, 128
Waters, Esther (Moore) VII, 153
Waverley, or 'tis sixty years since (Scott) VII, 166
Waves, The (Woolf) XIV, 245
Way of all flesh, The (Butler) VII, 25
Wayward bus, The (Steinbeck) XI, 311
Web and the rock, The (Wolfe) XI, 359
– of earth, The (Wolfe) XI, 362
Webber, Wolfert (Irving) VII, 280
Weir of Hermiston (Stevenson) VII, 204
Well at the world's end, The (Gunn) X, 80
Wet parade, The (Sinclair) XI, 291
What a way to go. Ceremony in a lone tree (Morris, W.) XIV, 304
Wheel, The (Leach) X, 130
When my girl comes home (Pritchett) XIV, 228
– the sleeper wakes (Wells) VII, 226
Where angels fear to tread (Forster) X, 49
Whisky galore (Mackenzie) X, 145
White fang (London) VII, 289
– -Jacket: Or, the world in a man of war (Melville) VII, 305
– monkey, The (Galsworthy) VII, 102
– south, The (Innes) X, 105
Whiteoak harvest (Roche) X, 211

Whiteoaks of Jalna (Roche) X, 210
Wickford point (Marquand) XI, 206
Wide house, The (Caldwell, T.) XIV, 257
Wild animals I have known (Seton, E. Th.) XI, 277
– animals' ways (Seton, E. Th.) XI, 278
– conquest (Abrahams) X, 3
– geese (Ostenso) XI, 230
– goose, The (Moore) VII, 155
– horse (Balch) XI, 10
– palms and Old man, The (Faulkner) XI, 103
Wild the Great, Jonathan (Fielding) VII, 96
Will o' the mill (Stevenson) VII, 201
Williams, Caleb, The adventures of (Godwin) VII, 115
Wilmer, Mr. (Lawson) XI, 176
Wilson, William (Poe) VII, 321
Winchcomb, John (Deloney) VII, 57
Wind and wave (Macleod) VII, 141
– cannot read, The (Mason) X, 160
Winds of heaven, The (Dickens, M.) X, 34
Windswept (Chase) XI, 63
Winesburg, Ohio (Anderson) XI, 5
Winnie the Pooh (Milne) XIV, 213
Winter's tales (Blixen) X, 9
Winthrop, Georgie (Wilson, S.) XIV, 334
Wiswell, Oliver (Roberts, K. L.) XI, 256
Witch diggers, The (West) XI, 340
Witch's thorn, The (Park) X, 197
Without my cloak (O'Brien) X, 188
Wolfe, Turbott (Plomer) XIV, 225
Woman of Andros, The (Wilder) XI, 347
– who rode away, The (Lawrence) X, 127
World, The, the flesh and father Smith (Marshall) X, 151

World I never made, A (Farrell) XI, 93
- of love, A (Bowen) X, 11
- - strangers, A (Gordimer) XIV, 272
- - William Clissold, The (Wells) VII, 231
- so wide (Lewis, S.) XI, 186
World's End (Sinclair) XIV, 319
Wrenn, Our Mr. (Lewis, S.) XI, 177
Wrong set, The (Wilson, A.) X, 261
Wuthering Heights (Brontë, E.) VII, 17

Yalu flows, The (Li) X, 136
Yang and Yin (Hobart) XI, 156

Yearling, The (Rawlings) XI, 244
Years, The (Woolf, V.) X, 267
Yeast, a problem (Kingsley) VII, 127
Yellowplush Correspondence (Thackeray) VII, 217
You can't go home again (Wolfe) XI, 361
Young-Archimedes (Huxley) X, 94
Young blood Hawke (Wouk) XIV, 335
- lions, The (Shaw, I.) XI, 278
Youth (Conrad) VII, 42

Zamour (Goyen) XI, 131
Zane, Betty (Grey) XI, 133
Zanoni (Bulwer) VII, 22

Flämische und Holländische Romane

Adelaide (Walschap) X, 356
Afscheid van het paradijs (Ter Elst) X, 337
Agnes (Hemeldonck) X, 318
Alissa en Adrienne (Morriën) X, 327
Andere wereld, De (Lulofs) X, 324
Anne-Marie (Timmermans) X, 342
Appel en Eva, De (Ammers-Küller) X, 281
Arjen (Bruijn) X, 292
Artevelde, Jacob van (Conscience) VII, 339

Babel (Couperus) VII, 341
Bartje (Vries, A.) X, 351
- zoekt het geluk (Vries, A.) X, 352
Bas, Pieter, Memoires of gedenkschriften van minister (Bomans) X, 285
Benen voorhooft, Het (Ouwendijk) X, 331
Blauwbaard (Pillecijn) X, 332
Boerenpsalm (Timmermans) X, 344
Brood uit het water (Oever) X, 329

Brueghel, Pieter (Timmermans) X, 343
Bruiloft der zeven zigeuners, De (Doolaard) X, 303

Carla (Walschap) X, 356
Ciske de rat (Bakker) X, 284
Cleyne keyser, De (Hemeldonck) X, 317

Dokter en het lichte meisje, De (Vestdijk) X, 350
Dood in het dorp, De (Walschap) X, 361
Dorp aan de rivier (Coolen) X, 298
- in de heide. Geert en Greta (Hemeldonck) X, 317
Dorre grond (Eysselstein) XIV, 339
Doxa, Johan (Teirlinck) VII, 365
Dr. Vlimmen (Roothaert) X, 335
Drie gebroeders, De (Coolen) X, 299
- koningen aan der kust, De (Streuvels) VII, 359

Duivelsche drie-eenheid, De (Ouwendijk) X, 330

Eerste verbeelding (Woestijne) VII, 368
Elzelina (Ammers-Küller) X, 283
Eric (Walschap) X, 356
ERZÄHLUNGEN:
Buysse VII, 335
Claes X, 297
Coolen X, 300
Doolard X, 304
Last X, 322
Morriën X, 326. 327
Multatuli VII, 349
Schendel VII, 352
Streuvels VII, 358
Timmermans X, 343. 345
Walschap X, 359

Fanfare »De Sint Jansvrienden,« De (Claes) X, 294
Flipje (Fabricius) X, 307
Fregatschip Johanna Maria, Het (Schendel) VII, 351

Gedenkschriften van minister Pieter Bas (Bomans) X, 285
Geschiedenis van Black, De (Claes) X, 295
– – Mathias Wieringer, De (Depauw) X, 302
– – Woutertje Pieterse, De (Multatuli) VII, 348
Getrouwen, De (Ammers-Küller) X, 283
God en de wormen (Velde, A.) X, 347
Gods geuzen (Hartog) X, 312
Groeikracht (Streuvels) VII, 353
Grootmoederken (Streuvels) VII, 359
Grote geus, De (Fabricius) X, 308
– zaal, De (Velde, J.) X, 348

Hall en Hefferley (Breedveld) X, 291
Harp van St. Franciscus, De (Timmermans) X, 344
Harry (Cauwelaert) X, 293
Havelaar, Max (Multatuli) VII, 347
Heeren, knechten en vrouwen (Ammers-Küller) X, 281
Heilige paarden, De (Fabricius) XIV, 339
Herberg in't misverstand (Coolen) X, 301
Hexspoor (Breedveld) X, 289
Hilde (Vries, A.) X, 353
Hof der drie koningen, Het (Boschvogel) X, 287
Hollands Glorie (Hartog) X, 311
Houtekiet, Jan (Walschap) X, 358
Huis in de rij, En (Naeff) X, 327
Huyck, Ferdinand (Lennep) VII, 346

Jazzspeler, De (Roelants) X, 334
Johannes Viator (Eeden) VII, 343
Iseland, Iseland! (Germonprez) X, 309
Ivoren aapje, Het (Teirlinck) VII, 364

Kaas, Alfons de (Elsschot) X, 305
Kaersken in de lateern, Het (Timmermans) X, 343
Karakter (Bordewijk) X, 286
Kerstekind, Het (Streuvels) VII, 358
Kerstmis in de Kempen (Coolen) X, 300
Kindeken Jezus in Vlaanderen, Het (Timmermans) X, 340
Kinderen der mensen (Kuyle) X, 321
– van ons volk (Coolen) X, 298
Kleine Johannes, De (Eeden) VII, 342
– mensen in de grote wereld (Doolaard) X, 304
Klop op de deur, De (Boudier-Bakker) X, 288

Kobeke (Claes) X, 295
Koelie (Lulofs) X, 324

Laat mih maar zwerven (Oever) X, 330
Langs de Wegen (Streuvels) VII, 354
Leeuw van Vlaanderen, De (Conscience) VII, 338
– – – , Een (Buysse) VII, 334
Lentleven (Streuvels) VII, 352
Leven van Rozeke van Dalen, Het (Buysse) VII, 336
– en de Dood in den Ast, Het (Streuvels) VII, 360
– – – – van Victalis van Gille, Het (Claes) X, 294
Levenden en de doden, De (Demedts) XIV, 338
Levensbloesem (Streuvels) VII, 362

Maartens, Martje (Streuvels) VII, 363
Max Havelaar, of de koffijveilingen der nederlandsche handelsmaatschappi (Multatuli) VII, 347
Memoires of gedenkschriften van minister Pieter Bas (Bomans) X, 285
Merijntje Gijzen's jeugd (Jong) X, 319
Met permissie (Velde, A.) X, 348
Minnehandel (Streuvels) VII, 355
Moeder en de drie soldaten, De (Claes) X, 296

Nachtbruid, De (Eeden) VII, 345
Noodlot (Couperus) VII, 340

Oogst, De (Streuvels) VII, 353
Op afbetaling (Vestdijk) X, 350
Oproer in Congo (Walschap) X, 360
Opstandigen, De, een familie-roman (Ammers-Küller) X, 279

Pallieter (Timmermans) X, 340
Pastoor Campens Zaliger (Claes) X, 296
– uit den bloeyenden wijngaerdt, De (Timmermans) X, 342
Patrioten, De (Ammers-Küller) X, 282
Poes, Minneke (Timmermans) X, 346
Prutske (Streuvels) VII, 359

Raps, Wannes (Claes) X, 295
Rembrandt (Vries, Th.) X, 353
Romeo, of de minnaar de liefde (Woestijne) VII, 367
Rozeke van Dalen, Het Leven van (Buysse) VII, 336
Rubber (Lulofs) X, 323

Sansculotten, De (Ammers-Küller) X, 282
Scharlaken stad, De (Haasse) X, 311
Schoone jacht, De (Schendel) VII, 352
– jaar van Carolus, Het (Thiry) X, 338
Sirius en Siderius (Eeden) VII, 344
Sla de wolven neer, herder (Vries, Th.) X, 355
Slordig mens, Een (Morriën) X, 326
Staas, Ernest, advocaat (Bergmann) VII, 333
Stella (Hartog) X, 314

Tavelinck (Ammers-Küller) X, 281
Teleurgang van den Waterhoek, De (Streuvels) VII, 361
t'geluk hangt als een druiventrog (Scharten) X, 337
Tornado, De (Nijenhuis) X, 328
Trouwen (Walschap) X, 357

Van arme Menschen (Buysse) VII, 335

Veerman en de jonkvrouw, De
(Pillecijn) X, 333
Verweerde stenen (Eysselstein) X,
306
Verzwegen stryd, De (Ammers-Kül-
ler) X, 279
Victalis van Gille, Het leven van
(Claes) X, 294
Vijfde zegel, Het (Vestdijk) X, 349
Vlaschaard, De (Streuvels) VII, 356
Vlimmen contra Vlimmen (Root-
haert) X, 336
Vlimmens tweede jeugd (Roothaert)
X, 336
Volcmar de Ommelandvaarder
(Werfhorst) X, 361
Voor de mast (Last) X, 322
Vrijheid gaat in't rood gekleed, De
(Vries, Th.) X, 354

Vrouwenkruistocht   (Ammers-Küller) X, 280

Wandelende Jood, De (Vermeylen)
VII, 366
Wassende water, Het (Man) X, 325
Wendelmoet (Bruijn) X, 292
Werkman, De (Streuvels) VII, 357
Wieringer, Mathias, De geschiedenis
van (Depauw) X, 302
Witte, De (Claes) X, 294
Woud der verwachting, Het (Haasse)
X, 310

Zeer schoone uren van juffrouw Sym-
forosa, begijntjen, De (Timmermans) X, 341
Zomerland (Streuvels) VII, 353
Zwerver verliefd, een zwerver verd-
waald, Een (Schendel) VII, 350

Dänische Romane

Advent (Gunnarsson) XII, 42
Af Borgslaegtens Historie (Gunnars-
son) XII, 37
– Dybets Lovgesang (Andersen-
Nexö) VIII, 7
Aften i Kolera-Aaret, En (Linde-
mann) XII, 26
Angest (Knudsen) VIII, 48
Arason, Jon (Gunnarsson) XII, 41
Asta Sóllilja (Laxness) XII, 47
Atómstödin (Laxness) XII, 52

Barbara   (Jacobsen,   J.-F.)   XIV,
346
Barndommens Kyst (Andersen-Ne-
xö) VIII, 7
Bjerg, Klaus, og Bodil (Olesen-Loek-
ken) XII, 28
Billedbog uden billeder (Andersen)
VIII, 6
Blandt de unge (Bregendahl) XII, 7

Blindes hus, De (Gunnarsson) XII,
42
Bødes der for, Det (Andersen-Nexö)
VII, 14
Bornholmnoveller (Andersen-Nexö)
VIII, 7
Braeen (Jensen, J. V.) VIII, 41
Brandur paa Bjarg (Gunnarsson)
XII, 43
Brekkukotsannáll (Laxness) XIV,
346

Cimbrernes tog (Jensen, J. V.) VIII,
41
Columbus, Christopher (Jensen, J.
V.) VIII, 41

Ditte Menneskebarn (Andersen-Nexö) VIII, 18
Dødes rige, De (Pontoppidan) VIII,
53

Dødsnat, En (Bregendahl) XII, 6
Dr. Malthes hus (Buchholtz,J.) XII, 9
Dryss (Andersen-Nexö) VIII, 15
Dybvandsfisk (Andersen-Nexö)
  VIII, 7

Edbrødre (Gunnarsson) XII, 38
Ehrengard (Blixen) XIV, 344
Eldur i Kaupinhafn (Laxness) XII,
  51
ERZÄHLUNGEN:
  Andersen VIII, 5
  Blixen X, 9; XIV, 344
  Jensen, J. V. VIII, 39
  Jürgensen XII, 19
  Laxness XII, 53
  Soerensen XIV, 349
  S. a. »Novellen«
Eventyr fortalte for børn (Andersen)
  VIII, 5
Evige sövn, Den (Michaelis, S.) XII,
  27
Exotiske noveller (Jensen, J. V.)
  VIII, 40

Faengslede vildnis, Det (Fleuron)
  XII, 12
Familien Frank (Andersen-Nexö)
  VIII, 15
Fidelius Adeltand, Ib (Fleuron) XII,
  12
Fønns, Fru (Jacobsen, J. P.) VIII, 38
Forgaettede land, Det (Pontoppi-
  dan) VIII, 51
Fortabte generation, Den (Andersen-
  Nexö) VIII, 18
Frank, Familien (Andersen-Nexö)
  VIII, 15
Fremskridt (Knudsen) VIII, 47
Fru Fønns (Jacobsen, J. P.) VIII, 38
– Marie Grubbe (Jacobsen, J. P.)
  VIII, 33
Fugle omkring fyret (Paludan) XII,
  29

Glädelöse enke, Den (Bruun) VIII, 27
God lille by (Buchholtz, J.) XII, 8
Graa hus, Det (Bang) XIV, 342
Grubbe, Fru Marie (Jacobsen, J. P.)
  VIII, 33
Gyldholm (Skjoldborg) XII, 32

Haabløse slaegter (Bang) VIII, 21
Haren de graa (Fleuron) XII, 12
Helten (Kidde) XII, 21
Himmerlandshistorier (Jensen, J.
  V.) VIII, 39
Hist ljósa man (Laxness) XII, 51
Høvdinge sønnen (Jürgensen) XII,
  20
Hvem var van Zanten (Bruun) VIII,
  27
Hvide hus, Det (Bang) XIV, 342
– yacht, Den (Rung) XII, 32
Hvitte netter (Gudmundsson) XII, 37

Ib Fidelius Adeltand (Fleuron) XII, 12
Improvisatoren (Andersen) VIII, 4
Jørd (Gunnarsson) XII, 42
Islandklukkan (Laxness) XII, 51
Ivalu (Freuchen) XII, 16

Kamanita, Pilgrimen (Gjellerup)
  VIII, 29
Klaus Bjerg og Bodil (Olesen-Loek-
  ken) XII, 28
Kommer en dag, Der (Lembourn)
  XIV, 347
Kvinde på fyrre, En (Fischer) XIV,
  345

Lange Rejse, Den (Jensen, J. V.)
  VIII, 41
Leg med straa (Gunnarsson) XII, 40
Legetøj (Branner) XII, 3
Levendes land, De (Söiberg) XII, 34
Ljós heimsins (Laxness) XII, 48
Livets morgen (Gudmundsson) XII,
  36

Livsens ondskap (Wied) VIII, 54
Lotterisvensken (Andersen-Nexö) VIII, 7
Lyhne, Niels (Jacobsen, J. P.) VIII, 35
Lykke-Per (Pontoppidan) VIII, 52
Lykken (Andersen-Nexö) VIII, 7
Lykkensland (Falk-Rönne) XII, 10

Malthes, Dr., Hus (Buchholtz, J.) XII, 9
Midt i en jaerntid (Andersen-Nexö) VIII, 20
Mogens (Jacobsen, J. P.) VIII, 32
Morten hin Røde (Andersen-Nexö) VIII, 18

Niels Lyhne (Jacobsen, J. P.) VIII, 35
Nonni (Svensson) XII, 55
Norne-Gaest (Jensen, J. V.) VIII, 41
NOVELLEN:
Andersen-Nexö VIII, 7
Branner XII, 4
Jensen VIII, 40
Jürgensen XII, 19
S. a. »Erzählungen«
Nya eventyr (Andersen) VIII, 5
Nye maend (Skjoldborg) XII, 33

Og nu venter vi paa skib (Lauesen) XII, 25
Ogledage (Panduro) XIV, 348
Olsens daarskab (Larsen) XII, 24
Opfylder Jorden! (Jürgensen) XII, 18

Pelle Erobreren (Andersen-Nexö) VIII, 16
Pesten i Bergamo (Jacobsen, J. P.) VIII, 38
Peter Guldgraver og hans eneste Ven (Bregendahl) XII, 6
Pilgrimen Kamanita (Gjellerup) VIII, 29

Røde kobbel, Det (Fleuron) XII, 12
Rømningsmand (Freuchen) XII, 16
Rytteren (Branner) XII, 5

Salige er de enfoldige (Gunnarsson) XII, 39
Samlede poetiske skrifter (Drachmann) VIII, 28
Sandal-magernes gade (Petersen) XII, 30
Sjálfstaett fólk (Laxness) XII, 47
Sidste fortaellinger (Blixen) XIV, 343
Sigurd Torleifsons heste (Fleuron) XII, 13
Skaebneanekdoter (Blixen) XIV, 344
Skálholt (Kamban) XII, 44
Skibet (Jensen, J. V.) VIII, 41
Skud i taagen, Et (Jacobsen, J. P.) VIII, 32
Slaven (Kirk) XII, 22
Sökongen (Söiberg) XII, 35
Sovende, De (Sarvig) XIV, 348
Store og den lille flod, Den (Jürgensen) XII, 19
Storfanger (Freuchen) XII, 15
Susanne (Buchholtz, J.) XII, 7

Tabte land, Det (Jensen, J. V.) VIII, 41
Tine (Bang) VIII, 23
To minutters stilhed (Branner) XII, 4
Tomme pladsers passagerer, De (Andersen-Nexö) VIII, 7
Torleifsons, Sigurd, Heste (Fleuron) XII, 13
Trapp, Mette, og hendes unger (Michaelis, K.) VIII, 49

Uden faedreland, De (Bang) VIII, 24
Ukendte gud, Den (Bruun) VIII, 27
Under regnbuen (Paludan) XII, 29

Ungfruin goda og husid (Laxness) XII, 53

Vaerdensvandrerne (Gjellerup) VIII, 30
Valka, Salka (Laxness) XII, 46
Van Zantens eventyr (Bruun) VIII, 27
– – lykkelige tid (Bruun) VIII, 25

– – maerkelige langfart over de vide vande (Bruun) VIII, 27
Ved nytaarstid i Nøddebo praestegaard (Nicolai) VIII, 50
– vejen (Bang) VIII, 22
Vi, der elsker livet (Aabye) XIV, 342
Vinter i jaegergaarden, En (Fleuron) XII, 11
Vises sten, De (Larsen) XII, 23
Vredens børn (Aakjaer) VIII, 3

Norwegische Romane

Alberte og friheten (Sandel) XIV, 355
– – Jakob (Sandel) XIV, 355
Alle tenker på sig – det er bare eg son tenker på mig (Boo) XII, 64
Arbeijdsfolk (Kielland) XIV, 353
Arne (Björnson) VIII, 60
Audunsson, Olav, i Hestviken (Undset) XII, 107
August (Hamsun, K.) VIII, 79
Av skyggernes slaegt (Elster) XII, 74

Bare Alberte (Sandel) XIV, 355
Benoni (Hamsun, K.) VIII, 70
Blåser fra Dauingfjell, Det (Gulbranssen) XII, 83
Bleikeplassen (Vesaas) XII, 113
Bondestudentar (Garborg) VIII, 63
Børn af tiden (Hamsun, K.) VIII, 73
Braendende busk, Den (Undset) XII, 108
Braendoffer (Falkberget) XII, 75
Brattøra (Gullvaag) XII, 85
Brudeslaatten (Björnson) VIII, 62
Bygdebarn. Folk og fe paa Langerud (Hamsun, M.) XII, 88
Byrja ei jonsoknatt, Det (Gullvaag) XII, 85

Døtrene Lindeman (Christensen) XIV, 351
Drivtømmer (Gullvaag) XII, 85
Drømmen (Egge) XII, 73

Ek, Herman (Kinck) VIII, 90
Elg (Haukland) XII, 93
Ellers hadde vi det festlig (Boo) XII, 65
ERZÄHLUNGEN:
   Aslagsson XII, 57
   Hamsun, K. VIII, 85 ff.
   Obstfelder VIII, 94
   Vesaas XII, 112
Ettermaele (Duun) XII, 70

Familien paa Gilje (Lie) VIII, 92
Fant (Scott, G.) XII, 103
Fiskerjenten (Björnson) VIII, 62
Flo og fjaere (Haukland) XII, 93
Flukten (Omre) XII, 96
Folk ved sjøen (Bojer) XII, 62
Første geseller, De (Falkberget) XII, 76
Fortid (Egge) XII, 73
Fremsynte, Den (Lie) VIII, 92
Fru Hjelde (Undset) XII, 105
– Waage (Undset) XII, 105

Garman og Worse (Kielland) VIII, 89

Gjennom brenningen (Markusson) XII, 95

Gift (Kielland) XIV, 354

Glad gut, En (Björnson) VIII, 61

Gud smiler (Duun) XII, 70

Gymnadenia (Undset) XII, 108

Han som kjempet mot mørket (Markusson) XII, 94

Havets sön, En (Hansen) XII, 90

Helgenen (Scott, G.) XII, 103

Hjelde, Fru (Undset) XII, 105

Hustrue (Undset) XII, 106

»Hvalrossen« av Tromsö (Hansen) XII, 91

I de dage (Rølvaag) XII, 99

– hammerens tegn (Falkberget) XII, 76

– Spitsbergens vold (Hansen) XII, 90

Ida Elisabeth (Undset) XII, 109

Jenny (Undset) XIV, 356

Jernbyrden (Scott, G.) XII, 101

Ingen vei går utenom (Gulbranssen) XII, 83

Johannes (Falkberget) XII, 80

Juvi (Hagerup-Vassvik) XII, 87

Juvikingar (Duun) XII, 66

Kilden eller brevet om fiskeren Markus (Scott, G.) XII, 102

Kimen (Vesaas) XIV, 356

Konerne ved vandposten (Hamsun, K.) XIV, 352

Kongens nåde (Gullvaag) XII, 85

Korset (Obstfelder) VIII, 94

– (Undset) XII, 106

Kransen (Undset) XII, 106

Krattskog (Hamsun, K.) VIII, 86

Kredsen (Ring) XII, 97

Kristina Lavransdatter (Undset) XII, 106

Landstrykere (Hamsun, K.) VIII, 79

Lavransdatter, Kristina (Undset) XII, 106

Lein, Arnt (Egge) XII, 73

Lille-Mette (Ring) XII, 98

Line (Jensen, A.) XIV, 353

Markens grøde (Hamsun, K.) VIII, 75

Medmenneske (Duun) XII, 69

Men livet lever (Hamsun, K.) VIII, 79

Menneske og maktene (Duun) XII, 70

Mysterier (Hamsun, K.) VIII, 65

Nattens brød (Falkberget) XII, 78

Nord i vaerene (Schøyen) XII, 101

Noveller (Hamsun, K.) VIII, 85

Noveletter, To (Obstfelder) VIII, 94

Ny yord (Hamsun, K.) VIII, 66

Nye tempel, Det (Bojer) XII, 62

Og bakom synger skogene (Gulbranssen) XII, 82

Olaf Audunsson i Hestviken (Undset) XII, 107

– – og hans børn (Undset) XII, 107

Olsøygutane (Duun) XII, 68

Pa giengrodde stier (Hamsun, K.) VIII, 84

Pan (Hamsun, K.) VIII, 67

Paradisdage i Storevik (Geijerstam) XII, 82

Peder seier (Rølvaag) XII, 100

Pelsjegeren (Aslagssoñ) XII, 58

Pionjärer (Rølvaag) XII, 99

Plogjernet (Falkberget) XII, 79

Praesten (Kinck) VIII, 91

Ragnhild (Duun) XII, 69

Riket grundlaegges (Rølvaag) XII, 99

Rikka Gan (Jölsen) VIII, 88

Ring, Constance (Skram) XIV, 355
Ringen sluttet (Hamsun, K.) VIII, 82
Rosa (Hamsun, K.) VIII, 70

Samliv, Et (Lie) VIII, 93
Segelfoss by (Hamsun, K.) VIII, 73
Sextus, Christianus (Falkberget) XII, 76
Sidaerk, Sidsel (Aanrud) VIII, 59
Sidsel Sidaerk (Aanrud) VIII, 59
Sidste glaede, Den (Hamsun, K.) VIII, 71
Siesta (Hamsun, K.) VIII, 85
Sigerhuva (Gullvaag) XII, 85
Siste Kapitel (Hamsun, K.) VIII, 77
– leveåre (Duun) XII, 69
– viking, Den (Bojer) XII, 59
Skipper Worse (Kielland) VIII, 90
Skogene (Gulbranssen) XII, 82
Skriker fra kvervilljuvet, Det (Fönhus) XII, 81
Solbakken, Synnøve (Björnson) VIII, 60
Solfeng, Sølve (Aanrud) VIII, 59
Solstad, Hansine (Egge) XII, 72
Søstre (Ring) XII, 98
Store hunger, Den (Bojer) XII, 58
Stridende liv (Hamsun, K.) VIII, 87
Sult (Hamsun, K.) VIII, 64
Svaermere (Hamsun, K.) VIII, 69

Svarte hestane, Dei (Vesaas) XII, 111
Syndere i sommersol (Hoel) XII, 94

Taarnvekteren (Falkberget) XII, 76
Tause huset, Det (Christensen) XIV, 351
To levende og en død (Christiansen) XII, 65
Trofaste husfru, Den (Undset) XII, 110
Troll-elgen (Fönhus) XII, 81

Under høstjaernen (Hamsun, K.) VIII, 71
Underpraerienshimmel (Aslagsson) XII, 57

Vaaren (Undset) XII, 105
Vanderer spiller med sordin, En (Hamsun, K.) VIII, 71
Varg (Fönhus) XII, 81
Vi som går kjøkkenveien (Boo) XII, 63
Victoria (Hamsun, K.) VIII, 68
Vildmarken suser, Der (Fönhus) XII, 81
Vindane (Vesaas) XII, 112
Vor egen stamme (Bojer) XII, 61

Waage, Fru (Undset) XII, 105
Worse, Skipper (Kielland) VIII, 90

Schwedische Romane

Aektenskapets komede (Geijerstam) VIII, 98
Ahasverus död (Lagerkvist) XIV, 364
Alienus, Hans (Heidenstam) VIII, 103
Arizona Charleys pojke (Berg) XII, 117

Arnes penningar, Herr (Lagerlöf) VIII, 113

Bara en mor (Lo-Johansson) XII, 142
Barrabas (Lagerkvist) XII, 139
Berling, Gösta (Lagerlöf) VIII, 108
Bjälboerfvet (Heidenstam) VIII, 107

Bircks, Martin, Ungdom (Söderberg) XII, 159

Bödeln (Lagerkvist) XII, 138

Bokon om lille-bror (Geijerstam) VIII, 98

– – San Michele (Munthe) XII, 149

Dalarne (Lagerlöf) VIII, 111

Dares försverstal, En (Strindberg) VIII, 125

Desperados (Gyllensten) XIV, 361

Död med förhinder (Hartman) XII, 126

Döda fallet (Hallström) VIII, 101

Doktor Glas (Söderberg) XIV, 367

Driver dagg, faller regn (Soederholm) XIV, 367

Drömmar om rosor och eld (Johnson, E.) XII, 135

Drottningens Juvelsmycke (Almquist) VIII, 97

Dvärgen (Lagerkvist) XII, 138

Efflam, Prins (Salminen) XII, 154

Eld flugorna (Edquist) XIV, 360

Ensam (Strindberg) VIII, 125

ERZÄHLUNGEN:
Dagerman XIV, 359
Gyllensten XIV, 361
Hallström VIII, 100. 101. 103
Lagerkvist XII, 137
Lagerlöf VIII, 112
Nylander VIII, 120
Strindberg VIII, 123. 124 131

Filbyter, Folke (Heidenstam) VIII, 107

Författeren (Strindberg) VIII, 125

Folkungaträdet (Heidenstam) VIII, 107

Frosten (Vaering) XII, 165

Fyra elementerna, De (Hallström) VIII, 101

Gäst hos verkligheten (Lagerkvist) XII, 138

Gårdfarihandlaren (Lo-Johansson) XII, 143

Giftas (Strindberg) VIII, 124

Glas, Doktor (Söderberg) XIV, 367

Gösta Berlings saga (Lagerlöf) VIII, 108

Göttiska rummen (Strindberg) VIII, 129

Grottan (Colliander) XIV, 358

Här har du ditt liv (Johnson, E.) XII, 132

Han on hon (Strindberg) VIII, 125

Hans Nåds testamente (Bergman) XII, 117

– nådes tid (Johnson, E. O. V.) XIV, 363

Hårda tider (Tavaststjerna) XIV, 368

Heliga Birgittas pilgrimsfärd (Heidenstam) VIII, 106

– landet, Det (Lagerkvist) XIV, 365

– –, – (Lagerlöf) VIII, 111

Hem vill jag åter rida (Widén) XII, 166

Hemsöborna (Strindberg) VIII, 122

Herr Arnes penningar (Lagerlöf) VIII, 113

Herrgardsägen, En (Lagerlöf) VIII, 110

Hjortronlandet (Lidman) XIV, 366

Historiska miniatyrer (Strindberg) VIII, 131

Höknatt (Fagerberg) XII, 122

Holgerssons, Nils, underbara resa (Lagerlöf) VIII, 114

Hungergropen (Stenius) XII, 160

I havsbandet (Strindberg) VIII, 124

Jag är eld och luft (Thorén) XII, 164

Jerusalem (Lagerlöf) VIII, 111

Inferno-legender (Strindberg) VIII, 125
Invandrarna (Moberg) XII, 147

Karolinerna (Heidenstam) VIII, 105
Katrina (Salminen) XII, 153
Klockorna i Rom (Stenius) XIV, 368
Kommer inte till middagen (Lyttkens) XII, 143
Kristuslegender (Lagerlöf) VIII, 112
Kungsgatan (Lo-Johansson) XII, 141
Kvartetten som sprängdes (Sjöberg) XII, 155
Kvinnomakt (Geijerstam) VIII, 99

Lägg undan solen (Johnson, E.) XII, 136
Lätt, snabb och öm (Stolpe) XII, 163
Laurila, Lars (Salminen) XII, 154
Lavinen (Höijer) XIV, 362
Lejon, Viktor (Böök) XII, 119
Löwensköld, Charlotte (Lagerlöf) VIII, 119
Löwensköldska ringen, Den (Lagerlöf) VIII, 117

Mälarpirater (Siwertz) XII, 156
Man och hans samvete, En (Hemmer) XII, 129
Marit (Hambraeus) XII, 125
Markurells i Wadköping (Bergman) XII, 118
Martin Bircks ungdom (Söderberg) XII, 159
Martina (Aurell) XIV, 358
Midsommarnatten (Stolpe) XII, 162
Mimosan blommar om wintern (Golowanjuk) XIV, 360
Molnen över Metapontion (Johnson, E. O. V.) XIV, 362
Morgongåvan (Hemmer) XII, 130

Nattens lekar (Dagerman) XIV, 359

Nils Holgerssons underbara resa genom sverige (Lagerlöf) VIII, 114
Nu var det 1914 (Johnson, E.) XII, 132
Nya noveller (Hallström) VIII, 103

Omega, S/S (Holmström) XII, 131
Onda sagor (Lagerkvist) XII, 137

Pilgrim på havet (Lagerkvist) XIV, 364
Prästdottern (Dixelius) XII, 121
Prästdotterns son (Dixelius) XII, 121
Prästen i Uddarbo (Hambraeus) XII, 124
Prins Efflam (Salminen) XII, 154

Rid i natt (Moberg) XII, 145
Röda mården, Den (Nisser) XII, 150
– rummet (Strindberg) VIII, 121
Röde Orm (Bengtsson) XII, 115
Romantiske klockaren kå Rånö, Den (Strindberg) VIII, 123

San Michele, Boken om (Munthe) XII, 149
Se dig inte om (Johnson, E.) XII, 132
Seelambs (Siwertz) XII, 156
Sibyllan (Lagerkvist) XII, 140
Sjöfallsboken (Berg) XII, 116
Sjöfolk (Nylander) VIII, 120
Skärkarlslif (Strindberg) VIII, 123
Skram, Inger (Oterdahl) XII, 152
Slaget (Nisser) XII, 152
Slutspel i ungdomen (Johnson, E.) XII, 132
Sneckenströms, von (Stjernstedt) XII, 161
Snörmakare Lekholm får en idé (Hellström) XII, 128
Sonsonen (Dixelius) XII, 121
Spel i kulisser (Stolpe) XII, 164

Spelet på Härnevi (Spong) XII, 160

Stora varuhuset, Det (Siwertz) XII, 157

Storstadsneger (Helander) XII, 127

Strändernas svall (Johnson, E.) XII, 133

Svärd, Anna (Lagerlöf) VIII, 119

Svarta fanor (Strindberg) VIII, 130

Synderskan (Dixelius) XII, 122

Thanatos (Hallström) VIII, 100

Tjänstekvinnans son (Strindberg) VIII, 125

Tjärdalen (Lidman) XIV, 366

Tösen från stormytorpet (Lagerlöf) VIII, 116

Tron allena (Giertz) XII, 123

Utvandrarna (Moberg) XII, 146

Vägen till Klockrike (Martinson) XII, 144

Vintermyren (Vaering) XII, 165

Vredens födelse (Nisser) XII, 151

Finnische, Estnische und Lettische Romane

Arkielämää (Jotuni) XII, 170

Awoweteen (Karhumäki) XII, 172

Dzives vilciena (Maurina) XII, 177

Elämä ja aurinko (Sillanpää) XII, 181

ERZÄHLUNGEN:
  Aho VIII, 135
  Hyry XIV, 370
  Kallas XII, 170
  Sillanpää XII, 186

Havukka-ahon ajattelija (Huovinen) XII, 169

Hed-Ulla ja hänen kosijansa (Talvio) XII, 189

Hellmanin Herra (Aho) VIII, 136

Hopea laiva (Talvio) XII, 189

Hurskas kurjuus (Sillanpää) XII, 182

Ihmiselon ihanuus ja kurjuus (Sillanpää) XII, 186

Ihmiset suviyössä (Sillanpää) XII, 185

Ihmisten kevät (Pekkanen) XIV, 372

Ilohuoneet (Seppänen) XII, 179

Imant ja hänen äitinsä (Kallas) XII, 170

Johannes Angelos (Waltari) XIV, 373

Isäntä ja emäntä (Nuoliwaara) XII, 178

Itämeren tytär (Talvio) XII, 189

Juja (Aho) VIII, 136

Junamatkan kuvans (Hyry) XIV, 370

Katajainen kausani (Aho) VIII, 136

Kaukaa tullut (Talvio) XII, 189

Kihlasormus (Talvio) XII, 188

Kirkonkello (Talvio) XII, 189

Kootut teckset (Sillanpää) XII, 186

Kurjet (Talvio) XII, 187

Lastuja (Aho) VIII, 135

Laulu tulipunaisesta kukasta (Linnankoski) VIII, 139

Manillaköysi (Meri) XIV, 371

Miehen tie (Sillanpää) XII, 184

Mikael Karvajalka (Waltari) XII, 196

Moreeni (Viita) XIV, 372

Myrsky ja aurinko (Seppänen) XII, 179

Nipernaadi, Toomas (Gailit) XII, 168

Nuorena nukkunut (Sillanpää) XII, 183

Oitsev meri (Mälk) XII, 175

Onnen antimet (Koskenniemi) XII, 173

Päivä ja ehtoo (Nuoliwaara) XII, 178

Paikolaiset (Linnankoski) VIII, 140

Paimen, piika ja emäntä (Nuoliwaara) XII, 178

Punainen viiva (Kianto) XII, 173

Roigin pappi (Kallas) XII, 170

Saattoi olla miehen onni (Manninen) XII, 176

Seitsemän veljestä (Kivi) VIII, 137

Sinuhe Egyptiläinen (Waltari) XII, 195

Straumeni (Virza) XII, 194

Sudenmorsian (Kallas) XII, 170

Surmaava Eros (Kallas) XII, 170

Synninmiilu (Seppänen) XII, 180

Tisenhusen, Barbara von (Kallas) XII, 170

Tode ja oigus (Tammsaare) XII, 190

Tuntematon sotilas (Linna) XII, 174

Voittoon (Seppänen) XII, 179

Vuodet (Haavikko) XIV, 370

Wargamäe (Tammsaare) XII, 190

Russische Romane

Abai (Auesow) XII, 235

Aëlita (Tolstoi, A. N.) XII, 329

Aleksandr I. (Mereschkowskij) VIII, 237

Altarj pobjedy (Brjusow) VIII, 149

Alye parusa (Grin, A. St.) XII, 261

Arap Petra Welikowo (Puschkin) VIII, 249

Artamonowych, Djelo (Gorki) VIII, 198

Askalonskij slodjej (Leskow) VIII, 227

Assja (Turgenjew) VIII, 297

Attalea princeps (Garschin) VIII, 170

Bach, Sebastian (Odojewskij) VIII, 240

Barsuki (Leonow) XII, 276

Begly (Panteleimonow) XII, 215

Beleet parus odinokij (Katajew) XII, 271

Bend Sinister (Nabokow) XIV, 391

Bes jasyka (Korolenko) VIII, 209

Bjednaja Lisa (Karamsin) VIII, 206

Bjednyje ljudi (Dostojewski) VIII, 150

Bjelyje notschi (Dostojewski) VIII, 152

Bjesy (Dostojewski) VIII, 163

Bogomolje (Korolenko) VIII, 209

– (Schmeljow) XII, 230

Bratja (Fedin) XII, 251

– Karamasowy (Dostojewski) VIII, 165

Brodjaga (Gorki) VIII, 188

Bronepoezd N 14–69 (Iwanow) XII, 266

Bruski (Panferow) XII, 290

Bulba, Taras (Gogol) VIII, 174

Burja (Ehrenburg) XII, 247
Burmistr (Turgenjew) VIII, 294
Bywschyje ljudi (Gorki) VIII, 188

Čapaev (Furmanow) XII, 255
Čelovek iz restorana (Schmeljow) XII, 227
- možet (Kiselew) XIV, 384
Cement (Gladkow) XII, 256
Čertow balagan (Schmeljow) XII, 232
Chadshi Murat (Tolstoj, L.) VIII, 282
Chleb (Mamin-Sibirjak) VIII, 231
Chmuroje utro (Tolstoi, A. N.) XII, 325
Cholstomjer (Tolstoj, L.) VIII, 277
Chosjajka (Dostojewski) VIII, 169
Chosjain i rabotnik (Tolstoj, L.) VIII, 279
Choždenie po mukam (Tolstoi, A. N.) XII, 325
Christos i Antichrist (Mereschkowskij) VIII, 233
Chudoshnik (Schewtschenko) VIII, 254
- neizvesten (Kawerin) XIV, 384
Chudoshniki (Garschin) VIII, 171
Churenito, Chulio (Ehrenburg) XII, 241
Čortov most (Aldanow) XII, 201

Dalëkie gody (Paustowskij) XII, 297
Dama s sobatschkoj (Tschechow) VIII, 286
- 14 dekabrja (Mereschkowskij) VIII, 237
Derevnja (Bunin) XII, 204
Detstvo Nikity (Tolstoi, A. N.) XII, 328
Devjatoe termidora (Aldanow) XII, 201
Djadjuschkin son (Dostojewski) VIII, 154

Djelo Artamonowych (Gorki) VIII, 198
Djetskije gody Bagrowa wnuka (Aksakow) VIII, 143
Djetstwo (Gorki) VIII, 196
- (Tolstoj, L.) VIII, 261
Dikoj (Aksjonow) XIV, 375
Dnevnik Kosti Rjabceva (Ognjew) XII, 285
Dni i noči (Simonow) XII, 319
Doktor Wlassenkowa (Kawerin) XII, 275
- Živago (Pasternak) XII, 294
Dom s mesoninom (Tschechow) VIII, 291
Dshamilja (Ajtmatow) XIV, 374
Dubrowskij (Puschkin) VIII, 246
Duelj (Tschechow) VIII, 289
Dvenadcat' stul'jev (Ilf-Petrow) XII, 263
Dvorjanskoje gnjesdo (Turgenjew) VIII, 297
Dwa kapitana (Kawerin) XII, 272
- prijatjelja (Turgenjew) VIII, 295
- starika (Tolstoj, L.) VIII, 276
Dwatzatjschestj i odna (Gorki) VIII, 188
Dwoe (Bondarew) XIV, 378
Dwojnik (Dostojewski) VIII, 151
Dym (Turgenjew) VIII, 302

Energija (Gladkow) XII, 257
ERZÄHLUNGEN:
  Aksjonow XIV, 375
  Awertschenko XII, 204; XIV, 376
  Babel XII, 237
  Bunin XII, 205. 206. 208
  Ehrenburg XII, 242
  Gorbatow XII, 259
  Gorki VIII, 187
  Iwanow XII, 267
  Kasakow XII, 269
  Korolenko VIII, 206
  Melnikow XIV, 389

Olescha XII, 287
Panteleimonow XII, 215
Pasternak XII, 296
Paustowskij XII, 298; XIV, 392
Pilnjak XIV, 395
Prischwin XII, 304
Puschkin VIII, 245; XIV, 395
Remisow XII, 220
Schmeljow XII, 232
Scholochow XII, 313; XIV, 398
Sostschenko XII, 321
Tarsis XIV, 400
Tolstoi, A. N. XII, 330. 332
Tolstoj, L. VIII, 275
Tschechow XIV, 403
Turgenjew XIV, 404
Uspenskij VIII, 308
S. a. »Novellen«

Faust (Turgenjew) VIII, 295
Flagi na bašnjach (Makarenko) XII,
    281

Galina (Serafimowitsch) XII, 318
Georgijewna, Kira (Nekrassow)
    XIV, 391
Geroj naschewo wrjemeni (Lermon-
    tow) VIII, 215
Gololedica (Terz) XIV, 402
Golowljowy, Gospoda (Saltykow)
    VIII, 252
Goly god (Pilnjak) XIV, 394
Gordjejew, Foma (Gorki) VIII, 191
Gorod v stepi (Serafimowitsch) XII,
    316
Goroda i gody (Fedin) XII, 250
Gospoda Golowljowy (Saltykow)
    VIII, 252
Gospodin iz San Francisco (Bunin)
    XII, 206
– Prochartschin (Dostojewski)
    VIII, 168
Grammatika ljubvi (Bunin) XII,
    205

Granatovyj braslet (Kuprin) XIV,
    385
Grešnica (Jewdokimow) XIV, 382
Grobowschtschik (Puschkin) VIII,
    245

Jama (Kuprin) VIII, 212
Jasnyj bereg (Panowa) XII, 292
Idiot (Dostojewski) VIII, 161
Idú na grozú (Granin) XIV, 381
Igrok (Dostojewski) VIII, 160
Is wospominanij rjadowowo Iwano-
    wa (Garschin) VIII, 170
Ischod Nikpetoža (Ognjew) XII, 285
Ispowedj (Gorki) VIII, 194
Istorija ljubovnaja (Schmeljow)
    XII, 229
– mojewo sowremjennika (Korolen-
    ko) VIII, 209
– odnowo goroda (Saltykow) VIII,
    251
Junostj (Tolstoj, L.) VIII, 262

Kadjetskij monastyr (Leskow)
    VIII, 225
Kak zakaljalas' stal' (Ostrowskij)
    XII, 287
Kaljaska (Gogol) VIII, 178
Kapitanskaja dotschka (Puschkin)
    VIII, 248
Karamasowy, Bratja (Dostojewskij)
    VIII, 165
Karenina, Anna (Tolstoj, L.) VIII,
    273
Kasaki (Tolstoj, L.) VIII, 266
Kawkaskij plennik (Tolstoj, L.)
    VIII, 272
Kjuchlja (Tynjanow) XII, 335
Klima Samgina, Shisnj (Gorki) VIII,
    199
Knjasj Serjebrjanyi (Tolstoj, A. K.)
    VIII, 259
Knischka tschekow (Uspenskij)
    VIII, 308

Kolchida (Paustowskij) XII, 296
Konarmija (Babel) XII, 237
Konowalow (Gorki) VIII, 190
Koshemjakina, Shisnj Matweja
 (Gorki) VIII, 195
Kowalewski, Sonja (Rachmanowa)
 XII, 218
Kowjakina, Andreja Petrowitscha,
 Sapisi (Leonow) XIV, 387
Krasnoje i tschornoje (Tarsis) XIV,
 400
Krasnyi smjech (Andrejew) VIII, 144
– zwjetok (Garschin) VIII, 170
Krassiwaja Jegiptjanka (Leskow)
 VIII, 228
Kratkaja povjestj ob Antichristje
 (Solowjow) VIII, 257
Krejtzerowa sonata (Tolstoj, L.)
 VIII, 278
Krestóvyje sjóstry (Remisow) XII,
 219
Krokodil (Dostojewski) VIII, 169
Krotkaja (Dostojewski) VIII, 168
Kružilicha (Panowa) XII, 292
Kto winowat (Herzen) VIII, 203

Lebefa, Emé, Pochoshdenija (Kus-
 min) VIII, 213
Ledi Makbet mtschenskowo ujesda
 (Leskow) VIII, 217
Leto w Sosnjakach (Rybakow) XIV,
 396
Ljaguschka puteschestwenniza
 (Garschin) VIII, 171
Ljes schumit (Korolenko) VIII, 206
Ljeto Gospodnje (Schmeljow) XII,
 231
Ljewscha (Leskow) VIII, 225
Ljgow (Turgenjew) VIII, 294
Ljubimow (Terz) XIV, 401
Lolita (Nabokow) XII, 211

Majskaja notsch, ili utoplenniza
 (Gogol) VIII, 172

Makbet, Ledi (Leskow) VIII, 217
Mal'čik i more (Dubow) XIV, 380
Malenjkij geroj (Dostojewski) VIII,
 153
Malwa (Gorki) VIII, 187
Marfa, shena posadnika Nowgoroda
 (Karamsin) VIII, 205
Mascha (Tolstoi, A. N.) XII, 334
Mašiny i volki (Pilnjak) XII, 301
Matj (Gorki) VIII, 193
Megi (Robakidse) XII, 222
Mertvye sramu ne imut (Baklanow)
 XIV, 377
Messija (Mereschkowskij) VIII, 238
Mesto pod solncem (Inber) XII, 265
Metjelj (Puschkin) VIII, 245
– (Tolstoj, L.) VIII, 264
Mjelkij bjes (Sologub) VIII, 255
Militsch, Klara (Turgenjew) VIII,
 307
Mjortwyje duschi (Gogol) VIII, 179
Mirgorod (Gogol) VIII, 174
Mitina ljubov' (Bunin) XII, 207
Mnogo li tschelowjeku sjemli nushno
 (Tolstoj, L.) VIII, 276
Moji uniwersitjety (Gorki) VIII, 196
Moloch (Kuprin) XIV, 385
Molodaja gvardija (Fadejew) XII,
 250
Murat, Chadshi (Tolstoj, L.) VIII,
 282
Mushiki (Tschechow) VIII, 291
My (Samjatin) XII, 225

Na djerjewnje (Turgenjew) VIII,
 307
– kraju swjeta (Leskow) VIII, 224
– polustanke (Kasakow) XII, 269
– svoëm meste (Dudinzew) XII, 240
Nakanunje (Turgenjew) VIII, 298
Nalymow, Mischuka (Tolstoi, A. N.)
 XII, 332
Narodnyje skaski i legjendy (Tolstoj, L.) VIII, 275

Ne chlebom edinym (Dudinzew) XII, 239
– upivaemaja čaša (Schmeljow) XII, 227
Neisletschimyi (Uspenskij) VIII, 309
Nekreschtschennyj pop (Leskow) VIII, 224
Neobyknovennoe leto (Fedin) XII, 253
Nepokorënnye (Gorbatow) XII, 260
Nespokoinaja junost (Paustowski) XIV, 393
Njeswanowa, Njetotschka (Dostojewski) VIII, 152
Njewskij prospjekt (Gogol) VIII, 177
Nikita (Tolstoi, A. N.) XII, 334
Nikolajewna, Nadjeschda (Garschin) XIV, 381
Nos (Gogol) VIII, 177
Notsch pjered roshdjestwom (Gogol) VIII, 172
NOVELLEN:
  Andrejew VIII, 145
  Dostojewski VIII, 168
  Garschin VIII, 170; XIV, 380
  Kuprin XIV, 385
  Kusmin XIV, 386
  Leskow XIV, 388
  Petscherskij VIII, 241
  Schischkow XII, 307
  S. a. »Erzählungen«
Novogodnjaja skazka (Dudinzew) XII, 240
Nowj (Turgenjew) VIII, 306
Nowyje wremjena, nowyje saboty (Uspenskij) VIII, 308

O chem pel solovej (Sostschenko) XII, 321
Oblomow (Gontscharow) VIII, 184
Obryw (Gontscharow) VIII, 185
Obyknowjennaja Arktika (Gorbatow) XII, 259
– istorija (Gontscharow) VIII, 183

Ochrannaja gramota (Pasternak) XII, 296
Odesskie rasskazy (Babel) XII, 237
Ognennyj angjel (Brjusow) VIII, 148
Olesja (Kuprin) XIV, 385
Onjegin, Jewgjenij (Puschkin) VIII, 244
Orlowy, Suprugi (Gorki) VIII, 191
Osudareva doroga (Prischwin) XII, 305
Otjez Sjergij (Tolstoj, L.) VIII, 280
Otkrytaja kniga (Kawerin) XII, 274
Otrotschestwo (Tolstoj, L.) VIII, 262
Otscharowannyj strannik (Leskow) VIII, 222
Otscherki is provinzialjnoj shisni (Uspenskij) VIII, 307
Ottepel' (Ehrenburg) XII, 248
Otzy i djetji (Turgenjew) VIII, 300

Padenie Pariža (Ehrenburg) XII, 245
Palata No 6 (Tschechow) VIII, 290
Pamfalon, Skomoroch (Leskow) VIII, 228
Papa, složi! (Aksjonow) XIV, 375
Parchomenko (Iwanow) XII, 268
Pawlin (Leskow) VIII, 223
Pedagogitscheskaja poema (Makarenko) XII, 279
Pereslegin, Nikolaj (Stepun) XII, 233
Pervye radosti (Fedin) XII, 253
Perwaja ljubowj (Turgenjew) VIII, 299
Peterburg (Bjelyj) VIII, 148
Petlistye Uschi/Tjomnye Aleji (Bunin) XII, 208
Pëtr I. (Tolstoi, A. N.) XII, 331
Pjadj semli (Baklanow) XII, 238
Pikowaja dama (Puschkin) VIII, 247
Pjotr i Aleksej (Mereschkowskij) VIII, 233

Pnin (Nabokow) XII, 213
Pochoshdjenija Tschitschikowa ili Mjortwyje duschi (Gogol) VIII, 179
– Emé Lebefa (Kusmin) VIII, 213
Podgorami (Schmeljow) XII, 230
Podnjataja celina (Scholochow) XII, 313; XIV, 398
Podporučik Kiže (Tynjanow) XII, 336
Podrostok (Dostojewski) VIII, 164
Pojedinok (Kuprin) VIII, 211
Poiski i nadeždy (Kawerin) XII, 275
Polikuschka (Tolstoj, L.) VIII, 266
Pompadury i pompadurschi (Saltykow) VIII, 250
Pora, moj drug, pora (Aksjonow) XIV, 375
Portret (Gogol) VIII, 176
Poschechonskaja Starina (Saltykow) VIII, 253
Posljednij kwartet Betchowena (Odojewskij) VIII, 240
Povest o nastojaščem čeloveke (Polewoi) XII, 302
Powesti Bjelkina (Puschkin) VIII, 244
Powestno nepogaschennoj lune (Pilnjak) XIV, 395
Powjest o tom, kak possorilsja Iwan Iwanowitsch s Iwanom Nikiforowitschem (Gogol) VIII, 176
Pravonarušiteli (Sejfullina) XII, 314
Prestupljenije i nakasanije (Dostojewski) VIII, 158
Priključenie djadi Volodi (Panteleimonow) XII, 214
Priwalowskije milliony (Mamin-Sibirjak) VIII, 229
Propawschaja gramota (Gogol) VIII, 172
Provest' o detstve (Gladkow) XII, 258
Pugalo (Leskow) VIII, 226

Puškin na juge (Nowikow) XII, 284
– v Michajlovskom (Nowikow) XII, 284
Puteschestwije is Peterburga w Moskwu (Radischtschew) VIII, 249

Rabotnik Jemeljan i pustoj baraban (Tolstoj, L.) VIII, 276
Radiščev (Forsch) XII, 254
Raskas o semi powjeschenich (Andrejew) VIII, 144
Rasorjonije (Uspenskij) VIII, 307
Rastratschiki (Katajew) XII, 270
Razgrom (Fadejew) XII, 249
Reka igrajet (Korolenko) VIII, 209
Roman w dewjati pisjmach (Dostojewski) VIII, 169
Roshdjenije bogow (Mereschkowskij) VIII, 238
Rożdénnye burej (Ostrowskij) XII, 289
Rudin (Turgenjew) VIII, 296
Russkij jasyk (Turgenjew) VIII, 307
– les (Leonow) XII, 278

Sachudalyj rod (Leskow) VIII, 221
Sajatschij remis (Leskow) VIII, 229
Sakoldowannoje mjesto (Gogol) VIII, 173
Samgina, Shisnj Klima (Gorki) VIII, 199
Sapetschatlennyi angjel (Leskow) VIII, 220
Sapiski Andreja Petrowitscha Kowjakina (Leonow) XIV, 387
– is mjortwowo doma (Dostojewski) VIII, 155
– – podpolja (Dostojewski) VIII, 157
– ochotnika (Turgenjew) VIII, 293
– sumasschedschewo (Gogol) VIII, 177

Saposhnik i njetschistaja (Tschechow) VIII, 286

Saschtschita Luschina (Nabokow) XIV, 390

Sčast' e (Pawlenko) XII, 300

Schestokost (Nilin) XII, 283

Schinelj (Gogol) VIII, 178

Schto djelatj ? (Tschernyschewskij) VIII, 292

Selo Stepantschikowo i jewo obitateli (Dostojewski) VIII, 155

Semjejnaja chronika (Aksakow) VIII, 143

Sentimentalnoje puteschestwije (Sklovskij) XIV, 400

– roman (Panowa) XII, 293

Serebrjanyi golub (Bjelyi) VIII, 147

– knjasj (Tolstoj, A. K.) VIII, 259

Serëza (Panowa) XII, 293

Serno s kurinoje jajzo (Tolstoj, L.) VIII, 276

Sevastopol'skaja strada (Sergejew-Zenskij) XII, 318

Shisnj Klima Samgina (Gorki) VIII, 199

Sjergij, Otjez (Tolstoj, L.) VIII, 280

Sjostry (Tolstoi, A. N.) XII, 325

Skas o Tuljskom kosom ljewsche i o staljnoj blochje (Leskow) VIII, 225

Skasanije o sinej muche (Tarsis) XIV, 400

Skomoroch Pamfalon (Leskow) VIII, 228

Skutschnaja istorija (Tschechow) VIII, 288

Skwjernyj anekdot (Dostojewski) VIII, 169

Slaboje sjerdze (Dostojewski) VIII, 169

Slaschtsche jada (Sologub) VIII, 256

Slepoj musykant (Korolenko) VIII, 207

Smjertj bogow (Mereschkowskij) VIII, 233

– Iwana Iljitscha (Tolstoj, L.) VIII, 276

Sobaka (Turgenjew) VIII, 302

Soborjanje (Leskow) VIII, 219

Soldatami ne roschdajutsja (Simonow) XIV, 399

Solnce mërtvych (Schmeljow) XII, 228

Soloto (Mamin-Sibirjak) VIII, 230

Son (Turgenjew) VIII, 305

– Makara (Korolenko) VIII, 207

– smjeschnowo tschelowjeka (Dostojewski) VIII, 169

Sorok pervyj (Lavrenev) XIV, 387

Sorotschinskaja jarmarka (Gogol) VIII, 173

Sot' (Leonow) XII, 277

Spi skorej (Sostschenko) XII, 321

Sputniki (Panowa) XII, 291

Ssanin (Arzybaschew) VIII, 146

Stanzjonnyj smotritelj (Puschkin) VIII, 246

Starik (Fedin) XII, 252

Staroswjetskije pomjeschtschiki (Gogol) VIII, 174

Starucha Isergil (Gorki) VIII, 187

Staryje gody (Melnikow) XIV, 389

Staryj čëln (Paustowskij) XII, 298

Stepnoj korolj Lir (Turgenjew) VIII, 304

Stichotworjenija w prose (Turgenjew) VIII, 307

Stjepj (Tschechow) VIII, 287

Strannaja istorija (Turgenjew) VIII, 303

Straschnaja mjestj (Gogol) VIII, 172

Suchodol (Bunin) XIV, 379

Sud idet (Terz) XIV, 402

Suprugi Orlowy (Gorki) VIII, 191

Svataja Elena, malen'kij ostrov (Aldanow) XII, 201

Svet razuma (Schmeljow) XII, 232

Swjerj (Leskow) VIII, 226

Taras Bulba (Gogol) VIII, 174
Taškent – gorod chlebnyi (Newerow) XII, 282
Tichij Don (Scholochow) XII, 310
Tišina (Bondarew) XIV, 377
Tmenije solnza (Korolenko) VIII, 209
Tovarišč Kisljakov (Romanow) XII, 306
– krasivyj furažkin (Aksjonow) XIV, 375
Transvaal (Fedin) XII, 252
Tri smjertij (Tolstoj, L.) VIII, 265
Trinadcat' trubok (Ehrenburg) XII, 242
Troje (Gorki) VIII, 192
Tschasy (Turgenjew) VIII, 305
Tschelkasch (Gorki) VIII, 189
Tschem ljudi shivy (Tolstoj, L.) VIII, 275
Tschestnyj wor (Dostojewski) VIII, 168
Tschetyrje dnja (Garschin) VIII, 170
Tschinghis-Chan (Prawdin) XII, 215
Tschortowa kukla (Hippius) VIII, 204
Tschushaja shena i musch pod krowatju (Dostojewski) VIII, 168
Tupejnyi chudoshnik (Leskow) VIII, 218
Tutankamen na Kritje (Mereschkowskij) VIII, 238
Tysjatscha dusch (Pisjemskij) VIII, 243

U semi bogatyrej (Dudinzew) XII, 240
Ubijza (Korolenko) VIII, 209
Ugrjumreka (Schischkow) XII, 309
Unishenyje i oskorbljonnyje (Dostojewski) VIII, 156
Upyrj (Tolstoj, A. K.) VIII, 258
Utro pomjeschtschika (Tolstoj, L.) VIII, 264

V okopach Stalingrada (Nekrassow) XII, 282
– Protočnom pereulke (Ehrenburg) XII, 243
Vernulsya (Polewoi) XII, 302
Virineja (Sejfullina) XII, 315
Vokrug da okolo (Abramow) XIV, 374
Volga vpadaet v Kaspijskoe more (Pilnjak) XII, 301
Vozvrascenie Buddy (Iwanow) XIV, 383
Vremja, vperëd! (Katajew) XII, 271

W durnom obschtschestwje (Korolenko) VIII, 208
– ljudjach (Gorki) VIII, 196
Wjetscher nakanunje Iwana Kupala (Gogol) VIII, 173
Wjetschera na chutore blis Dikanjki (Gogol) VIII, 171
Wjetschnyj musch (Dostojewski) VIII, 162
Wij (Gogol) VIII, 175
Wlaß (Dymow) XII, 210
Wlassenkowa, Doktor (Kawerin) XII, 275
Wojiteljniza (Leskow) VIII, 218
Wojna i mir (Tolstoj, L.) VIII, 267
Woskresjenije (Tolstoj, L.) VIII, 280
Woskresschije bogi (Mereschkowskij) VIII, 233
Wossemnadzatyj god (Tolstoi, A. N.) XII, 325
Wstrjetscha (Garschin) VIII, 170
Wstupitelinyj Otscherk (Pasternak) XII, 296
Wystrelj (Puschkin) VIII, 245

Zagovor (Aldanow) XII, 201
– ravnych (Ehrenburg) XII, 244
Zapiski vrača (Weressajew) XII, 337
Zavist' (Olescha) XII, 286

Železnyj potok (Serafimowitsch) XII, 317
Živago, Doktor (Pasternak) XII, 294
Zivye i mjortvye (Simonow) XII, 320

Žizn' Arsenewa (Bunin) XII, 207
Zolotaja roza (Paustowskij) XII, 299
Zolotoj telënok (Ilf-Petrow) XII, 264

Polnische Romane

Barbarzynca w ogrodzie (Herbert) XIV, 412
Barcz, General (Kaden-Bandrowski) XII, 355
Bez dogmatu (Sienkiewicz) VIII, 324

Chłopi (Reymont) VIII, 320
Ciemności kryją ziemię (Andrzejewski) XIV, 407
Czyż, Czyprian (Goetel) XII, 348

Dolina Issy (Milosz) XII, 360
Dzieje jednego pocisku (Strug) XII, 366
Dziurdziowie (Orzeszkowa) VIII, 315

ERZÄHLUNGEN:
  Hen XIV, 412
  Hlasko XII, 350; XIV, 413
  Iwaszkiewicz XIV, 414
  Mrozek XIV, 415
  Nowakowski XIV, 416
  Schulz XIV, 420

Faraon (Prus) VIII, 318
Ferdydurke (Gombrowicz) XII, 349; XIV, 411

General Barcz (Kaden-Bandrowski) XII, 355
Grzechy dzieciństwá (Prus) XIV, 418
– hetmanskie (Kraszewski) VIII, 313

Homo sapiens (Przybyszewski) XII, 365

Idzie skaczac po górach (Andrzejewski) XIV, 407
Jermola (Kraszewski) VIII, 314

Kochanek wielkiej niedzwiedzicy (Piasecki) XII, 363
Kongres we Florencji (Iwaskiewicz) XII, 352
Kosmos (Gombrowicz) XIV, 411
Krzyżacy (Sienkiewicz) VIII, 326
Ksiadz Piotr (Tetmajer) XII, 367

Lalka (Prus) VIII, 317
Latarnik (Sienkiewicz) VIII, 323
Listy Nikodema (Dobraczynski) XII, 344
Lódz. Ziemia obiecana (Reymont) VIII, 319
Ludzie bezdomni (Zeromski) VIII, 328
– stamtad (Dombrowska) XIV, 409

Matka Królów (Brandys) XII, 341
Miejsca nawiedzone (Odojewski) XIV, 417

Nad Njemnem (Orzeszkowa) VIII, 316
Nastepny do raju (Hlasko) XII, 351
Niedobra milošč (Nałkowska-Rygier) XII, 361
Nienasycenie (Witkiewicz) XIV, 421
Noce i dnie (Dombrowska) XII, 345

Obóz Wszystkich świetych (Nowa-kowski) XII, 362

Ösmi dzién tygodnia (Hlasko) XII, 350

Pamiętnik antybohatera (Filipo-wicz) XIV, 410
– panicza (Kraszewski) VIII, 314
Popioł i diamont (Andrzejewski) XIV, 406
Pornografia (Gombrowicz) XIV, 411
Przejscie przez Morze Czerwone (Ro-manowiczowa) XIV, 419
Przymierze (Kossak) XII, 357
Pustynia (Dobraczynski) XII, 344

Quo vadis? (Sienkiewicz) VIII, 325

Sława i chwała (Iwaskiewicz) XII, 353

Smirc zakochanych (Hlasko) XIV, 413

W pustyni i w puszczy (Sienkiewicz) VIII, 327
Wesele w Atomicach (Mrozek) XIV, 415
Wielki Aydzien (Andrzejewski) XIV, 406
Wierna rzeka (Zeromski) VIII, 329
Wozłot (Iwaskiewicz) XII, 353
Wszyscy byli odwróceni (Hlasko) XIV, 413
Wyspa Ocalenia (Odojewski) XIV, 418

Z dnia na dzień (Goetel) XII, 347
Zaydrość i medycyna (Choromanski) XII, 343
Zywot czlowieka rozbrojonego (Piasecki) XII, 364

Tschechische Romane

Babička (Němcová) VIII, 346
Blouděni (Durych) XII, 374
Boží muka (Čapek) XII, 370

ERZÄHLUNGEN :
Čapek XII, 370
Hašek XIV, 424
Neruda VIII, 347

Konec starých časů (Vančura) XIV, 426
Krakatit (Čapek) XII, 371

Lazarová, Markéta (Vančura) XIV, 426

Malostranské Povídky (Neruda) VIII, 347
Marhoul, Jan, Pekař (Vančura) XII, 377
Markéta Lazarová (Vančura) XIV, 426

Mundstock, Pan Theodor (Fuks) XIV, 423

Nylonový mesiac (Blažková) XIV, 422

Osudy dobrého vojáka Švejka v ruským zajetí (Hašek) XII, 375
Osudy dobrého vojáka Švejka za světovè války (Hašek) XII, 375

Pan Theodor Mundstock (Fuks) XIV, 423
Pekař Jan Marhoul (Vančura) XII, 377
První parta (Čapek) XII, 373
Psohlavci (Jirásek) XIV, 425

Švejka, Vojáka (Hašek) XII, 375

Terezinske Requiem (Bor) XIV, 422

Válka s mloky (Čapek) XIV, 423

Jugoslawische Romane

Bakaruša (Ribnikar) XIV, 456
Banket u Blitvi (Krleža) XIV, 452
Bela Žena (Radičević) XIV, 456

Coveni petao leti prema nebu (Bulatović) XII, 412
Cvetje v jeseni (Tavčar) VIII, 348

Dekla Ančka (Finžgar) XIV, 450
Deseti brat (Jurčič) XIV, 451
Dobri čas hajduci, U (Lazarević) VIII, 341

ERZÄHLUNGEN :
    Andrić XII, 408
    Bulatović XIV, 446
    Desnica XIV, 448
    Dijlas XIV, 449
    Kolar XII, 413. 414
    Krleža XIV, 451
    Lazarević VIII, 341
    Marinković XIV, 454
    S. a. »Novellen«

Glasam za ljubav (Olujić) XIV, 455
Gospodjica (Andrić) XIV, 444
Grozdanin kikot (Humo) XIV, 450

Heroj na magarcu (Bulatović) XIV, 446
Hiša Marije Pomočnice (Cankar) VIII, 333
Hlapec Jernej (Cankar) VIII, 333
Hrvatski bog Mars (Krleža) XIV, 451

Ja, Danilo (Susić) XIV, 457

Latinovicza, Filipa, Povratak (Krleža) XIV, 453

Milojeva smrt (Ribnikar) XIV, 456

Na burnaru (Lazarević) VIII, 341
– Drini cuprija (Andrić) XII, 407
– rubu pameti (Krleža) XIV, 452
– Splavik (Jngolić) XII, 413
Nečista krv (Stanković) XII, 415
NOVELLEN :
    Andrić XII, 400
    Cancar VIII, 334
    Krleža XIV, 451
    S. a. »Erzählungen«

Ognjište (Budak) XII, 410

Ped i ptice (Ribnikar) XIV, 456
Pesma (Davičo) XIV, 448
Polikarp (Cankar) VIII, 334
Povratak Filipa Latinovicza (Krleža) XIV, 453
Prokleta avlija (Andrić) XII, 408
Prvi put s otcem na jutrenju (Lazarević) VIII, 341

Razbojnik Petar (Cankar) VIII, 335
Ruke (Marinković) XIV, 454

Seobe (Crnjanski) XIV, 447
Splavik, Na (Ingolić) XII, 413

Travnička kronika (Andrić) XIV, 444

Verter (Lazarević) VIII, 341
Vuk i zvono (Bulatović) XIV, 445

Zgodbe iz doline šentflorjanske (Cankar) VIII, 334

Bulgarische Romane

Čiflikat kraj granicata (Jowkow) XII, 418

Tjutjun (Dimoff) XII, 417
Žetvarat (Jowkow) XII, 418

Ungarische Romane

Akét fogoly (Zilahy) XII, 402
Arany ember, Az (Jókai) XIV, 434
Atléta halála, Az (Mészöly) XIV, 437
Az én népem (Nyirö) XII, 399
– öz (Szabó) XIV, 440

Befejezetlen mondat, A (Déry) XIV, 428
Biborbanszültett, A (Passuth) XIV, 439
Boldog emberöltö, A (Körmendi) XII, 386
Budapesti kaland, A (Körmendi) XII, 385

Danaida, A (Szabó) XIV, 441

Égetö, Eszter (Németh) XIV, 438
Egy leány története (Herczeg) VIII, 337
Elvész a nyom (Wass) XIV, 442
Én népem, Az (Nyirö) XII, 399
Erdély (Móricz) XII, 396
ERZÄHLUNGEN:
    Déry XII, 381; XIV, 429
    Jókai VIII, 340
    Karinthy XIV, 435
    Márai XII, 390
És mégis mozog a föld (Hársanyi) XII, 384

Fáklya, A (Móricz) XII, 395
Fekete gyémantok, A (Jókai) VIII, 339
Felelet (Déry) XIV, 429
Feleségem története, A (Füst) XIV, 432
Freskó (Szabó) XII, 400

G. A. úr X.-ben (Déry) XIV, 430
Gólyakalifa, A (Babits) XII, 379

Halálos tavasz (Zilahy) XII, 401

I dcgon omberek (Márai) XII, 388
Iskola a határon (Ottlik) XIV, 439
Iszony (Németh) XII, 397

Köszivü ember fiai, A (Jókai) XIV, 434
Különös házasság (Mikszáth) VIII, 343
Kuki (Vaszary) XIV, 442

Ló meg az öregasszony, A (Déry) XIV, 429
Lohinai fü, A (Mikszáth) VIII, 342

Magyar Rapszódia (Hársanyi) XII, 383
Magyarország 1514 ben (Eötvös) VIII, 336
Medvetánc (Márai) XII, 390

Niki, Egy kutya története (Déry) XII, 380
Noszty fiú ésete Tóth Marival (Mikszáth) VIII, 344

Öz, Az (Szabó) XIV, 440
Óviás, Az (Déry) XII, 381

Pál-utcai fiúk, A (Molnár) XII, 392
Póntek lépcsöin, A (Hernádi) XIV, 433
Pilatus (Szabó) XIV, 440
Pogányok (Herczeg) VIII, 339
Pro libertate (Herczeg) VIII, 338

Rozsdatemeto (Féjes) XIV, 431

Sárarany (Móricz) XII, 394
Szerelem (Déry) XIV, 429
Szunyoghy Miatyánkja (Gárdony) XIV, 432

Timár Virgil fia (Babits) XII, 380
Tizenhat zăr, A (Domahidy) XIV,
431

Utazás Faremidoba (Karinthy)
XIV, 435
Uz Bence (Nyirö) XII, 398

Rumänische Romane

Adam si Eva (Rebreanu) XII, 423

Baltagul (Sadoveanu) XII, 426

Duminica Orbului (Petrescu) XII, 421

ERZÄHLUNGEN :
Caragiale XIV, 459
Creangă VIII, 335

Făclie de Pași, O (Caragiale) XIV, 459

Harap Alb (Creangă) VIII, 335

Intoarcerea fiuliu resipitor (Tudoran) XII, 428
Ion (Rebreanu) XII, 422

Noptile de Sânziene (Sadoveanu) XII, 427

Păcat (Caragiale) XIV, 459

Răscoala (Rebreanu) XII, 425

Griechische Romane

Aiolike gē (Venesis) XII, 438

ERZÄHLUNGEN:
Cicellis XII, 430
Vassilikos XIV, 469
Venesis XII, 439

Galēnē (Venesis) XIV, 470

Hélios tou thanátou, Ho (Prevelakis)
XIV, 468
Ho Christos xanastauro netai (Kazantzakis) XII, 432

Kephalē tēs Medúsas, Hē (Prevelakis) XIV, 468
Kotzámbassēs tu Kastrópyrgu, Ho
(Karagatsis) XIV, 466

Sorbas, Alexis (Kazantzakis) XII, 434
Stae sykamia apo kato (Papa) XII, 437

Teleutaíos peirasmós, Ho (Kazantzakis) XIV, 467

III.
REGISTER DER
ROMAN-ARTEN

Dieses von den Rezensenten des »Romanführers« mehrfach angeregte Register übernimmt zunächst die Bezeichnung jener »Arten«, die von den einzelnen Bearbeitern der Romane gewählt und am Schluß der Titelköpfe eingesetzt wurde. Da es aber fast immer unmöglich ist, die Art eines Romans mit nur einem einzigen Stichwort erschöpfend zu charakterisieren und infolgedessen jeder derartige Versuch zu subjektiv, unbestimmt, vieldeutig usw. sein muß, wurde bei den meisten Romanen die Kennzeichnung der Art erweitert, so daß nun der gleiche Titel unter 3–5 verschiedenen Stichworten erscheint. Trotzdem ist eine Vollständigkeit innerhalb der einzelnen Arten nicht angestrebt, da sie bei der Vielseitigkeit und Vieldeutigkeit des Inhalts der meisten Romane praktisch nicht durchführbar ist.

INHALTSVERZEICHNIS DER ROMAN-ARTEN

Abenteuer-Romane 318
Afrika-Romane 319
Alchimistische Romane 319
Allegorische Romane 319
Alpine Romane 319
Anekdoten 319
Antiklerikale Romane 320
Antikriegs-Romane 320
Arbeiter-Romane 320
Archäologische Romane 320
Arzt-Romane 320
Ausgrabungs-Romane s. Archäologische Romane
Auswanderer-Romane 321
Autobiographische Romane 321

Bauern-Romane 322
Bekenntnis-Romane 323
Berg-, Bergführer- und Bergsteiger-Romane s. Alpine Romane
Bergwerks-Romane 323
Berufs-Romane 323
Biblische Romane 325
Bildungs-Romane 325
Biographische Romane 325
Brief-Romane 327
Burleske Romane s. Schelmen-, Schwankhafte Romane

Charakter-Romane s. Psychologische Romane

China-Romane 327
Christus-Romane s. Biblische Romane
Chronikalische Romane 327

Dichter-Romane 328
Dirnen-Romane s. Sitten-Romane
Dorf-Romane 328

Ehe-Romane 329
Emigranten-Romane s. Auswanderer-Romane
Entdeckungs-Romane 330
Entwicklungs-Romane 330
Erinnerungs-Romane 331
Erlebnis-Romane 332
Erotische Romane s. Liebes-Romane
Erzieher-Romane s. Lehrer-, Pädagogische, Schul-Romane
Erziehungs-Romane s. Bildungs-, Pädagogische, Schul-Romane
Ethnologische Romane 332
Existentialistische Romane 332
Expressionistische Romane 332

Fabrik-Romane s. Industrie-Romane
Familien-Romane 333
Farmer-Romane s. Siedlungs-Romane

Fischer-Romane 334
Flieger-Romane 335
Flüchtlings-Romane 335
Folkloristische Romane 335
Frauen-Romane 335
Friedens-Romane s. Antikriegs-Romane

Galante Romane s. Heroisch-galante Romane
Gasthaus-Romane s. Wirtshaus-Romane
Gauner-Romane 337
Gebirgs-Romane s. Alpine Romane
Gefangenschafts-Romane 337
Geiger-Romane s. Musik-Romane
Generations-Romane 337
Gerichts-Romane s. Kriminalistische Romane
Geschichtliche Romane s. Historische, Kulturhistorische, Zeit-Romane
Gesellschafts-Romane 338
Gesellschaftskritische Romane 339
Gespenster-Romane s. Okkulte Romane
Glaubens-Romane s. Religiöse Romane
Grenzland-Romane 340
Großstadt-Romane 340
Groteske Romane 340
Gruben-Romane s. Bergwerks-Romane
Guts-Romane s. Bauern-, Dorf-Romane
Gymnasiums-Romane s. Schul-Romane

Heimat-Romane 340
Heimkehrer-Romane 342
Heitere Romane s. Humoristische Romane
Heroisch-galante Romane 342
Historische Romane 342

Hotel-Romane s. Wirtshaus-Romane
Humoristische Romane 346

Jagd-, Jäger-Romane 347
Idyllische Romane 347
Indianer-Romane 347
Industrie-Romane 347
Ingenieur-Romane 348
Ironische Romane 348
Jüdische Romane 348
Jugend-Romane 348

Kalendergeschichten 349
Kaufmanns-Romane 350
Kellner-Romane s. Wirtshaus-Romane
Kindheits-Romane 350
Kirchliche Romane s. Kloster-, Priester-, Religiöse Romane
Kleinstadt-Romane 351
Kloster-Romane 351
Knaben-Romane s. Jugend-, Kindheits-Romane
Kolonial-Romane 351
Komponisten-Romane s. Musik-Romane
Krankheits-Romane 352
Kriegs-Romane 352
Kriminalistische Romane 353
Künstler-Romane 354
Kulturhistorische Romane 354

Landschafts-Romane 355
Landstreicher-Romane 356
Landwirtschafts-Romane s. Bauern-, Dorf-Romane
Lebensbeschreibungen s. Biographische, Entwicklungs-Romane
Legenden-Romane 356
Lehrer-Romane 356
Liebes-Romane 356

Mädchen-Romane s. Frauen-, Jugend-, Kindheits-Romane

Märchenhafte Romane 359
Magische Romane s. Okkulte Romane
Maler-Romane s. Künstler-Romane
Matrosen-Romane s. See-Romane
Medizinische Romane s. Arzt-, Krankheits-Romane
Memoiren-Romane s. Erinnerungs-Romane
Milieu-Romane 359
Militär-Romane 359
Mönchs-Romane s. Kloster-Romane
Moralistische Romane 360
Musik-Romane 360
Mutter-Romane 360
Mystische Romane 361
Mythische Romane 361

Nachkriegs-Romane 361
Naturschildernde Romane 362
Neger-Romane s. Rassen-Romane
Nonnen-Romane s. Kloster-Romane
Nouveau Roman 362

Okkulte Romane 362

Pädagogische Romane 363
Parodistische Romane 363
Pastoren-Romane s. Priester-Romane
Pazifistische Romane s. Antikriegs-Romane
Pfarrer-Romane s. Kloster-, Priester-Romane
Phantastische Romane 363
Philosophische Romane 364
Pianisten-Romane s. Musik-Romane
Pikareske Romane s. Schelmen-Romane
Politische Romane 364
Priester-Romane 365
Problem-Romane 365
Psychologische Romane 366

Räuber-Romane 368
Rassen-Romane 368
Reise-Romane 368
Religiöse Romane 369
Revolutions-Romane s. Historische, Zeit-Romane
Ritter-Romane 370
Robinsonaden 370

Sänger-Romane 370
Sagen 370
Satirische Romane 370
Schäfer-Romane 371
Schauer-Romane 371
Schauspieler-Romane 371
Schelmen-Romane 371
Schicksals-Romane 372
Schiffs- und Schiffahrts-Romane s. See-Romane
Schlüssel-Romane 372
Schmuggler-Romane 372
Schriftsteller-Romane s. Dichter-Romane
Schul-Romane 373
Schwankhafte Romane 373
See-Romane 373
Sekten-Romane 373
Siedlungs-Romane 373
Sippen-Romane s. Familien-, Generations-Romane
Sitten-Romane 374
Skurile Romane s. Groteske Romane
Soldaten-Romane s. Kriegs-, Militär-Romane
Soziale Romane 374
Sozialkritische Romane 375
Spiritistische Romane s. Okkulte Romane
Sport-Romane 376
Spuk-Romane s. Okkulte Romane
Staats-Romane 376
Stadt-Romane s. Großstadt-, Kleinstadt-Romane
Studenten-Romane 376

Südsee-Romane 376
Surrealistische Romane 376
Symbolische Romane 377

Tagebuch-Romane 377
Tatsachen-Berichte 377
Technische Romane 377
Theater-Romane s. Sänger-, Schau-
  spieler-Romane
Tier-Romane 378

Utopische Romane 378

Vagabunden-Romane s. Gauner-,
  Landstreicher-Romane

Verbrechen-Romane s. Kriminalisti-
  sche Romane
Visionäre Romane 379
Völkerkundliche Romane s. Ethno-
  logische Romane
Volkstums-Romane 379

Weihnachtsgeschichten 379
Weltanschauliche Romane 379
Wirtshaus-Romane 380

Zeitgeschichtliche Romane 380
Zeitkritische Romane 382
Zigeuner-Romane 382
Zirkus-Romane 382
Zukunfts-Romane 382

Abenteuer-Romane

I: *88*, *89*, 78, 80 Eichendorff; *171–174*, 148–151 Gerstäcker; *196–199*, 171–175 Grimmelshausen; 200 Hauff; *254*, 223 Hermes; *347*, *363*, *364*, 309, 322, 323 Keller, G.

II: *425*, 387 Mann, H.; 410 Mann, Th.; *451*, *452*, 411 May; *470–472*, 427, 428 Möllhausen; *477*, 433 Mügge; *497* Presber; *507*, 451 Raabe; *574*, 520 Schnabel; *589*, 534 Sealsfield; 665 Wezel; 673 Wieland; *728*, 682 Wille; *746*, 694 Ziegler; *748*, 698 Zschokke

III: 48 Bergengruen; 144 Colerus

IV: 302 Hausmann; 342 Horst; 493 Kutzleb; 525 Leip; 540, 541 Löhndorff

V: 718 Rombach; 766 Schnack, A.; 865–867 Traven; 889, 890 Velter; 912 Weisenborn

VI: 37, 38 Chateaubriand; 56 Daudet; 66–70 Dumas père; 81 Fénelon; 104 Gautier; 158 Louvet de C.; 162 Maistre; 182 Mérimée; 200 Rabelais; 252, 253 Verne; 259–261 Voltaire; 333 Amadis; 340, 341 Baroja; 352, 362 Cervantes

VII: 8 Beckford; 13 Boldrewood; 19 Bulwer; 38–50 Conrad, J.; 51–56 Defoe; 95 Fielding; 126 Johnson, S.; 129, 137 Kipling; 142, 143, 146 Marryat; 147 Maturin; 181–186 Smollet; 194–202 Stevenson; 251, 253 Cooper; 259, 260 Crane; 264 Harte; 268, 269 Henry, O.; 284–300 London, J.; 303–310 Melville; 315 Norris; 319, 320 Poe; 324–327 Twain; 346 Lennep; 350, 351 Schendel

VIII: 25–27 Bruun; 179 Gogol; 213, 214 Kusmin; 222 Leskow; 258 Tolstoj, A. K.; 264, 272 Tolstoj, L.; 327 Sienkiewicz

IX: 7 Arnaud; 22 Benoît; 29 Blond; 45 Cendrars; 82 Gary; 137 Mac Orlan; 141 Malraux; 184, 185 Peisson; 282 Ghisalberti; 347 Güiraldes; 363 Rivera; 373 Wast

X: 18, 19 Cloete; 46 Forester; 62 Golding, W. G.; 88 Hilton; 92 Hughes, R.; 105, 106 Innes; 130 Leach; 157–159 Masefield; 162, 163 Masters; 258 White, P.

XI: 2, 4 Allen; 18, 19 Bowles; 41 Burman; 43 Cabell; 64 Costain; 102 Faulkner; 133, 134 Grey; 135 Griffin; 142, 147 Hemingway; 149 Hergesheimer; 191 Lin Yutang; 208 Mason, F.; 209 Mercer; 216 Mitchell; 223, 224 Nordhoff; 240, 241 Prokosch; 253–257 Roberts, K. L.; 269 Saroyan; 280, 281 Shellaberger

XII: 17–20 Jürgensen; 90, 91 Hansen; 103 Scott, G.; 115 Bengtsson; 117 Berg; 168 Gailit; 241 Ehrenburg; 375 Hašek; 427 Tudoran

XIII: 16 Bauer, J. M.; 101 Friedenthal; 143 Helwig; 153 Hohoff, C.; 154 Hohoff, M. E.; 220 Landgrebe; 369 Traven

XIV: 9 Boulle; 58 Merle; 59 Mohrt; 150 Gallegos; 171 Amado; 175 Rosa; 180 Borrow; 184 Cronin; 196 Hudson; 233 Shute; 275 Harte; 292 Kjelgaard; 334 Winsor; 383 Iwanow; 434 Jokai

S. a. Erlebnis-, Schicksals-Romane

Afrika-Romane

III: 18 Barth
IV: 387 Jünger, E.
VI: 156 Loti
VII: 164, 165 Schreiner
IX: 22 Benoît
X: 3 Abrahams; 13, 14 Cary; 18–20 Cloete; 87 Hichens; 121 Lanham; 171 Mofolo; 198, 200 Paton; 201 Post; 253 Waugh; 271 Young

XI: 41 Burman; 141 Hemingway; 259 Ruark; 320 Stinetorf
XII: 17–20 Jürgensen; 127 Helander
XIII: 187 Kaufmann, H.
XIV: 225 Packer; 225 Plomer; 253 Bellow; 256 Burman; 272 Gordimer; 360 Edquist

Alchimisten-Romane

I: *28* Baumbach
II: *658*, 599 Storm

III: 50 Bernus
VI: 12 Balzac

Allegorische Romane

I: *283*, 258 Hoffmann, E. Th. A.
IV: 404, 405 Kasack
V: 902 Waser, R.
VI: 397 Quevedo

VII: 307, 313 Melville
XI: 271 Saroyan
XIII: 126 Gütersloh
XIV: 6 Beckett

Alpine Romane

I: *101–103*, 94, 96, 97 Federer; *158*, *165*, *166*, 143, 144 Ganghofer; *240*, *242*, *243*, 213–215 Heer; *279*, 247 Hillern
II: *487*, 439 Ompteda; *663*, 612 Stratz; *678*, 629 Telman; 650, 651 Voss; *739–744*, 690–692 Zahn
III: 173 Ehmer
IV: 285 Haensel; 396 Kaergel; 559

Marti
V: 703, 704 Renker; 791 Schröer; 822 Springenschmid; 853 Strobl; 876 Tumler
IX: 78 Frison-R.; 204–211 Ramuz
XIII: 111 Gaiser; 293 Perkonig; 315 Roth, E.
XIV: 362 Höijer

Anekdoten und Anekdotische Romane

II: 496 Schäfer
III: 148, 149 Diess; 215 Franck
V: 737 Schäfer
VI: 26 Baudelaire; 245 Toeppfer;

320 Serao
VIII: 224 Leskow
XIII: 219 Lämmle; 309 Rezzori
XIV: 82 Sade

Antiklerikale Romane

VI: 164 Martin du Gard
IX: 187 Peyrefitte

XI: 183, 185 Lewis
XIV: 66 Peyrefitte

Antikriegs-Romane

I: *31*, 26 Beyerlein
II: *677*, 628 Suttner
III: 95 Braun, H.; 221 Frank, L.;
247 Glaeser
V: 862 Thomas; 974 Ziesel; 981, 982
Zweig, A.
VI: 216 Rolland

VII: 258 Crane
VIII: 144 Andrejew
IX: 11, 12 Barbusse; 367 Sender
X: 130 Leach; 296 Claes
XI: 110 Faulkner; 269 Saroyan
XIV: 108 Malaparte; 303 Morris, E.
S. a. Kriegs-Romane

Arbeiter-Romane

II: *547*, 489 Saar
III: 58 Betzner; 152 Döblin; 190, 191
Faust
V: 787, 788 Schröder, M. L.
VI: 134 Hugo; 149 Lemonnier; 272,
283 Zola
VII: 357, 360 Streuvels
VIII: 7, 18 Andersen-Nexö
IX: 125 Just

X: 20 Common; 43 Evans
XI: 282, 286, 287 Sinclair
XII: 142 Lo-Johansson; 169 Huovi-
nen; 262 Grin, E.; 271 Katajew;
279 Makarenko; 302 Polewoi; 348
Goetel
XIII: 211 Kramp; 247 Lützkendorf
XIV: 265 Fast; 353 Kielland
S. a. Bergwerks-, Berufs-, Industrie-
Romane

Archäologische Romane

II: 406 Mann, Th.
III: 137 Ceram
IV: 434 Kluge, K.
VI: 180, 181 Mérimée

IX: 22 Benoît; 141 Malraux
XIII: 356 Stoll
XIV: 302 Michener

Arzt-Romane

I: *83*, 72 Ebner-E.; *109*, 99 Finckh;
319, 294 Jean Paul
II: *650*, 610 Storm; *703*, 660 Wassermann

III: 54, 55 Beste; 132–137 Carossa;
182 Ewerbeck; 278 Gumpert
IV: 313, 315 Hesse, M. R.; 340 Holgersen; 344, 345 Hoster; 393, 394

Kades; 441 Knittel; 454 Kolbenheyer; 491 Kurz, K. F.; 551 Maass, E.
V: 661 Ortner; 725 Rothmund; 915 Weiss, E.; 926 Werfel
VI: 11 Balzac; 164 Martin du Gard; 279 Zola; 384 Machado de Assis
VII: 218 Trollope; 316 Norris
IX: 164 Meersch
X: 6 Balchin; 24, 26 Cronin; 32 Deeping; 273 Young; 312, 313 Hartog; 335 Roothaert; 350 Vestdijk
XI: 75, 76 Douglas, L. C.; 156, 158 Hobart; 181 Lewis, S.
XII: 5 Branner; 9 Buchholtz, J.; 39 Gunnarsson; 143 Lyttkens; 149 Munthe; 275 Kawerin; 294 Pasternak; 337 Wercssajcw; 343 Choromanski
XIII: 103 Friedl; 283 Nonnenmann; 294 Planner- P.
XIV: 1 André, 97 Bassani; 174 Namora; 238 Tibber; 257 Caldwell, T.; 272 Gibson; 299 Mergendahl; 367 Söderberg; 440 Szabó
S. a. Krankheits-Romane

Auswanderer-Romane

I: 152 Gillhoff; 155 Goethe
II: 587–590, 534–536 Sealsfield
III: 171 Edschmid; 246 Gillhoff
IV: 356 Jacob; 476 Kuckhoff
V: 701 Remarque
VII: 46 Conrad, J.
IX: 332 Ferreira de Castro; 362 Quiroga, H.
XI: 59 Cather
XII: 61 Bojer; 99 Rølvaag; 125 Hambraeus; 146, 147 Moberg
XIV: 201 Lamming; 290 Kazan
S. a. Flüchtlings-, Siedlungs-Romane

Autobiographische Romane

I: 67 Conradi; 109, 99 Finckh; 128 François; 177, 154 Goethe; 234, 208 Hauptmann, G.; 288, 256 Hoffmann, E. Th. A.; 309, 274 Huch, Ric.; 339, 302 Jung-Stilling; 382, 339 Knigge; 341 Kolb; 358 Kurz, I.
II: 411, 369 Lauff; 418, 380 Löns; 526, 529, 468, 469 Reuter, F.; 474 Reventlow; 544, 545, 482 Rosegger; 555–559, 501–504 Schaffner; 566, 511 Scherr; 658, 661, 598, 599 Storm; 615 Strauß; 694, 646 Vischer; 696 Vögtlin; 698, 650 Voigt-D.; 732, 733, 685 Wolff, Joh.; 689 Wolzogen, K.
III: 18 Barth; 119 Brües; 133–137 Carossa; 148, 149 Diess; 174 Ehrler; 222 Frank, L.; 233 Gabele; 264, 265 Graf
IV: 287 Haluschka; 298 Hauser; 321, 322 Heye; 384 Isemann; 387 Jünger, E.; 390 Jünger, F. G.; 451 Kolb; 471 Kreuder; 536, 537 Lichnowsky; 541 Löhndorff; 541 Löscher; 576 Meschendörfer; 597 Molzahn
V: 716 Risse; 722 Roth, E.; 728, 729 Salomon; 731 Sanden; 733 Schäfer; 740 Schaeffer; 788 Schröder, R. A.; 849 Strauß; 872, 873 Tügel; 885, 886 Vegesack; 887 Velsen; 900, 901 Waggerl; 968 Wolf, R.
VI: 6, 7 Audoux; 45 Colette; 49 Constant; 73 Erckmann; 221 Rous-

seau; 293 Annunzio; 299 Cellini; 303
Deledda; 313 Pellico; 383 Machado
de Assis
VII: 69 Dickens; 209 Thackeray;
231 Wells; 292 London, J.; 303, 304,
312 Melville
VIII: 16 Andersen-Nexö; 24 Bang;
35 Jacobsen, J. P.; 64, 84 Hamsun;
125 Strindberg; 143 Aksakow; 155,
160 Dostojewski; 196 Gorki; 209
Korolenko; 254 Schewtschenko; 261,
262 Tolstoj, L.
IX: 19 Beck; 40 Camus; 97, 98
Giono; 278 Chiesa; 292 Negri; 308
Svevo; 312 Varè; 327 Barea; 333
Ferreira de Castro; 369 Verdaguer
X: 3 Abrahams; 20 Common; 35
Druten; 82, 83 Han Suyin; 108
Joyce; 181 Mukerdschi; 345, 346
Timmermans
XI: 12 Bellow; 13 Bemelmans; 32,
33 Buck; 93 Farrell; 141 Heming-
way; 207 Marquand; 214 Miller, H.;
267 Saroyan; 294 Smedley; 331
Waln; 355–363 Wolfe, Th.
XII: 40 Gunnarsson; 48 Laxness;
82 Geijerstam, Gö.; 143 Lo-Johans-
son; 149 Munthe; 173 Koskenniemi;

207 Bunin; 214 Panteleimonow; 216,
217 Rachmanowa; 228, 230, 231
Schmeljow; 237 Babel; 258 Gladkow; 265 Inber; 293 Panowa; 297
Paustowsky; 360 Milosz; 393 Molnár; 434 Kazantzakis; 437 Papa;
438 Venesis
XIII: 5 Andersch; 41 Böll; 54 Brod;
71 Döblin; 73 Dor; 103 Friedl; 123
Griese; 187 Kauffmann; 208 Kokoschka; 229 Lederer; 311 Richter,
H. W.; 320 Sack; 321 Sahl; 346
Seidel, I.; 373 Ude; 381 Vegesack;
387 Walser, R.; 394 Weiss, P.
XIV: 16, 17 Céline; 19 Chamson;
33 Gary; 42 Green, J.; 50 Leiris;
57 Memmi; 61 Monnier; 70 Proust;
86 Sartre; 88 Stendhal; 115 Pasqualino; 123 Tecchi; 144 Del Castillo; 180 Borrow; 212 Masters;
217 O'Casey; 220 O'Connor, F.; 228
Quincey; 288, 289 Jewett; 314
Ruark; 346 Laxness; 359 Dagerman; 392 Paustowski; 400 Sklovskij; 420 Schulz
S. a. Bekenntnis-, Biographische,
Entwicklungs-, Erinnerungs-, Psychologische Romane

Bauern-Romane

I: *9, 10*, 8, 9 Anzengruber; 58, 59
Christ; *158*, 144 Ganghofer; *184, 187*,
161, 162, 164 Gotthelf; 284–286
Huggenberger; *348*, 310 Keller, G.;
365, 326 Keller, P.
II: 374 Lienert; *417, 419*, 378, 379
Löns; *493*, 442 Polenz; *540–543*,
483–485 Rosegger; *594*, 540 Skowronnek; 558, 560 Stehr; *665, 666*,
618, 620 Strauß und Torney; *679–
681*, 631–634 Thoma; *691*, 644 Viebig;
698, 648 Voigt-D.; 667–669 Wib-

belt; *742*, 690 Zahn; *748*, 699
Zschokke
III: 19, 20 Bauer, J. M.; 42 Bentlage; 42, 43 Berens-T.; 58 Betzner;
79 Bodmershof; 126 Busse; 138–140
Christ; 186 Fallada; 231–233 Gabele; 243 Gierer; 269 Griese; 277
Grogger
IV: 307 Heiseler, B.; 325–327 Hinrichs; 330 Hoerner; 350–352 Huggenberger; 361 Jahn; 427 Klingele;
466 Kramp; 490 Kurz, K. F.

V: 634 Nelissen-H.; 654 Oberkofler; 672, 673 Peters; 694 Randenborgh; 707 Reyhing; 709 Ringeling; 828, 830 Stehr; 867 Trenker; 891 Vesper; 897–899 Waggerl; 918, 919 Welk; 956–959 Windthorst; 964 Wittek
VI: 11, 22 Balzac; 55 Daudet; 144 Jammes; 225, 227 Sand; 274 Zola; 344 Blasco Ibáñez
VII: 114 Galsworthy; 356 Streuwels
VIII: 7, 16, 18, 20 Andersen-Nexö; 60, 61 Björnson; 63 Garborg; 75 Hamsun; 101 Hallström; 116 Lagerlöf; 122, 123 Strindberg; 264 Tolstoj, L.; 320 Reymont
IX: 31 Bosco; 90–92, 96 Giono; 186 Pérochon; 223 Sainte-Soline; 259 Vincent
X: 114 Kaye-S.; 149 Markandaya; 192 O'Flaherty; 241 Tunstall; 241 Vaughan; 317 Hcmeldonck; 325 Man; 328 Nijenhuis; 340, 344 Timmermans; 352 Vries, A.

XII: 6 Bregendahl; 28 Olesen-L.; 32, 33 Skjoldborg; 34, 35 Söiberg; 40 Gunnarsson; 47, 48 Laxness; 62 Bojer; 69 Duun; 72, 73 Egge; 75, 78–80 Falkberget; 85 Gullvaag; 93 Haukland; 94, 95 Markusson; 107 Undset; 146, 147 Moberg; 160 Spong; 165 Vaering; 170 Jotuni; 179, 180 Seppänen; 181–186 Sillanpää; 187 Talvio; 190, 192 Tammsaare; 194 Virza; 290 Panferow; 310 Scholochow; 394 Móricz; 410 Budak; 413, 414 Kolar; 418 Jowkow
XIII: 86 Erath; 109 Gäng; 234 Leifhelm; 261 Moeschlin; 285 Nordström; 353 Stöger
XIV: 61 Monnier; 65 Pagnol; 119 Rombi; 174 Namora; 339 Eysselstein; 409 Dombrowska; 450 Finzgar
S. a. Dorf-, Siedlungs-Romane

Bekenntnis-Romane

VI: 98 Fromentin; 118 Gide; 164, 166 Martin du Gard
VIII: 280 Tolstoj, L.
IX: 25, 26 Bernanos

XIII: 72 Döblin
XIV: 35, 36 Genet; 145 Del Castillo
S. a. Autobiographische, Erinnerungs-Romane

Bergwerks-Romane

I: 282, 254 Hoffmann, E. Th. A.
III: 180 Ernst, P.
IV: 395 Kaergel
V: 651 Nowak-Z.
VI: 272 Zola
VIII: 230 Mamin-S.

X: 23 Cronin; 139 Llewellyn
XI: 286 Sinclair
XII: 76 Falkberget; 373 Čapek
XIII: 401 Wiessalla
XIV: 265 Fast

Berufs-Romane

I: 100, 92 Eyth (Schneider); 239, 202 Hauptmann, G. (Bahnwärter); 248, 218 Heiberg (Apotheker); 270 Holzamer (Schneider); 291, 255

Hoffmann, E. Th. A. (Küfer); *349*, 311 Keller, G. (Kammacher); *350*, 312 Keller, G. (Schneider); *356*, 317 Keller, G. (Landvogt)
II: *422*, 384 Ludwig (Schneider); *424*, 383 Ludwig (Dachdecker); *516*, 456 Raabe (Apotheker); *546*, 491 Saar (Schloßverwalter); *555–560*, 500–504 Schaffner (Schuster); 524 Schnitzler (Erzieherin); 560, 561 Stehr (Geigenbauer); *656*, 601 Storm (Puppenspieler); *697* Vögtlin (Scharfrichter)
III: 96 Brautlacht (Schneider); 129 Cabanis (Krankenschwester); 188 Fallada (Versichg.-Angest.); 194 Fechter (Kellner); 245 Gierer (Geigenbauer); 268 Griese (Torfmacher); 268 Griese (Pferdeknecht)
IV: 398 Kästner, Erich (Fleischer); 424 Klepper (Flußschiffer); 429 Kluge, K. (Gastwirt); 433 Kluge, K. (Glockengießer); 482 Kuhnert (Flußschiffer, Flößer); 535 Lersch (Hammerschmied)
V: 719 Rombach (Goldschmied); 721 Rombach (Geometer); 797 Schwarzkopf (Hafner); 820 Spoerl, H. (Gasmann); 835, 836 Stehr (Geigenbauer); 858 Taube (Metzger); 866 Traven (Baumwollpflücker); 925, 926 Werfel (Dienstmagd); 940 Wiechert (Magd); 942 Wiechert (Hirtenjunge); 972 Zierer-St. (Magd)
VI: 7 Audoux (Schneiderin); 18 Balzac (Drucker); 53 Coster (Schmied); 89 Flaubert (Magd); 92 France (Koch); 125 Goncourt (Dienstmädchen); 214 Rolland (Tischler, Holzbildhauer); 226 Sand (Mühlknecht); 276 Zola (Börsenmakler); 299 Cellini (Goldschmied, Bildhauer); 345 Blasco Ibáñez (Stierkämpfer)

VII: 57, 58 Deloney (Weber, Tuchmacher); 90 Eliot, G. (Weber); 153 Moore (Dienstmädchen); 177 Shaw, G. B. (Boxer); 311 Melville (Anwalt); 354 Streuvels (Pferdeknecht)
VIII: 3 Aakjaer (Bauern-Gesinde); 18 Andersen-Nexö (Dienstmagd); 218 Leskow (Frisör); 245 Puschkin (Sargmacher); 246 Puschkin (Postmeister); 286 Tschechow (Schuster); 323 Sienkiewicz (Leuchtturmwärter)
IX: 40 Camus (Richter); 95 Giono (Hirten, Holzfäller); 333 Ferreira de Castro (Kautschukzapfer); 345 Gómez de la Serna (Torero)
X: 90 Hilton (Diplomat); 113 Isherwood (Filmregisseur); 155 Marshall (Wirtschaftsprüfer); 177 Morgan (Richter); 186 Nichols (Gärtner); 286 Bordewijk (Anwalt); 305 Elsschot (Buchhalter); 352 Vries, A. (Bauernknecht)
XI: 11 Basso (Advokat); 45–49 Caldwell, E. (Farmer); 116 Field (Erzieherin); 138, 140 Hemingway (Stierkämpfer); 153 Hersey (Treidler); 275 Schulberg (Boxer); 320 Stewart (Meteorologe); 352 Williams, V. (Erntepflücker); 353 Wilson, S. (Sekretär); 354 Wister (Cowboy)
XII: 24 Larsen (Komiker); 138 Lagerkvist (Henker, Zwerg); 183 Sillanpää (Bauernmagd); 227 Schmeljow (Kellner); 239 Dudinzew (Erfinder); 363 Piasecki (Schmuggler); 371 Čapek (Gärtner); 377 Vančura (Bäcker); 413 Ingolić (Flößer)
XIII: 42 Böll (Clown); 129 Gurk (Buchtrödler); 180 Kamphoevener (Hirten); 190 Kessel (Büro-Angestellter); 319 Saalfeld (Apothekerin)
XIV: 20 Clavel (Weinbauer); 46 Kern (Clown); 177 Torga (Weinbauer)

S. a. Alchimisten-, Alpine, Arbeiter-, Archäologische, Arzt-, Bauern-, Bergwerks-, Dichter-, Fischer-, Flieger-, Jäger-, Industrie-, Ingenieur-, Kaufmanns-, Kloster-, Künstler-, Land- streicher-, Lehrer-, Militär-, Musiker-, Priester-, Räuber-, Ritter-, Sänger-, Schäfer-, Schauspieler-, Schelmen-, Schul-, See-, Sport-, Studenten-, Techniker-, Wirtshaus-Romane

Biblische Romane

II: 406 Mann, Th.
III: 281 Gurk
VI: 90 Flaubert
VIII: 112 Lagerlöf
IX: 266 Bacchelli
XI: 8 Asch; 77 Douglas, M. C.; 90 Erskine; 289 Sinclair
XII: 344 Dobraczynski; 357 Kaden
XIII: 54 Brod; 93, 94 Feuchtwanger; 152 Hohoff; 231 Le Fort; 303 Regler; 324 Schaper; 395 Werfel
XIV: 467 Kazantzakis

Bildungs-Romane

I: 87 Ernst, P.; *178, 179*, 156, 158 Goethe; *260*, 237 Hesse
II: *631*, 587 Stifter
III: 342 Horst
IV: 494 Kutzleb
V: 738 Schaeffer; 961 Wirz
VI: 81 Fénelon; 92 France; 111 Gide; 119 Gobineau; 201 Rabelais; 211 Rolland; 260 Voltaire
VII: 25 Butler
XIII: 409 Zollinger
XIV: 468 Prevelakis
S. a. Entwicklungs-, Pädagogische Romane

Biographische Romane

I: *170*, 148 Gellert; *275*, 245 Heyse; *280*, 247 Hippel; *288, 293*, 256, 260 Hoffmann, E. Th. A.; *319–324*, 287–292 Jean Paul; *337*, 300 Immermann; *381*, 338 Klinger
II: *412*, 369 Lauff; 385 Lux; *483*, 435 Nicolai; *501, 502, 505, 506, 515, 516, 518*, 445, 448, 455, 456, 458, 459, 464 Raabe; 494, 495, 497, 498, 499 Schäfer; *555–559*, 501–504 Schaffner; 524 Schnitzler; 556–566 Stehr; *623, 624, 629, 631, 642*, 569, 571, 578, 585, 587 Stifter; *659*, 609, 611 Storm; *666*, 620 Strauß u. Torney; *703, 704, 708, 713*, 655, 657, 660, 661 Wassermann; *749*, 696 Zschokke
III: 70 Birkenfeld; 109 Britting; 114 Brod; 143, 144 Colerus; 147 Diehl; 169 Edschmid; 183 Faesi; 197, 198, 201, 202 Feuchtwanger; 212 Franck; 218 Frank, B.; 279 Gumpert
IV: 286 Haensel; 313, 315, 316 Hesse, M. R.; 332 Hofer; 334, 335 Hoffmann, R.; 346–349 Huch, Fel.; 361 Jahn; 362, 364 Jahnn; 368–371 Jelusich; 377 Inglin; 406 Kayser; 425, 426 Klepper; 429, 433 Kluge, K.; 452–458 Kolbenheyer; 477–479

Künkel; 538 Lilienfein; 542 Löscher; 550–552 Maass, E.; 554 Maass, J.; 558 Mann, K.; 571 Mell; 591–594 Molo; 600 Mühlberger; 606 Mumelter

V: 629 Nabl; 651, 652 Nowak-Z.; 653 Oberkofler; 658–661 Ortner; 664 Paquet; 669 Pentzoldt; 680 Pohl; 725, 726 Rothmund; 727 Saile; 731–734 Schäfer; 738–741 Schaeffer; 751 Schaumann; 785 Schreyvogl; 796 Schwarz; 805 Seidel, I.; 812 Selinko; 828–836 Stehr; 860 Thiess; 888 Velsen; 891 Vesper; 907, 909 Wehner; 959 Windthorst; 969 Zech; 970 Zerkaulen; 972 Zierer-St.

VI: 9, 16, 17, 21 Balzac; 56, 60 Daudet; 63, 64, 65 Diderot; 79 Estaunié; 98 Fromentin; 112 Gide; 154 Lesage; 164 Martin du Gard; 187 Musset; 194, 195 Philippe; 211, 214 Rolland; 220 Rousseau; 234, 235, 239 Stendhal; 247 Valéry; 262, 267, 269, 279 Zola; 328 Alarcón; 379 Larreta; 393 Pereda

VII: 21, 22 Bulwer; 27 Carlyle; 38, 41 Conrad, J.; 55, 56 Defoe; 88, 90 Eliot, G.; 122 Hardy; 142, 143, 146 Marryat; 147 Maturin; 160–163 Richardson; 167, 174, 175 Scott, W.; 189 Sterne; 193, 197 Stevenson; 209, 213 Thackeray; 231 Wells; 234 Wilde; 272–275 James, H.; 310, 311, 314 Melville; 323 Thoreau; 327 Twain

VIII: 16, 18 Andersen-Nexö; 33, 35 Jacobsen, J. P.; 46 Jensen, J. V.; 64 Hamsun; 109 Lagerlöf; 184 Gontscharow; 190, 191, 195, 199 Gorki; 244, 246 Puschkin; 266 Tolstoj, L.; 288 Tschechow

IX: 20 Beckett; 44 Céline; 45 Cendrars; 69, 70 Duhamel; 100, 101 Giono; 120 Ikor; 123 Istrati; 128

Landry; 138 Malègue; 157 Maurois; 172, 173 Montherlant; 247 Tourville; 269 Betti; 283 Ghisalberti; 295 Panzini; 312 Varè; 324 Arbó; 335 Ferreira de Castro; 353 León y Román; 364 Rojas, M.; 369 Verdaguer; 371 Veríssimo

X: 45, 46 Forester; 55 Gallico; 109 Joyce; 136 Li; 166 Maugham; 226 Sitwell; 236 Stuart; 263, 265, 266 Woolf, V.; 294 Claes; 305 Elsschot; 308 Fabricius; 334 Roothaert; 340, 343, 344 Timmermans; 348 Velde, J.; 352 Vries, Th.

XI: 2 Allen; 25 Bromfield; 32, 33 Buck; 70, 71 Day; 77–86 Dreiser; 91 Erskine; 135 Griffin; 139, 140, 142, 147 Hemingway; 175 La Mure; 184 Lewis, S.; 234 Payne; 256 Roberts, K. L.; 258 Robinson; 264 Santayana; 280, 281 Shellabarger; 287, 288 Sinclair; 321–323 Stone; 334 Warren; 348, 349 Wilder; 355–363 Wolfe, Th.

XII: 23, 24 Larsen; 68, 70 Duun; 85 Gullvaag; 102 Scott, G.; 106, 107 Undset; 119 Böök; 121 Dixelius; 154 Salminen; 159 Söderberg; 212, 213 Nabokow; 218 Rachmanowa; 222 Robakidse; 235 Auesow; 244 Ehrenburg; 268 Iwanow; 284 Nowikow; 294 Pasternak; 331 Tolstoi, A. N.; 335 Tynjanow; 368 Weyssenhoff; 383, 384 Hársanyi

XIII: 18 Bauer, W.; 32 Bergengruen; 44, 45 Bongs; 53, 54 Brod; 58 Cramer; 69 Döblin; 97 Fontana; 105, 106 Frisch; 108 Fussenegger; 125 Guenther; 128 Guggenheim; 137 Hartung; 145 Hermlin; 149 Hirsch; 165 Jens; 183 Kapp; 190 Kessel; 202 Kluge, A.; 258 Menzel; 259 Meyer-Eckh.; 262 Molo; 317 Rüber; 338 Schreyvogl; 356 Stoll; 378 Urzi-

dil; 388 Walser, R.; 398 Wibmer-P.; 410, 411 Zollinger XIV: 14–16 Cayrol; 33 Gary; 67 Peyrefitto; 72 Queneau; 102 Calvino; 114 Nievo; 122 Svevo; 139 Carpentier; 144 Del Castillo; 321 Stein; 444 Andrić; 453 Krleža

S. a. Autobiographische, Bekenntnis-, Berufs-, Entwicklungs-, Erinnerungs-, Frauen-, Historische, Jugend-, Kindheits-, Künstler-, Psychologische, See-, Siedlungs-, Sitten-, Zeitgeschichtliche Romane

Brief-Romane

I: *57*, 47 Brentano; 103 Flaischlen; *177*, 154 Goethe; *271*, 240 Heyking; *281*, 248 Hölderlin; *382*, 339 Knigge II: *405*, 367 Laube; 474 Reventlow; *540*, 485 Rosegger; *684*, 636 Tieck III: 52 Bertram; 135 Carossa IV: 408 Kennicott VI: 43 Choderlos de L.; 55 Daudet; 184 Montesquieu; 219 Rousseau;

247 Valéry; 310 Foscolo VII: 160–163 Richardson VIII: 93 Lie; 150 Dostojewski; 295 Turgenjew XI: 27 Buck; 321 Stone; 336, 337 Webster XII: 63 Boo; 344 Dobraczynski XIII: 289 Overhoff XIV: 95 Yourcenar

China-Romane

I: 28 Bierbaum IV: 508 Langner; 568 Meckauer VI: 80 Farrère VIII: 40 Jensen, J. V. IX: 65 Dorp; 85 Gervais; 140, 142 Malraux; 312 Varè X: 82, 83 Han Suyin; 136 Li XI: 27–39 Buck; 62 Chang; 153

Hersey; 155, 156 Hobarth; 188–193 Lin Yutang; 235 Payne; 331, 332 Waln XII: 215 Prawdin XIII: 68 Döblin; 162 Huelsenbeck; 399 Wickert XIV: 77 Robbe-Gr.

Chroniken und chronikalische Romane

I: *55*, 49 Brentano II: *651*, 607 Storm; *728*, 682 Wille III: 3 Andreae; 138 Christ IV: 512 Le Fort; 539 Linke V: 944 Wiechert VIII: 143 Aksakow; 195 Gorki; 221 Leskow; 252, 253 Saltykow-Sch. IX: 311 Tombari

X: 203 Prescott XI: 105 Faulkner; 228 O'Hara, J.; 319 Stewart XII: 251 Fedin; 271 Katajew; 407 Andrić XIII: 63 Doderer; 158 Hornstein XIV: 59 Mohrt

Dichter- und Schriftsteller-Romane

I: 53 Büchner; *86*, 79 Eichendorff; 103 Flaischlen; 175 Ginzkey; *189*, 169 Greinz; *266*, 231 Hesse; *359*, 316 Keller, G.; *367*, 325 Keller, P.; *397*, 353 Kurz, H.
II: *405*, 367 Laube; *444, 445*, 403, 405 Mann, Th.; *479* Müller-Gutt.; *485*, 437 Novalis; *614*, 553 Spitteler
III: 22 Bauer, W.; 113 Broch; 133–137 Carossa; 155 Döblin; 212 Franck; 222 Frank, L.
IV: 286 Haensel; 338 Hohlbaum; 360 Jahn; 458 Kolbenheyer; 538 Lilienfein; 592 Molo; 605 Mumelter
V: 658 Ortner; 726 Rothmund; 808 Seidel, I.; 971 Zerzer
VI: 49 Constant; 207 Rod; 216 Rolland; 293 Annunzio; 303 Deledda
VII: 139 Lamb; 193 Stevenson

VIII: 4 Andersen; 35 Jacobsen; 64, 68 Hamsun; 121, 129, 130 Strindberg
IX: 160 Maurois; 173 Montherlant; 214 Régnier, P.; 309 Svevo; 324 Arbó
X: 35 Druten; 176 Morgan; 265 Woolf, V.
XI: 91 Erskine; 214 Miller, H.; 234 Payne; 271 Saroyan
XII: 48 Laxness; 212 Nabokow; 284 Nowikow; 299 Paustowskij; 335 Tynjanow; 365 Przybyszewski; 387 Kosztolányi
XIII: 15 Barth; 45 Bongs; 128 Guggenheim; 242 Lichnowsky; 258 Menzel; 262 Molo; 281 Neumann, R.; 338 Schreyvogl
XIV: 33 Gary; 210 Mannin; 464 Horla; 468 Prevelakis

Dorf-Romane

I: *16–19*, 15–17 Auerbach; 36 Bock; *56*, 48 Brentano; 59 Christ; *105*, 98 Fehrs; *133*, 122 Franzos; *169*, 147 Geissler, M.; *211*, 183 Halbe; *338*, 301 Immermann; *348*, 310 Keller, G.; *400*, 355 Kurz, H.
II: 370, 371 Leutelt; *422, 423*, 383, 384 Ludwig; *466*, 424 Meyr, M.; 465 Raithel; 486 Ruederer; 525 Schönherr; *599*, 545 Speck; *624*, 569 Stifter; 612 Strauß; *665*, 618 Strauß u. Torney; *692*, 643 Viebig; 669 Wibbelt; *739, 740*, 691 Zahn; *752*, 697 Zschokke
III: 12 Augustiny; 41 Bentlage; 53 Beste; 64 Billinger; 130, 131 Camenzind; 140 Christ; 225 Freissler; 270 Griese

IV: 439 Knies; 474 Kröger; 517 Lehmann, A.-H.; 539 Linke; 541 Löscher; 563 Matscher; 565, 566 Mechow; 599 Mühlberger
V: 769 Schnack, F.; 897–901 Waggerl; 904 Waser; 905 Watzlik; 913 Weismantel; 918 Welk; 935 Widmann, I.; 939, 944 Wiechert; 952 Wied
VI: 11 Balzac; 148 Lemonnier; 169 Martin du Gard; 226 Sand; 243 Tillier; 251 Verhaeren
VII: 261 Eggleston; 334–336 Buysse; 352–363 Streuvels
VIII: 39 Jensen, J. V.; 224 Leskow; 230 Mamin-S.; 264 Tolstoj, L.; 291 Tschechow; 304 Turgenjew; 315 Orzeszkowa; 342 Mikszáth

IX: 8 Aymé; 27 Bernanos; 90–92, 96–99 Giono; 223 Sainte-Soline; 269 Betti; 301–305 Silone; 334 Ferreira de Castro
X: 53 Forster; 60 Godden, R.; 125 Lawrence; 255 Webb; 294, 296, 297 Claes; 298–301 Coolen; 309 Germonprez; 358, 359 Walschap
XI: 104 Faulkner; 310 Steinbeck
XII: 6—7 Bregendahl; 46 Laxness; 166 Widén; 180 Seppänen; 181–187 Sillanpää; 204 Bunin; 227 Schmeljow; 258 Gladkow; 399 Nyirö; 412

Bulatovič; 418 Jowkow; 432, 435 Kazantzakis; 437 Papa; 438 Venesis
XIII: 13, 14 Bahl; 17 Bauer, J. M.; 52 Broch; 224 Lange, Ho.; 228 Lebert; 234 Leitgeb; 243 Lipinski-G.; 266 Mühlberger; 342 Schuster, E.; 392 Weidenheim
XIV: 27 Duras; 53 Maupassant; 127 Vittorini; 147 Descalzo; 194 Hartley; 204 Lee, L.; 215 Moore; 366 Lidman; 368 Tavaststjerna; 379 Bunin
S. a. Bauern-, Siedlungs-Romane

Ehe-Romane

I: *11*, 10 Arnim; 62 Contessa; *84* Ebner-E.; *115*, *116*, *117*, *123*, 109, 110, 112, 114 Fontane; *181*, 159 Goethe; *188*, *190*, 167, 168 Greinz; *211*, 183 Halbe; *233*, 207 Hauptmann, G.; *245*, 217 Hegeler; 230 Hesse; *281*, 254 Hoffmann, E. Th. A.; 267 Holm; *351*, *352*, *353*, *361*, 313, 314, 315, 321 Keller, G.; *374*, 331 Keyserling
II: *644*, 581 Stifter; *654*, *662*, 601, 608 Storm; 612 Strauß; *665*, 618 Strauß u. Torney; *687*, 640 Tieck; *711* Wassermann; *745* Zahn
III: 98 Brautlacht; 124 Bruns; 176 Einwächter; 187 Fallada; 190 Faust; 192, 193 Fechter; 215 Franck; 230 Fussenegger; 237 Gaiser; 238 Gast
IV: 298 Hatzfeld; 303 Hausmann; 315 Hesse, M. R.; 342 Hollander; 362 Jahn; 427 Klingele; 544 Lothar; 579 Michael
V: 624 Nabl; 676 Pleyer; 691 Preradović; 802 Seidel, H. W.; 819, 821 Spoerl, H.; 846, 850 Strauß; 877 Tumler; 879 Ulitz; 971 Zerkaulen; 979 Zuckmayer

VI: 47 Colette; 52, 53 Coster; 79 Estaunié; 83 Feuillet; 85 Flaubert; 173 Maupassant; 207 Rod; 220 Rousseau; 266, 286 Zola; 322 Verga
VII: 93 Eliot, G.; 151 Meredith; 179 Shaw, G. B.; 204 Stevenson; 266 Hawthorne; 273 James, H.
VIII: 71, 73 Hamsun; 93 Lie; 98 Geijerstam; 124, 129 Strindberg; 136 Aho; 162 Dostojewski; 191 Gorki; 217 Leskow; 245 Puschkin; 278 Tolstoj, L.; 343 Mikszáth
IX: 50 Chardonne; 56 Crottet; 66 Duhamel; 112 Green, J.; 123 Jouhandeau; 127 Lacretelle; 128 Landry; 145, 147, 151 Mauriac; 158 Maurois; 183 Otremont; 207 Ramuz; 213 Régnier; 264 Ambra; 276 Cèspedes; 279 Cicognani; 295 Panzini; 307 Soldati; 312 Varè; 321 Agusti; 359 Pérez de Ayala
X: 7 Baring; 31 Deeping; 34 Dickens, M.; 43 Evans; 70 Green, H.; 124 Lawrence; 140 Lowry; 168 Maugham; 184 Murdoch; 241 Tunstall; 279, 281 Ammers-K.; 289 Breedveld; 350 Vestdijk; 353 Vries, A.; 356, 357 Walschap

XI: 37 Buck; 48 Caldwell, E.; 119 Fitzgerald; 125 Gilbreth; 184 Lewis, S.; 195 Lindbergh; 258 Robinson; 272–274 Saroyan; 286 Sinclair; 300 Stegner; 313 Steinbeck; 322, 323 Stone; 338 Wescott; 339 West, J.; 353 Wilson, S.; 368 Yerby XII: 7 Buchholtz, J.; 10 Falk-R.; 39 Gunnarsson; 70 Duun; 85 Gullvaag; 105, 109, 110 Undset; 113 Vesaas; 171 Kallas; 186 Sillanpää; 192 Tammsaare; 217 Rachmanowa; 256 Gladkow; 343 Choromanski; 399 Nyirö; 402 Zilahy XIII: 33 Besch; 65 Döbler; 105 Frisch; 134 Hartlaub, G.; 159 Hubatius-H.; 227 Lauber; 284 Nordström; 352 Stahl; 385 Walser, M. XIV: 3 Balzac; 11 Butor; 29 Estang; 39 Giraudoux; 76 Robbe-Gr.; 79 Rolin; 124 Tecchi; 126 Villa; 172 Eça de Queirós; 280 Horgan; 307 O'Hara, J.; 332 White, N. G.; 347 Lembourn; 358 Colliander; 432 Füst; 433 Hernádé

S. a. Familien-, Liebes-Romane

Entdeckungsgeschichtliche Romane

III: 27 Baumann; 102 Brehm; 156 Döblin
IV: 547 Lütgen; 613 Muron
V: 854 Stucken; 921 Wendt, H.
VIII: 46 Jensen, J. V.

IX: 283 Ghisalberti; 338 Gúlveg; 374 Wast
XIII: 18 Bauer, W.; 26 Belzner; 101 Friedenthal

Entwicklungs-Romane

I: *33, 34,* 27, 29 Bierbaum; *43* Böhlau; 57 Christ; *81,* 73 Ebner-E.; *85,* 76 Eichendorff; *109,* 102 Fischer-Graz; *118,* 108 Fontane; *131,* 121 François; *134,* 123 Franzos; *139–142, 144,* 126, 127, 130 Frenssen; *176,* 153 Ginzkey; *178, 179,* 156, 158 Goethe; *182,* 160 Gotthelf; *196, 197,* 171, 173 Grimmelshausen; *212,* 184 Halbe; *230* Hauptmann, C.; *259, 260, 265, 268, 270,* 227, 229, 232, 233, 234, 237 Hesse; *280,* 247 Hippel; *302,* 268 Holtei; *305, 306,* 270–272 Huch, Frd.; *315,* 277 Huch, Ric.; *316, 318,* 282 Huch, Rud.; *319,* 292 Jean Paul; *330,* 295 Ilg; *344, 347,* 307, 309 Keller, G.; *383* Knoop; *394, 395,* 350 Krüger

II: *441, 442,* 402, 409 Mann, Th.; *469,* 426 Miller; *475,* 429 Mörike; *476,* 432 Moritz; *485,* 437 Novalis; *499, 507, 511, 519,* 449, 451, 453, 461, 462 Raabe; *533* Riehl; *541,* 484 Rosegger; *555–559,* 501–504 Schaffner; *566,* 512 Schieber; 544 Speck; *602,* 547 Speckmann; *606,* 549 Spielhagen; *615, 616, 555, 556* Stegemann; 558, 563 Stehr; *673,* 621 Sudermann; *675* Supper; *707* Wassermann; *723,* 674 Wieland; *728,* 682 Wille
III: 17 Barlach; 23 Bauer, W.; 32 Beheim-Schw.; 51 Bertololy; 101 Bredel; 118 Bröger; 127 Busse; 138 Christ; 150 Doderer; 191 Fechter; 207 Flake; 226 Freumbichler; 229

Fussenegger; 241 Geissler; 257 Gmelin
IV: 306, 307 Heiseler, B.; 316 Hesse, M. R.; 320 Henschele; 376 Inglin; 392 Jürgens; 462, 463 Krämer-B.; 467 Kramp; 494 Kutzleb; 501 Lange, Ho.
V: 675 Pleyer; 697 Raschke; 710 Rinser; 767 Schnack, F.; 801, 802 Seidel, H. W.; 804, 807 Seidel, I.; 813 Sexau; 815 Simpson; 917 Weissenborn; 926 Werfel; 950 Wied; 961 Wirz; 967 Woinovich
VI: 138 Jammes; 191 Péladan
VII: 11 Bennett; 61, 62, 67, 69, 76 Dickens; 80 Disraeli; 92 Eliot, G.; 201 Stevenson; 222 Ward, H.; 272–275 James, H.; 292 London, J.; 343, 344 Eeden; 348 Multatuli; 365 Teirlinck
VIII: 3 Aakjaer; 4 Andersen; 16, 18 Andersen-Nexö; 21 Bang; 27 Bruun; 48 Knudsen; 52 Pontoppidan; 68, 79, 82 Hamsun; 90 Kinck; 92 Lie; 152 Dostojewski; 183–185 Gontscharow; 199 Gorki; 214 Kusmin; 222 Leskow; 243 Pisjemskij; 266, 267, 273, 280 Tolstoj, L.
IX: 6 Arland; 19 Beck; 32 Bosco; 52, 53 Cocteau; 67 Duhamel; 76, 77 Estang; 79 Gadenne; 129 Larbaud; 144, 150, 155 Mauriac; 165 Meersch; 170 Monnier; 182 Otremont; 196 Proust; 239 Sartre; 242 Schlumberger; 342 Cironolla; 346 Guido; 347 Güiraldes; 360 Pombo Angulo
X: 3 Abrahams; 17 Cary; 25, 26 Cronin; 30 Deeping; 43 Evans; 62 Golding, W. G.; 108 Joyce; 123

Lawrence; 136 Li; 139 Llewellyn; 140 Mc Fee; 164 Maugham; 228, 229 Spring; 286 Bordewijk; 293 Cauwelaert; 325 Man
XI: 6 Anderson; 12 Bellow; 51 Canfield-F.; 65 Costain; 75–77 Douglas, L. C.; 80, 81, 83, 86 Dreiser; 94, 95 Farrell; 115 Field; 126 Glasgow; 219 Morris, E.; 264 Santayana; 276 Seton, A.; 295 Smith; 297 Sourian; 314 Steinbeck; 341 West, J.; 355–363 Wolfe, Th.; 368 Yerby
XII: 29 Paludan; 41 Gunnarsson; 58, 62 Bojer; 73 Egge; 100 Rølvaag; 106, 107 Undset; 132 Johnson, S.; 153, 154 Salminen; 172 Karhumäki; 191 Tammsaare; 274, 275 Kawerin; 305 Prischwin; 353 Iwaskiewicz; 386 Körmendi; 388 Márai; 432 Kazantzakis
XIII: 16 Bauer, J. M.; 54 Brod; 62 Dessauer; 85 Erath; 98 Franchy; 101 Freiberg; 104–106 Frisch; 118, 120 Grass; 161 Hueck-D.; 183 Kapp; 245 Lorenzen; 311 Richter, H. W.; 342 Seewald; 361 Tau
XIV: 20 Clancier; 46 Kern; 70 Proust; 111 Morante; 148 Fernández de la R.; 163 Ribeyro; 168 Vargas Ll.; 187 Du Maurier; 189 Farrell; 217 O'Casey; 219, 220 O'Connor, F.; 234 Snow; 253 Bellow; 283 Hutchins; 305 O'Connor, E.; 313 Ruark; 335 Wouk; 346 Laxness; 355 Sandel; 381 Granin; 391 Nabokow; 468 Prevelakis

S. a. Autobiographische, Biographische, Jugend-, Kindheits-, Psychologische Romane

Erinnerungs- und Memoiren-Romane

I: 54, 45 Braun, L.
VI: 45 Colette; 298 Casanova; 383

Machado de Assis
VII: 209 Thackeray

VIII: 155 Dostojewski; 177 Gogol; 226 Leskow
IX: 288 Marotta
X: 66 Graves-Ranke; 195 O'Sullivan; 285 Bomans
XI: 131 Goyen

XII: 360 Milosz
XIII: 9 Andres; 176 Kästner, Erh.; 189 Keller, P. A.; 335 Schnurre; 378 Urzidil
XIV: 12 Cabanis; 61 Monnier; 86 Sartre; 387 Leonow

Erlebnis-Romane

III: 34 Benn; 164, 165 Dwinger
IV: 322, 323 Heye; 540, 541 Löhndorff
V: 753 Schaumann
VIII: 152, 154 Dostojewski
IX: 23 Bernanos; 227 Saint-Exupéry
X: 315 Hartog

XI: 67 Cummings; 69 Davis; 194, 195 Lindbergh
XIII: 3 Altendorf; 41 Böll; 159 Hubatius-H.; 174 Jünger, F. G.; 177 Kästner, Erh.; 211 Kramp
XIV: 101 Calvino; 174 Namora; 400 Sklovskij; 422 Bor
S. a. Abenteuer-, Schicksals-Romane

Ethnologische Romane

I: *74*, 67 Dauthendey
II: *589*, *590*, 534, 535 Sealsfield
III: 234 Gagern
IV: 321-323 Heye; 540 Löhndorff; 549 Luserke; 601 Mühlenweg
V: 810, 812 Seidel, W.; 840 Steuben
VI: 37, 38 Chateaubriand; 120 Gobineau; 183 Mérimée
VII: 251, 257 Cooper; 285, 295 London, J.

VIII: 25–27 Bruun
IX: 55, 57 Crottet; 325 Asturias; 354 López y Fuentes
X: 41 Evans
XI: 135 Griffin; 172 La Farge; 224 Nordhoff; 330 Waescha-K.
XII: 87 Hagerup-V.; 116 Berg
XIII: 12 Bachér; 187 Kaufmann, H.
S. a. China-, Indianer-, Südsee-, Volkstums-Romane

Existentialistische Romane

IX: 20 Beckett; 38 Camus; 141 Malraux; 239 Sartre; 360 Pombo Angulo
XI: 18, 19 Bowles
XII: 349 Gombrowicz
XIII: 305 Rehn

XIV: 13 Cau; 15 Cayrol; 35, 36 Genet; 79 Rolin; 89 Thomas; 96 Arpino; 143 Cortázar; 250 Baldwin; 251 Barnes; 359 Dagerman; 361 Gyllensten; 411 Gombrowicz

Expressionistische Romane

III: 16, 17 Barlach
IV: 362, 363 Jahnn
V: 869 Tügel

XI: 67 Cummings; 365 Przybyszewski
XIII: 272 Musil; 320 Sack

Familien-Romane

I: *80*, 71, 75 Ebner-E.; *93*, 82 Engel, J.; *94*, *96*, *97*, 83 Enking; *118*, 107 Fontane; *132*, 120 François; *160*, 142 Ganghofer; *257*, *258*, 225, 226 Herzog; *309*, 274 Huch, Ric.; *317*, 283 Huch, Rud.; *334*, 299 Immermann; *359*, 324 Keller, G.; *367*, 326 Keller, P.

II: *413*, 372 Lewald; *439*, 400 Mann, Th.; *484*, 436 Niese; 439 Pantenius; *496*, 444 Presber; *551*, 492 Sapper; *597*, *598*, 543 Sohnrey; 556 Stegemann; 558, 560, 563 Stehr; *631*, *639*, 587, 593 Stifter; *647*, *648*, 594–596 Stinde; *652*,*654*,*660*,604, 606 Storm; *693*, 645, 646 Villinger; *716*, 664 Weigand; *741*, 690 Zahn

III: 28 Baumgardt; 32 Beheim-Schw.; 60 Beumelburg; 72 Birkenfeld; 82 Boerner; 91 Brandenburg; 100 Bredel; 108 Brentano, B.; 157 Dörfler, A.; 159 Dörfler, P.; 183 Faesi; 230 Fussenegger; 252 Gluth; 259 Götz, Karl

IV: 286 Haensel; 306 Heimeran; 306, 307 Heiseler, B.; 329 Höfler; 336 Hohlbaum; 409 Kennicott; 414 Keyser; 423 Klass; 443 Knittel; 451 Kolb; 523 Leip; 530 Lenz, H.; 543 Lothar; 546 Lübbe; 568 Meckauer; 598 Mühlberger; 608 Mungenast; 610 Munk

V: 621, 622 Nabl; 648 Nordström; 662 Papendick; 682 Ponten; 694 Randenborgh; 697 Raschke; 742 Schallück; 756 Schickele; 786 Schreyvogl; 797 Schwarzkopf; 802 Seidel, H. W.; 806, 808 Seidel, I.; 814, 815 Simpson; 828–834 Stehr; 856 Stühlen; 858 Taube; 863 Tinhofer; 927 Werfel; 944, 947 Wiechert; 953 Wiessala

VI: 12, 13 Balzac; 40 Chateaubriant; 59 Daudet; 165 Martin du Gard; 172 Maupassant; 214 Rolland; 240, 250 Valloton; 263–279, 286 Zola; 321 Verga; 350 Caballero

VII: 9, 11 Bennett; 17 Brontë, E.; 68 Dickens; 92 Eliot, G.; 100–104 Galsworthy; 117 Goldsmith; 160–163 Richardson; 170 Scott, W.; 213, 214, 216 Thackeray; 257 Cooper; 267 Hawthorne; 353, 361, 362 Streuvels

VIII: 15 Andersen-Nexö; 62 Björnson; 89 Kielland; 92 Lie; 117, 119 Lagerlöf; 129, 130 Strindberg; 137 Kivi; 143 Aksakow; 165 Dostojewski; 198 Gorki; 221 Leskow; 252, 253 Saltykow-Sch.; 300, 304 Turgenjew

IX: 10, 11 Barbier; 14 Bazin; 60 Daniel-R.; 67 Duhamel; 102 Giono; 104 Giraudoux; 109, 110 Green, J.; 118, 120 Hériat; 135–137 Lesort; 148, 150–152 Mauriac; 159 Maurois; 170, 171 Monnier; 177 Montupet; 196 Proust; 232–234 Saint-Hélier; 242, 244 Schlumberger; 245 Supervielle; 290 Montella; 310 Tecchi; 317 Vittorini; 329 Coelho-L.; 330 Costa; 352 Laforet; 353 León y Román; 355 Lynch; 370, 371 Veríssimo

X: 11 Bowen; 21 Cronin; 33 Dickens, M.; 37 Du Maurier; 63–65 Goudge; 78 Gunn; 114 Kaye-S.; 137 Linklater; 139 Llewellyn; 143 Macken; 143 Mackenzie; 149 Markandaya; 188 O'Brien; 196 Park; 209, 210 Ridge; 210 Roche, M. de la; 222 Sherriff; 228 Spring; 232, 233 Steen; 244–249 Walpole, H. S.; 254 Waugh; 257 White, P.; 268, 271 Young; 279–281 Ammers-K.; 287 Boschvogel;

288 Boudier-B.; 289 Breedveld; 299 Coolen; 302 Depauw; 306 Eysselstein; 317 Hemeldonck; 331 Ouwendijk; 337 Scharten; 348 Velde, A.; 356 Walschap

XI: 9 Asch; 20, 21 Bristow; 26 Bromfield; 28–31, 36, 37 Buck; 40 Burman; 45, 48 Caldwell, E.; 51–53 Caldwell, T.; 63 Chase; 66 Costain; 88 Edmonds; 93–95 Farrell; 96, 101, 102, 104, 105, 111 Faulkner; 115 Field; 123 Forbes, E.; 124, 125 Gilbreth; 126, 127 Glasgow; 148 Hergesheimer; 157, 158 Hobart; 168 Kaufman, L.; 170 Keyes; 188, 190 Lin Yutang; 202 Mac Donald; 205, 206, 208 Marquand; 228 O'Hara, J.; 229 O'Hara, M.; 230, 231 Ostenso; 248, 251 Richter, C. M.; 268, 272, 273 Saroyan; 285, 291 Sinclair; 300 Stegner; 312, 314 Steinbeck; 327 Tarkington; 337 Wescott; 339, 340 West, J.; 353 Wilson, S.; 355, 357, 363 Wolfe, Th.

XII: 8, 9 Buchholtz, J.; 25 Lauesen; 37 Gunnarsson; 44 Kamban; 66–69 Duun; 74 Elster; 82 Geijerstam, Gö.; 82, 83 Gulbranssen; 85 Gullvaag; 88 Hamsun, M.; 108 Undset; 111 Vesaas; 117 Bergman; 121 Dixelius; 122 Fagerberg; 150–152 Nisser; 156 Siwertz; 160 Stenius; 161 Stjern-stedt; 162, 164 Stolpe; 179 Seppänen; 186–189 Sillanpää; 251 Fedin; 260 Gorbatow; 345 Dombrowska; 386 Körmendi; 400 Szabó; 402, 403 Zilahy; 415 Stanković; 420 Dumitriu; 438 Venesis

XIII: 17 Bauer, J. M.; 21 Baumgart; 35 Biernath; 71, 72 Döblin; 73 Dor; 90 Fallada; 100 Freiberg; 148 Hillard; 161 Hueck-D.; 192, 193 Kesten; 209 Kolb; 212 Krell; 215 Kries; 270 Munier-W.; 289 Overhoff; 294 Planner-P.; 312 Rilla; 314 Rinser; 345 Seidel, I.; 350 Speyer; 387 Walser, R.

XIV: 20 Clancier; 27 Duras; 29 Estang; 53 Maupassant; 60 Monnier; 65 Pagnol; 94 Yacine; 98 Bassani; 107 Ginzburg; 125 Tomasi di L.; 140 Cela; 184 Dane; 221 O'Faolain; 240 West; 248 Agee; 257 Caldwell, T.; 259 Carleton; 260 Chase; 263 Douglas, E.; 269, 270 Faulkner; 275 Grau; 280 Hobart; 281 Howells; 310 Powell; 316, 317 Salinger; 332 White, N. G.; 342 Aabye; 354 Kielland; 367 Soederholm; 372 Viita; 428 Déry; 431 Féjes; 438 Németh; 460 Dumitriu

S. a. Ehe-, Generations-, Mutter-Romane

Fischer-Romane

III: 11 Augustiny; 19 Bauer, J.M.; 224 Frank, W.

IV: 310, 311 Helwig; 415 Kinau, J.; 416, 417 Kinau, R.; 466 Kramp

V: 799 Seghers; 911 Weisenborn

VI: 156 Loti; 285 Zola; 321 Verga; 392 Pereda

VIII: 122, 123, 124 Strindberg; 316 Orzeszkowa

IX: 95 Giono

X: 78 Gunn; 143 Macken; 182 Mullen; 198 Paterson; 292 Bruijn; 329, 330 Oever

XI: 142, 147 Hemingway; 312 Steinbeck

XII: 34, 35 Söiberg; 46, 49 Laxness; 59, 62 Bojer; 90, 91 Hansen; 95 Markusson; 101 Schøyen; 102 Scott, G.;

436 Myrivilis

XIV: 72 Queffélec; 260 Chase; 346 Laxness

Flieger Romane

I: 32 Binding; *100*, 92 Eyth
V: 765 Schnabel, E.
IX: 225–228 Saint Exupéry
X: 58 Garnett; 250 Warner

XI: 100 Faulkner; 194, 195 Lindbergh
XII: 122 Fagerberg
XIII: 110, 113 Gaiser; 230 Ledig; 341 Schuster

Flüchtlings-Romane

IV: 379 Johann
V: 708 Richter, H. W.; 761 Schlehdorn; 838 Stephan; 851 Strobach
VIII: 140 Linnankoski
X: 321 Kuyle
XIII: 15 Bauer, J. M.; 34 Besch;

294 Piontek; 321 Sahl; 357 Storm, R.; 393 Weidenheim
XIV: 34 Gascar; 431 Domahidy; 470 Venesis
S. a. Auswanderer-, Gefangenschafts-, Nachkriegs-, Siedlungs-Romane

Folkloristische Romane

IX: 162, 163 Maximoff; 212 Raucat; 274 Callegari
X: 182 Mullen
XI: 14 Bemelmans

XII: 15, 16 Freuchen; 59 Bojer; 101 Schøyen; 103 Scott, G.; 166 Widén
XIII: 405 Witte
S. a. Volkstums-Romane

Frauen-Romane

I: 58 Christ; *211*, 182 Hahn-Hahn; *275*, 245 Heyse; 285 Huggenberger; *349*, *362*, 311 321 Keller, G.; 331 Kinkel; *378*, 336 Kleist; 340 Kolb; 303 Kurz, Is.
II: *403*, 365 La Roche, S.; *417*, 376 Liliencron; *463*, 421 Meyer, C. F.; *482* Nathusius; *484* Niese; *576*, 522-524 Schnitzler; *698*, *699*, 648, 649 Voigt-D.; *707* Wassermann; *732*, *733*, 685 Wolff, Joh.; *740*, *744*, 691, 692 Zahn
III: 43 Berens-T.; 51 Bertololy; 93 Braun, F.; 108 Brentano, B.; 139,

140 Christ; 159 Dörfler, P.; 176 Einwächter; 182 Ewerbeck; 195 Fechter; 203 Finckenstein; 204, 206 Flake; 209 Forbes-M.; *238*, *239* Gast; 244 Gierer; 256 Gmelin; 261 Goltz; 262 Grabenhorst; 264 Graf
IV: 287 Haluschka; 308, 309 Heiseler, B.; 319 Heuschele; 332 Hofer; 334, 335 Hoffmann, R.; 351 Huggenberger; 358 Jahn; 444 Knittel; 450 Kolb; 480 Künkel; 483, 488 Kurz, Is.; 509, 510 Le Fort; 569 Meissinger; 575 Merker; 577 Meyer-Eckh.; 581 Michael; 585, 586 Mike-

leitis; 587 Miller; 589 Mitterer; 596 Molzahn; 609 Mungenast; 610 Munk; 615, 617 Muschler
V: 622 Nabl; 631, 632 Naso; 634 Nelissen-H.; 648 Nordström; 654 Oberkofler; 665 Paulus; 673 Peters; 694 Rainalter; 694 Randenborgh; 709 Ringeling; 711 Rinser; 726 Rothmund; 739, 741 Schaeffer; 758 Schickele; 776 Scholtis; 777 Scholz; 812 Selinko; 825 Stahl; 851 Strobach; 862 Thomas; 874 Tügel; 893 Viesèr; 903 Waser; 924-926 Werfel; 941 Wiechert; 953 Wiessala; 964 Wittek; 969 Zech; 972 Zierer-St.; 973 Ziersch; 979 Zuckmayer
VI: 4 Anet; 10, 11, 19, 20 Balzac; 24 Barbey d'Aurev; 27 Baudelaire; 31 Bloy; 45, 47, Colette; 71 Dumas fils; 77, 79 Estaunié; 83 Feuillet; 85, 89 Flaubert; 101 Gautier; 108. 111 Gide; 123 Goncourt, E.; 125 Goncourt, E. u. J.; 129 Hémon; 138, 145 Jammes; 147 Lamartine; 151 L'Ermite; 162 Maistre; 164 Marguérite d'Ang.; 170, 171, 177 Maupassant; 183 Mérimée; 188, 189 Musset; 193, 195 Philippe; 199 Prévost; 217 Rolland; 222, 227 Sand; 232 Staël-H.; 234, 240, 241 Stendhal; 261 Voltaire; 262, 267–269, 271, 272, 275, 282 Zola; 302, 303 Deledda; 309 Fogazzaro; 351 Celestina; 372, 374 Espina da Serna; 392 Pereda; 402 Unamuno
VII: 3–5 Austen; 12 Bennett; 14–16 Brontë, Ch.; 55 Defoe; 72 Dickens; 81 Disraeli; 119, 121 Hardy; 151 Meredith; 153 Moore; 160, 161 Richardson; 170, 176 Scott, W.; 198 Stevenson; 236 Wiseman; 245 Alcott; 266 Hawthorne; 273–275 James, H.; 321 Poe; 336 Buysse
VIII: 18 Andersen-Nexö; 33, 38 Jacobsen, J. P.; 49 Michaelis; 60, 62 Björnson; 88 Jölsen; 99 Geijerstam; 116, 119 Lagerlöf; 152 Dostojewski; 187 Gorki; 203 Herzen; 217, 218, 228 Leskow; 241 Petscherskij; 248 Puschkin; 273 Tolstoj, L.; 307 Turgenjew; 346 Němcová
IX: 10, 11 Barbier; 14 Bazin; 27, 28 Bernanos; 37 Breton; 80 Galzy; 84 Gascar; 86, 88 Gevers; 104, 105 Giraudoux; 110 Green, J.; 120 Hériat; 122 Jouhandeau; 148, 149, 153 Mauriac; 159, 160 Maurois; 168–170 Monnier; 173 Montherlant; 203 Ramuz; 252 Troyat; 270 Bontempelli; 275, 276 Cèspedes; 279 Cicognani; 292 Moravia; 294 Palazzeschi; 299 Pratolini; 312 Varè
X: 7 Baring; 22 Cronin; 34 Dickens, M.; 36, 39 Du Maurier; 40 Durrell; 55 Gallico; 59 Godden, J.; 60 Godden, R.; 96 Huxley; 115 Kaye-S.; 125, 127 Lawrence; 132 Lehmann, R.; 198 Paterson; 215 Sackville-W.; 220, 221 Sharp; 224 Shute; 245–249 Walpole, H. S.; 263 Woolf, V.; 268 Young; 279–283 Ammers-K.; 292 Bruijn; 314 Hartog; 318 Hemeldonck; 333 Pillecijn; 341, 342 Timmermans; 348 Velde, J.; 353 Vries, A.; 356, 357 Walschap
XI: 25 Bromfield; 31, 32, 36 Buck; 54 Canfield-F.; 58 Capote; 59, 61 Cather; 77, 78 Dreiser; 89 Erskine; 109 Faulkner; 116, 117 Field; 126 Glasgow; 132 Goyen; 162 Hurst; 178, 179 Lewis, S.; 193 Lin Yutang; 195 Lindbergh; 199 Mac Cullers; 200–202 Mac Donald; 209 Mercer; 216 Mitchell; 219 Morris, E.; 221 Nathan; 237, 238 Porter; 248, 251 Richter, C. M.; 254, 257 Roberts, K. L.; 296 Smith; 319 Stewart; 320 Stinetorf; 322 Stone; 334 Warren;

341 West, J.; 347 Wilder; 351 Williams, T.

XII: 6 Bregendahl; 44 Kamban; 53 Laxness; 69 Duun; 72 Egge; 98 Ring; 105, 106, 109, 110 Undset; 121, 122 Dixelius; 125 Hambraeus; 142 Lo-Johansson; 152 Oterdahl; 153 Salminen; 164 Thorén; 177 Maurina; 178 Nuoliwaara; 183 Sillanpää; 187 Talvio; 218 Rachmanowa; 222 Robakidse; 223 Saburowa; 224 Saitzew; 315 Sejfullina; 318 Serafimowitsch; 332 Tolstoi, A. N.; 341 Brandys; 397 Németh; 409 Andrić; 426 Sadoveanu; 437 Papa

XIII: 7 Andersch; 53 Brod; 97 Fontana; 114 Gebert; 124 Griese; 160 Hubatius-H.; 161 Hueck-D.; 174, 175 Jünger, F. G.; 209 Kolb; 229 Lederer; 231 Le Fort; 260 Mitterer; 272 Musil; 284, 285 Nordström; 306 Reisiger; 317 Rüber; 319 Saalfeld; 337 Schreiber, H.; 346

Seidel, I.; 365 Thieß; 378 Urzidil; 398 Wibmer-P.; 408 Zerna

XIV: 21, 22 Colette; 28 Duras; 33 Gary; 39 Giraudoux; 45 Jouve; 60 Monnier; 63 Montupet; 78 Rochefort; 91 Vailland; 103 Cassola; 104, 105 Denti di P.; 127, 128 Vittorini; 145 Del Castillo; 171 Amado; 179 Bedford; 181 Bowen; 185 Dickens, M.; 188 Durrell; 202 Lawrence; 208 Macpherson; 211 Marshall; 215 Moore; 217 Niland; 225 Packer; 228 Pritchett; 230 Rubens; 232 Sharp, W.; 237 Spark; 241 Wilson, A.; 286 James; 294 McCarthy; 304 Morris, W.; 306, 307 O'Hara, J.; 320 Stegner; 321 Stein; 334 Winsor; 345 Fischer; 351 Christensen; 355 Sandel; 355 Skram; 356 Undset; 358 Aurell; 360 Golowanjuk; 382 Jewdokimow; 391 Nekrassow; 404 Turgenjew; 438 Németh; 440, 441 Szabó; 444 Andrić; 450 Finžgar; 456 Radičević

Gauner- und Vagabunden-Romane

IV: 301 Hausmann
VIII: 189 Gorki
XIV: 169 Zunzunegui; 370 Haaviko

S. a. Kriminalistische, Landstreicher-Romane

Gefangenschafts-Romane

IV: 379 Johann, E.
V: 714 Risse
VI: 313 Pellico
VIII: 156 Dostojewski
IX: 83 Gascar

XI: 67 Cummings
XII: 96 Omre; 408 Andrić
XIII: 15 Bauer, J. M.; 28 Bondor; 66 Döbler

S. a. Kriegs-, Nachkriegs-Romane

Generations-Romane

II: 563 Stehr; *716*, 664 Weigand
III: 3 Andreae; 25, 26 Baum; 100, 101 Bredel; 243 Gierer

V: 654 Oberkofler; 763 Schmidtbonn; 828–834 Stehr; 856 Stühlen
VI: 211 Rolland; 263 Zola

VII: 100–104 Galsworthy; 267 Hawthorne; 361, 362 Streuvels
VIII: 88 Jölsen; 107 Heidenstam; 198 Gorki; 221 Leskow
IX: 244 Schlumberger; 249, 250 Troyat
X: 124 Lawrence
XI: 63 Chase; 111 Faulkner; 114 Ferber

XII: 128 Hellström; 190 Tammsaare
XIII: 40 Böll; 212 Krell; 270 Munier-W.
XIV: 146 Delibes; 152 Goytisolo, J.; 184 Dane; 269 Faulkner; 367 Soederholm
S. a. Familien-Romane

Gesellschafts-Romane

I: *20*, 18 Bahr; *29*, 24 Berend; *45* Böhme; *119–123*, 109, 111, 114–116 Fontane; *129*, 119 François; *206*, 177, 178 Gutzkow; *211*, 182 Hahn-Hahn; 228 Hauff; *250*, *252*, 221, 222 Hermann; *273*, 244 Heyse; *305*, 271 Huch, Frd.; *330*, 295 Ilg; *334*, 299 Immermann; *385* Kretzer
II: *428–430*, *437*, *438*, 386, 390–393 Mann, H.; *442*, *446*, 402, 404 Mann, Th.; *487* Ompteda; *488* Paalzow; *498* Raabe; *527*, 472 Reuter, F.; *530* Reuter, G.; *534*, 479 Riehl; *685*, 638 Tieck; *712*, *713*, 657, 659 Wassermann; *721*, 672 Widmann
III: 8, 9 Andres; 24 Baum; 28 Baumgardt; 57 Betsch; 61 Beumelburg; 92 Braun, F.; 150 Doderer; 203 Finckenstein; 204–207 Flake; 219 Frank, L.
IV: 291, 292 Hamer; 312–316 Hesse, M. R.; 471 Kreuder; 543–545 Lothar; 616 Muschler
V: 648 Nordström; 817 Speyer; 823 Stackelberg; 979 Zuckmayer; 984 Zweig, St.
VI: 10, 11 Balzac; 33, 35 Bourget; 48 Colette; 70 Dumas père; 71 Dumas fils; 88 Flaubert; 93 France; 99 Fromentin; 112 Gide; 124 Goncourt, E. u. J.; 156 Louvet de C.; 173, 178 Maupassant; 246 Urfé; 322 Verga; 341 Baroja; 394 Pérez Galdós
VII: 59, 62, 63, 67 Dickens; 87 Edgeworth; 106–110 Galsworthy; 114 Gaskell; 168 Scott, W.; 210, 212 Thackeray; 218, 219 Trollope; 273, 274 James, H.; 281 Irving; 318 Norris; 340 Couperus; 345 Eeden
VIII: 99 Geijerstam; 229, 231 Mamin-S.; 267, 273 Tolstoj, L.; 296–298, 300, 302 Turgenjew; 317 Prus; 337 Herczeg; 339 Jókai; 341 Lazarević; 344 Mikszáth
IX: 5 Aragon; 85 Gervais; 102 Giono; 133, 134 La Varende; 196 Proust; 202 Radiguet; 212 Raucat; 217 Romains; 236 Sarraute; 330 Costa
X: 7 Baring; 16 Cary; 32 Deeping; 35 Druten; 40 Durrell; 49–52 Forster; 58 Garnett; 70 Green, H.; 132 Lehmann, R.; 164, 170 Maugham; 191, 192 O'Flaherty; 216 Sackville-W.; 229 Spring; 234 Steen; 243 Walpole, H. S.; 260 Wilson, A.; 263, 264, 267 Woolf, V.; 268, 270, 273 Young; 291 Breedveld
XI: 6 Anderson; 24, 25 Bromfield; 53 Caldwell, T.; 65, 66 Costain; 113–115 Ferber; 119 Fitzgerald; 149, 150 Hergesheimer; 207, 208 Marquand; 242 Rand; 246 Rice; 258 Robinson;

281 Shellabarger; 283, 292 Sinclair; 342 Wharton
XII: 26 Lindemann; 32 Rung; 74 Elster; 97 Ring, 155 Sjöberg; 224 Saitzew; 361 Nałkowska-R.; 368 Weyssenhoff; 385, 386 Körmendi; **XIII:** 42 Böll; 63 Doderer; 83, 84 Ekert-R.; 87 Esser; 95 Flake; 161 Hueck-D.; 195 Keun; 386 Walser, M.; 400 Wiebe
XIV: 4 Balzac; 21 Colette; 41 Green, J.; 48 Klossowski; 51 Mallet-J.; 69 Pinget; 77 Robbe-Gr.; 83 Sagan; 85 Sarraute; 106 Gadda; 116 Pavese; 131 Alarcón, Y.; 141 Cela; 153 Goytisolo, J.; 154 Hortelano; 159 Palacio V.; 161 Pérez Galdos; 165

Sánchez Ferl.; 171, 172 Amado; 179 Bedford; 182 Brontë, A.; 183 Coward; 188 Durrell; 190 Ford; 194 Hartley; 209 Mannin; 213 Maugham; 214 Monsarrat, 216 Murdoch; 226 Powell; 235 Snow; 239 Trevor; 240 West; 243 Wilson, G.; 245 Woolf, V.; 249 Anderson; 264 Elliott; 274 Grau; 285, 286 James; 294 McCarthy; 297 Mailer; 299 Merrill; 300 Metalious; 304 Morris, W.; 306 O'Hara, J.; 309 Porter; 319 Sinclair; 328 Welty; 335 Wouk; 397 Schmeljow
S. a. Gesellschaftskritische, Heroisch-galante, Soziale, Sozialkritische, Zeit-, Zeitkritische Romane

Gesellschaftskritische Romane

III: 106 Brenner; 111 Broch; 247 Glaeser
IV: 429 Klipstein
V: 668 Pentzoldt; 800 Seghers; 981 Zweig, A.
VI: 8, 11, 13, 16–22 Balzac; 65 Diderot; 198 Prévost; 220 Rousseau; 264, 265, 269, 271, 280, 282 Zola; 364, 365 Coloma; 390, 391 Pardo Bazán
VII: 62, 63, 67, 70–73 Dickens; 89 Eliot, G.; 115 Godwin; 177–179 Shaw, G. B.; 187 Somerville; 259 Crane; 348 Multatuli, 361 Teirlinck
VIII: 7–20 Andersen-Nexö; 51, 53 Pontoppidan; 66 Hamsun; 121, 129, 130 Strindberg; 148 Bjelyi; 154, 155, 158, 161, 163, 164, 165 Dostojewski; 171–179 Gogol; 188, 192, 199 Gorki; 202 Grigorowitsch; 255, 256 Sologub; 292 Tschernyschewskij; 319 Reymont; 324 Sienkiewicz; 333 Cankar

IX: 3–5 Aragon; 14 Bazin; 47 Cesbron; 51 Chevallier; 189 Plisnier; 193 Pourtalès; 274 Callegari; 291 Moravia
X: 61 Golding, L.; 85 Hartley; 95–103 Huxley; 137 Linklater; 205–207 Priestley; 214 Sackville-W.; 226 Sitwell; 251, 252 Waugh; 318 Hemeldonck
XI: 1 Algren; 118, 120 Fitzgerald; 163 Jones; 180, 185 Lewis, S.; 206 Marquand; 283 Sinclair; 344 Wilder
XII: 48, 53 Laxness; 193 Tammsaare; 210 Dymow; 227, 228 Schmeljow; 274, 275 Kawerin; 421 Petrescu
XIII: 7 Andersch; 47 Bosper; 58 Cramer; 112 Gaiser; 142 Helwig; 238 Lenz, S.; 310 Rezzori d'Ar.; 322 Schallück; 330, 331 Schmidt, A.; 355 Stoessl; 369 Trappe; 384–386 Walser, M.; 406 Zand

XIV: 3 Balzac; 23 Cousseau; 64 Obaldia; 80 Romains; 85 Sarraute; 134 Aub; 134 Baroja y N.; 156 Lera; 163 Ribeyro; 179 Bedford; 186 Douglas, G. N.; 225 Plomer; 227 Priestley; 270 Fitzgerald; 281 Howells; 293 Lardner; 304 Morris, E.; 333 Williams, T.; 381 Granin; 385 Kuprinin; 432 Gárdony; 452, 454 Krleža; 462 Dumitriu; 463 Gheorghiu

S. a. Gesellschafts-, Soziale, Sozialkritische, Zeit-, Zeitkritische Romane

Grenzland-Romane

III: 234–236 Gagern
V: 851 Strobach

VII: 284 London

Großstadt-Romane

III: 152 Döblin
VI: 281 Zola; 341 Baroja y Nessi
VIII: 157 Dostojewski
IX: 34 Brasillach; 293 Ortese
X: 106 Joyce; 112, 113 Isherwood

XI: 26 Bromfield; 248 Richter, C. M.
XII: 26 Lindemann
XIII: 129 Gurk; 148 Hillard; 295 Plivier; 337 Scholz; 373 Ude; 379 Urzidil

Groteske Romane

I: 55, 56 Busch; *349*, 311 Keller, G.
II: *523*, 467 Reuter, Chr.; 508 Scheerbart; *694*, 646 Vischer
III: 109 Britting
VI: 228 Scarron
VII: 8 Beckford
VIII: 177,178 Gogol; 286 Tschechow; 305 Turgenjew
XI: 261 Runyon

XII: 204 Awertschenko; 392 Molnár
XIII: 118 Grass; 146 Herzmanovsky-O.; 241 Lettau; 268 Müller-Marein; 384 Walser, M.
XIV: 43 Ionesco; 107 Gadda; 110 Manzoni, C.; 216 Murdoch; 349 Soerensen; 411 Gombrowicz; 424 Hasek

S. a. Phantastische Romane

Heimat-Romane

I: *48*, 41 Bosshart; *61*, 54 Burte; *90*, *91*, 81 Engel, G.; 86, 87 Ernst, P.; 88 Ertl; 93 Falke; *106–108*, 99–100 Finckh; *114*, 106 Fock; *137*, 124 Frapan-A.; *141–145*, 126–130 Frenssen; *158–167*, 140–144 Ganghofer; *168*, *169*, 147 Geissler, M.; *188–193*, 167–169 Greinz; *221*, *222*, 192, 193 Hansjakob; *255* Herzog; *278*, 246 Hille; *341*, *342*, 305 Karillon; *344*, 307 Keller, G.; *366* Keller, P.; *387–393*, 345–349 Kröger, Timm

II: *410–412*, 369 Lauff; *416*, 375 Lienhard; *417–419*, 378–380 Löns; *478*, 432 Mügge; *491*, *493*, 441 Pichler; *493*, *494*, *112*, *443* Polenz; *505*, *506*, *516*, *519*, 455, 456, 459, 461 Raabe; *524*, *527*, 471, 472 Reuter, F.; *540–545*, 482–485 Rosegger; *561*, *563*, 506 Scharrelmann; *572*, *573*, 518 Schmidt, M.; 533 Schussen; *591*, *592*, 538, 539 Seidel, H.; *594*, 540 Skowronnek; *596*, 542 Söhle; *597*, *598*, 543 Sohnrey; *600–602*, 546, 547 Speckmann; *615*, *616*, 555 Stegemann; *634*, 573 Stifter; *649*, *651–655*, *658*, *659*, 597, 599, 603–609, 611 Storm; 612 Strauß; *665*, *666*, 618 Strauß u. Torney; *669*, *671*, *673*, 621, 622, 623 Sudermann; *674*, *675*, 626, 627 Supper; *689*, *691*, *692*, 642-644 Viebig; *698*, *700*, 648, 650 Voigt·D.; *716*, *717* Westkirch; 667–669 Wibbelt; *718*, 671 Wichert, E.; *739–744*, 690–692 Zahn

III: 5 Andres; 41, 42 Bentlage; 73 Bischoff; 125 Brust; 126–128 Busse; 138–140 Christ; 158–162 Dörfler, P.; 174 Ehrler; 179, 180 Ernst, P.; 225 Freissler; 231–233 Gabele; 250–253 Gluth; 277 Grogger

IV: 325–327 Hinrichs; 350–352 Huggenberger; 376–378 Inglin; 381 Isemann; 392 Jürgens; 396 Kaergel; 424 Klepper; 427 Klingele; 435, 437 Kneip; 482 Kuhnert; 539 Linke; 560, 561 Mathar; 571, 574 Mell; 583, 584 Miegel; 606 Mumelter; 607, 608 Mungenast

V: 621–629 Nabl; 653–655 Oberkofler; 671 Perkonig; 672, 673 Peters; 693 Rainalter; 696 Raschke; 731 Sanden; 756 Schickele; 776 Scholtis; 790 Schröer; 794 Schurek; 794 Schussen; 808 Seidel, I.; 827–

837 Stehr; 846, 848 Strauß; 867 Trenker; 869–873 Tügel; 879 Ulitz; 913 Weismantel; 938–949 Wiechert; 956–959 Windhorst; 964 Wittek; 975, 976 Zillich

VI: 55, 56 Daudet; 138–144 Jammes; 208–211 Rodenbach; 214 Rolland; 245 Toepffer; 319 Serao; 372–374 Espina da Serna; 398 Taunay

VII: 87 Edgeworth; 238, 239 Yeats; 333 Bergmann; 334–336 Buysse; 352–363 Streuvels

VIII: 7 Andersen-Nexö; 39 Jensen, J. V.; 59 Aanrud; 60–62 Björnson; 122–124 Strindberg; 140 Linnankoski; 314 Kraszewski; 315, 316 Orzeszkowa; 320 Reymont; 341 Lazarević; 346 Němcová; 347 Neruda; 348 Tavčar

IX: 34 Brasillach; 204–211 Ramuz; 286 Levi; 288, 289 Marotta; 293 Ortese; 301–305 Silone; 311 Tombari; 316 Vittorini; 334 Ferreira de Castro; 336 Gallegos

X: 198 Paterson; 292 Bruijn; 294–297 Claes; 298–301 Coolen; 338 Thiry; 340–346 Timmermans; 356–359 Walschap

XII: 72, 73 Egge; 410 Budak; 413 Ingolić; 426, 427 Sadoveanu

XIII: 111 Gaiser; 124 Griese; 242 Lipinski-G.; 274 Nabl; 283 Niekrawietz; 297 Pohl; 350 Stackelberg; 357 Storm, R.; 378–380 Urzidil; 381 Vegesack; 392, 393 Weidenheim

XIV: 221–223 O'Faolain; 260 Chase; 288, 289 Jewett; 370 Hyry; 398 Scholochow; 449 Djilas; 469 Vassilikos

S. a. Alpine, Bauern-, Dorf-, Kleinstadt-, Landschafts-, Volkstums-Romane

Heimkehrer-Romane

III: 21 Bauer, J. M.
V: 941, 943 Wiechert; 963 Wittek
XI: 108 Faulkner

XII: 300 Pawlenko
XIII: 182 Kapp
S. a. Nachkriegs-Romane

Heroisch-galante Romane

I: *6, 7,* 5, 6 Anton Ulrich v. Br.; *60, 61,* 51, 52 Buchholtz, A. H.
II: *746,* 694 Ziegler

V: 646 Niebelschütz
VI: 229, 231 Scudéry; 333 Amadis
VII: 180 Sidney

Historische Romane

Vorchristliche Zeit

I: *78, 79,* 69 Ebers
II: 406 Mann, Th.
III: 63 Birkenfeld; 280 Gurk
IV: 368, 371 Jelusich; 618 Muschler
V: 633 Naso
VI: 87 Flaubert
VII: 7 Barclay; 341 Couperus
VIII: 42–44 Jensen, J. V.; 238 Mereschkowskij; 318 Prus
IX: 295 Panzini
X: 355 Vries, Th.
XI: 236 Pick; 349 Wilder
XII: 133 Johnson, E.; 195 Waltari
XIII: 48 Brecht; 94 Feuchtwanger; 131 Hagelstange; 166 Jens; 289 Overhoff; 303 Regler; 332 Schmidt, A.; 358 Stresau; 395 Werfel
XIV: 265 Fast; 362 Johnson, E.

1. Jahrhundert

III: 202 Feuchtwanger
VII: 20 Bulwer; 328 Wallace, L.
VIII: 325 Sienkiewicz
X: 66 Graves-R.
XI: 77 Douglas, L. C.
XII: 30 Petersen; 387 Kosztolányi
XIII: 93 Feuchtwanger; 152 Hohoff, C.; 231 Le Fort; 324 Schaper

XIV: 95 Yourcenar; 257 Caldwell, T.; 464 Horla

3. Jahrhundert

V: 893 Vieser

4. Jahrhundert

I: *70* Dahn; *77,* 70 Ebers; *147,* 134 Freytag
VII: 236 Wiseman
VIII: 149 Brjusow; 228 Leskow; 233 Mereschkowskij
XIV: 327 Vidal

5. Jahrhundert

I: *147,* 134 Freytag
III: 37 Benrath
VII: 127 Kingsley
XIV: 396 Samjatin

6. Jahrhundert

I: *72,* 64 Dahn; *147,* 134 Freytag
V: 907 Wehner
XIII: 332 Schmidt, A.
XIV: 229 Ranke-Graves

7.–9. Jahrhundert

I: *147,* 134 Freytag *(7.–8. Jh.)*
II: *463,* 421 Meyer, C. F. *(9. Jh.)*

III: 3 Andreae *(9. Jh.);* 75 Blunck *(9. Jh.)*
IV: 421 Klabund *(7. Jh.)*
V: 762 Schmid-N. *(8. Jh.);* 907 Wehner *(7. Jh.)*
VIII: 45 Jordan, J. V. *(9. Jh.)*
XIII: 48 Brecht *(7. Jh.)*
XIV: 301 Michener *(9. Jh.);* 363 Johnson, E. *(8./9. Jh.)*

10. Jahrhundert

II: *563,* 510 Scheffel; *578,* 528 Schreckenbach
III: 13, 14 Bäumer; 38, 40 Benrath
VI: 377 Herculano
XII: 38, 42 Gunnarsson

11. Jahrhundert

I: *149,* 134 Freytag
III: 3 Andreae
IV: 588 Miller, A. M.
V: 692 Preradovic
VIII: 106 Heidenstam; 339 Herczeg
X: 183 Muntz
XII: 115 Bengtsson

12. Jahrhundert

I: *163,* 141 Ganghofer
II: *456,* 415 Meyer, C. F.; *565,* 511 Scheffel; *645,* 592 Stifter
III: 39 Benrath; 63 Beumelburg
IV: 512, 514 Le Fort
V: 843 Stickelberger
VII: 58 Deloney; 171, 174 Scott
XIII: 282 Niebelschütz
XIV: 439 Passuth

13. Jahrhundert

I: *104,* 97 Federer; *151,* 136 Freytag; *159,* 142 Ganghofer; *354,* 316 Keller, G.
II: *457,* 420 Meyer, C. F.; *604,* 549 Sperl
III: 144 Colerus; 254–256 Gmelin
IV: 457 Kolbenheyer; 502 Lange-

wiesche; 515, 516 Le Fort; 562 Mathar
V: 843, 844 Stickelberger
VII: 220 Walpole; 338 Conscience
VIII: 108 Heidenstam
XI: 64 Costain
XII: 107 Undset; 215 Prawdin; 356 Kossak

14. Jahrhundert

I: *5* Alexis; *38,* 34 Bloem; *92* Engel, G.; *95* Enking; *161,* 140 Ganghofer; *222,* 193 Hansjakob; *276* Heyse; *380,* 337 Kleist
II: 377 Lobsien; *536,* 477 Riehl; *581,* 527 Schreckenbach; *616* Steinhausen; *734* Wolff, J.
III: 147 Diehl; 196 Feuchtwanger
IV: 504 Langewiesche
V: 883 Unruh, F.
VII: 21 Bulwer; 176 Scott; 339 Conscience
VIII: 106 Heidenstam; 326 Sienkiewicz
X: 361 Werfhorst
XII: 106 Undset
XIII: 129 Habeck; 260 Mitterer
XIV: 26 Druon

15. Jahrhundert

I: *2,* 1 Alexis; *110,* 101 Fischer-Graz; *164, 167* Ganghofer; *193* Greinz; *355,* 317 Keller, G.
II: *462,* 417 Meyer, C. F.; *514,* 454 Raabe; *579,* 526 Schreckenbach; *719,* 670 Wichert; *735,* 686 Wolff, J.; *750,* 699 Zschokke
III: 31 Beheim-Sch.; 44 Bergengruen; 74, 76 Blunck
IV: 410 Kesten; 418 Kirschweng; 421 Klabund; 477, 478 Künkel; 516 Le Fort; 605 Mumelter
V: 638 Neumann, A.; 649 Nordström; 778 Scholz

VI: 131 Hugo
VII: 174 Scott; 193 Stevenson
VIII: 46, 48 Jensen, J. V.; 205 Karamsin; 234 Mereschkowskij; 259 Tolstoj, A. K.
IX: 283 Ghisalberti
X: 310, 311 Haasse
XIII: 193 Kesten
XIV: 373 Waltari; 407 Andrzejewski

16. Jahrhundert

I: *1, 4,* 2, 3 Alexis; *14,* 11, 12 Arnim; *75* Ebers; *104,* 96 Federer; *152,* 138 Freytag; 185 Halm; *225,* 195 Hauff; *327,* 294 Jensen, W.; *358,* 320 Keller, G.; *377,* 335 Kleist; 357, 360, 361 Kurz, I.
II: *432,* 395 Mann, H.; *454, 455, 465,* 413, 422, 423 Meyer, C. F.; *503, 513,* 446, 450 Raabe; *579, 582* Schreckenbach; *635,* 583 Stifter; *667, 668,* 619, 620 Strauß u. Tornay; *682,* 641 Tieck
III: 45 Bergengruen; 114, 115 Brod; 176 Engasser; 227 Friedenthal; 232 Gabele
IV: 354 Huna; 411 Kesten; 426 Klepper; 453, 454 Kolbenheyer; 493 Kutzleb; 548 Luserke; 550 Maass
V: 640 Neumann, A.; 688 Ponten; 770 Schneider, R.; 777 Scholz; 854 Stucken; 864 Tralow; 914 Weismantel
VI: 51 Coster; 179 Mérimée; 379 Larreta; 381 López
VII: 57 Deloney; 172 Scott; 326 Twain
VIII: 336 Eötvös
IX: 171 Monnier; 325 Asturias; 374 Wast
X: 69 Graves-R.; 203 Prescott; 248 Walpole, H. S.; 308 Fabricius
XII: 41 Gunnarsson; 123 Giertz; 171

Kallas; 196 Waltari; 407 Andrić
XIII: 60 Csokor; 101 Friedenthal; 290 Paulus; 306 Reisiger; 359 Stucken; 374 Uhlenbusch
XIV: 157 Madariaga

17. Jahrhundert

I: *112,* 104 Flex; *118,* 107 Fontane; *153,* 139 Freytag; *162* Ganghofer; *196–199,* 171–174 Grimmelshausen; *214, 215, 218,* 188, 189 Handel-Mazz.; *221,* 193 Hansjakob
II: *407* Laube; *419,* 379 Löns; *456, 461, 464,* 414, 415, 418 Meyer, C. F.; *521,* 452 Raabe; *571,* 517 Schmid, H.; 519 Schmitthenner; *586,* 531 Schulenburg; 603 Sperl; *625,* 571 Stifter; *651,* 607 Storm; 614 Strauß; *666,* 618 Strauß u. T.; *710,* 654 Wassermann; *726,* 680 Wildenbruch; *728,* 682 Wille; *748,* 699 Zschokke
III: 12 Augustiny; 62 Beumelburg; 76, 78 Blunck; 117 Brod; 143 Colerus; 156 Döblin; 179, 180 Ernst, P.; 229 Fussenegger
IV: 290 Haluschka; 369 Jelusich; 419 Kirschweng; 452 Kolbenheyer; 479 Künkel; 511 Le Fort
V: 631, 632 Naso; 694 Rainalter; 727 Saile; 741 Schaeffer; 785 Schreyvogl; 848 Strauß, E.; 895 Vollmer; 915 Weismantel
VI: 66, 67 Dumas père; 254 Vigny; 311 Manzoni
VIII: 33 Jacobsen, J. P.; 174 Gogol; 236 Mereschkowskij; 338 Herczeg; 340 Jókai
X: 38 Du Maurier
XI: 121 Forbes, E.
XII: 22 Kirk; 44 Kamban; 78, 79, 80 Falkberget; 135 Johnson, E.; 145 Moberg; 331 Tolstoi, A. N.; 374 Durych; 384 Hársanyi; 396 Móricz

XIII: 69 Döblin; 204 Kölwel; 293 Perutz; 358 Stucken
XIV: 334 Winsor; 425 Jirásek

18. Jahrhundert

I: *40* Bloem; *153*, 139 Freytag; *213*, *216*, 187 Handel-Mazz.; *272*, 241 Heyse; *356*, 317 Keller, G.
II: *460*, 419 Meyer, C. F.; *484* Niese; *504*, *518*, 460, 463 Raabe; *532*, *535*, 478, 479 Riehl; 532 Schulenburg; *683*, 638 Tieck; *749*, 696 Zschokke
III: 4 Andreae; 162 Dörfler, P.; 197, 198, 199 Feuchtwanger; 217, 218 Frank, B.; 228 Friedenthal; 240 Geissler, H. W.
IV: 286 Haensel; 406 Kayser; 420 Klabund; 425 Klepper; 458 Kolbenheyer; 494 Kutzleb; 503 Langewiesche; 513 Le Fort; 551 Maass; 591, 592 Molo
V: 631 Naso; 748 Schaper; 809 Seidel, I.; 841 Steuben; 845 Stockhausen; 882 Unruh, F.; 888 Velsen; 909 Wehner; 921 Wendt, H.; 955 Winckler; 986 Zweig, St.
VI: 70 Dumas père; 95 France; 135 Hugo
VII: 50 Conrad, J.; 64, 74 Dickens, Ch.; 166–167 Scott; 197, 198 Stevenson; 213, 214 Thackeray; 251–257 Cooper; 283 Kennedy, J. P.; 314 Melville
VIII: 105 Heidenstam; 248, 249 Puschkin; 313 Kraszewski
X: 234 Stuart; 282, 283 Ammers-K.; 317 Hemeldonck
XI: 4 Allen; 87 Edmonds; 208 Mason, F.; 224 Nordhoff-H.; 235 Payne; 252 Roberts, E. M.; 253, 255, 256 Roberts, K. L.
XII: 76 Falkberget; 151, 152 Nisser; 189 Talvio; 244 Ehrenburg; 254 Forsch; 330 Tolstoi, A. N.

XIII: 134 Hartlaub, F.; 160 Hubatius-H.; 269 Münz; 293 Perutz; 296 Pohl; 323 Schaper; 398 Wibmer-P.
XIV: 114 Nievo; 323 Turnbull; 447 Crnjanski

19. Jahrhundert

I: *3*, 4 Alexis; *120*, 107, 109 Fontane; *129*, *132*, 119, 120 François; *154*, 139 Freytag; *297* Hoffmann, H.; *312*, 279 Huch, Ric.; *376*, 333 Kleist; II: *405*, 367 Laube; *415* Lewald; *478*, 432 Mügge; 466 Rellstab; *526*, *529*, 468, 469 Reuter, F.; *548* Samarow; *590*, 535, 536 Sealsfield; *619*, 574 Stifter; *671*, 622 Sudermann; *708*, *710*, 654, 655 Wassermann
III: 90 Bossi-F.; 95 Braun, H.; 160 Dörfler, P.; 169, 170 Edschmid; 268 Griese; 279 Gumpert
IV: 421 Klabund; 435 Kluge; 552 Maass; 561 Mathar; 585, 586 Mikeleitis; 594 Molo
V: 630 Naso; 639, 642, 643 Neumann, A.; 723 Roth, J.; 739 Schaeffer; 746, 747 Schaper; 760 Schirmbeck; 794 Schurek; 812 Selinko; 913 Weismantel; 924, 928 Werfel; 955 Winckler; 986 Zweig, St.
VI: 68 Dumas père; 73 Erckmann-Ch.; 237 Stendhal; 256 Vigny; 376 García, E.; 386 Mármol; 399 Unamuno
VII: 44 Conrad, J.
VIII: 23 Bang; 237, 238 Mereschkowskij; 267, 283 Tolstoj, L.; 329 Zeromski
IX: 48 Chamson; 100, 101 Giono; 133, 134 La Varende; 163 Maximoff; 179 Morand; 265 Bacchelli; 329 Coelho-L.; 338 Gálvez; 370 Veríssimo; 373 Wast
X: 3 Abrahams; 18 Cloete; 44, 46–49 Forester; 162 Masters; 171 Mo-

folo; 192 O'Flaherty; 271 Young; 281, 283 Ammers-K.

XI: 2 Allen; 185 Lewis, S.; 216 Mitchell; 322, 323 Stone; 368, 369 Yerby

XII: 27 Michaelis, S.; 121 Dixelius; 146, 147 Moberg; 182 Sillanpää; 189 Talvio; 201 Aldanow; 318 Sergejew-Z.; 435 Kazantzakis

XIII: 81 Edschmid; 125 Guenther; 219 Laar; 277, 278 Neumann, A.; 279 Neumann, R.; 300 Rainalter; 337 Schreiber, H.; 376 Unruh, F.; 381 Vegesack; 399 Wickert

XIV: 2 Aragon; 37 Giono; 104 Denti di Pir.; 114 Nievo; 125 Tomasi di L.; 301 Michener; 434 Jókai; 444 Andrić; 465 Istrati; 466 Karagatsis

20. Jahrhundert

III: 92 Braun, F.; 103 Brehm

V: 677–679 Plivier; 745 Schaper;

860 Thiess; 929 Werfel; 986 Zweig, St.

IX: 49 Chamson; 348 Guzmán; 357 Muñoz

X: 45 Forester

XI: 147 Hemingway; 259 Ruark

XII: 187 Talvio; 268 Iwanow; 310 Scholochow; 355 Kaden-B.; 402 Zilahy

XIII: 125 Guenther; 126 Gütersloh; 247 Lützkendorf; 365 Thorwald; 381 Vegesack

XIV: 196 Hughes, R. A.; 319 Sinclair; 326 Uris; 362 Johnson, E.

S. a. Abenteuer-, Archäologische, Biblische, Biographische, Chronikalische, Entdeckungs-, Heimats-, Kolonial-, Kriegs-, Kulturhistorische, Militär-, Nachkriegs-, Politische, Siedlungs-, Staats-, Utopische, Zeit-, Zeitkritische, Zukunfts-Romane

Humoristische Romane

I: *12*, 13 Arnim; *58*, 50 Brinckman; 90 Eulenberg; *105*, 95 Federer; *113*, 105 Fock; 194 Hartleben; *272*, 243 Heyse; *310*, 278 Huch, Ric.; *319*, 294 Jean Paul; *337*, 300 Immermann; *364*, 327 Keller, P.; *382*, 340 Knigge; *399*, 356 Kurz, H.

II: 410 Mann, Th.; *522*, 457 Raabe; *523*, 467 Reuter, Chr.; *524*, *527*, 471, 472 Reuter, F.; *592*, 538 Seidel, H.; *647*, *648*, 594–596 Stinde; 633 Thoma; *681*, 635 Thümmel; *722*, 673, 676 Wieland; *736*, 687 Wolzogen, E.; *751*, *753*, 698 Zschokke

III: 54, 55 Beste; 150 Doderer; 192, Fechter; 253 Gluth

IV: 305, 306 Heimeran; 323, 324 Heynicke; 361, 362 Jahn; 397–399

Kästner, Erich; 429 Kluge, K.; 491 Kurz, K. F.; 581 Michael

V: 717 Rogge; 818–821 Spoerl, H.; 879 Ulitz; 918 Welk; 920, 921 Wendt, E.

VI: 23 Balzac; 56 Daudet; 61 Des Périers; 170, 171 Maupassant; 214 Rolland; 243 Tillier

VII: 59 Dickens; 95, 97 Fielding; 125 Jerome; 189, 192 Sterne; 217 Thackeray; 280, 281 Irving; 322 Poe

VIII: 50 Nicolai; 154 Dostojewski; 171, 174, 176 Gogol; 225 Leskow; 242 Petscherskij; 285 Tschechow

IX: 61 Daninos; 284 Guareschi; 289 Marotta; 299 Pratolini

X: 143, 145 Mackenzie; 262 Wodehouse; 285 Bomans; 294 Claes

XI: 14 Bemelmans; 70, 71 Day; 107 Faulkner; 124 Gilbreth; 177, 179, 182, 186 Lewis, S.; 200, 202 Mac Donald, 202 Mackaye; 261 Runyon; 270 Saroyan; 297 Sneider; 310, 317 Steinbeck; 324, 325 Streeter; 328 Thurber; 336, 337 Webster

XII: 64, 65 Boo; 117 Berg; 117 Bergman; 155 Sjöberg; 214 Panteleimonow; 263, 264 Ilf-Petrow; 374 Hašek; 392 Molnár

XIII: 3 Altendorf; 35 Biernath; 65 Doderer; 136, 137 Hartung; 147 Hildesheimer; 160, 162 Hueck-D.; 238 Lenz, S.; 265 Mostar; 281 Nicklisch; 347 Sommer

XIV: 2 Aymé; 12 Carrière; 23 Conchon; 52 Marceau; 72 Queneau; 118 Pirandello; 132 Alcántara; 155 Laiglesia; 206 Macaulay; 211 Marshall; 213, 214 Milne; 224 O'Flaherty; 232 Sharp, M.; 256 Burman; 262 Dahl; 279 Henry; 292 Kjelgaard; 310 Powell; 371 Meri

Jäger- und Jagd-Romane

I: *161*, 140 Ganghofer
II: 633 Thoma
IV: 435 Kneip
V: 889 Velter
VI: 56 Daudet
VIII: 284 Tschechow; 293 Turgenjew

XI: 69 Davis; 134 Grey; 136 Grubb; 141, 147 Hemingway
XII: 11 Fleuron; 269 Kasakow; 304 Prischwin
XIV: 146 Delibes

Idyllische Romane

I: *323*, 287 Jean Paul
IV: 482 Küper
VI: 29 Bernardin de S.-P.; 75 Erckmann-Ch.; 189 Nerval

VII: 359 Streuvels
VIII: 50 Nicolai
X: 346 Timmermans
XIV: 204 Lee

Indianer-Romane

II: *451*, 411 May; *589*, *590*, 534, 535 Sealsfield
III: 156 Döblin; 234 Gagern
IV: 321, 323 Heye; 540, 541 Löhndorff; 549 Luserke
V: 840 Steuben; 866, 867 Traven
VI: 37, 38 Chateaubriand

VII: 253, 257 Cooper
IX: 325 Asturias; 354 López y Fuentes
XI: 172 La Farge; 330, 331 Waescha-Kw.
XIII: 12 Bachér

Industrie-Romane

I: *258*, 225 Herzog
II: *534*, 479 Riehl; *566*, 511 Scherr
III: 172 Edschmid

V: 651 Nowak-Z.; 716 Risse; 754, 755 Schenzinger; 866 Traven
VI: 149 Lemonnier

VIII: 198 Gorki; 319 Reymont
IX: 117 Hamp; 157 Maurois
X: 105 Innes
XI: 117 Field; 286, 290 Sinclair
XII: 75–80 Falkberget; 248 Ehrenburg; 256, 257 Gladkow; 271 Kata-
jew; 277 Leonow; 292 Panowa; 302 Polewoi
XIII: 304 Rehmann
XIV: 129 Volponi; 133 Asturias; 276 Hawley; 313 Ruark; 396 Rybakow
S. a. Arbeiter-, Techniker Romane

Ingenieur-Romane

I: *98–100*, 91, 92 Fyth; *245*, 217 Hegeler; *371*, 329 Kellermann
IV: 445 Knittel
IX: 322 Alegriá
X: 142 Mc Fee
XI: 153 Hersey; 155 Hobart
XII: 248 Ehrenburg; 329 Tolstoi, A. N.
XIII: 106 Frisch
S. a. Techniker Romane

Ironische Romane

VI: 109 Gide
VIII: 155 Dostojewski; 218 Leskow
IX: 116 Guitry; 156 Maurois; 267 Bernari; 294 Palazzeschi
X: 49 Forster
XI: 90 Erskine
XIII: 23 Becher, U.; 310 Rezzori
XIV: 33 Gary; 106 Gadda; 178 Beardsley; 231 Saki; 410 Filipowicz; 446 Bulatović
S. a. Parodistische, Satirische Romane

Jüdische Romane

I: *134, 136*, 123 Franzos; *249*, 219 Heine
II: *611* Spindler; *618*, 574 Stifter; *710*, 644 Wassermann
III: 115 Brod; 197 Feuchtwanger
IV: 452 Kolbenheyer
V: 713 Rinser
VI: 242 Sue
VII: 82 Disraeli
IX: 120 Ikor
XI: 8, 9 Asch; 152 Hersey
XII: 140 Lagerkvist; 237 Babel
XIII: 1 Aichinger; 91–94 Feuchtwanger; 116 Goes; 130 Hagelstange; 193 Kesten; 279 Neumann, R.; 303 Regler; 316 Roth, J.; 320 Saalfeld; 368 Torberg
XIV: 98 Bassani; 200, 201 Kishon; 326 Uris; 364 Lagerkvist
S. a. Biblische Romane

Jugend-Romane

I: *44*, 37 Böhlau; *68* Croissant-R.; *97*, 84 Ernst, O.; 166 Gotthelf; 209
Hauptmann, G.; *259, 268*, 228, 232 Hesse; *306*, 272 Huch, Frd.; *325*,

291 Jean Paul; *352*, 314 Keller, G.; *394*, 350 Krüge
II: *448* Marlitt; *460*, 419 Meyer, C. F.; *499*, *511*, 453, 462 Raabe; *533*, 475 Riehl; *552*, 493 Sapper *555*–*558*, 501–503 Schaffner; *562*; 505 Scharrelmann; *566*, 511 Scherr; *568*, 515 Schlaf; *591* Seidel, H.; *613*, 554 Spitteler; 557, 558 Stehr; *622*, 584 Stifter; 613 Strauß; 653 Walser, R.; 681 Wildenbruch
III: 18 Barth; 83 Boerner; 104 Brehm; 130, 131 Camenzind; 141 Cisek; 166 Ebermayer; 175 Eich; 191 Fechter; 219 Frank, B.; 247 Glaeser; 262 Grabenhorst
IV: 302 Hausmann; 316, 317 Hesse, M. R.; 320 Heuschele; 377 Inglin; 416 Kinau, R.; 478 Künkel; 525, 526 Leip; 555 Maass, J.
V: 728 Salomon; 788 Schröder, R. A.; 807, 808 Seidel, I.; 816 Speyer; 827, 828 Stehr; 847 Strauß; 873 Tügel; 902 Walser, R.; 910 Weinheber; 938 Wiechert
VI: 3 Alain-F.; 46 Colette; 97 France; 138, 145 Jammes; 196 Philippe; 289 Amicis; 303 Deledda
VII: 42 Conrad, J.; 136, 137 Kipling; 245, 246 Alcott; 250 Burnett; 304 Melville; 324–326 Twain; 348 Multatuli; 352 Streuvels
VIII: 16 Andersen-Nexö; 59 Aanrud; 100 Hallström; 154 Dostojewski; 200 Gorki; 262 Tolstoj, L.

IX: 27 Bernanos; 50 Chamson; 54 Cocteau; 76 Estang; 94 Giono; 138 Malègue; 150, 153 Mauriac; 187 Peyrefitte; 300 Rombi; 315 Vittorini; 347 Güiraldes
X: 20 Common; 27 Cronin; 54 Gallico; 62 Golding, W. G.; 108 Joyce; 136 Li; 139 Llewellyn; 182 Mukerdschi; 294, 295 Claes
XI: 57 Capote; 93 Farrell; 122 Forbes, E.; 229 O'Hara, M.; 235 Petroff; 262 Salinger; 268, 271 Saroyan; 334 Warren; 357 Wolfe, Th.
XII: 7 Bregendahl; 55 Svensson; 87 Hagerup-V.; 117 Berg; 138 Lagerkvist; 156 Siwertz; 159 Söderberg; 172 Karhumäki; 173 Koskenniemi; 207 Bunin; 210 Dymow; 258 Gladkow; 279 Makarenko; 280 Newerow; 285 Ognjew; 297 Paustowskij; 349 Gombrowicz; 392 Molnár; 437 Papa
XIII: 9 Andres; 13 Bahl; 55 Brod; 61 Dessauer; 119 Grass; 136 Hartung; 139 Heckmann; 142 Held; 161 Hueck-D.; 185 Kaschnitz; 192 Kesten; 211 Kramp; 251 Magiera; 266 Mühlberger; 334 Schneller; 349 Speyer; 367 Torberg; 373 Ude; 378 Urzidil
XIV: 73 Queneau; 101 Calvino; 123 Tecchi; 189 Farrell; 217 O'Casey; 230 Rubens; 346 Laxness
S. a. Kinder-, Schul-Romane

Kalender-Geschichten

I: 212 Hebel
III: 266 Graf

XIII: 49 Brecht

Kaufmanns-Romane

I: *30*, 25 Berend; *49*, 42 Boy-Ed.; *93*, 82 Engel, J.; *152*, *156*, 131, 138 Freytag; *257*, 226 Herzog; *318*, 282 Huch, Rud.
II: *439*, 400 Mann, Th.; *484*, 436 Niese
IV: 286 Haensel
V: 718 Rombach; 740 Schaeffer

VI: 17 Balzac; 59 Daudet; 271 Zola
VII: 38 Conrad, J.; 68, 73 Dickens; 347 Multatuli
VIII: 89 Kielland; 191 Gorki
IX: 74 Durtain
XI: 123 Forbes, E.
XII: 157 Siwertz; 189 Talvio; 309 Schischkow

Kinder- und Kindheits-Romane

I: *68* Croissant-R.; *97*, 84 Ernst, O.
II: 557, 558 Stehr; *626*, *639*, *643*, 579, 586, 591 Stifter; *649*, *656*, 601, 603 Storm; *725*, 680 Wildenbruch
III: 18 Barth; 31 Beheim-Schw.; 130, 131 Camenzind; 142 Claudius; 177 Erath
IV: 304 Hausmann; 305 Heimeran; 482 Küper; 495 Kyber; 500 Landgrebe; 528 Leitgeb; 537 Lichnowsky; 554 Maass, J.; 597 Molzahn
V: 628 Nabl; 710 Rinser; 722 Roth, E.; 752 Schaumann; 804 Seidel, I.; 827, 828 Stehr; 885 Vegesack; 892 Viesèr; 901 Waggerl; 942, 944 Wiechert
VI: 6 Audoux; 53 Daudet; 96 France; 142 Jammes; 162, 163 Malot; 207 Renard
VII: 29 Carroll; 262 Habberton; 343 Eeden; 359 Streuvels
VIII: 114 Lagerlöf; 196 Gorki; 208 Korolenko; 261 Tolstoj, L.; 333 Cankar
IX: 121 Jouhandeau; 131 Larbaud; 144, 154 Mauriac; 234, 235 Saint-Hélier; 270 Bontempelli; 278 Chiesa; 292 Negri; 296 Pavese
X: 20 Common; 35 Druten; 77 Greene; 78 Gunn; 95 Huxley; 195 O'Sullivan; 197 Park; 242 Vaughan; 243 Walpole, H. S.; 307 Fabricius; 315, 316 Hartog; 319 Jong; 327 Morriën; 351 Vries, A.
XI: 55–59 Capote; 59 Cather; 69 Davis; 129 Goyen; 185 Lewis, S.; 199 Mac Cullers; 220, 221 Nathan; 239 Porter; 244 Rawlings; 263 Salinger; 274 Saroyan; 365 Wouk
XII: 4 Branner; 40 Gunnarsson; 88 Hamsun, M.; 138 Lagerkvist; 173 Koskenniemi; 207 Bunin; 210 Dymow; 231 Schmeljow; 271 Katajew; 293 Panowa; 297 Paustowskij; 314 Sejfullina; 328, 334 Tolstoi, A. N.; 360 Milosz; 438 Venesis
XIII: 11 Bachér; 189 Keller, P. A.; 203 Knöller; 234 Leitgeb; 244 Lipinski-G.; 250 Luhmann; 283 Niekrawietz; 283 Nonnenmann; 334 Schneller; 335 Schnurre; 346 Seidel, I.
XIV: 86 Sartre; 111 Morante; 145 Delibes; 149 Fernández de la R.; 181 Bowen; 198 Huxley, E. J.; 261 Cozzens; 294 Lee, H.; 380 Dubow; 418 Prus; 420 Schulz
S. a. Jugend-Romane

Kleinstadt-Romane

I: *69*, 63 Croissant-R.; *154*, 139 Freytag
II: *437*, 300 Mann, H.; *715*, 663 Weigand; *722*, 676 Wieland
III: 26 Baum; 106 Brenner; 112 Broch; 208 Fleisser
IV: 319 Heuschele; 491 Kurz, K. F.
V: 657 Orthbandt; 668 Pentzoldt; 818 Spoerl, H.; 949 Wiechert
VI: 49 Constant de R.; 56 Daudet; 75 Erckmann; 144 Jammes; 171 Maupassant; 196 Philippe; 219 Rousseau; 235 Stendhal; 306, 307 Fogazzaro; 339 Baroja
VIII: 15 Andersen-Nexö; 22, 24 Bang; 54 Wied; 90 Kielland; 146 Arzybaschew; 174 Gogol; 198 Gorki; 223 Leskow; 242 Petscherskij; 286 Tschechow
IX: 311 Tombari
X: 235 Stuart; 243 Walpole; 338 Thiry
XI: 5 Anderson; 11 Basso; 57 Capote; 65 Costain; 151 Hersey; 199 Mac Cullers; 227 O'Hara, J.; 268 Saroyan
XII: 8, 9 Buchholtz, J.; 98 Ring; 118 Bergman; 397 Németh
XIII: 114 Gebert; 122 Gregor-D.; 157 Hopp; 203 Knöller; 229 Lederer; 320 Saalfeld; 322 Schallück; 369 Trappe
XIV: 8 Boulanger; 13 Cau; 73 Queneau; 132 Alcántara; 234, 235 Snow; 273, 274 Goyen; 300 Metalious; 352 Hamsun, K. 387 Leonow; 455 Olujić

Kloster-Romane

I: *159*, *161*, *163*, 140–142 Ganghofer; *193* Greinz; *194*, 170 Grillparzer; *221*, 193 Hansjakob; *265*, 235 Hesse; *284*, 250 Hoffmann, E. Th. A.
II: *462*, 417 Meyer, C. F.; *469*, 426 Miller
IV: 426 Klepper; 507 Langgässer; 513 Le Fort
VI: 64 Diderot; 137 Huysmans; 240 Stendhal
VII: 158 Reade
IX: 213 Régnier
X: 341 Timmermans
XI: 109 Faulkner
XII: 408, 409 Andrić
XIII: 177 Kästner, Erh.
XIV: 109 Manzoni, A.; 197 Huxley, A. L.; 204 Lewis, M. G.; 283 Hulme
S. a. Priester-, Religiöse Romane

Kolonial-Romane

I: 128 Frenssen; 270–275 Grimm
IV: 440 Knittel
V: 682 Ponten; 811 Seidel, W.; 840 Steuben
VI: 338 Azevedo
VII: 38–50 Conrad, J.; 55 Defoe; 113 Galsworthy; 131 Kipling; 165 Schreiner; 247 Beecher-St.; 251, 253 Cooper; 347 Multatuli
VIII: 25–27 Bruun

IX: 38–41 Camus; 72 Duras; 176 Montherlant; 323 Amado; 340 García Calderón; 374 Wast
X: 13, 14 Cary; 18–20 Cloete; 75 Greene; 166, 169 Maugham; 323, 324 Lulofs; 354 Vries, Th.; 360 Walschap

XI: 2, 4 Allen; 23, 24 Bromfield; 60 Cather; 121, 122 Forbes, E.; 157 Hobart; 216 Mitchell; 225 Nordhoff; 259 Ruark
XIV: 198 Huxley, E. J.
S. a. Entdeckungs-, Siedlungs-Romane

Krankheits-Romane

II: *446*, 401, 404 Mann, Th.
III: 129 Cabanis; 132 Carossa
IV: 373 Jens
VI: 162 Maistre; 176 Maupassant; 276, 280 Zola
VIII: 38 Jacobsen, J. P.; 77 Hamsun; 161 Dostojewski; 177 Gogol; 229 Leskow; 265 Tolstoj, L.; 290 Tschechow; 333 Cankar

IX: 14 Bazin; 38 Camus; 126 Kessel; 203 Ramuz; 270 Bontempelli; 333 Ward, M. J.
XII: 389 Márai
XIII: 118 Grass; 265 Moosdorf; 292 Perkonig
XIV: 18 Cendrars; 19 Cesbron; 67 Peyrefitte; 210 Mannin; 272 Gibson
S. a. Arzt-Romane

Kriegs-Romane

I: *13*, 13 Arnim; 34 Binding; 128 Frenssen; *196–199*, 171–174 Grimmelshausen; 263 Hofmannsthal; 370 Kellermann
II: *406*, *407*, 367 Laube
III: 1 Alverdes; 18 Barth; 68 Binding; 80, 81 Böll; 134 Carossa; 164, 165 Dwinger; 168 Eckmann; 201 Feuchtwanger; 247 Glaeser; 257 Goes; 259 Götz, Karl; 261 Goltz
IV: 297 Hartung; 309 Heiseler, B.; 358 Jahn; 375 Ihlenfeld; 379 Johann; 385 Jünger, E.; 465 Kramer; 474 Kröger, Th.; 476 Kuckhoff; 499 Landgrebe; 500 Lange, H. J.; 530–533 Lernet-H.; 567 Mechow
V: 674 Pfahler; 677–679 Plivier; 700 Remarque; 705 Renn; 749 Schaper; 776 Schnurre; 792 Schroers; 860 Thieß; 869–873 Tügel; 876 Tumler;

881 Unruh, Frd. F.; 930 Werfel; 974 Ziesel; 982 Zweig, A.
VI: 216 Rolland; 277 Zola
VII: 258 Crane
VIII: 144 Andrejew; 267 Tolstoj, L.
IX: 11, 12 Barbusse; 33 Boyer; 62 Dorgelès; 83 Gascar; 89 Gheorghiu; 93 Giono; 167 Merle; 228 Saint-Exupéry; 255 Vercors; 367 Sender
X: 4 Aldington; 5 Balchin; 44–46 Forester; 145 Maclean; 172 Monsarrat; 178 Morgan; 180 Mottram; 271 Young; 314 Hartog
XI: 2, 4 Allen; 67 Cummings; 74 Dos Passos; 110 Faulkner; 140, 146 Hemingway; 152 Hersey; 165 Jones; 204 Mailer; 210, 211 Michener; 278 Shaw, I.; 309 Steinbeck; 366 Wouk
XII: 174 Linna; 238 Baklanow; 247 Ehrenburg; 249, 250 Fadejew; 260

Gorbatow; 262 Grin, E.; 282 Nekrassow; 289 Ostrowskij; 291 Panowa; 302 Polewoi; 310 Scholochow; 319, 320 Simonow; 325, 333 Tolstoi, A. N.; 374 Hašek
XIII: 3, 4 Altendorf; 16 Bauer, J. M.; 28 Bender; 41 Böll; 45 Borée; 46 Bosper; 59 Croixelles; 66 Döbler; 110 Gaiser; 115 Gerlach; 119 Grass; 121 Gregor, M.; 139, 140 Heinrich; 196–198 Kirst; 200, 201 Klose; 223 Lange, Ho.; 230 Ledig; 240 Lernet-H.; 295 Plievier; 299 Pump; 310 Richter, H. W.; 341 Schuster, E.; 377 Unruh, K.; 390 Warsinsky
XIV: 9 Boulle; 24 Curtis; 32 Gary; 41 Gracq; 43 Ikor; 49 Lartéguy; 87 Simon; 205 Llewellyn; 212 Masters; 289 Jones; 325 Uris; 377 Baklanow; 399 Simonow; 410 Filipowicz; 412 Hen; 446 Bulatović; 451 Kreleža
S. a. Antikriegs-, Flüchtlings-, Gefangenschafts-, Heimkehrer-, Historische Romane

Kriminalistische Romane

I: 75, 68 Droste-H.; *116*, 110 Fontane; *126* François; *290, 292,* 251, 255 Hoffmann, E. Th. A.; 281 Huch, Ric.; *377, 380,* 335, 337 Kleist; *388,* 348 Kröger, Timm
II: 410 Mann, Th.; *453,* 412 Meinhold; *519,* 461 Raabe; *537* Riehl; *567, 568,* 513, 514 Schiller; *585* Schücking; 537 Seeliger; *712,* 659 Wassermann; *752,* 696 Zschokke
III: 33 Beheim-Schw.; 46, 49 Bergengruen; 99 Brecht; 147 Däubler; 151 Doderer; 186, 189 Fallada; 220 Frank, L.; 259 Goetz, Curt
IV: 357 Jacques; 372 Jens; 400 Kafka; 443 Knittel; 470 Krell; 534 Lernet-H.; 556 Maass, J.
V: 632 Naso; 637 Nelissen-H.; 724 Roth, J.; 792 Schroers; 820 Spoerl, H.; 915 Weiss, E.
VI: 25 Barbey d'Aurev.; 32 Bourget; 70 Dumas père; 109 Gide; 130 Hugo; 175 Maupassant; 262, 271, 276, 284 Zola; 291 Annunzio
VII: 19 Bulwer; 31–34 Chesterton; 37 Collins; 45 Conrad, J.; 61, 77, 79 Dickens; 83–85 Doyle; 114 Galsworthy; 115 Godwin; 194, 196 Stevenson; 220 Walpole; 233 Wilde; 320 Poe
VIII: 113 Lagerlöf; 144 Andrejew; 156, 158 Dostojewski; 284 Tschechow
IX: 26, 28 Bernanos; 38 Camus; 42 Carco; 58 Crottet; 73 Durtain; 116 Guitry; 164 Meersch; 215, 216 Robbe-Gr.; 219 Romains; 245 Supervielle; 256 Vialar; 267 Bartolini; 297 Piovene; 344 Gómez de la Serna
X: 27 Cronin; 71 Greene; 105 Innes; 216–219 Sayers
XI: 44 Cain; 83 Dreiser; 97, 107 Faulkner; 137 Hayes, J.; 171 Keyes; 288 Sinclair
XII: 65 Christiansen; 70 Duun; 96 Omre; 264 Ilf-Petrow; 363 Piasecki
XIII: 30 Ben-Gavriêl; 75–78 Dürrenmatt; 259 Meyer-Eckh.; 275 Nadolny; 301 Rasmus-B.; 325 Schaumann; 383 Vring; 406 Zand; 412 Zuckmayer
XIV: 35, 36 Genet; 106 Gadda; 120 Sciascia; 138 Carpentier; 214 Milne; 214 Monsarrat; 233 Shute; 258 Capote; 268 Faulkner; 322 Styron; 348 Sarvig; 396 Rybakow
S. a. Gauner-Romane

Künstler-Romane

I: *44*, 37 Böhlau; 62 Contessa; *177*, 153 Ginzkey; 181 Hagen; *229*, 201 Hauptmann, C.; *241*, 216 Heer; *249*, 220 Heinse; *267*, 230 Hesse; *272*, *274*, 243 Heyse; 266, 267 Holm
II: *418*, 380 Löns; *427*, 389 Mann, H.; *475*, 429 Mörike; *535*, 477 Riehl; 494 Schäfer; *593* Siegfried; *601*, 546 Speckmann; *621*, *627*, *630*, 568, 569, 589 Stifter; *649*, *657*, 602, 603 Storm; *686*, 637 Tieck; 650 Voss; 677 Wilbrandt; *725*, 678 Wildenbruch
III: 5, 6 Andres; 119 Brües; 124 Bruns; 141 Claudius; 157 Dörfler, A.; 162 Dörfler, P.; 167 Ebermayer; 198 Feuchtwanger; 226 Freumbichler; 242 Geissler, H. W.; 251 Gluth
IV: 523 Leip
V: 660 Ortner; 689 Ponten; 733 Schäfer; 773 Schneider, R.; 879 Ulitz; 903 Waser; 914 Weismantel; 978 Zinn
VI: 21 Balzac; 177 Maupassant; 185 Murger; 187 Musset; 207 Rod; 214 Rolland; 273 Zola; 299 Cellini
VII: 132 Kipling; 178 Shaw, G. B.
VIII: 121, 129, 130 Strindberg; 176 Gogol; 234 Mereschkowskij; 254 Schewtschenko
IX: 63 Dorgelès
X: 15 Cary; 103 Huxley; 166 Maugham; 174 Morgan; 349 Vestdijk; 353 Vries, Th.
XI: 34 Buck; 175 La Mure; 321 Stone
XII: 365 Przybyszewski
XIII: 67 Döbler; 185 Kasack; 191 Kessel; 259 Meyer-Eckh.; 410 Zollinger
XIV: 47 Kern; 192 Golding, W. G.; 277 Hawthorne; 384 Kawerin; 453 Krleža
S. a. Dichter-, Kulturhistorische, Musik-, Schauspieler-, Sänger-Romane

Kulturhistorische Romane

I: *24*, 20 Bartsch; *52*, *54*, 46 Braun, L.; *55*, 49 Brentano; *66* Conrad, M. G.; 86, 87 Ernst, P.; *100*, 92 Eyth; *155*, *156*, 131, 132 Freytag; *176*, 154 Ginzkey; 155 Goethe; *183*, *186*, 163, 166 Gotthelf; *196–199*, 171–174 Grimmelshausen; 181 Hagen; *213–218*, 187–189 Handel-Mazz.; *225*, *229*, 199 Hauff; *291*, 255 Hoffmann, E. Th. A.; *311*, 278 Huch, Ric.; *352*, *354*, *364*, 314, 316, 323 Keller, G.; *377*, 335 Kleist; *398*, 354 Kurz, H.; 357, 360 Kurz, Is.
II: *416*, 375 Lienhard; *444*, 405, 406 Mann, Th.; *453*, 412 Meinhold; *462*, 417 Meyer, C. F.; *481*, 434 Müller-Gutt.; *513*, *521*, 446, 452 Raabe; *583–585*, 529 Schücking; *587*, 536 Sealsfield; *603*, 548 Sperl; *610*, *611* Spindler; *637*, 576 Stifter; *667*, *668*, 619, 620 Strauß u. Torney; *682*, *684*, *686*, *691*, 637, 638, 641 Tieck; *694*, 646 Vischer; *710*, 654 Wassermann; 664 Weigand; *732*, 684 Willkomm
III: 45, 47 Bergengruen; 52, 53 Bertram; 70 Birkenfeld; 83 Boie; 113 Broch; 114 Brod; 121–123 Brunngraber; 143 Colerus; 146 Czibulka; 156 Döblin; 180 Ernst, P.;

184 Faesi; 203 Finckenstein; 205, 206 Flake; 210 Franck; 240, 241 Geissler; 243, 244 Gierer; 250 Gluth **IV**: 286 Haensel; 336 Hohlbaum; 360 Jahn; 382 Isemann; 485, 486 Kurz, Is; 570 Meissinger **V**: 646 Niebelschütz; 667, 669 Pentzoldt; 718, 719, 721 Rombach; 796 Schwarz; 806 Seidel, I.; 856 Stühlen; 858 Taube; 866, 867 Traven **VI**: 16, 17 Balzac; 39 Chateaubriand; 61 Des Périers; 65 Diderot; 100 Furetière; 121 Gobineau; 205 Régnier; 211, 214 Rolland; 228 Scarron; 232 Staël-H.; 296 Boccaccio **VII**: 30 Chaucer; 157 Newman; 158 Reade; 166 Scott, W.; 251–257 Cooper; 268 Henry, O. **VIII**: 38 Jacobsen, J. P.; 97 Almquist; 148 Brjusow; 160, 165 Dosto-jewski; 225 Leskow; 238 Mereschkowskij; 342 Mikszáth **IX**: 196 Proust; 243 Schlumberger; 271 Bontempelli **X**: 232 Stoon; 287 Boschvogel; 332 Pillecijn; 349 Vestdijk **XI**: 113, 114 Ferber; 123 Forbes, E.; 167 Kantor; 344, 347 Wilder **XII**: 51 Laxness; 235 Auesow; 407–409 Andrić; 415 Simunović **XIII**: 68 Döblin; 95 Flake; 111 Gaiser **XIV**: 139 Carpentier; 192 Golding, W. G.; 197 Huxley, A. L.; 301 Michener; 339 Fabricius; 389 Melnikow

S. a. Berufs-, Dichter-, Historische, Künstler-, Musik-, Philosophische Romane

Landschafts-Romane

III: 128 Busse; 141 Cisek **IV**: 321–323 Heye; 501 Lange, Ho.; 576 Meschendörfer **V**: 629 Nabl; 696 Raschke; 876 Tumler; 940–947 Wiechert; 956–959 Windthorst **VI**: 41 Chateaubriand; 150 Lemonnier; 190 Nerval; 214 Rolland; 219 Rousseau; 225 Sand **VII**: 285 London, J.; 317 Norris **VIII**: 92 Lie; 122–124 Strindberg; 136 Aho; 222 Leskow; 287 Tschechow **IX**: 22 Benoît; 32 Bosco; 232–234 Saint-Hélier; 286 Levi; 322 Alegriá; 361 Quiroga, C. B.

X: 19 Cloete; 28 Curwood; 43 Evans; 79, 80 Gunn; 140 Lowry; 145 Mackenzie; 166, 169 Maugham **XI**: 40 Burman; 103 Faulkner; 301 Steinbeck **XII**: 43 Gunnarsson; 101 Scott, G.; 116 Berg; 171 Kallas; 175 Mälk; 176 Manninen; 208 Bunin; 221 Robakidse; 298 Paustowskij; 304 Prischwin; 307 Schischkow; 437 Papa **XIII**: 38 Böll; 52 Broch; 127 Guggenheim **XIV**: 19 Chamson; 74 Ramuz; 109 Malaparte; 225 Packer; 288, 289 Jewett

S. a. Alpine, Heimat-, Natur-, See-Romane

Landstreicher-Romane

I: *265*, 231 Hesse
II: *547*, 490 Saar
IV: 301 Hausmann
V: 839 Sterneder
VI: 321 Straparola
VII: 268, 269 Henry, O.

VIII: 79 Hamsun; 188–190 Gorki
IX: 267 Bernari
X: 187 Niland; 295 Claes
XI: 305 Steinbeck
XII: 412 Bulatović
XIV: 370 Haavikko

Legenden-Romane

I: 31 Binding; *312*, 280 Huch, Ric.;
375, 333 Kleist
III: 66 Binding
IV: 437 Kneip; 504 Langewiesche;
549 Luserke; 571 Mell; 583, 584
Miegel; 611 Munk
V: 692 Preradović; 883 Unruh, F.
VI: 14 Balzac; 53 Coster; 190 Nodier; 342 Bécquer; 372 Eça de Queiroz
VII: 236 Wilde; 352 Schendel; 358
Streuvels; 366 Vermeylen; 368

Woestijne
VIII: 29 Gjellerup; 106 Heidenstam;
112, 116 Lagerlöf; 207 Korolenko;
220, 227, 228 Leskow; 275, 280 Tolstoj, L.
IX: 57 Crottet
X: 326 Morriën; 340, 343–345 Timmermans
XII: 205 Bunin; 220 Remisow; 344
Dobraczynski
XIII: 210 Kornfeld; 219 Lämmle;
234 Leitgeb

Lehrer-Romane

I: *105*, 85 Federer; *294*, 261 Hoffmann, H.; *328* Jensen; *390*, 346
Kröger, Timm
II: *438*, 390 Mann, H.; *545*, 482
Rosegger; 486 Ruederer
V: 877 Tumler; 968 Wolf, R.
VI: 249 Valloton; 284 Zola
VII: 261 Eggleston
IX: 154 Mauriac

X: 89 Hilton; 227 Snow
XI: 233 Patton
XII: 318 Serafimowitsch
XIII: 122 Gregor-D.; 233 Lehmann,
W.; 342 Schuster, E.; 367 Torberg
XIV: 61 Monnier; 236 Spark; 324
Updike
S. a. Pädagogische, Schul-Romane

Liebes-Romane

I: *22*, *26*, 23 Bartsch; *29*, 23 Berend;
28 Bierbaum; 32 Binding; *57*, 47

Brentano; *64* Clauren; *73*, 65, 67
Dauthendey; *84*, 74 Ebner-E.; *86*–

89, 77–80 Eichendorff; 103 Flaischlen; *122*, 112 Fontane; *126* François; *165*, *166*, 143 Ganghofer; *177*, 154 Goethe; *189*, *191*, *192*, 169, Greinz; *194*, 170 Grillparzer; *201*, 176 Günther, A.; *206*, 177 Gutzkow; *222*, 192 Hansjakob; *224*, *226*, *227*, 196, 198 Hauff; *238*, 208 Hauptmann, G.; *250–253*, 221, 222 Hermann; *256*, 224 Herzog; *272*, *274*, *277*, *278*, 241–243 Heyse; *307*, 272 Huch, Frd.; *308*, *309*, *315*, 274, 275, 277 Huch, Ric.; *328* Jensen; *329* Ilg; *348*, *350*, *352*, *353*, *354*, *356*, *357*, *362*, 310, 312, 314–319, 321, 322 Keller, G.; *368*, *369*, 328 Kellermann; *373*, *374*, 330 Keyserling; *376*, *378*, *379*, 334, 336 Kleist; 342 Kopisch; 359 Kurz, Is.

II: *401* Lafontaine; *417*, 376 Liliencron; *418*, 380 Löns; *425*, *427*, 387, 389 Mann, H.; *449*, *450* Marlitt; *546*, *547*, 488–491 Saar; 498 Schäfer; *553*, *554* Schaffner; 507 Schaukal; *565*, 511 Scheffel; *571*, 516 Schlegel; *574*, 521 Schnabel; *576*, *577*, 522–524 Schnitzler; *584*, 529 Schücking; *598* Sohnrey; *620*, *628*, *629*, *631*, *634*, *638*, 571, 573, 575, 577, 580, 581, 587, 590 Stifter; *649*, *651*, *655*, *657*, *658*, *661*, 597–605 Storm; 616 Strauß 633 Thoma; *684*, *686*, *687*, 636, 639, 640 Tieck; *699*, 649 Voigt-D.; *700*, *701*, 650, 651 Voss; *706*, 656 Wassermann; *727*, 679, 680 Wildenbruch; *743*, *744*, 692 Zahn; *746*, 693 Zesen; *746*, 694 Ziegler

III: 4 Andreae; 6 Andres; 15 Bäumer; 24 Bauer, W.; 46, 48 Bergengruen; 65, 67 Binding; 82, 83 Boerner; 86 Borchardt; 88 Borée; 90 Bossi-F.; 97 Brautlacht; 120 Brües; 127 Busse; 146 Czibulka; 175 Eich; 215 Franck; 250 Gluth; 267 Grengg;

270 Grimm

IV: 291 Hamer; 308 Heiseler, B.; 319 Heuschele; 323, 324 Heynicke; 328 Höfler; 382 Isemann; 408 Kennicott; 443, 445 Knittel; 446, 447 Knyphausen; 480 Künkel; 488 Kurz, Is.; 490 Kurz, K. F.; 508 Langner; 518 Lehmann, A.-H.; 524 Leip; 527 Leitgeb; 536 Lichnowsky; 553 Maass, E.; 564 Mayer, K. A.; 566 Mechow; 606 Mumelter; 607, 609 Mungenast; 615, 617 Muschler

V: 625, 627 Nabl; 631, 634 Naso; 666 Pegel; 696 Raschke; 718–721 Rombach; 735 Schäfer; 780 Scholz; 813 Sexau; 823 Stackelberg; 825 Stahl; 850 Strauß; 859 Thieß; 869 Tucholsky; 869 Tügel; 881 Unger; 894, 895 Vollmer; 897 Vring; 903 Waser; 911 Weisenborn; 921 Wendt, E.; 939, 941 Wiechert; 952 Wied; 963 Wispler; 963 Wittek; 976 Zillich; 979 Zuckmayer; 983 Zweig, A.

VI: 4 Anet; 5 Aucassin u. Nic.; 23 Balzac; 27 Baudelaire; 29 Bernardin de S. P.; 37, 38 Chateaubriand; 46 Colette; 58, 59 Daudet; 63 Diderot; 75, 76 Estaunié; 81 Fénelon; 84 Feydeau; 93 France; 101 Gautier; 107, 109 Gide; 119 Gobineau; 146 La Fayette; 147 Lamartine; 157 Loti; 158 Louvet de C.; 164 Marguérite d'Ang.; 177, 178 Maupassant; 180, 183 Mérimée; 186, 187, 188 Musset; 191 Nodier; 197 Prévost d'Exiles; 198, 199 Prévost; 205 Régnier; 215 Rolland; 219 Rousseau; 222–227 Sand; 232 Staël-H.; 234, 235, 239, 240 Stendhal; 246 Urfé; 262, 266, 268, 275, 279 Zola; 294 Bandello; 296 Boccaccio; 298 Casanova; 301, 302 Deledda; 304 Enea Silvio; 308 Fogazzaro; 310 Foscolo; 311 Manzoni; 319, 320

Serao; 327–330 Alarcón; 333 Amadis; 339 Baroja; 345, 346 Blasco Ibáñez; 351 Celestina; 362 Cervantes; 385 Machado de Assis; 398 Taunay; 404 Valera; 406 Vega Carpio

VII: 3–5 Austen; 39, 47–49 Conrad, J.; 88, 89, 93 Eliot, G.; 95 Fielding; 106–110, 113 Galsworthy; 119, 121 Hardy; 149, 151 Meredith; 160–163 Richardson; 178 Shaw, G. B.; 270, 271 Howells; 321 Poe; 340 Couperus; 353, 355 Streuvels; 367 Woestijne

VIII: 23 Bang; 25–27 Bruun; 30 Gjellerup; 32, 38 Jacobsen; 60, 61 Björnson; 64, 67–71, 79 Hamsun; 109, 110 Lagerlöf; 136 Aho; 139 Linnankoski; 147 Bjelyi; 160, 162 Dostojewski; 185 Gontscharow; 187 Gorki; 206 Karamsin; 211, 212 Kuprin; 213 Kusmin; 217, 223 Leskow; 248 Puschkin; 256 Sologub; 258 Tolstoj, A. K.; 266, 273 Tolstoj, L.; 286, 291 Tschechow; 295, 297, 299, 307 Turgenjew; 315, 316 Orzeszkowa; 337 Herczeg; 348 Tavčar

IX: 5 Aragon; 21 Bedel; 34 Brasillach; 79 Gadenne; 80 Galzy; 86 Gevers; 101 Giono; 104–106 Giraudoux; 120 Hériat; 132 Larbaud; 145–147 Mauriac; 158 Maurois; 168, 169, 170 Monnier; 173, 176 Montherlant; 181 Narcisse; 182, 183 Otremont; 191 Porché; 196 Proust; 201, 202 Radiguet; 209, 210 Ramuz; 212 Raucat; 214 Régnier; 222 Sagan; 223 Sainte-Soline; 225 Saint-Exupéry; 247 Tourville; 252 Troyat; 254 Veraldi; 258 Vilmorin; 278 Chiesa; 282 Ghisalberti; 298 Pratolini; 307 Soldati; 315 Varè; 349 Jarnés; 350 Icaza; 355 Madariaga y Rojo

X: 12 Bridge; 20 Cloete; 22 Cronin; 28 Curwood; 31, 32 Deeping; 64 Goudge; 75, 76 Greene; 82 Han Suyin; 94, 95, 97, 103, 104 Huxley; 125 Lawrence; 140 Mc Fec; 156 Marshall; 160, 161 Mason, R.; 164, 168, 169 Maugham; 174–179 Morgan; 182 Mullen; 189 O'Faolain; 202 Powys; 231 Spring; 240 Thurston; 241 Vaughan; 255 Webb; 303 Doolaard; 314 Hartog; 318 Hemeldonck; 333 Pillecijn; 338 Thiry; 342 Timmermans; 350 Vestdijk

XI: 15 Benaya; 27, 31, 37, 39 Buck; 44 Cain; 61 Cather; 63 Chase; 78 Dreiser; 88 Edmonds; 91 Erskine; 103 Faulkner; 128 Gordimer; 139, 140, 146, 147 Hemingway; 154 Heyward; 162 Hurst; 172 La Farge; 179, 186 Lewis, S.; 190, 191 Lin Yutang; 212 Michener; 216 Mitchell; 221 Nathan; 231 Ostenso; 235 Payne; 271 Saroyan; 285, 288 Sinclair; 299 Sourian; 322, 323 Stone; 337 Webster; 342 Wharton; 347 Wilder; 352 Williams, V.; 353 Wilson, S.; 368, 369 Yerby

XII: 5 Branner; 7 Buchholtz, J.; 36, 37 Gudmundsson; 63 Boo; 130 Hemmer; 160 Spong; 171 Kallas; 175 Mälk; 176 Manninen; 181, 185, 186 Sillanpää; 207, 208 Bunin; 211 Nabokow; 227, 229, 230 Schmeljow; 233 Stepun; 248 Ehrenburg; 253 Fedin; 269 Kasakow; 294 Pasternak; 325, 332 Tolstoi, A. N.; 343 Choromanski; 347 Goetel; 352 Iwaskiewicz; 392, 393 Molnár; 401 Zilahy; 423 Rebreanu; 427, 428 Tudoran

XIII: 12 Bachér; 27 Bender; 38, 42 Böll; 76 Dürrenmatt; 80 Edschmid; 127 Guggenheim; 136 Hartung; 138 Hauser; 162 Hueck-D.; 182 Kapp; 188 Kaus; 194 Keun; 206 Koeppen; 221 Lang; 222 Lange, Ho.; 229 Lederer; 251 Luserke; 284 Nordström;

286 Nossack; 307 Remarque; 313 Rinser; 320 Sack; 326 Schickele; 332 Schmidt, A.; 354 Stoessl; 370 Tucholsky; 400 Wiebe; 407, 408 Zerna; 409 Ziesel
XIV: 21, 22 Colette; 28 Duras; 33 Gary; 38 Giraudoux; 46 Jouve; 53 Maupassant; 61 Monnier; 69 Pieyre de M.; 74 Rebatet; 83 Sagan; 91 Vailland; 92 Vian; 104 Deledda; 122 Svevo; 123 Tecchi; 159 Palacio V.; 181, 182 Braine; 190 Ford; 196 Hudson; 202 Lawrence; 209 Man-nin; 219 O'Connor, F.; 222, 223 O'Faolain; 225 Packer; 234 Snow; 243 Wilson, G.; 259 Cather; 277 Hayes, A.; 283, 284 Hutchins; 286 James, 304 Morris, E.; 333 Willingham; 334 Wilson, S.; 346 Jacobsen, J.-F.; 353 Jensen, A.; 355 Skram; 356 Undset; 360 Edquist; 372 Pekkanen; 374 Ajtmatow; 397 Schmeljow; 414 Iwaszkiewicz; 422 Blažková; 442 Vaszary; 450 Humo; 455 Olujić; 456 Ribnikar
S. a. Ehe-Romane

Märchenhafte Romane

I: 40 Bonsels; *124*, 118 Fouqué; *283, 285, 293, 294*, 250, 253, 258, 259 Hoffmann, E. Th. A.; *299*, 264 Hofmannsthal; *350*, 312 Keller, G.
II: *473*, 429 Mörike; *539*, 480 Rilke; 674 Wieland
III: 85 Bonsels
IV: 471 Kreuder; 571 Mell
VI: 192 Perrault; 295 Basile; 320 Straparola
VII: 29 Carroll; 65 Dickens; 128 Kingsley; 140, 141 Macleod; 203 Stevenson; 204 Swift; 233 Wilde; 238, 240 Yeats; 265 Hawthorne; 321, 322 Poe
VIII: 5, 6 Andersen; 170 Garschin; 172 Gogol; 187 Gorki; 207 Korolenko; 275 Tolstoj, L.; 335 Creangă
IX: 57 Crottet; 157 Maurois; 229 Saint-Exupéry
X: 326 Morriën
XI: 16 Benét; 176 Lawson
XII: 193 Tammsaare; 240 Dudinzew; 261 Grin, A.
XIII: 179 Kamphoevener
XIV: 13 Cau; 25 Dhôtel; 115 Pasqualino; 213 Milne; 349 Soerensen

Milieu- und Umwelt-Romane

VI: 338 Azevedo; 392 Pereda
VII: 77 Dickens; 92, 93 Eliot
VIII: 70, 71, 73, 79, 82 Hamsun, K.
IX: 59 Dabit; 322 Alegría
XI: 20, 21 Bristow; 190 Lin Yutang
XIV: 165 Sánchez Ferlosio

Militär-Romane

II: 489, 490 Saar; 497 Schäfer; *577*, 522 Schnitzler; *613*, 553 Spitteler
III: 104, 105 Brehm; 155 Döblin
IV: 312 Hesse, M. R.

V: 631, 634 Naso; 723 Roth, J.; 728 Salomon; 734 Schäfer; 751 Schaumann; 967 Woinovich; 984 Zweig, St.
VI: 9 Balzac; 35 Bourget; 66 Dumas père; 73 Erckmann; 255 Vigny
VII: 129 Kipling
VIII: 225 Leskow; 245 Puschkin
IX: 22 Benoît; 281 Flaiano
X: 30 Deeping; 45, 46 Forester

XI: 163 Jones; 198 Mac Cullers; 212 Michener; 297 Sneider
XII: 119 Böök; 310 Scholochow; 336 Tynjanow; 374 Hašek
XIII: 32 Bergengruen; 196–198 Kirst; 376 Unruh, F.
XIV: 168 Vargas Llosa; 371 Meri; 424 Hašek; 439 Ottlik
S. a. Kriegs-Romane

Moral- und Moralistische Romane

I: *381*, 338 Klinger
VI: 151 L'Ermite
VII: 212 Thackeray; 245, 246 Alcott

VIII: 62 Björnson; 277, 279 Tolstoj
X: 185 Narayan
S. a. Sitten-Romane

Musik- und Musiker-Romane

I: *26*, 23 Bartsch; *50*, 43 Brachvogel; *195*, 170 Grillparzer; 229 Hesse; *288*, 257 Hoffmann, E. Th. A.
II: 385 Lux; *441*, 409 Mann, Th.; *474*, 431 Mörike; *532, 536, 538*, 476 Riehl; *546*, 491 Saar; *595, 596*, 541 Söhle; 560, 561 Stehr; *656*, 602 Storm; *706*, 656 Wassermann; *736*, 687 Wolzogen, E.
III: 145 Czibulka; 211 Franck; 219 Frank, L.; 241 Geissler, H. W.; 245 Gierer
IV: 346–349 Huch, Fel.; 432 Kluge, K.; 458 Kolbenheyer; 524 Leip; 558 Mann, K.; 600 Mühlberger

V: 652 Nowak-Z.; 659 Ortner; 835, 836 Stehr; 892 Viesèr; 906 Watzlik; 928 Werfel; 955 Winckler; 970 Zerkaulen
VI: 211 Rolland
VII: 178 Shaw, G. B.
VIII: 24 Bang; 207 Korolenko; 240 Odojewskij; 278 Tolstoj, L.
X: 116 Kennedy, M.; 294 Claes; 327 Naeff
XI: 61 Cather
XII: 383 Hársanyi; 389 Márai
XIII: 326 Schickele
XIV: 230 Rubens; 422 Bor
S. a. Berufs-, Sänger-Romane

Mutter-Romane

II: *568*, 515 Schlaf
III: 203 Finckenstein; 264 Graf; 267 Grengg
IV: 368 Jellinek

V: 900 Waggerl
VI: 218 Rolland; 403 Unamuno
VIII: 40 Jensen, J. V.; 193 Gorki
X: 296 Claes

XI: 31, 32 Buck; 274 Saroyan
XII: 142 Lo-Johansson; 341 Brandys
XIV: 104 Deledda; 342 Bang

S. a. Ehe-, Familien-, Frauen-Romane

Mystische Romane

I: *14*, 11 Arnim; *191* Greinz; *227*, 196 Hauff; 263, 265 Hofmannsthal
II: 556, 567 Stehr; *618*, 574 Stifter; *659*, 611 Storm
III: 128 Busse
IV: 358 Jahn; 401 Kafka; 453, 457 Kolbenheyer; 461 Kommerell; 610 Munk
V: 649 Nossack; 837 Stehr; 979 Zuckmayer
VI: 14 Balzac; 176 Maupassant; 208–210 Rodenbach
VII: 239, 240 Yeats; 321 Poe; 323 Thoreau
VIII: 65 Hamsun, K.; 94 Obstfelder;
103 Hallström; 113 Lagerlöf; 147 Bjelyj; 247 Puschkin; 302, 305 Turgenjew
IX: 108 Gracq; 113, 115 Green, J.; 247 Tourville; 280 Coccioli
X: 127 Lawrence
XI: 132 Goyen; 289 Sinclair; 344 Wilder
XII: 103 Scott, G.
XIII: 240 Lernet-H.; 320 Saalfeld; 325 Schaumann
XIV: 147 Descalzo
S. a. Okkulte, Phantastische, Sagenhafte, Surrealistische Romane

Mythische und mythologische Romane

III: 128 Busse; 269 Griese
IV: 388 Jünger, E.; 404, 405 Kasack; 585 Miegel
V: 762 Schmid-N.
VI: 126 Guérin
VIII: 42, 44 Jensen, J. V.
IX: 211 Ramuz; 271 Bontempelli
X: 68 Graves-Ranke
XI: 16, 18 Benét; 89 Erskine; 312
Steinbeck
XII: 43 Gunnarsson; 133 Johnson; 140 Lagerkvist; 436 Myrivilis
XIII: 131 Hagelstange; 165 Jahnn; 333 Schnabel
XIV: 6 Beckett; 68 Pieyre de M.; 140 Castellanos
S. a. Historische Romane (vorchristliche Zeit), Sagen

Nachkriegs-Romane

III: 21 Bauer, J. M.; 87 Borchert; 94 Braun, H.; 153, 155 Döblin; 222 Frank, L.; 237 Gaiser; 248 Glaeser; 249 Glas
IV: 294 Hampe; 372 Jens; 375 Ih-
lenfeld; 413 Kesten; 460 Kolbenhoff; 472 Kreuder; 507 Langgässer
V: 776 Schnurre; 782 Schrag; 792 Schroers; 808 Seidel, I.; 838 Stephan; 858 Stühlen; 935 Weyrauch; 941,

943, 947 Wiechert; 950 Wied; 963 Wittek; 986 Zweig, St.

IX: 74 Dutourd; 75 Estang; 81 Gary; 281 Flaiano

X: 152 Marshall; 236 Stuart; 321 Kuyle

XI: 108 Faulkner; 147 Hemingway; 151 Hersey; 163–165 Jones; 297, 298 Sneider; 309 Steinbeck; 353 Wilson, S.; 369 Yerby

XII: 136 Johnson, S.; 300 Pawlenko; 302 Polewoi; 342 Choromanski

XIII: 10 Andres; 72 Döblin; 89 Fallada; 123 Griese; 150 Hirschler; 176 Kästner, Erh.; 182 Kapp; 239 Lenz, S.; 286 Nossack; 301 Rasmus, B.; 322 Schallück; 393 Weidenheim; 403 Wilk

XIV: 127 Vittorini; 412 Hen

S. a. Flüchtlings-, Gefangenschafts-, Heimkehrer-, Zeit-, Zeitkritische Romane

Naturschildernde und Naturwissenschaftliche Romane

III: 121 Brunngraber
V: 754 Schenzinger
VI: 160 Maeterlinck
VIII: 264 Tolstoj, L.; 287 Tschechow; 348 Tavčar
IX: 29 Blond
X: 19 Cloete

XI: 40 Burman; 103 Faulkner; 320 Stewart
XII: 70 Duun; 169 Huovinen; 304 Prischwin
XIV: 450 Humo

S. a. Alpine, Dorf-, Heimat-, Landschafts-, Schicksals-, See-Romane

Nouveau Roman

XIV: 13 Cau; 14–16 Cayrol; 76, 77 Robbe-Gr.

Okkulte und Spiritistische Romane

I: *46*, 38 Bölsche; *362*, 322 Keller, G.; 332 Kleist
II: *418*, 380 Löns; *637*, 576 Stifter; *687*, 640 Tieck
III: 50, 51 Bernus; 182 Ernst, P.
IV: 578 Meyrink
VI: 36 Cazotte; 181 Mérimée; 190 Nodier; 372 Eça de Queiróz
VII: 22 Bulwer; 138 Kipling; 145 Marryat; 200, 203 Stevenson; 234 Wilde; 279 James; 321, 322 Poe
VIII: 117 Lagerlöf; 173 Gogol; 226 Leskow; 302 Turgenjew
IX: 270 Bontempelli
XI: 191 Lin Yutang
XII: 171 Kallas
XIII: 287 Nossack

Pädagogische Romane

I: *178, 179*, 156, 158 Goethe; *260*, 237 Hesse; *325, 291* Jean Paul; *349, 359, 361*, 311, 321, 324 Keller, G.; *394, 395*, 350 Krüger
II: *490*, 440 Pestalozzi; *507*, 449 Raabe; 495 Schäfer; *714*, 662 Wedekind; *752*, 697 Zschokke
III: 59 Betzner; 166 Ebermayer
IV: 342 Horst
V: 731 Schäfer; 847 Strauß; 877 Tumler; 902 Walser, R.

VI: 32 Bourget; 220 Rousseau; 260 Voltaire; 378 Juan Manuel
VII: 73 Dickens; 126 Johnson, S.; 262 Habberton
IX: 138 Malègue; 150, 153, 154 Mauriac; 181 Morel; 187 Peyrefitte
X: 327 Morriën
XII: 280, 281 Makarenko
XIII: 153 Hohoff, C.; 367 Torberg
XIV: 236 Spark; 294 Lee, H.; 297 Mac Donald; 439 Ottlik
S. a. Lehrer-, Schul-Romane

Parodistische Romane

I: *226*, 196 Hauff
VI: 228 Scarron
VII: 31 Chesterton
XI: 318 Steinbeck

XII: 241 Ehrenburg; 345 Gombrowicz
XIV: 73 Queneau
S. a. Ironische, Satirische Romane

Phantastische Romane

I: *15*, 14 Arnim; 28 Bierbaum; *47*, 39 Bonaventura; *62*, 56 Chamisso; *123, 125*, 117 Fouqué; *227*, 197 Hauff; *282–293*, 249–259 Hoffmann, E. Th. A.; *321, 324*, 288, 290 Jean Paul; *381*, 339 Klinger; 351 Kubin
II: *425*, 387 Mann, H.; 405 Mann, Th.; 508 Scheerbart; *574, 520* Schnabel
III: 137 Carossa
IV: 435 Kluge, K.; 493 Kusenberg
V: 646 Niebelschütz
VI: 8 Balzac; 28 Bergerac; 102 Gautier; 200 Rabelais; 257, 258 Villiers; 305 Fogazzaro; 352, 362 Cervantes; 371 Eça de Queiróz

VII: 8 Beckford; 31 Chesterton; 164 Schreiner; 223–225 Wells; 249 Bierce; 319, 320 Poe
VIII: 97 Almquist; 171–179 Gogol; 302 Turgenjew; 334 Cankar
IX: 9 Aymé
X: 56 Garnett
XI: 43 Cabell; 202 Mackaye
XII: 371 Čapek; 423 Rebreanu
XIII: 29 Ben-Gavriêl; 71 Döblin; 118 Grass; 213, 214 Kreuder; 318 Saalfeld; 390 Warsinsky
XIV: 56 Maurois; 101, 102 Calvino; 253 Bellow; 402 Terz; 423 Čapek
S. a. Groteske, Mystische, Okkulte, Surrealistische, Utopische, Zukunfts-Romane

Philosophische Romane

I: *47*, 39 Bonaventura; 55, 56 Busch; *280*, 247 Hippel; *281*, 248 Hölderlin
II: *694*, 646 Vischer; *730* Wille
IV: 389 Jünger, E.; 452, 453 Kolbenheyer; 505, 507 Langgässer; 618 Musil
VI: 32 Bourget; 112 Gide; 184 Montesquieu; 214 Rolland; 248 Valéry; 259, 260 Voltaire; 316 Pirandello

VII: 5 Bacon; 27 Carlyle
VIII: 157, 158, 165 Dostojewski; 179 Gogol; 194 Gorki; 257 Solowjow
IX: 38 Camus; 237, 239 Sartre
X: 237, 238 Tagore
XI: 236 Pick; 265 Santayana
XIV: 43 Ikor; 143 Cortázar; 421 Witkiewicz
S. a. Religiöse, Weltanschauliche Romane

Politische Romane

I: *314*, 280 Huch, Ric.; *359*, 324 Keller, G.
II: *428–430*, 391–393 Mann, H.; *724*, 675 Wieland
III: 8 Andres; 29 Becher, J. R.; 153, 155 Döblin; 186 Fallada; 216 Frank, B.; 248 Glaeser; 270 Grimm
IV: 311 Helwig; 378 Inglin; 388 Jünger, E.; 594 Molo
V: 644 Neumann, R.; 646 Niebelschütz; 756 Schickele; 799 Seghers; 878 Ulitz
VI: 60 Daudet; 95 France; 165 Martin du Gard; 184 Montesquieu; 267 Zola; 313 Pellico
VII: 5 Bacon; 7 Barclay; 45 Conrad, J.; 80, 81 Disraeli; 334 Buysse
VIII: 7–20 Andersen-Nexö; 144 Andrejew; 163 Dostojewski; 185 Gontscharow; 198, 199 Gorki; 249 Radischtschew; 250, 251 Saltykow-Sch.; 306 Turgenjew
IX: 3–5 Aragon; 12 Barbusse; 69 Duhamel; 89 Gheorgiu; 143 Malraux; 188, 189 Plisnier; 237, 239 Sartre; 284 Guareschi; 301–305 Silone; 348 Guzmán; 357 Muñoz

X: 84 Han Suyin; 119, 120 Koestler; 190 O'Flaherty; 193, 194 Orwell; 237 Tagore
XI: 35 Buck; 72–74 Dos Passos; 146 Hemingway; 240, 241 Prokosch; 286, 287 Sinclair; 318 Steinbeck; 334, 335 Warren; 368, 369 Yerby
XII: 136 Johnson, S.; 193 Tammsaare; 225 Samjatin; 244, 245, 248 Ehrenburg; 249, 250 Fadejew; 250–254 Fedin; 255 Furmanow; 256, 257 Gladkow; 267, 268 Iwanow; 271 Katajew; 272 Kawerin; 276–278 Leonow; 279, 281 Makarenko; 283 Nilin; 285 Ognjew; 287, 289 Ostrowskij; 301 Pilnjak; 307 Schischkow; 310–313 Scholochow; 323, 324 Tarassow-R.; 341, 342 Brandys; 351 Hlasko; 359 Milosz; 366 Strug; 391 Meray; 403 Zilahy; 408 Andrić; 417 Dimoff
XIII: 5–7 Andersch; 50 Breitbach; 91, 92 Feuchtwanger; 144 Henz; 145 Hermlin; 159 Hubatius-H.; 206 Koeppen; 246 Lothar; 247–249 Lützkendorf; 253 Mann, K.; 297 Pohl; 317 Rüber; 344 Seghers; 348 Sperber; 361 Tau; 364 Thieß; 365

Thorwald; 376 Unruh, F.; 413, 414 Zweig, A.; 415 Zwerenz XIV: 90 Vailland; 102 Calvino; 121 Silone; 133 Aub; 146 Del Valle I.; 151 Gironella; 193 Greene, G.; 207 Macken; 211 Mason, R.; 314 Ruark; 319 Sinclair; 326 Uris; 327 Wallace, I.; 330 West, M. L.; 338 Demedts; 377, 378 Bondarew; 402 Terz; 406 Andrzejewski; 415 Mrozek; 416 Nowakowski; 418 Odojewski; 421 Witkiewicz; 452 Krleža; 461, 462 Dumitriu S. a. Antikriegs-, Gesellschaftskritische, Historische, Rassen-, Soziale, Sozialkritische, Staats-, Zeit-, Zeitkritische Romane

Priester- und Pfarrer-Romane

I: 63, 60 Christaller; 82, 75 Ebner-E.; 104, 96, 97 Federer; 143, 129 Frenssen; 188, 168 Greinz; 236, 205 Hauptmann, G.; 247 Hegeler; 296 Hoffmann, H.; 308, 275 Huch, Ric.; 399, 356 Kurz, H.

II: 416, 375 Lienhard; 376 Lobsien; 457, 464, 415, 420 Meyer, C. F.; 495 Polenz; 507, 449 Raabe; 546, 488 Saar; 553 Schaffner; 681, 635 Thümmel; 700, 651 Voss; 739 Zahn

III: 210 Franck; 257 Goes

IV: 289 Haluschka; 418, 419 Kirschweng; 437 Kneip; 439 Knies; 463 Krämer-B.; 477, 479 Künkel; 512 Le Fort

V: 796 Schwarz; 844 Stickelberger

VI: 109, 111 Gide; 143 Jammes; 179 Maupassant; 235 Stendhal; 266 Zola; 366 Eça de Queiróz; 390 Pardo Bazán

VII: 33, 34 Chesterton; 94 Eliot, G.; 109 Galsworthy; 117 Goldsmith; 219 Trollope; 268 Hawthorne

VIII: 50 Nicolai; 91 Kinck; 219, 222, 223, 224, 228 Leskow; 334 Cankar

IX: 19 Beck; 23–28 Bernanos; 30 Bordeaux; 46 Cesbron; 88 Ghéon; 124, 125 Just; 187 Peyrefitte; 199, 200 Queffélec; 214 Régnier, P.; 243 Schlumberger; 284 Guareschi; 339 Gálvez

X: 150–154 Marshall; 243 Walpole, H. S.; 296 Claes; 309 Germonprez; 342 Timmermans

XI: 17 Benét; 32, 33 Buck; 60 Cather; 258 Robinson

XII: 94 Markusson; 122 Dixelius; 124 Hambraeus; 126 Hartman; 129 Hemmer; 171 Kallas; 367 Tetmajer; 395 Moricz

XIII: 6 Andersch; 16 Bauer, J. M.; 85 Erath; 203 Kneip; 252 Magiera; 276 Nemitz; 360 Syberberg

XIV: 4, 5 Balzac; 66 Peyrefitte; 147 Descalzo; 197 Huxley, A. L.; 204 Lewis, M. G.; 311 Powers; 329 West, M. L.; 338 Demedts; 342 Bang; 358 Aurell; 368 Stenius

S. a. Kloster-, Religiöse Romane

Problem-Romane

II: 606, 549 Spielhagen
III: 44, 46 Bergengruen; 125 Brust

V: 736 Schäfer; 743 Schallück; 745 Schaper; 877 Tumler; 909 Wehner; 915 Weiss, E.

VI: 216 Rolland; 315, 316 Pirandello
VII: 127 Kingsley; 155 Moore; 271 Howells
IX: 88 Ghéon; 180 Morel; 251 Troyat; 357 Ortiz; 366 Salvador
X: 20 Cloete; 25 Cronin; 235 Stuart; 304 Doolaard; 337 Scharten

XI: 77, 80, 83, 86 Dreiser; 128 Gordimer
XII: 129 Hemmer; 278 Leonow; 300 Pawlenko; 377 Vančura
XIII: 117 Graf; 388 Walter
XIV: 10 Butor; 19 Cesbron; 167 Unamuno; 199 Isherwood; 251 Barnes; 272 Gordimer; 299 Mergendahl

Psychologische Romane

I: *13*, 13 Arnim; *21*, 18 Bahr; 53 Büchner; *239*, 210 Hebbel; *269*, 234 Hesse; *349*, 311 Keller, G.
II: *442–446*, 400, 401, 403 Mann, Th.; *476*, 432 Moritz; *538*, 481 Rilke; *560* Schaffner; *569*, *570*, 514 Schlaf; *576*, *577*, 523, 524 Schnitzler; *618*, *645*, 574, 578 Stifter; *650*, *655*, *661*, 598, 607, 610 Storm; 613, 616 Strauß; *703*, 660 Wassermann
III: 31 Beheim-Schw.; 87 Borchert; 150, 151 Doderer; 188, 189 Fallada; 213, 214 Franck; 256 Gmelin
IV: 294 Hardt; 362, 364 Jahnn; 372–374 Jens; 386, 389 Jünger, E.; 428 Klipstein; 459 Kolbenheyer; 461 Kommerell; 509, 510 Le Fort; 520 Lehmann, W.; 556 Maass, J.; 585 Mikeleitis; 618 Musil
V: 624 Nabl; 667, 670 Pentzoldt; 716 Risse; 724 Roth, J.; 735, 736 Schäfer; 752 Schaumann; 758 Schickele; 777, 778 Scholz; 828-837 Stehr; 869–873 Tügel; 936–949 Wiechert; 961 Wirz; 979 Zuckmayer; 984–986 Zweig, St.
VI: 32 Bourget; 49 Constant; 60 Daudet; 65 Diderot; 79 Estaunié; 88 Flaubert; 105–108, 112 Gide; 130 Hugo; 136 Huysmans; 146 La Fayette; 165, 169 Martin du Gard; 176 Maupassant; 186–188 Musset;

204, 205 Régnier; 208–211 Rodenbach; 234–240 Stendhal; 251 Verhaeren; 258 Villiers; 290–292 Annunzio; 315–317 Pirandello; 369 Eça de Queiróz; 383–385 Machado de Assis; 388 Oller; 400–403 Unamuno
VII: 41, 42 Conrad, J.; 113 Galsworthy; 147 Maturin; 149–152 Meredith; 155 Moore; 196, 200, 204 Stevenson; 234 Wilde; 266, 267 Hawthorne; 270–271 Howells; 272–279 James, H.; 311, 312 Melville; 321, 322 Poe; 323 Thoreau; 345 Eeden; 360, 363 Streuvels; 365 Teirlinck; 367 Woestijne
VIII: 13, 14 Andersen-Nexö; 21–24 Bang; 32–38 Jacobsen, J. P.; 47, 48 Knudsen; 64 Hamsun; 91 Kinck; 92 Lie; 103 Heidenstam; 125–130 Strindberg; 145 Andrejew; 151–168 Dostojewski; 171–179 Gogol; 183–185 Gontscharow; 191 Gorki; 215 Lermontow; 217, 218, 223, 229 Leskow; 255 Sologub; 273, 276 Tolstoj, L.; 287–290 Tschechow; 323, 324 Sienkiewicz
IX: 14 Bazin; 16, 17 Beauvoir; 20 Beckett; 23–28 Bernanos; 37 Breton; 38–41 Camus; 42 Carco; 43 Cassou; 44 Céline; 47, 48 Cesbron; 49 Chamson; 66, 70 Duhamel; 73,

74 Durtain; 75–77 Estang; 84 Gascar; 93, 97, 100, 101 Giono; 103 Giraudoux; 109–115 Green, J.; 126 Kessel; 128 Landry; 130 Larbaud; 135, 136 Lesort; 144–155 Mauriac; 157–161 Maurois; 172–176 Montherlant; 178 Morand; 193 Pourtalès; 194, 195 Proust; 201, 202 Radiguet; 213, 214 Régnier, P.; 215, 216 Robbe-Gr.; 230 Saint-Exupéry; 237 –240 Sartre; 245 Supervielle; 248, 251 Troyat; 253 Vailland; 281 Flaiano; 291, 292 Moravia; 297 Piovene; 306, 307 Soldati; 308, 309 Svevo; 336 Gallegos; 339 Gálvez; 344, 345 Gómez de la Serna; 353 León y Román; 364 Rojas, M.

X: 6 Balchin; 21, 27 Cronin; 59 Godden, J.; 70 Green, H.; 80 Gunn; 81 Hanley; 87 Hichens; 90 Hilton; 96, 97 Huxley; 106–109 Joyce; 123–128 Lawrence; 140 Lowry; 143 Macken; 177 Morgan; 205 Priestley; 222 Sherriff; 227 Snow; 250 Warner; 261 Wilson, A.; 270 Young; 324 Lulofs; 330, 331 Ouwendijk; 332 Pillecijn; 334 Roelants; 348 Velde, J.

XI: 28, 39 Buck; 76 Douglas, L. C.; 83, 85 Dreiser; 93–95 Farrell; 103, 109 Faulkner; 128, 129 Gordimer; 130–132 Goyen; 135 Griffin; 136 Grubb; 138, 139, 147 Hemingway; 177 Lewis, S.; 195, 196 Lindbergh; 196 Lowrey; 198, 199 Mac Cullers; 226 Nusser; 262 Salinger; 306, 311 Steinbeck; 327 Tarkington; 333 Ward, M. J.; 349 Wilder; 355–363 Wolfe, Th.

XII: 5 Branner; 29 Paludan; 39, 42 Gunnarsson; 44 Kamban; 53 Laxness; 65 Christiansen; 69 Duun; 84 Gulbranssen; 101, 103 Scott, G.; 105, 110 Undset; 122 Fagerberg; 144

Martinson; 152 Otterdahl; 156, 157 Siwertz; 163 Stolpe; 188 Talvio; 204–208 Bunin; 213 Nabokow; 219 Remisow; 250 Fedin; 261 Grin, A.; 283 Nilin; 286 Olescha; 292, 293 Panowa; 294 Pasternak; 309 Schischkow; 335, 336 Tynjanow; 348 Goetel; 368 Weyssenhoff; 370 Čapek; 379, 380 Babits; 382 Déry; 388–390 Márai; 392 Molnár; 412 Bulatović; 422, 425 Rebreanu; 430, 431 Cicellis; 432 Kazantzakis

XIII: 11 Bachér; 12 Bachmann; 33 Besch; 36–42 Böll; 50 Breitbach; 53, 54 Brod; 56 Brückner; 58 Cramer; 61, 62 Dessauer; 66 Döbler; 75–78 Dürrenmatt; 79 Edschmid; 87 Esser; 99 Frank, L.; 104–106 Frisch; 118 Grass; 126 Gütersloh; 130 Hagelstange; 134 Hartlaub, G.; 163, 164 Jahnn; 185 Kaschnitz; 188 Kaus; 192 Kesten; 205 Kies; 211 Kornfeld; 216 Kroneberg; 242 Lichnowsky; 254 Maschmann; 263 Moor; 272 Musil; 275 Nadolny; 279, 281 Neumann, R.; 283 Nonnenmann; 286 Nossack; 291 Penzoldt; 304 Rehmann; 312 Rilla; 346 Seidel, I.; 368 Torberg; 372 Tumler; 388 Walser, R.; 388, 389 Walter; 399 Wickert; 405 Witte

XIV: 1 André; 8 Boulanger; 10, 11 Butor; 12 Cabanis; 14–16 Cayrol; 27, 28 Duras; 29 Estang; 30 France; 34 Gascar; 39 Giraudoux; 40, 41 Gracq; 41 Green, J.; 45, 46 Jouve; 57 Maurois; 62 Montherlant; 67 Philippe; 70 Proust; 74 Rebatet; 76, 77 Robbe-Gr.; 78 Rochefort; 84, 85 Sarraute; 97 Bassani; 101, 102 Calvino; 107 Gadda; 112, 113 Moravia; 121, 122 Svevo; 123, 124 Tecchi; 129, 130 Volponi; 134 Aub; 142 Cortázar; 158 Matute; 163 Ribeyro; 165

Salvador; 188 Durrell; 190 Ford; 192 Golding, W. G.; 193 Green, H.; 199 Isherwood; 202, 203 Lawrence; 208 Macpherson; 210 Mannin; 220 O'Connor, F.; 228 Quincey; 235 Snow; 236 Spark; 237 Swinnerton; 242 Wilson, A.; 245, 246 Woolf, V.; 248 Agee; 249 Anderson; 251 Baldwin; 252, 253 Bellow; 258 Capote; 270 Fitzgerald; 278 Hayes, J.; 285–287 James; 292 Knowles; 294, 295 McCarthy; 296 McCullers; 297 Mailer; 298 Malamud; 299 Merrill; 302 Moll; 306 O'Connor, F.; 312 Purdy; 315–317 Salinger; 322 Styron; 323, 324 Updike; 330 West, M. L.; 330 West, N.; 333 Williams, T.; 342 Bang; 344 Blixen; 348 Panduro; 356 Vesaas; 358 Aurell; 390 Nabokow; 404 Turgenjew; 406 Andrzejewski; 414 Iwaskiewicz; 417, 418 Odojewski; 419 Romanowiczowa; 421 Witkiewicz; 423 Fuks; 433 Hernádi; 444 Andrić; 448 DaviČo; 456 Radičević; 466 Cicellis; 468 Prevelakis

S. a. Autobiograph., Biographische, Entwicklungs-Romane

Räuber-Romane

I: 200 Hauff
II: *702*, 652 Vulpius
III: 219 Frank, L.
IV: 381 Isemann; 523 Leip

V: 671 Perkonig
VII: 144 Marryat
XIV: 426 Vančura

Rassen-Romane

I: *379*, 336 Kleist
III: 156 Döblin
V: 866, 867 Traven
VI: 338 Azevedo
VII: 247 Beecher-St.
IX: 357 Ortiz
X: 3 Abrahams; 121 Lanham; 198, 200 Paton; 354 Vries, Th.

XI: 4 Allen; 47, 49 Caldwell, E.; 99, 101, 107, 111 Faulkner; 154 Heyward; 159–161 Hughes, L.; 172 Kiker; 367 Wright; 369 Yerby
XII: 127 Helander
XIV: 249 Baldwin; 264 Ellison; 272 Gordimer; 282 Hughes, L.; 314 Ruark; 327 Wallace, I.; 336 Wright

Reise-Romane

I: 33 Binding; *254*, 223 Hermes; *271*, 240 Heyking; *382*, 340 Knigge
II: *451*, *452*, 411 May; *527*, 472 Reuter, F.; *574*, 521 Schnabel; *648*, 594 Stinde; *662* Stratz; *721*, 672 Widmann

III: 66 Binding; 208 Fleisser
IV: 303 Hausmann; 321–323 Heye
V: 665 Paquet; 805 Seidel, I.; 821 Spoerl, H.; 881 Unger; 901 Waggerl; 930 Werfel
VI: 81 Fénelon; 161 Maistre; 189

Nerval; 252, 253 Verne; 260, 261 Voltaire; 362 Cervantes
VII: 186 Smollet; 192 Sterne; 204 Swift; 280, 282 Irving; 304 Melville
VIII: 114 Lagerlöf; 214 Kusmin
IX: 184 Peisson; 290 Montella
X: 304 Doolaard

XI: 14 Bemelmans; 186 Lewis, S.; 195 Lindbergh; 211 Michener; 331, 332 Waln
XII: 304 Prischwin
XIII: 38 Böll; 156 Holthusen; 174 Jünger, F. G.; 177 Kästner, Erh.
XIV: 200, 201 Kishon; 206 Macaulay; 412 Herbert

Religiöse Romane

I: *142*, 127 Frenssen; *237*, 203 Hauptmann, G.; *268*, 233 Hesse; *358*, 320 Keller, G.; *384*, 344 Kretzer
II: *542*, 483 Rosegger; 498 Schäfer; 558, 560, 563 Stehr; *730* Wille; *732*, *733*, 685 Wolff, Joh.
III: 4 Andreae; 7 Andres; 75, 77 Blunck; 113 Broch; 210 Franck
IV: 311 Helwig; 419 Kirschweng; 468 Kramp; 505, 507 Langgässer; 509, 510 Le Fort; 587, 588 Miller
V: 653, 655 Oberkofler; 732 Schäfer; 744–749 Schaper; 770–774 Schneider, R.; 828, 830 Stehr; 883 Unruh, F.; 907 Wehner; 924 Werfel; 939, 947 Wiechert; 978 Zinn
VI: 95 France; 107, 111 Gide; 127, 128 Hello; 137 Huysmans; 280, 281 Zola; 306, 307, 308 Fogazzaro; 389 Palacio Valdés
VII: 82 Disraeli; 93 Eliot, G.; 123 Hogg; 157 Newman; 222 Ward, H.; 236 Wiseman; 277 James, H.; 307 Melville; 328 Wallace, L.
VIII: 27 Bruun; 29 Gjellerup; 51, 52 Pontoppidan; 111, 112 Lagerlöf; 165 Dostojewski; 194 Gorki; 214 Kusmin; 219,224 Leskow; 257 Solowjow; 280 Tolstoj, L.; 303 Turgenjew
IX: 23–26 Bernanos; 30 Bordeaux;

46, 48 Cesbron; 88 Ghéon; 111 Green, J.; 123 Jouhandeau; 137 Lesort; 213 Régnier; 266 Bacchelli; 280 Coccioli
X: 72–76 Greene; 87 Hichens; 135 Lewis, C. St.; 150–154 Marshall; 203 Prescott; 235, 236 Stuart; 289, 291 Breedveld; 312, 313 Hartog; 330 Ouwendijk; 337 Ter Elst; 340–345 Timmermans; 347 Velde, A.
XI: 17 Benét; 33 Buck; 161 Hughes, L.; 258 Robinson; 264 Santayana; 289 Sinclair
XII: 21 Kidde; 42 Gunnarsson; 126 Hartman; 129 Hemmer; 139, 140 Lagerkvist; 154 Salminen; 163 Stolpe; 307 Schischkow; 344 Dobraczynski; 432 Kazantzakis
XIII: 36 Böll; 52 Broch; 54 Brod; 130 Hagelstange; 287 Nossack; 290 Paulus; 324 Schaper
XIV: 8 Blanchot; 41, 42 Green, J.; 45 Jouve; 167 Unamuno; 306 O'Connor, F.; 329 West, M.; 364, 365 Lagerkvist; 467 Kazantzakis
S. a. Antiklerikale, Biblische, Jüdische, Kloster-, Legenden-, Priester-, Sekten-, Weltanschauliche Romane

Ritter-Romane

VI: 39 Chateaubriand; 333 Amadis; 352 Cervantes

Robinsonaden

II: *574*, 520 Schnabel; **VI**: 154 Lesage **VII**: 51, 53 Defoe; 283 Kennedy, J.

Sänger-Romane

I: 12, 13 Arnim; *228*, 197 Hauff; 209 Hauptmann, G.; *304*, 273 Huch, Frd.; *311*, 278 Huch, Ric.
II: *437*, 390 Mann, H.

V: 861 Thieß
XI: 61 Cather
XIV: 346 Laxness

Sagen und Sagenhafte Romane

VI: 190 Nodier
VII: 138 Kipling; 140, 141 Macleod

IX: 180 Morel
XI: 312 Steinbeck

Satirische Romane

I: 90 Eulenberg; *306*, 270 Huch, Frd.; *311*, *312*, 278, 280 Huch, Ric.; *337*, 300 Immermann
II: *428–430*, *437*, *438*, 386, 390–393 Mann, H.; *522*, 457 Raabe; *523*, 467 Reuter, Chr.; 508, 509 Scheerbart; *694*, 646 Vischer; *722*, *724*, 675, 676 Wieland
III: 33 Beheim-Schw.; 99 Brecht; 193, 194 Fechter
IV: 397 Kästner, Erich
V: 644 Neumann, R.; 681 Polgar; 930 Werfel; 949 Wiechert
VI: 91 Flaubert; 92, 94, 95 France; 109 Gide; 153 Lesage; 184 Montesquieu; 200 Rabelais; 228 Scarron; 259–261 Voltaire; 311 Machiavelli; 352, 358 Cervantes; 366, 368 Eça de Queiróz; 397 Quevedo y Villegas
VII: 23, 25 Butler; 30 Chaucer; 35, 36 Chesterton; 59, 61, 67 Dickens; 143 Marryat; 186 Smollet; 204 Swift; 217 Thackeray
VIII: 121, 129 Strindberg; 154, 155 Dostojewski; 171–179 Gogol; 218 Leskow; 250–253 Saltykow-Sch.; 343 Mikszáth
IX: 8 Aymé; 51 Chevallier; 58 Crottet; 74 Dutourd; 116 Guitry; 156 Maurois; 267 Bernari; 273 Buzzati; 274 Callegari; 284 Guareschi; 287 Malaparte; 294 Palazzeschi; 295 Panzini
X: 8 Belloc; 56 Garnett; 137 Linklater; 185 Narayan; 193 Orwell; 253 Waugh

XI: 89, 90 Erskine; 183 Lewis, S.; 200–202 Mac Donald; 269, 270 Saroyan; 318 Steinbeck
XII: 64 Boo; 155 Sjöberg; 213 Nabokow; 241, 242 Ehrenburg; 263, 264 Ilf-Petrow; 270 Katajew; 322 Sostschenko; 375 Hašek
XIII: 39 Böll; 65 Doderer; 76, 78 Dürrenmatt; 131 Hagelstange; 146 Herzmanovsky-O.; 147 Hildesheimer; 155 Holthaus; 194 Keun; 196-198 Kirst; 245 Lozenzen; 309, 310 Rezzori d'Ar.; 332 Schmidt, A.; 342 Seewald; 386 Walser, M.

XIV: 33 Gary; 38 Giraudoux; 108, 109 Malaparte; 141 Cela; 155 Laiglesia; 178 Beardsley; 183 Coward; 193 Greene, Gr.; 200, 201 Kishon; 211 Marshall; 230 Rubens; 231 Saki; 239 Waugh; 273 Goyen; 309 Porter; 311 Powers; 318 Saroyan; 331 West, N.; 400 Tarsis; 401, 402 Terz; 407 Andrzejewski; 410 Filipowicz; 415 Mrozek; 416 Nowakowski; 423 Čapek; 424 Hašek; 426 Vančura; 430 Déry
S. a. Humoristische, Ironische, Parodistische Romane

Schäfer- und Hirten-Romane

II: *746*, 693 Zesen

VI: 246 Urfé; 318 Sannazaro; 387 Montemayor

Schauer-Romane

VI: 24 Barbey d'Aurevilly.
VII: 8 Beckford; 147 Maturin; 220

Walpole
XIV: 204 Lewis, M. G.

Schauspieler-Romane

I: *23* Bartsch; *158*, 156 Goethe; *301* Holtei
III: 56 Betsch; 182 Ernst, P.
VI: 104 Gautier; 228 Scarron; 293 Annunzio
VIII: 62 Björnson

X: 55 Gallico
XI: 247 Rice; 271, 272, 274 Saroyan; 351 Williams, T.
XII: 164 Thorén
XIII: 19 Baum
XIV: 184 Dane

Schelmen-Romane

I: *196–199*, 171–174 Grimmelshausen
II: *523*, 467 Reuter, Chr.; *688* Traun

III: 33 Beheim-Schw.; 96 Brautlacht; 120 Brües
IV: 422 Klabund; 465 Krämer-B.
V: 645 Neumann, R.; 668 Pentzoldt;

720 Rombach; 796 Schwarz; 954 Winckler
VI: 23 Balzac; 51 Coster; 63 Diderot; 154 Lesage; 200 Rabelais; 332 Alarcón; 375 Espinel; 380 Lazarillo de Tormes; 396 Quevedo y Villegas
VII: 96 Fielding; 181, 183 Smollet; 209 Thackeray

IX: 284 Guareschi; 299 Pratolini
XI: 43 Cabell; 303 Steinbeck
XII: 168 Gailit; 398 Nyirö; 434 Kazantzakis
XIII: 218 Küper; 362, 363 Thelen
XIV: 72 Queneau; 75 Renard; 171 Amado

Schicksals-Romane

I: *194*, 170 Grillparzer; 185 Halm
II: *502*, 445 Raabe; *547*, 491 Saar; *637*, 576 Stifter; *659*, 611 Storm
III: 2 Aman; 49 Bergengruen; 73 Bischoff; 151 Doderer; 274 Grimm
IV: 310, 311 Helwig; 340 Holgersen; 459 Kolbenheyer; 503 Langewiesche; 531, 533 Lernet-H.
V: 649 Nossack; 689 Ponten; 826 Stahl
VI: 9 Balzac; 75, 77 Estaunié; 134 Hugo; 156 Loti; 175, 179 Maupassant; 191 Péladan; 286 Zola; 301 Deledda
VII: 62, 67 Dickens; 90, 93 Eliot, G.; 118, 119 Hardy; 284 London, J.
VIII: 109, 110, 111 Lagerlöf;

304 Turgenjew
IX: 38 Camus; 96 Giono; 115 Green, J.; 300 Rombi; 357 Ortiz; 365 Romero
X: 9 Blixen; 224 Shute
XI: 2, 4 Allen; 23 Bromfield; 103 Faulkner; 227 O'Hara, J.; 320 Stewart; 341 Wharton; 345 Wilder; 367 Wright
XII: 70 Duun; 73 Egge; 141 Lo-Johansson; 415 Stanković; 432 Cicellis
XIII: 87 Eska; 122 Gregor-D.; 182 Kapp; 224 Lange, Ho.; 279 Neumann, R.; 317 Rüber
XIV: 298 Malamud
S. a. Abenteuer-, Erlebnis-Romane

Schlüssel-Romane

II: *483*, 435 Nicolai, F.; 474 Reventlow
VII: 7 Barclay; 139, 140 Strindberg
XII: 355 Kaden-B.

XIII: 50 Breitbach; 278 Neumann, A.; 327 Schirmbeck
XIV: 407 Andrzejewski

Schmuggler-Romane

IX: 164 Meersch; 361 Quiroga

XII: 363 Piasecki

Schul- und Schüler-Romane

IV: 295 Hartmann; 520 Lehmann, W.
V: 816 Speyer; 818 Spoerl, II.; 902 Walser, R.; 949 Wiechert
VII: 136 Kipling
IX: 76 Estang; 130 Larbaud

X: 70 Green, H.; 243 Walpole, H. S.
XII: 285 Ognjew
XIII: 61 Dessauer; 272 Musil; 349 Speyer
XIV: 93 Wittig; 439 Ottlik
S. a. Lehrer-, Pädagogische Romane

Schwankhafte Romane

VI: 23 Balzac; 61 Des Périers; 100

Furetière; 228 Scarron; 327 Alarcón

See-, Seefahrts- und Seemanns-Romane

I: *113, 114*, 105, 106 Fock; *146*, 128 Frenssen; *232*, 204 Hauptmann, G.
II: *503, 519*, 450, 461 Raabe
III: 74 Blunck; 222 Frank, W.
IV: 294 Hardt; 298, 299 Hauser; 321–323 Heye; 364 Jahnn; 415 Kinau, J.; 416, 417 Kinau, R.; 503 Langewiesche; 523–526 Leip
V: 677 Plivier; 764 Schnabel, E.; 860 Thieß; 865 Traven; 873 Tügel; 921 Wendt, H.
VI: 134 Hugo; 224 Sand; 341 Baroja; 347 Blasco Ibáñez
VII: 38–50 Conrad, J.; 51–54 Defoe; 142–146 Marryat; 181 Smollet; 256 Cooper; 288, 295, 300 London, J.; 303–310, 314 Melville; 315 Norris; 319, 321 Poe; 351 Schendel

VIII: 12 Andersen-Nexö; 28 Drachmann; 102 Hallström; 120 Nylander; 122, 123 Strindberg
IX: 29 Blond; 184, 185 Peisson; 247 Tourville; 256 Vialar; 301 Rossi
X: 46 Forester; 92, 93 Hughes, R.; 140, 142 Mc Fee; 145 Mackenzie; 145 Maclean; 157–159 Masefield; 172 Monsarrat; 311 Hartog; 322 Last; 330 Oever; 361 Werfhorst
XI: 41 Burman; 155 Hobart; 223, 224 Nordhoff; 366 Wouk
XII: 55 Svensson; 90, 91 Hansen; 101 Schøyen; 131 Holmström
XIII: 138 Hauser; 156 Holthusen; 238 Lenz, S.; 251 Luserke
XIV: 59 Mohrt; 214 Monsarrat; 260 Chase; 290 Kentfield; 309 Porter

Sekten-Romane

I: *394, 395*, 350 Krüger
IX: 171 Monnier

XI: 161 Hughes
S. a. Religiöse Romane

Siedlungs-Romane

I: *396*, 352 Kürnberger
II: *587–590*, 534–536 Sealsfield
III: 156 Döblin; 234 Gagern

V: 682 Ponten; 783, 784 Schreiber, I.; 840 Steuben; 975 Zillich
VI: 37, 38 Chateaubriand

VII: 247 Beecher-St.; 251, 253 Cooper
VIII: 75 Hamsun
IX: 221 Roy; 323 Amado; 325 Asturias; 372 Wast
X: 143 Mackenzie; 257 White, P.
XI: 20–22 Bristow; 59 Cather; 121 Forbes, E.; 133, 134 Grey; 225 Nordhoff; 232 Ostenso; 243–245

Rawlings; 248–251 Richter, C. M.; 252 Roberts, E. M.; 314 Steinbeck; 363 Wolfe, Th.
XII: 38, 42 Gunnarsson; 147 Moberg
XIII: 154 Hohoff, M. E.
XIV: 151 Goyanarte; 329 West, J.; 470 Venesis
S. a. Auswanderer-, Entdeckungs-, Kolonial-Romane

Sitten-Romane

I: *133*, 122 Franzos; *171*, 150 Gerstäcker; 155 Goethe
II: *438*, 390 Mann, H.; *672*, 625 Sudermann; *723*, **674** Wieland
VI: 19, 20 Balzac; 43 Choderlos de L.; 58, 59 Daudet; 61 Diderot; 71 Dumas fils; 72 Eekhoud; 105 Gide; 123 Goncourt, E.; 153, 154 Lesage; 171 Maupassant; 182 Mérimée; 185 Murger; 189 Musset; 193 Philippe; 197 Prévost d'Exiles; 198 Prévost; 204 Régnier; 241, 242 Sue; 269, 282 Zola; 348 Caballero; 351 Celestina; 362 Cervantes
VII: 55 Defoe; 57 Deloney; 86 Du

Maurier, G.; 97 Fielding; 126 Johnson, S.
VIII: 130 Strindberg; 246 Puschkin; 314 Kraszewski; 337 Herczeg
IX: 75 Estang; 337 Gálvez
XI: 58 Capote; 97, 104 Faulkner; 193 Lin Yutang; 291 Sinclair
XII: 211 Nabokow; 243 Ehrenburg; 310 Scholochow
XIII: 68 Döblin
XIV: 77 Robbe-Gr.; 81, 82 Sade; 99 Brancati; 109 Manzoni, A.; 131 Alarcón Yar.; 169 Zunzunegui
S. a. Moralistische Romane

Soziale Romane

I: *119*, 111 Fontane; *231*, 200 Hauptmann, C.; *300* Holländer; 276 Huch, Ric.; *384*, *386*, 343, 344 Kretzer
II: *429*, 392 Mann, H.; *531*, 473 Reuter, G.; *547*, 489, 490 Saar; *560*, 500 Schaffner; *625*, 582 Stifter; 644 Viebig; *713*, 657 Wassermann; *715*, 663 Weigand
III: 29 Becher, J. R.; 72 Birkenfeld; 89 Bosper; 99 Brecht; 118 Bröger; 152 Döblin; 186–189 Fallada; 219, 220 Frank, L.

IV: 395 Kaergel; 535 Lersch
V: 664 Paquet; 878 Ulitz; 960 Winnig
VI: 72 Eekhoud; 123, 125 Goncourt; 131, 132 Hugo; 150 Lemonnier; 151 L'Ermite; 193–196 Philippe; 265, 267, 272, 280, 281 Zola; 345 Blasco Ibáñez; 373 Espina da Serna
VII: 57 Deloney; 80, 81 Disraeli; 122 Hardy; 226 Wells; 247 Beecher-St.; 290, 297 London, J.; 305, 310 Melville; 334–336 Buysse

VIII: 7–20 Andersen-Nexö; 150 Dostojewski; 193 Gorki; 212 Kuprin; 279 Tolstoj, L.; 328 Zeromski

IX: 46–48 Cesbron; 117 Hamp; 181 Morel; 192 Poulaille; 249, 250 Troyat; 253 Vailland; 263 Alvaro; 293 Ortese; 317 Vittorini; 328 Castelnuovo; 332–335 Ferreira de Castro; 337 Gálvez; 345 Goyanarte; 354 López y Fuentes

X: 17 Cary; 23 Cronin; 72 Greene; 106 Joyce; 136 Lewis, C. St.; 139 Llewellyn; 234 Stuart; 284 Bakker; 309 Germonprez

XI: 6 Anderson; 45–49 Caldwell, E.; 72 Dos Passos; 153 Hersey; 282–287 Sinclair; 325 Stribling; 336, 337 Webster

XII: 3 Branner; 132 Johnson, E.; 173 Kianto; 182 Sillanpää; 245, 248 Ehrenburg; 276, 277 Leonow; 292 Panowa; 296 Paustowskij; 377 Vančura; 417 Dimoff

XIII: 37 Böll

XIV: 91 Vailland; 115 Nievo; 125 Testori; 127 Vittorini; 129 Volponi; 140 Castellanos; 162 Pinilla; 185 Dickens, M.; 207 Macken; 232 Sharp, A.; 234 Sillitoe; 294 McCarthy; 354 Kielland; 368 Tavaststjerna; 428, 429 Déry; 445 Bulatović

S. a. Gesellschafts-, Gesellschaftskritische, Sozialkritische, Zeit-, Zeitkritische Romane

Sozialkritische Romane

III: 193 Fechter

V: 799, 800 Seghers; 865–867 Traven

VI: 22 Balzac; 162, 163 Malot

VII: 61–63, 77 Dickens; 177 Shaw, G. B.; 231 Wells; 248 Bellamy; 313 Melville; 317, 318 Norris; 348, 349 Multatuli

VIII: 3 Aakjaer; 7–20 Andersen-Nexö; 71, 73 Hamsun; 156, 157 Dostojewski; 171–179 Gogol; 191, 199 Gorki; 203 Herzen; 219 Leskow; 231 Mamin-S.; 249 Radischtschew; 250 Saltykow-Sch.; 284, 290 Tschechow; 294, 306 Turgenjew; 307, 308 Usponskij

IX: 3–5 Aragon; 12 Barbusse; 125 Just; 164, 165 Meersch; 248 Troyat; 286 Levi; 292 Moravia; 298 Pratolini; 301–304 Silone

X: 52 Forster; 87 Hearne; 190–192 O'Flaherty

XI: 2 Algren; 46, 48 Caldwell, E.; 72, 74 Dos Passos; 93–95 Farrell; 165 Jones; 169 Kerouac; 196 Lowrey; 197 Mac Cullers; 213 Miller, A.; 225 Nordhoff; 234 Pawel; 266 Saroyan; 282–293 Sinclair; 304, 307 Steinbeck; 335 Warren

XII: 22 Kirk; 32 Skjoldborg; 46, 48, 51, 52 Laxness; 75–80 Falkberget; 144 Martinson; 157 Siwertz; 239 Dudinzew; 274, 275 Kawerin; 276 –278 Leonow; 316–318 Serafimowitsch; 350, 351 Hlasko; 364 Piasecki; 420 Dumitriu; 425 Rebreanu

XIII: 48 Brecht; 88 Fallada; 182 Kapp; 238 Lenz, S.; 302 Reding; 330 Schmidt, A.

XIV: 32 Ganachaud; 96 Arpino; 117 Pavese; 133 Asturias; 153 Goytisolo, L.; 161 Pérez Galdós; 164 Rulfo; 171, 172 Amado; 175 Ribeiro; 175 Rosa; 262 Dos Passos; 291 Kerouac; 353 Kielland; 436 Karinthy; 459 Caragiale; 463 Gheorghiu

S. a. Gesellschaftskritische, Soziale, Zeit-, Zeitkritische Romane

Sport-Romane

III: 57 Betsch [Ski]
V: 986 Zweig, St. [Schach]
VII: 125 Jerome [Rudern];
177 Shaw [Boxen]
IX: 257 Vialar [Reiten]
XI: 138, 140 Hemingway [Stier-kampf]; 275 Schulberg [Boxen]

XII: 5 Branner [Reiten]
XIII: 80 Edschmid [Rennfahrer];
238 Lenz, S. [Läufer]
XIV: 62 Montherlant [Stierkampf];
194 Hartley [Rudern]
S. a. Alpine, Jagd-Romane

Staats-Romane

I: *6, 7*, 5, 6 Anton Ulrich v. B.; 28
Bierbaum
II: *420*, 381 Lohenstein; *724*,
675 Wieland
V: 760 Schirmbeck

VI: 297 Campanella
VII: 5 Bacon; 7 Barclay; 156 Morus
VIII: 318 Prus
S. a. Politische Romane

Studenten-Romane

I: *27*, 20 Bartsch; *137* Frapan-A.;
223 Happel
II: *661*, 598 Storm
III: 25 Baum
V: 688 Ponten; 852 Strobl; 983
Zweig, A.

VIII: 63 Garborg; 197 Gorki
XII: 216 Rachmanowa
XIII: 87 Esser; 256 Meichsner; 320
Sack
XIV: 117 Pavese

Südsee-Romane

VII: 38, 39, 47, 49 Conrad, J.; 194,
202, 203 Stevenson; 302, 303 London

VIII: 25–27 Bruun
X: 166, 169 Maugham

Surrealistische Romane

VIII: 334 Cankar
IX: 108 Gracq; 114 Green, J.; 272
Buzzati; 306 Soldati; 341 García
Lorca
XI: 266 Saroyan
XIII: 2 Aichinger

XIV: 35, 36 Genet; 43 Jonesco; 49
Lautréamont; 92 Vian; 100 Buz-zati; 110 Manzoni, C.; 142 Cortá-zar; 284 Hutchins; 349 Soerensen;
420 Schulz

Symbolische und Symbolhafte Romane

I: 264 Hofmannsthal
II: *511*, 453 Raabe
III: 30 Beheim-Schw.
IV: 320 Heuschele; 400–403 Kafka; 404, 405 Kasack; 473 Kreuder; 505, 507 Langgässer; 604 Müller, W.
V: 715 Risse; 753 Schaumann; 872, 873 Tügel
VI: 51 Coster; 112 Gide; 137 Huysmans; 208–211 Rodenbach
VII: 164 Schreiner; 266 Hawthorne; 313 Melville; 321, 322 Poe; 341 Couperus
VIII: 13 Andersen-Nexö; 67 Hamsun
IX: 20 Beckett; 113, 114 Green, J.;

272 Buzzati
X: 109 Joyce; 140 Lowry; 226 Sitwell; 258 White, P.; 264 Woolf, V.; 337 Ter Elst
XI: 17, 18 Benét
XII: 137, 138 Lagerkvist; 219 Remisow; 304 Prischwin; 377 Vančura
XIII: 1, 2 Aichinger; 52 Broch; 153 Hohoff, C.; 178 Kafka; 225 Langner; 235 Lenz, K.; 254 Maschmann; 299 Radecki; 364 Thieß
XIV: 6 Beckett; 76 Robbe-Gr.; 89 Thomas; 146 Del Valle I.; 166, 167 Sender; 245 Woolf, V.; 267 Faulkner 458 Canetti; 463 Gheorghiu

Tagebuch-Romane

II: 653 Walser
III: 132, 135, 137 Carossa; 189 Fallada
IV: 385, 386 Jünger, E.; 399 Kästner, Erich; 428 Klipstein
V: 902 Waser, R.; 959 Windthorst
VI: 111 Gide; 313 Pellico

VII: 323 Thoreau
IX: 140 Malraux
XII: 121 Dixelius; 216, 217 Rachmanowa
XIII: 165 Jens, W.
XIV: 10 Butor; 30 France; 146 Delibes; 367 Söderberg

Tatsachen-Berichte

IV: 286 Haensel
V: 754, 755 Schenzinger; 860 Thieß;

922 Wendt, H.
X: 40, 43 Evans

Techniker- und Technische Romane

I: *98–100*, 91, 92 Eyth
III: 121–123 Brunngraber; 163, 164 Dominik; 276 Grisar
IV: 590 Mönnich
V: 754, 755 Schenzinger; 787 Schröder, M. L.

VII: 223 Wells
IX: 65 Dorp
X: 5 Balchin; 43 Evans
XII: 239 Dudinzew
XIV: 61 Monnier
S. a. Berufs-, Industrie-, Ingenieur-Romane

Tier-Romane

I: 40 Bonsels [Bienen]; *83*, 72 Ebner-E. [Hund]; 90 Eulenberg [Fliege]; *181*, 160 Goethe [Löwe]; *288*, 256 Hoffmann, E. Th. A. [Kater]; *350*, 312 Keller, G. [Katze]
II: 477 Riehl [Hund]
III: 47 Bergengruen [Falken]; 85 Bonsels [Biene]; 102 Brehm [Pferde]
IV: 333 Hofer [Eichhorn]; 339, 340 Holesch [Hengst, Puma]; 383 Isemann [Ameisen]; 496 Kyber [Verschied.]; 517, 518 Lehmann, A.-H. [Pferde]; 536 Lichnowsky [Hund]
V: 627 Nabl [Hund]; 635, 636 Nelissen-H. [Hund]; 702 Rendl [Bienen]; 730 Salten [Reh]; 816 Speyer [Hunde, Katzen]; 923 Wenter [Lachs]; 965 Witting [Hirsch]
VI: 44, 47 Colette [Katzen]; 53 Coster [Hund]; 141 Jammes [Hasen]; 160 Maeterlinck [Bienen]; 188 Musset [Amsel]
VII: 133, 134 Kipling [Verschied.]; 284, 287–289, 300, 302, 307 London [Verschied.]
VIII: 226 Leskow [Baer]; 277 Tolstoj, L. [Pferd]
IX: 55–56 Crottet [Rentiere]; 82 Gary [Elefanten]; 315 Varè [Hund];

351 Jiménez [Esel]
X: 29 Curwood [Bär]; 41 Evans [Rentiere]; 54 Gallico [Eselin]; 119 Knight [Hund]; 126 Lawrence [Hengst]; 181 Mukerdschi [Elefant]; 243 Walpole, H. S. [Hund]; 259 Williamson [Lachs]; 266 Woolf, V. [Hund]; 295 Claes [Hund]; 300 Coolen [Pferd]
XI: 10 Balch [Pferde]; 93 Faralla [Pferde]; 98 Faulkner [Pferde]; 134 Grey [Büffel]; 147 Hemingway [Hai]; 176 Lawson [Verschied.]; 229, 230 O'Hara, M. [Pferde]; 277, 278 Seton, E. Th. [Verschied.]; 329 Thurber [Hunde]; 330, 331 Waescha-K. [Verschied.]; 338 Wescott [Falke]
XII: 4 Branner [Wellensittich]; 12, 13 Fleuron [Verschied.]; 54 Laxness [Hering]; 57, 58 Aslagsson [Coyote, Bär]; 81 Fönhus [Elch, Wolf]; 93 Haukland [Elch]; 111 Vesaas [Pferde]; 116 Berg [Bär]; 380 Déry [Hund]
XIII: 31 Bentz [Dohle]; 268 Müller-M. [Enten]
XIV: 34 Gascar [Verschied.]; 213 Milne [Bär]; 339 Fabricius [Pferde]

Utopische Romane

I: *234*, 206 Hauptmann, G.; *260*, 237 Hesse; *371*, 329 Kellermann
II: *404*, 366 Lasswitz; 509 Scheerbart
III: 7 Andres; 163, 164 Dominik
IV: 388 Jünger, E.
V: 714 Risse; 930 Werfel
VI: 11 Balzac; 252 Verne; 297 Campanella

VII: 5 Bacon; 23 Butler; 36 Chesterton; 156 Morus; 204 Swift; 223–229 Wells; 248 Bellamy; 290 London
IX: 16 Beauvoir; 156 Maurois
X: 88 Hilton; 134–136 Lewis, C. St.; 194 Orwell; 347 Velde, A.
XII: 225 Samjatin; 329 Tolstoi, A. N.

XIII: 173 Jünger, E.; 306 Rehn; 330, 332 Schmidt, A.
XIV: 242 Wilson, A.; 391 Nabokow;

421 Witkiewicz; 430 Déry; 436 Karinthy
S. a. Zukunfts-Romane

Visionäre Romane

VII: 164 Schreiner; 240 Yeats

XIII: 70 Döblin; 287 Nossack
S. a. Okkulte Romane

Volkstums-Romane

I: *398*, 354 Kurz, K.
II: *490*, 440 Pestalozzi
III: 73 Bischoff, 235 Gagern
IV: 424 Klepper; 582 Michel
V: 956, 957 Windthorst; 975 Zillich
VI: 214 Rolland; 295 Basile; 324 Verga; 350 Caballero
VII: 169 Scott, W.
VIII: 135 Aho; 341 Lazarević

IX: 288 Marotta; 361 Quiroga, C. B.
X: 147 Mansfield; 204 Priestley
XII: 154 Salminen; 166 Widén; 208 Bunin; 219 Remisow; 221 Robakidse; 237 Babel; 439 Venesis
XIII: 238 Lenz, S.
XIV: 74 Ramuz; 109 Malaparte; 160 Pérez de A.; 451 Jurčić
S. a. Folkloristische Romane

Weihnachts-Geschichten

II: *661*, 598 Storm, Th.
X: 300 Coolen; 343 Timmermans

XIII: 130 Hagelstange

Weltanschauliche Romane

I: *21*, 18 Bahr; *46*, 38 Bölsche; 236 Hesse
II: 499 Schäfer; 558, 563 Stehr; *730* Wille
III: 4 Andreae; 16 Barlach; 46 Bergengruen; 94, 95 Braun, H.; 221 Frank, L.
IV: 505, 507 Langgässer
V: 655 Oberkofler; 940, 944, 947 Wiechert

VI: 30, 31 Bloy
VII: 82 Disraeli; 122 Hardy; 323 Thoreau
VIII: 30 Gjellerup; 103 Heidenstam
X: 73 Greene; 109 Joyce; 134 Lewis, C. St.
XIII: 144 Henz; 411 Zollinger
S. a. Philosophische, Religiöse Romane

Wirtshaus-Romane

I: 200 Hauff; *398*, 354 Kurz, H.
III: 24 Baum; 57 Betsch; 194 Fech-
ter; 345 Hoster; 429 Kluge
V: 846 Strauß; 894 Vollmer
VI: 251 Verhaeren

VII: 35 Chesterton; 259 Crane
IX: 59 Dabit
X: 53 Forster; 301 Coolen
XI: 13 Bemelmans; 24 Bromfield;
199 Mac Cullers; 261 Runyon

Zeit- und Zeitgeschichtliche Romane

I: *35* Bleibtreu; *65*, 61 Conrad, M.
G.; *85*, 76 Eichendorff; *203, 207*, 178
Gutzkow *334*, 299 Immermann
II: *425–430*, *437*, 387, 390–393
Mann, H.; *439*, *446*, 400, 404 Mann,
Th.; *543*, 484 Rosegger; *606–609*,
549, 552 Spielhagen; 562 Stehr; *704*,
661 Wassermann
III: 4 Andreae; 7, 8 Andres; 24
Bauer, W.; 35 Benn; 59 Betzner; 86
Borchardt; 92 Braun, F.; 100, 101
Bredel; 111, 112 Broch; 119 Brües;
136 Carossa; 152 Döblin; 171, 172
Edschmid; 186–189 Fallada; 200,
201 Feuchtwanger; 203 Finckenstein
222 Frank, L.; 248 Glaeser; 249
Glas; 253 Gluth; 264 Graf
IV: 291, 292 Hamer; 306 Heiseler,
B.; 309 Heiseler, H.; 311 Helwig;
342 Horst; 375 Ihlenfeld; 397, 399
Kästner, Erich; 402 Kafka; 404
Kasack; 407 Keckeis; 409 Kenni-
cott; 449 Koeppen; 460 Kolben-
hoff; 462 Krämer-B.; 497 Lampe;
521 Lehmann, W.; 529 Lenz, H.;
545 Lothar; 546 Lübbe; 569 Meissin-
ger; 596 Molzahn; 602 Müller, B.;
603, 604 Müller, W.
V: 625, 626 Nabl; 650 Nossack; 657
Orthbandt; 664 Paquet; 680 Pohl;
698, 699 Reger; 701 Remarque; 713
Rinser; 723, 724 Roth, J.; 729 Sa-
lomon; 742, 743 Schallück; 744
Schaper; 786 Schreyvogl; 792
Schroers; 804 Seidel, I.; 810 Seidel,
W.; 826 Stahl; 830, 837 Stehr; 851
Strobach; 875 Tumler; 878 Ulitz;
887 Velsen; 894 Vollmer; 926 Wer-
fel; 933 Werner; 940, 944, 943
Wiechert; 958 Windthorst; 977
Ziersch; 976, 977 Zillich
VI: 88 Flaubert; 100 Furetière; 112
Gide; 166 Martin du Gard; 170, 173
Maupassant; 185 Murger; 186 Mus-
set; 215–217 Rolland; 234–239
Stendhal; 250 Valloton; 263–279
Zola; 306, 307, 308 Fogazzaro; 327
Alarcón
VII: 9, 11 Bennett; 30 Chaucer; 109
Galsworthy; 143 Marryat; 364 Teir-
linck
VIII: 23 Bang; 47 Knudsen; 51, 53
Pontoppidan; 64–85 Hamsun; 89
Kielland; 184 Gontscharow; 204
Hippius; 209 Korolenko; 246, 248
Puschkin; 267 Tolstoj, L.; 296, 297,
300 Turgenjew; 317 Prus; 347 Ne-
ruda; 348 Tavčar
IX: 8 Aymé; 17 Beauvoir; 34, 36
Brasillach; 65 Dorp; 89 Gheorghiu;
106 Giraudoux; 107 Govy; 140–143
Malraux; 189 Plisnier; 217 Romains;
239 Sartre; 255 Vercors; 267 Barto-
lini; 268 Berto; 287 Malaparte; 290
Montella; 296 Pavese; 312 Varè;

326 Azuela; 327 Barea; 342 Gironella
X: 12 Bridge; 53 Forster; 82–84 Han Suyin; 86 Hearne; 90 Hilton; 109 Joyce; 112 Isherwood; 117 Khushwant; 118 Knight; 121 Lanham; 189 O'Faolain; 206, 207 Priestley; 213 Rowdon; 220, 221 Sharp; 236 Stuart; 288 Boudier- B.; 291 Breedveld; 302 Depauw
XI: 15 Benaya; 20–22 Bristow; 23 –26 Bromfield; 35 Buck; 42 Burns; 51, 52 Caldwell, T.; 62 Chang; 66 Costain; 72–74 Dos Passos; 143 Hemingway; 152 Hersey; 188 Lin Youtang; 212 Michener; 216 Mitchell; 240, 241 Prokosch; 298 Sneider; 325 Stribling; 355–362 Wolfe, Th.; 368, 369 Yerby
XII: 43 Gunnarsson; 51 Laxness; 94 Hocl; 191 Tammsaare; 216, 217 Rachmanowa; 223 Saburowa; 232 Schmeljow; 237 Babel; 249 Fadejew; 251, 253 Fedin; 255 Furmanow; 256–258 Gladkow; 262 Grin, E.; 265 Inber; 266–268 Iwanow; 271 Katajew; 272–275 Kawerin; 276– 278 Leonow; 279, 281 Makarenko; 287, 289 Ostrowskij; 294 Pasternak; 296 Paustowskij; 301 Pilnjak; 305 Prischwin; 307 Schischkow; 310–313 Scholochow; 314, 315 Sejfullina; 325 Tolstoi, A. N.; 342 Choromanski; 345 Dombrowska; 353 Iwaskiewicz; 358 Mackiewlcz; 359 Milosz; 385, 386 Körmendi; 407, 408 Andrić
XIII: 1 Aichinger; 3 Altendorf; 6 Andersen; 13, 14 Bahl; 15, 16 Bauer, J. M.; 33 Besch; 36–42 Böll; 44 Bongs; 54 Brod; 65 Doderer; 71 Döblin; 74 Dor; 82 Eisenreich; 88 –90 Fallada; 91, 92 Feuchtwanger; 102 Friedenthal; 116 Goes; 118–120 Grass; 129 Gurk; 135 Hartlaub, G.; 137 Hartung; 145 Hermlin; 158 Hornstein; 159 Hubatius- H.; 162 Huelsenbeck; 167, 168 Ihlenfeld; 187 Kaufmann, H.; 194 Keun; 196–198 Kirst; 199 Klein-Haparash; 202 Kluge, A.; 216 Kroneberg; 224 Lange, Ho.; 225 Langner; 228 Lebert; 232 Le Fort; 236–239 Lenz, S.; 243 Lipinski- G.; 249 Lützkendorf; 251 Magiera; 255 Maschmann; 256 Meichsner; 264, 265 Moosdorf; 265 Mostar; 267 Mühlberger; 278 Neumann, A.; 287 Nossack; 297 Pohl; 307 Remarque; 317 Rüber; 321 Sahl; 339 Schroers; 344 Seghers; 346 Seidel, I.; 352 Stahl; 368 Torberg; 375 Ulitz; 390 Warsinsky; 393 Weidenheim; 409, 411 Zollinger; 413, 414 Zweig, A.; 415 Zwerenz
XIV: 23 Conchon; 24 Curtis; 34 Gascar; 38 Giraudoux; 73 Queneau; 76, 77 Robbe- Gr.; 77 Robles; 90, 91 Vailland; 94 Yacine; 99 Bassani; 101 Calvino; 112 Moravia; 127, 128 Vittorini; 140 Castellanos; 141 Cela; 144 Del Castillo; 163 Roa Bastos; 166 Sender; 175 Ribeiro; 189 Farrell; 194 Hartley; 196 Hughes, R. A.; 221 O'Faolain; 237 Spark; 251 Baldwin; 273 Goyen; 309 Porter; 314 Ruark; 330 West, N.; 338 Demedts; 360 Edquist; 372 Viita; 380 Dubow; 383 Iwanow; 384 Kiselew; 387 Lavrenev; 391 Nabokow; 400 Sklovskij; 401 Terz; 406 Andrzejewski; 408 Bronska- P.; 422 Bor; 423 Fuks; 426 Vančura; 442 Vaszary; 442 Wass; 457 Susić; 458 Canetti; 468 Prevelakis
S. a. Gesellschafts-, Historische (19. bis 20. Jahrhundert), Nachkriegs-, Zeitkritische Romane

Zeitkritische Romane

III: 87 Borchert; 192, 193 Fechter
IV: 405 Kasack; 618 Musil
V: 799, 800 Seghers; 977 Zillich
VI: 8–22 Balzac; 61 Des Périers; 65 Diderot; 184 Montesquieu; 199 Prévost; 200 Rabelais; 228, 229 Wells
VIII: 65, 66, 71, 73, 77, 79, 82 Hamsun; 121, 129, 130 Strindberg; 154 –168 Dostojewski; 191, 192, 198, 199 Gorki; 229 Leskow; 229, 231 Mamin-S.; 243 Pisjemskij; 314 Kraszewski; 339 Jókai
IX: 69 Duhamel; 73 Durtain; 81, 82 Gary; 298 Pratolini; 301–305 Silone;
X: 120 Koestler; 253 Waugh; 326 Morriën
XI: 165 Jones; 207 Marquand; 282 bis 292 Sinclair
XII: 136 Johnson, S.; 157 Siwertz; 239, 240 Dudinzew; 241 Ehrenburg; 250, 252 Fedin; 274, 275 Kawerin; 286 Olescha; 306 Romanow; 322 Sostschenko; 350, 351 Hlasko; 362 Nowakowski
XIII: 5–7 Andersch; 8 Andres; 20, 21 Baumgart; 23 Becher, U.; 24 Becker; 36–42 Böll; 47 Bosper; 51 Broch; 58 Cramer; 62 Dessauer; 72 Döblin; 76 Dürrenmatt; 106 Frisch; 112 Gaiser; 142, 143 Helwig; 151 Hohoff, C.; 155 Holthaus; 169, 171 Johnson, U.; 174 Jünger, F. G.; 195 Keun; 207 Koeppen; 211 Kornfeld; 245 Lorenzen; 252 Magiera; 253 Mann, K.; 263 Moor; 302 Reding; 322 Schallück; 327 Schirmbeck; 329 –332 Schmidt, A.; 335 Schnurre; 336 Scholz, H.; 341 Schroers; 342 Seewald; 362 Thelen; 371 Tumler; 400 Wiebe; 402–404 Wilk
XIV: 2 Aymé; 66 Peyrefitte; 99 Brancati; 117 Pavese; 134 Baroja y N.; 152, 153 Goytisolo, J.; 153 Goytisolo, L.; 158 Matute; 165 Salvador; 197 Huxley; 202 Lawrence; 262 Dos Passos; 374 Abramow; 375 Aksjonow; 382 Jewdokimow; 394 Pilnjak; 396 Rybakow; 401 Terz; 413 Hlasko; 437 Mészöly; 459 Caragiale
S. a. Gesellschaftskritische, Nachkriegs-, Sozialkritische, Zeit-Romane

Zigeuner-Romane

VI: 183 Mérimée
IX: 162, 163 Maximoff

XIV: 132 Aldecoa

Zirkus-Romane

I: *51*, 44 Brackel; *303*, 268 Holtei

XIV: 46 Kern

Zukunfts-Romane

III: 163 Dominik; 195 Fechter
IV: 388 Jünger, E.

VI: 257 Villiers
VII: 223–229 Wells

X: 91 Hoyle; 98, 102 Huxley; 134 –136 Lewis, C. St.; 225 Shute
XIII: 70 Döblin; 117 Graf; 330, 332 Schmidt, A.

XIV: 327 Wallace, I.; 329 West, M.; 436 Karinthy
S. a. Utopische Romane